汉译世界文学名著丛书

战争与和平

第三卷

〔俄〕列夫·托尔斯泰 著

张捷 译

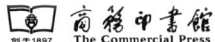

第三卷

第一部

一

从一八一一年年底起,西欧军队增加装备,集中起来,到一八一二年这支几百万人的大军(包括运输和管理伙食的人员)从西向东朝俄国边境推进,而俄国军队也正好从一八一一年起向那里集结。六月十二日,西欧军队越过俄国边界,战争开始了,也就是说,发生了违反人的理智和人的整个本性的事件。几百万人相互之间犯下了数不清的暴行,干了无数欺骗、背叛、盗窃、作假、发行伪币、抢劫、杀人放火的勾当,这些坏事世界上所有法庭几个世纪也收集不全,而当时干这些事的人却并不认为是罪行。

是什么引起这个非常事件的?它有哪些原因?历史学家以天真的自信说,这个事件发生的原因是奥尔登堡公爵的受欺负、大陆封锁令的没有得到遵守[①]、拿破仑的野心、亚历山大的坚定、外

[①] 拿破仑为了从经济上打击英国,于一八〇六年颁布法令,禁止大陆各国与英国通商,但是欧洲一些国家,包括俄国在内,出于自身的经济利益,常常不遵守这个命令。

交官们的错误等等。

因此，只要梅特涅①、鲁缅采夫或塔列兰②在早朝和晚会之间努力把文件起草得巧妙些，或者拿破仑写信给亚历山大：仁兄大人鉴：我同意把公国交还给奥尔登堡公爵，就不会发生战争了。

当时人们把事情看成这样是可以理解的。拿破仑觉得战争的起因是英国的阴谋（他后来在圣赫勒拿岛③上曾这样说过）；英国国会的议员们觉得战争的起因是拿破仑的野心；奥尔登堡公爵觉得战争的起因是对他使用了暴力；商人们觉得战争的起因是破坏了欧洲经济的大陆封锁令；年老的士兵们和将军们认为战争的主要原因是需要利用他们去打仗；当时的正统派觉得是因为必须恢复好的原则④；而当时的外交官则认为一切都是由于一八〇九年的俄奥联盟没有能巧妙地瞒过拿破仑⑤第一七八号备忘录措辞不当造成的。此外，由于人们观点具有无数的差异，还提出了无可胜数的原因，当时人们有这些看法，都是可以理解的；但是我们后代人洞察了所发生的事件的整个巨大规模，深入理解了它的简单而又可怕的意义，便觉得上述这些原因不充分了。对我们来说不可理解的是，几百万基督徒互相残杀和折磨，竟然只是因为拿破仑有野心、亚历山大坚定、英国的政策狡猾和奥尔登堡公爵受了欺

---

① 梅特涅（一七七三至一八五九年），奥地利政治家，曾任外交大臣和首相。
② 塔列兰（一七五四至一八三八年），曾任法国外交大臣。
③ 拿破仑于一八一五年第二次退位后被流放到圣赫勒拿岛，并病逝于该地。
④ 正统派指法国历史上波旁王朝长系的拥护者，好的原则指恢复波旁王朝统治的思想。
⑤ 一八〇九年四月奥地利在和法国开战前夕，曾和俄国通过秘密会谈达成协议，俄国承诺保持中立。

负，也无法理解这些情况与杀人和使用暴力的事实本身之间有什么样的联系；不理解为什么由于公爵受了欺负，成千上万的人从欧洲的另一边前来残杀和掠夺斯摩棱斯克省和莫斯科省的人，同时他们也被这些地方的人杀死。

我们后代人，这里说的不是历史学家，并不对探究的过程感兴趣，而是用清晰健全的理智来考察事件，认为它有无数的原因。我们愈是深入探究原因，我们看到的原因就愈多，而且觉得任何一个单独的原因或其中的一系列原因都是同样的正确的，同时，这些原因由于与事件的巨大规模相比显得微不足道，又是同样的错误的；由于不能在没有其他各种原因参与的情况下引起所发生的事件，也是同样的错误的。我们觉得一个法国军士愿意不愿意服第二期兵役，如同拿破仑拒绝把军队撤回维斯瓦河对岸和交还奥尔登堡公国一样，就是这样的原因，因为如果这个军士不愿服役，并且第二个、第三个和第一千个军士和士兵也都不愿意的话，那么拿破仑的军队里就会减少这么多人，仗也就打不起来了。

如果拿破仑不因要他撤回维斯瓦河对岸的要求而恼怒，不下令进攻的话，就不会有战争；但是如果所有军士不愿服第二期兵役，战争也不可能发生。同样，如果英国不要阴谋，如果没有奥尔登堡公爵这个人，如果亚历山大没有受侮辱的感觉，如果俄国没有专制政权，如果没有发生法国革命，没有随后的专政和帝制以及产生法国革命的一切，等等，也不会发生战争。缺了这些原因中的任何一个，什么事也不会有。这么说来，所有这些原因——有好几十亿个——同时出现就是为了引起所发生的这件事。因此无论什么都不是引起事件的独一无二的原因，这事件之所以发生，只是因为它必定要发生。千百万人必定会抛弃人的感情和理智，从西方到东方去杀自己的同类，正如几个世纪前大群的人从东方到西方去杀自己的同类一样。

事件发生或者不发生，看起来似乎取决于拿破仑和亚历山大的一句话，实际上他们的行动像每一个根据抽签或被招募去出征的士兵的行动一样，也很少是随心所欲的。之所以不得不这样，是由于如使拿破仑和亚历山大（事件看起来似乎决定于他们）的意志得到实现，必须同时有无数的条件，缺了其中一个，事件就不可能发生。必须使千百万手中掌握着实际力量的人，那些打枪打炮、运送粮草和大炮的士兵同意执行单个的和软弱无力的人的意志，并在无数复杂的和各种各样的原因的推动下行动起来。

对解释不合理现象（即我们不理解其合理性的现象）来说，历史宿命论是不可避免的。我们愈是努力想要合理地解释历史上的这些现象，它们对我们来说就变得愈不合理和愈不可理解。

每一个人都是为自己而生活的，他利用自由来达到自己个人的目的，整个身心都感觉到他现在能够采取或不采取某个行动；但是一旦他做了，这个在一定时间完成的行动就变得无法挽回，成为历史的一部分，它在历史上的意义不是自由确定的，而是预先决定了的。

每个人的生活有两个方面：个人的私生活和天然的、群体的生活。前一种生活的需要愈抽象，就愈自由；在后一种生活之中必然要遵循给他规定的规则。

人自觉地为自己生活，但是却充当达到历史的、全人类的目标的不自觉的工具。完成的行动是无法挽回的，他的行为与别的人同时发生的千百万个行为在一起，就会具有历史意义。人在社会阶梯上站得愈高,他联系的人愈多,他对别人的权力就愈大,他的每个行动的预先决定性和必然性就愈明显。

"帝王的心掌握在上帝手中。"

帝王是历史的奴隶。

历史,即人类的不自觉的、共同的、群体的生活,利用帝王生活的每一分钟作为达到自己目标的工具。

现在,在一八一二年,虽然拿破仑觉得本国人民流血不流血的问题比任何时候都更取决于他(如同亚历山大给他的最后一封信里所说的那样),但是他现在比任何时候都更受必然规律的支配,这些规律迫使他(他自以为是按照自己的意愿行动的)为了共同的事业,为了历史,做那必定要发生的事。

西方的人向东方推进是为了相互残杀。根据各种原因同时存在的规律,促使这次进军和引起战争的几千个细小的原因自然而然地进行融合,并与这事件同时出现,这些原因是:指责不遵守大陆封锁令,奥尔登堡公爵受欺负,军队开进普鲁士[①],拿破仑觉得这只是为了用武力争取和平,这位法国皇帝对战争的爱好和习惯符合他的臣民的愿望,热衷于大规模备战,备战花费很大,需要获取利益来弥补这些开支,在德累斯顿举行令人陶醉的庆典[②],进行各种外交谈判,根据同时代人的看法,这是带着真诚希望和平的愿望举行的,结果却伤了双方的自尊心,此外还有几百万个

---

① 一八一二年四月法军渡过奥得河进入普鲁士。

② 一八一二年五月初,拿破仑在德累斯顿会见奥地利皇帝和普鲁士国王,举行了盛大的庆典。

配合要发生的事件并与它同时出现的其他原因。

苹果熟了就落下来——它为什么落下来？是由于地心引力，是由于果柄干枯，是由于被太阳晒干了，或是分量变重了，风吹动了它，是由于站在树下的男孩子想要吃它？

这都不是原因。所有这一切只是生命、有机体和自然力发生的任何事件所需条件在时间上的重合。如果一个植物学家发现苹果落下来是由于细胞组织腐烂等等，那么他像那个站在树下，说苹果落下来是由于他想吃并做了祷告的孩子一样，说得对，又说得不对。如果有人说拿破仑进军莫斯科，是因为他想那么做；他之所以灭亡，是因为亚历山大要他灭亡，这样说，也对也不对；同样，如果有人说一座重达一百万普特的挖空了的山之所以坍下来是由于最后一个工人在它下面最后用镐刨了一下，这也说得又对又不对。在历史事件中，所谓的伟大人物只是贴在事件上表示它的名称的标签，他们像标签一样，与事件最无联系。

他们自以为他们的每一个行动是按照自己的意愿采取的，而从历史的角度来看，这行动是不由自主地产生的，与整个历史进程相联系，而且在无限长的时间之前已被决定了。

二

五月二十九日[①]，拿破仑离开了德累斯顿，他在那里逗留了三

---

① 此处用的是新历，按旧历应为五月十七日。

个星期,一直为亲王、公爵、国王们所包围,不离他左右的甚至还有一个皇帝。拿破仑在行前亲切地安抚了应受表彰的亲王和国王以及那位皇帝,申斥了他不大满意的国王和亲王,把自己的,也就是从别的国王那里抢来的珍珠和钻石赠送给奥地利皇后,并且如同他的一个历史学家①所说的那样,亲热地拥抱了玛丽亚·路易莎皇后,她和他分手时似乎感到难以忍受的悲痛,这位玛丽亚·路易莎被认为是拿破仑的妻子,殊不知他在巴黎另有一位皇后。尽管外交官们还坚决相信实现和平的可能性,并且为达到这个目的勤奋地工作着;尽管拿破仑皇帝亲笔给亚历山大皇帝写信,称他为仁兄大人,并且真诚地表示不希望战争和将永远敬爱他——尽管如此,他赶往军中,每到一站就发布新的命令,其目的是催促军队从西向东推进。他乘坐一辆六匹马拉的旅行马车,在少年侍从、副官和卫队的簇拥下,沿着通往波森②、托伦、但泽③、柯尼斯堡④的大道前进。在上述每个城市里,都有成千上万的人激动地和兴高采烈地迎接他。

部队在自西向东推进,他坐着六匹到站就换的马拉的车也朝那个方向走。六月十日,他赶上了部队,在维尔科维斯森林一个波兰伯爵的庄园里为他准备的住处宿夜。

第二天,拿破仑坐着马车赶到部队前头,来到涅曼河边,换上了波兰制服到岸边察看过河的地点。

拿破仑看到对岸的哥萨克(les Cosaques)和展现在眼前的草

---

① 例如梯也尔在《执政府和帝国时代的历史》中曾这样说。
② 波森,今波兰的波兹南。
③ 但泽,今波兰的格但斯克。
④ 柯尼斯堡,今俄罗斯的加里宁格勒。

原（les Steppes），在它的中央是圣城莫斯科，这是类似马其顿国王亚历山大①出征过的斯基泰国②那样的国家的京城——他出乎所有人的意料，既违背战略意图又不合外交上的考虑，下令发起进攻，第二天他的部队开始横渡涅曼河。

十二日清晨，他走出这一天搭在陡峭的涅曼河左岸上的帐篷，用望远镜观看从维尔科维斯森林出来拥上涅曼河上三座浮桥的部队。部队知道皇帝在场，便用目光寻找他，当人们看见山丘上帐篷前有一个穿着常礼服、戴着帽子的人离开侍从站着时，便摘下帽子往上抛，欢呼道："皇帝万岁！"他们川流不息地从他们隐蔽的大森林拥出来，分散到三座桥上，到河的对岸去。

"这一下可要走一阵了！噢！他亲自出马，事情就干起来了。真的……这就是他……皇帝万岁！瞧，那就是亚细亚草原……不过是一个令人讨厌的国家。再见了，博舍；我把莫斯科最好的官殿留给你。再见了！祝你好运……看见皇帝了吗？皇帝万岁！……如果让我当印度总督，热拉尔，我一定派你当克什米尔大臣，就这么决定了。皇帝万岁！万岁！万岁！万岁！这些哥萨克坏蛋，他们大概溜了。皇帝万岁！这就是他！你看见了吗？我看见过他两次，就像现在看见你一样。一个矮小的军士……我见过他给一个老头戴十字章……皇帝万岁！"年老的和年轻的、性格各异和社会地位不同的人这样谈论着。在所有人的脸上有一种共同的表情，可以看出他们

---

① 马其顿国王亚历山大，史称亚历山大大帝（公元前三五六至前三二三年），以武功著称，曾征服当时欧洲人已知世界的大部分。
② 斯基泰人，亦称西徐亚人，为古老的游牧民族，曾在黑海北部沿岸定居，建立斯基泰国。

为盼望已久的出征的开始而感到高兴，对那个穿着灰色常礼服站在山上的人满腔热情和忠心耿耿。

六月十三日，给拿破仑牵来了一匹不大的纯种阿拉伯马，他骑上后奔向涅曼河上的一座桥，沿途不断听到震耳欲聋的欢呼声，他之所以耐心听着，只是因为无法禁止人们用这样的叫喊声来表达对他的爱；但是这些到处都伴随着他的喊声妨碍着他，使他不能专心致志地考虑他同部队会合后一直牵挂着的作战问题。他上了一座架在船上的摇摇晃晃的桥到了对岸，向左急转弯，朝科夫诺①的方向奔驰起来，前面有陶醉于幸福之中的近卫猎骑兵兴高采烈地为他开路。他在到达宽阔的维利亚河边时，在驻扎于河边的一个波兰枪骑兵团的营地旁停住了。

"万岁！"波兰人也欢呼着，他们乱了队形，相互挤压着，只是为了想看看他。拿破仑察看了这条河，下了马，在河边的一根圆木上坐下。他没有说话，身旁的人根据他的手势递给他望远镜，他把它架在一个高高兴兴地跑过来的少年侍从的背上，开始观察对岸。然后他埋头看一张摊开在圆木上的地图。他头也不抬地说了些什么，两个副官就骑马跑到波兰枪骑兵那里去了。

"什么？他说了什么？"当一个副官到了波兰枪骑兵跟前时，他们的队伍里有人这样问。

副官传达了找一个浅滩涉水过河的命令。波兰的枪骑兵上校是一个仪表堂堂的老人，他脸涨得通红，激动得颠三倒四地问副官，能不能允许他带着部下的枪骑兵不去寻找浅滩，而是泅渡过

---

① 科夫诺，今立陶宛的考纳斯。

河。显然他害怕遭到拒绝,像一个孩子请求允许骑马一样,恳求准许他在皇帝面前泅水而过。副官说,皇帝大概是不会对这种过分热心的表现表示不满的。

副官刚说完,这个留着小胡子的老军官脸上露出幸福的表情,两眼闪闪发亮,他举起马刀,喊了一声"万岁!",命令枪骑兵们跟着他,用马刺刺了一下马,朝河边驰去。他恶狠狠地刺了一下迟疑不前的坐骑,扑通一声进入水中,朝水深的急流泅去。几百个枪骑兵跟在他后面。在河中心的急流中又冷又可怕。枪骑兵们你抓住我,我抓住你,不时从马上掉下来,几匹马沉没了,有的人也沉没了,其余的人有的坐在马鞍上,有的人抓住马鬃使劲地游着。他们竭力想游到对岸去,虽然在半俄里以外有渡船和浮桥,但是他们仍然以在那个坐在圆木上甚至没有看他们在做什么的人眼前泅渡和淹死在这条河里而自豪。当回来的副官找到一个合适的机会请皇帝注意看一下波兰人对他表示的忠心时,这个穿灰色常礼服的矮小的人站起身来,把贝蒂埃①叫到身边,和他一起在岸边来回走动起来,给他下各种命令,偶尔不满地看看那些分散他的注意力的快要淹死的枪骑兵。

他深信,在世界各地,从非洲到莫斯科维亚②的草原,只要他在场,都会同样地使人惊呆,陷入忘我的狂热之中,这对他来说已不新鲜了。他吩咐给他牵过马来,然后翻身上马回自己的驻地去了。

---

① 贝蒂埃(一七五三至一八一五年),法国元帅,一八一二至一八一四年任法军总参谋长。
② 莫斯科维亚是西欧人对莫斯科公国的称呼,后用作俄国的通称。

虽然派了船去搭救,仍有四十名枪骑兵淹死在河里。大多数人回到了这边岸上。上校和几个人过了河,吃力地爬上了对岸。但是他刚上了岸,身上的脏衣服还在淌着水,就高呼起"万岁"来,兴奋地望着拿破仑站的地方,但这时拿破仑已经不在那里了,可是他们依然觉得自己很幸福。

晚上,拿破仑在发布两道命令之间——一道要求尽快把俄国伪钞运来,以便拿到俄国使用,另一道是枪毙一个撒克逊人,因为从他身上搜出的一封信中有关于给法国军队下达的命令的情报——发布了第三道命令,把那个毫无必要地跳进河中的上校列入拿破仑自任团长的荣誉勋位团(Legion d'honneur)名册。

要谁灭亡,先让他失去理智。①

三

俄国皇帝这时已在维尔纳②住了一个月。在那里检阅部队和举行演习。大家都预料会发生战争,但是一点准备也没有做,皇帝就是为战争做准备而从彼得堡到此地来的。没有总的行动计划。在提出的计划中应当采纳哪一个,本来就犹豫不决,而皇帝在总部待了一个月后,更拿不定主意了。三支军队各有各的总司令③,

---

① 原文为拉丁文。
② 维尔纳,波兰语为维尔诺,今立陶宛的维尔纽斯。
③ 当时第一军由巴克莱·德·托利指挥,第二军的指挥官为巴格拉季翁,第三军则由骑兵上将托尔马索夫统率。

没有统率全军的总指挥，皇帝本人也没有担任这个职务。

皇帝在维尔纳住的时间愈长，大家对战争的准备就愈少，因为已等得厌倦了。皇帝周围的人看来一心只想让他日子过得轻松愉快，忘掉即将来临的战争。

六月间，在波兰达官贵人、近臣和皇上本人举行了一系列舞会和庆祝活动后，皇上的一个波兰侍从将军产生了一个念头，想以所有侍从将军的名义为皇上举行一次宴会和舞会。这个主意被所有人高兴地采纳了。皇上表示同意。于是侍从将军们人人都捐了钱。请皇上最喜欢的女人来当舞会的女主人。维尔纳省地主本尼格森伯爵主动提出把他城外的别墅扎克列特作为举行这次活动的地点，于是决定六月十三日在那里举行宴会和舞会，还有划船、放焰火等活动。

就在拿破仑发布渡过涅曼河，他的先头部队逼迫哥萨克后退、越过俄国边界的那一天，亚历山大在本尼格森的别墅里度过夜晚，参加了侍从将军们举行的宴会。

这次活动办得很出色，大家都很快活；行家们说，这么多美人集中在一个地方是很少见的。别祖霍娃伯爵夫人和别的俄国贵妇人一起跟随皇上从彼得堡来到了维尔纳，参加了这次舞会，以其所谓厚实的俄罗斯美压倒了秀媚的波兰贵妇人。她引起人们的注意，皇上和她跳了舞。

鲍里斯·德鲁别茨科依把妻子留在莫斯科，照他自己的说法，现在是作为一个未婚男子（单身汉）参加舞会的，虽说他不是侍从将军，但也为举办舞会出了一大笔钱。鲍里斯现在是一个深受敬重的富翁，不必寻求庇护了，已经和自己的同龄人当中地位最高的人平起平坐了。

到夜里十二点还在跳舞。埃莱娜因无适当的舞伴,主动提出要与鲍里斯跳马祖尔卡舞。他们是第三对。鲍里斯不时冷漠地看看埃莱娜那从绣金的深色薄纱衣服里露出来的丰腴漂亮的双肩,对她讲老熟人的情况,同时一刻不停地观察着在同一个大厅里的皇上,这一点他自己和别人都没有觉察到。皇上没有跳舞;他站在门口,时而叫住这一对,时而叫住那一对,对他们说一些只有他一个人才会说的亲切的话。

在马祖尔卡舞刚开始时,鲍里斯看到皇上最宠信的臣子之一——侍从将军巴拉绍夫①走到他跟前,违反宫廷的规矩在靠近皇上的地方站住了,这时皇上正在和一个波兰贵妇人说话。皇上和那位夫人说完话后,用疑问的目光看了一眼,大概明白了巴拉绍夫这样做一定是因为有重要的事,便朝那位夫人微微点点头,朝巴拉绍夫转过身来。巴拉绍夫一开始说话,皇上脸上就露出惊奇的表情。他挽起巴拉绍夫的手臂,和他一起穿过大厅,使得他面前的人不知不觉地让出一条宽三俄丈左右的宽阔的通道。鲍里斯注意到,当皇上和巴拉绍夫一起走过时,阿拉克切耶夫脸上出现了激动不安的表情。他皱着眉头看着皇上,红鼻子不时发出呼哧声,从人群里出来,仿佛在等待皇上朝他转过头来。(鲍里斯看出阿拉克切耶夫嫉妒巴拉绍夫,对这个显然是很重要的消息不通过他奏闻皇上很不满意。)

但是皇上和巴拉绍夫没有注意阿拉克切耶夫就过去了,出了

---

① 巴拉绍夫(一七七〇至一八三七年),一八一〇年被任命为警察总监。

门到了挂着灯笼的花园里。阿拉克切耶夫用手按住佩剑,恼怒地朝自己周围张望着,在离他们二十来步的地方跟着走了一阵。

鲍里斯一面继续跳着马祖尔卡舞,一面心里苦苦地思索着巴拉绍夫带来的是什么消息,如何能先于别人打听到。

在跳到那个他需要选择舞伴的舞步时,他低声对埃莱娜说,他想选那个似乎已到阳台上去了的波托茨卡娅伯爵夫人,说完在镶木地板上滑着,朝通向花园的门跑去,突然这时看见皇上和巴拉绍夫正要上阳台,便站住了。皇上和巴拉绍夫朝门口走来。鲍里斯忙乱起来,仿佛来不及让开一样,恭恭敬敬地靠在门框上,低下头。

皇上觉得他个人受了侮辱,激动地说着还没说完的话。

"不宣战就进入了俄国。我只有在武装的敌人一个不留地撤出我的国土的情况下才讲和。"他说。鲍里斯觉得,皇上说这几句话时心里很痛快,对自己表达思想的方式很满意,但是发现鲍里斯听见了他的话,又感到不满。

"这事绝对不能让任何人知道!"皇上皱起眉头加了一句。鲍里斯明白这是针对他说的,便闭上眼睛,稍稍垂下脑袋。皇上又进了大厅,在舞会上又待了大约半个小时。

鲍里斯第一个知道了法国军队过了涅曼河的消息,这样他就可以向某些重要人物显示他常常能知道许多鲜为人知的事,以此抬高自己在这些人眼中的地位。

法国人过了涅曼河的出人意料的消息,在白白等了一个月以后才传来,而且又是在舞会上接到的,这就更显得特别出人意料!皇上在接到消息的最初一刻,由于愤怒和觉得受了侮辱,说出了一句后来成为名言的话,他自己很欣赏这句话,而且这句话完全表达了他的感情。皇上从舞会上回家后,夜里两点钟派人把国务大臣希什科夫①找来,吩咐他起草给部队的命令和给萨尔蒂科夫元帅的谕旨,要求在其中一定要写上他说的只要有一个武装的法国人留在俄罗斯土地上他决不讲和这句话。

第二天给拿破仑写了以下的信。

> 仁兄大人鉴:昨天我获悉,尽管我忠实地履行我对陛下承担的义务,您的军队仍越过了俄国边境,直到现在才接到从彼得堡转来的照会,洛里斯东伯爵②用照会的话就这次入侵对我说,自从库拉金公爵③要求发给出境签证之时起,陛下就认为与我处于敌对状态。巴萨诺公爵④用以说明拒发签证的理由永远不会使我想到,我的大使的行为会成为发动进攻的借口。如同他本人所宣称的那样,他确实不是奉我之命提出要求的;我一获悉此事,立即对库拉金公爵表示不满,命令他照常履行自己的职责。如果陛下不愿因此种误会让我们的

---

① 希什科夫(一七五四至一八四一年),海军上将,作家,俄罗斯科学院院士,一八一二年四月取代斯佩兰斯基任国务大臣,战争期间各种上谕和告居民书都出自他的手笔。

② 洛里斯东伯爵(亚历山大-雅克-贝尔纳·劳,一七六八至一八二八年),法国政治家和外交家,当时任法驻俄大使。

③ 库拉金(一七五二至一八一八年),当时任俄驻法大使,因与法谈判关于法军撤出普鲁士一事无结果,要求发给他和使馆人员出境的签证。

④ 巴萨诺公爵(居克·贝纳德-马雷,一七六三至一八三九年),当时任法国外交大臣。

臣民流血，如果您同意从俄国领土撤出自己的军队，那么我将对发生的事不加计较，我们之间的和解还是可能的。否则，我将被迫反击并不是由我方挑起的进攻。陛下，现在还有可能使人类免于遭受新的战争的灾难。

亚历山大（签名）

四

六月十三日夜里两点，皇上召见巴拉绍夫，把他写给拿破仑的信读给巴拉绍夫听，然后命令他把这封信亲自送交法国皇帝。在派遣巴拉绍夫去送信时，皇上又一次重复了他说过的只要还有一个武装的敌人留在俄国土地上他就不讲和这句话，命令他**务必**把它传达给拿破仑。皇上在信中没有写这句话，因为他讲究分寸，觉得还在做最后的和解的尝试时写上这句话是不合适的；但是他命令巴拉绍夫务必把这句话告诉给拿破仑本人。

巴拉绍夫由一名号手和两个哥萨克陪同在六月十三日夜里出发，黎明前到了法军在涅曼河此岸的前哨阵地雷康特村。他被法军骑哨拦住了。

一个身穿深红色制服、头戴皮帽的法国骠骑兵军士朝逐渐靠近的巴拉绍夫喊了一声，命令他停住。巴拉绍夫没有立刻勒住马，而是继续慢步前进。

军士皱起眉头，嘟嘟囔囔地骂了一句，骑马过来挡住巴拉绍夫，握住马刀，粗鲁地朝这位俄国将军喊了一声，问他是不是耳朵聋了，怎么听不见有人对他说话。巴拉绍夫说了自己的姓名和身份。军士便派一个士兵去找军官。

军士不理睬巴拉绍夫，开始和同伴们讲自己团里的事，对这个俄国将军连看都没有看一眼。

巴拉绍夫平常接近最高当局和有权势的人，三个小时前还和皇上谈过话，在自己的职位上通常习惯于受人尊重，如今在这里，在俄国的土地上，有人居然粗暴无礼地对他采取敌视的、主要是不尊重的态度，他感到非常奇怪。

太阳刚从云层中升起来；空气清新，充满露水。一群牲口从村里赶出来，在大路上走着。在田野里，云雀像水里冒出的气泡似的，一只接着一只扑棱一声飞了起来。

巴拉绍夫望着自己的周围，等待军官从村里来。陪同的俄国哥萨克和号手偶尔同法国骠骑兵默默地相互看一眼。

法国骠骑兵上校看来刚从床上起来，他骑着一匹喂得饱饱的漂亮的灰马，带着两个骠骑兵从村子里出来。无论是军官、士兵还是他们的马，都有一种得意的和自我炫耀的神气。

这是在战争的初期，部队还完好无损，进行的是几乎与检阅相似的和平活动，只不过像开战之初常见的那样，服装整齐威武，情绪很高，士气旺盛。

这个法国上校好容易忍住呵欠，但是很有礼貌，看来他明白巴拉绍夫负有重大使命。他带着俄国将军经过自己的士兵身旁到了散兵线后面，对他说，他的愿望大概会立即实现，因为据他所知，皇上的驻跸地离此不远。

他们经过了雷康特村，经过了法国骠骑兵的拴马桩，经过了给自己的上校行礼和好奇地观察俄国制服的哨兵和士兵,来到村子的另一边。上校说,师长就在两公里以外,他将接待巴拉绍夫,并送他到要去的地方。

太阳已经升起来了,欢乐的阳光普照着碧绿的原野。

他们经过一家小酒店正要上山,就看见一队骑马的人从山脚朝他们迎面过来,为首的是一个骑着一匹黑马的高个子,马具在阳光下闪闪发亮,他头戴一顶带羽饰的帽子,黑色的鬈发垂到肩上,身上披着红色斗篷,两条长腿照法国人骑马的姿势向前伸出。此人策马朝巴拉绍夫奔驰过来,他头上的羽饰迎风飘动,身上的宝石和金饰在六月灿烂的阳光下熠熠生辉。

巴拉绍夫到了离开那个向他奔驰过来的戴着手镯和项链、帽子上插着羽毛、衣服带有金饰、脸上露出矫揉造作的得意洋洋的表情的骑手两匹马远的地方,这时法国上校朱尔内恭恭敬敬地低声说:"这是那不勒斯王。"① 确实这是现在被称为那不勒斯王的缪拉。虽然完全不明白他为什么是那不勒斯王,但是人们都这样称呼他,他自己也对此深信不疑,因此摆出比以前更加得意洋洋和傲慢的样子。他深信他确实是那不勒斯王,在离开那不勒斯的前夜和妻子一起在那不勒斯街头漫步时,几个意大利人向他高呼:"国王万岁!"② 他听了带着忧郁的微笑回头对夫人说:"可怜的人们,他们不知道明天我就要离开他们!"

尽管他坚信自己就是那不勒斯王,尽管他对他扔下的臣民们

---

① 缪拉于一八〇八年被封为那不勒斯王。
② 原文为意大利文。

的悲伤表示同情，但是后来在他奉命重新回到军队服役后，尤其是拿破仑在但泽会见他并对这位妹夫①说"我封你为王，是为了让你不照自己的方式，而照我的方式来统治"后，他高兴地重操旧业，像一匹喂足了草料，但还不甚肥胖的马一样，感到已被套上了车，便拉着车辕戏耍起来，身上穿得尽可能漂亮和贵重些，高高兴兴和心满意足地沿着波兰的道路奔跑，自己也不知道上哪里去和干什么。

他看见俄国将军，便摆出国王的样子，庄严地仰起留着垂肩鬈发的脑袋，用疑问的目光看了看法国上校。上校恭恭敬敬向国王陛下报告了巴拉绍夫的使命，可是说不清他的姓氏。

"德·巴尔-马舍夫！"缪拉说（他果断地说出了上校觉得说不清的名字），"同您认识非常高兴，将军。"他又摆出国王的宽宏的姿态补充了一句。而当他一开始很快地大声说话时，他的国王的尊严立刻消失了，不知不觉地改用惯常的温和亲热的语气。他把一只手放到巴拉绍夫的马的脖子上。

"怎么样，将军，看来似乎要打仗了。"他说，仿佛为他无法加以判断的局势表示遗憾似的。

"陛下，"巴拉绍夫回答说，"俄国皇帝不愿打仗，这一点陛下是看到的。"巴拉绍夫说，他一口一个"陛下"，对一个听到这个称号还觉得新鲜的人说话时这样频频称他"陛下"，不免有些不很自然。

缪拉在听巴拉绍夫先生说话时，脸上带着傻乎乎的满意的表

---

① 拿破仑把自己的小妹卡罗利娜许配给缪拉为妻。

情。但是国王有其本身的职责,他觉得自己作为一个国王和盟友,有必要与亚历山大的使臣谈谈国家大事。他下了马,挽起巴拉绍夫的手臂,离开恭恭敬敬地等待着的侍从们几步,开始和他一起来回踱步,竭力想谈点重要的事。他提到拿破仑皇帝因俄国要求他把军队撤出普鲁士感到受了侮辱,尤其是现在,这个要求已众所周知,有损于法国的尊严。巴拉绍夫说,在这个要求中没有任何侮辱人的地方,因为……。缪拉打断了他的话。

"那么您认为发动战争的不是亚历山大皇帝?"他说,脸上突然露出温和的傻笑。

巴拉绍夫解释说,为什么他确实认为战争的发动者是拿破仑。

"唉,亲爱的将军,"缪拉又一次打断他的话,"我衷心希望两位皇帝之间能达成和解,使违背我的意愿的战争尽早结束。"他仿佛用奴仆之间谈话的口气说话,尽管主人们在争吵,但是他们希望仍然是朋友。接着他话题一转,问起亲王的情况,问他身体可好,回忆了和他一起在那不勒斯度过的快乐和有趣的日子。然后缪拉仿佛突然想起了自己的国王的尊严,庄重地伸直身子,摆出加冕时的姿势,挥动右手说:"我不再耽搁您了,将军;祝您顺利完成您的使命。"说完便抖动着红色绣花斗篷和帽上的羽饰,身上的宝石闪闪发亮,朝恭恭敬敬地等候着他的侍从走去。

巴拉绍夫继续往前走,根据缪拉的话猜想他很快就能见到拿破仑本人。但是他并没有很快见到拿破仑,在到下一个村子附近时,像在前沿阵地的散兵线上一样,达武[①]的步兵军的哨兵

[①] 达武(一七七〇至一八二三年),法国元帅,军团长。

又把他拦住了,他们找来的军长的副官把他带到村子里去见达武元帅。

五

达武是拿破仑皇帝手下阿拉克切耶夫之类的人物,不像阿拉克切耶夫那样胆小,但是和他一样的勤奋、残忍,而且只会用残忍来表现自己的忠诚。

在国家的机体中需要有这样的人,如同自然界需要有狼一样,不管这样的人的存在以及他们与政府首脑的亲近显得多么不合适,他们任何时候都是有的,任何时候都会出现,而且总能保住自己的地位。只有这种必然性才能解释为什么残忍的、亲手扯掉掷弹兵胡子的、神经衰弱经受不了危险的、没有教养和不是皇亲国戚的阿拉克切耶夫能在骑士般高尚的和性格温和的亚历山大手下保有那么大的权力。

巴拉绍夫看见达武元帅时,他正坐在农民的棚屋里的一个木桶上记什么(他在核对账目)。副官站在他身旁。本来可以找到一个好一些的住所,但是达武元帅属于这样一种人,他们有意把自己置于最阴暗的生活环境中,以便使自己有权摆出阴沉沉的样子。他们为了同一目的,总是急于干这干那,一刻不停。"你们瞧,我坐在肮脏的棚屋里的木桶上工作,怎能考虑人的生活中幸福的一面呢?"他脸上的表情似乎在这样说。这些人的主要乐趣和需求在于:一旦生活变得活跃起来时,他们就面对着它一个劲儿地搞阴暗的活动。当人们带着巴拉绍夫来见他时，达武就让自己享受这种乐趣。俄国将军进来后，他更加埋头于自己的工作，只透过眼镜朝巴拉绍夫那张在美好的早晨以及与缪拉的谈话影响下容光焕发的脸看了一眼，没有站起来，甚至没有动一下，眉头皱得更紧了，恶狠狠地笑了笑。

达武从巴拉绍夫脸上看出这样的接待所产生的不愉快印象后，抬起头，冷冷地问他来干什么。

巴拉绍夫猜想，达武之所以这样接待他，只是因为不知道他是亚历山大皇帝的侍从将军，甚至是皇上派来见拿破仑的代表，他急忙说出了自己的官衔和使命。与他的期望相反，达武听完他的话后，变得更加严厉和粗鲁了。

"您的公文在哪里？"他说，"交给我，由我来转呈给皇上。"

巴拉绍夫说，我奉命把公文亲自面呈法国皇帝。

"您的皇帝的命令只在你们军队里行得通，"达武说，"而在这里，叫您做什么，您就应该做什么。"

仿佛是为了让这位俄国将军更加感觉到现在他受粗暴力量的支配，达武派副官去叫值班军官。

巴拉绍夫取出装有皇上的信的信封，把它放在桌上（这张桌子其实是搭在两个小木桶上的一块门板，上面还支棱着扯断的合页）。达武拿起信封，读了上面收件人的姓名。

"您完全有权尊重我或不尊重我，"巴拉绍夫说，"但是我要提请您注意，我荣幸地担任皇帝陛下的侍从将军……"

达武默默地朝他看了一眼，看来巴拉绍夫脸上表现出的激动和不安使他感到很高兴。

"您将受到应有的对待。"他说,把信封放进口袋里,出了棚屋。

过了一会儿,元帅的副官卡斯特雷先生进来了,他带巴拉绍夫到为他准备的住所去。

这一天巴拉绍夫与元帅一起就在那个棚屋里的那块搭在木桶上的门板上吃饭。

第二天达武大清早就要出去,他把巴拉绍夫请来,非常严肃地对他说,请他留在这里,如接到命令,就和行李一起走,除了卡斯特雷先生外,不要和任何人说话。

巴拉绍夫过了四天孤独而寂寞的生活,充分意识到了受制于人和无能为力,尤其是因为他不久前还在权势显赫的环境中生活,更强烈地感觉到这一点,后来在同元帅的行李和占领了整个地区的法国军队一起走了几程路后,被带到了现在已被法国人占领的维尔纳,进了他四天前走出的城门。

第二天,法国皇帝的高级侍从蒂雷纳先生来见巴拉绍夫,通知他皇上愿意接见他。

四天前,在巴拉绍夫应召前去的那座房子前站着普列奥布拉仁斯基团的哨兵,如今却站着两名身穿敞着前胸的蓝制服、头戴皮帽的身材高大的法国兵,还有由骠骑兵和枪骑兵组成的卫队以及由副官、少年侍从和将军们组成的服饰华美的侍从队伍,他们都站在台阶旁拿破仑的坐骑和他的马穆鲁克卫兵鲁斯唐[①]周围等待拿破仑出来。拿破仑在维尔纳接见了巴拉绍夫,接见地点就在几天前亚历山大在那里派他出使的那座房子。

---

① 马穆鲁克兵是拿破仑远征埃及时招募的卫队。鲁斯唐是拿破仑的卫士。

六

尽管巴拉绍夫对宫廷的阔绰的场面习以为常,但是拿破仑宫廷的奢侈和豪华仍使他大吃一惊。

蒂雷纳伯爵领着他进了一个大接待室,那里已有许多将军、高级侍从和波兰达官贵人在等候着,其中的许多人巴拉绍夫曾在俄国皇帝的宫廷里见过。迪罗克[①]说,拿破仑皇帝将在骑马出游前接见俄罗斯将军。

在等了几分钟后,值班高级侍从来到大接待室,有礼貌地向巴拉绍夫鞠了一躬,请他跟他走。

巴拉绍夫进了一个小接待室,那里有一扇门通书房,这就是几天前俄国皇帝派他出使的地方。巴拉绍夫一个人站了两分钟左右,等待着。门里响起了急促的脚步声。两扇门很快打开了,开门的高级侍从恭恭敬敬地站住,等待着,一时鸦雀无声,从书房里传来了另一个人的坚定果断的脚步声:这就是拿破仑。他刚刚结束骑马出行前的装束打扮。他身穿蓝色制服,在白背心的上方敞开着,白背心下垂到滚圆的肚子上,白色驼鹿皮裤紧裹着短粗的大腿,脚上穿着一双高筒皮靴。他的短发显然刚刚梳理过,但是一绺头发下垂到宽阔的前额的中间。他的白胖胖的脖子从制服的黑领子里露出来,黑白甚为分明;他散发着香水的气味。在他

---

① 迪罗克(一七七二至一八一三年),法国元帅。

下巴突出、显得年轻的丰满的脸上带着皇帝欢迎人时仁慈和庄严的表情。

他出来了,每走一步身体就很快颤动一下,脑袋稍稍朝后仰。他双肩又宽又厚实,肚子和胸脯不由自主地朝前鼓出,他的整个矮胖的身躯具有保养得很好的人常有的体面而又威严的样子。此外可以看出,这一天他心情很好。

他点了点头,作为对巴拉绍夫的恭恭敬敬的鞠躬的回答,走到他跟前,像一个珍惜每分钟时间的人那样立刻说了起来,仿佛不愿降低到需要做准备的程度,相信自己总是能说得很好,知道需要说什么。

"您好,将军!"他说,"我接到了您送来的亚历山大皇帝的信,见到您很高兴。"他用一双大眼睛朝巴拉绍夫的脸看了一眼,立刻把目光挪开,望着前方。

很显然,他对巴拉绍夫这个人本身一点也不感兴趣。可以看出,他感兴趣的只是**他自己**心里出现的想法。在他身外的一切对他来说没有意义,因为他觉得世上的一切都取决于他的愿望。

"我现在和过去都不希望战争,"他说,"这仗是别人迫使我打的。我就是在**现在**(他强调'现在'二字)仍准备接受您能给我做的一切解释。"于是他开始简单明了地叙述他对俄国政府不满的原因。

巴拉绍夫根据这位法国皇帝说话所用的温和平静和友好的语气,便坚信他希望和平和有意进行谈判。

"陛下!敝国皇帝……"当拿破仑说完话,用疑问的目光看了一眼俄国使臣时,巴拉绍夫便开始说他早就准备好的话;但是他在拿破仑注视的目光下发窘了。"您慌张了,——镇静些吧。"拿破仑仿佛在这样说,他带着勉强能察觉的微笑仔细看了看巴拉绍夫身上的制服和佩剑。巴拉绍夫恢复了常态,开始说了起来。他说,亚历山大皇帝不认为库拉金要求发给离境签证是发动战争的充分理由,库拉金是没有得到皇上同意擅自这样做的,亚历山大皇帝不希望战争,同英国没有任何交往。

"**还说没有**。"拿破仑插了一句,仿佛担心自己感情用事一样,皱起了眉头,微微点了点头,让巴拉绍夫感觉到可以继续往下说。

巴拉绍夫说完奉命要说的话后,他又说,亚历山大皇帝希望和平,但是要进行谈判必须有一个条件……,说到这里巴拉绍夫迟疑起来:他想起了亚历山大皇帝没有写进信里,但是命令萨尔蒂科夫一定要写进谕旨和嘱咐巴拉绍夫向拿破仑转达的话。巴拉绍夫记得"只要还有一个武装的敌人留在俄国土地上"这句话,但是一种复杂的感情阻止他说出来。他虽然想说,但是说不出来。他踌躇起来,说道:这条件是法国军队撤回涅曼河对岸。

拿破仑注意到了巴拉绍夫在说最后的话时的窘态;他的脸抽搐了一下,左边的小腿肚子开始有节奏地颤动起来。他站在原地,开始用比刚才更高更急促的声音说话。在拿破仑说话时,巴拉绍夫不止一次地垂下眼睛,不由自主地观察着拿破仑左边的小腿肚子的颤动,拿破仑嗓门抬得愈高,小腿肚子就颤动得愈厉害。

"我希望和平并不亚于亚历山大皇帝,"他说道,"我不是十八个月来为争取和平做了一切努力吗?我十八个月来一直在等待解释。为了开始进行谈判,他们要求我做什么呢?"他说,皱起了眉头,用他又白又胖的小手有力地做着疑问的手势。

"要求部队撤回到涅曼河对岸,陛下。"巴拉绍夫说。

"撤到涅曼河对岸?"拿破仑反问了一句。"这么说现在你们希望撤回到涅曼河对岸——只撤到对岸?"拿破仑直瞪瞪地朝巴拉绍夫看了一眼重复说。

巴拉绍夫恭敬地垂下了头。

四个月前曾要求撤出波美拉尼亚,而现在只要求撤回涅曼河对岸。拿破仑迅速转过身开始在房间里走动起来。

"您说,为了开始谈判要求我撤回到涅曼河对岸;但是两个月前也曾这样要求我撤回到奥得河和维斯瓦河对岸,别看这样,你们还是同意进行谈判。"

他默默地从房间的一角走到另一角,然后又在巴拉绍夫对面站住了。他的带着严厉表情的脸变得像石头一样,左腿颤动得更快了。拿破仑知道自己左面的小腿肚子有颤动的习惯。"我左面的小腿肚子颤动是伟大的征兆。"他后来这样说。①

"像撤离奥得河和维斯瓦河之类的建议,只能向巴登公爵提出,而不应向我提出。"拿破仑完全出乎自己意料地几乎喊叫起来,"即使你们把彼得堡和莫斯科都给我,我也不会接受这些条件。您说,是我发动了战争,那么是谁先到军队里来的?是亚历山大皇帝,而不是我。你们在我已花了几百万,而你们同英国结成联盟和眼见自己的处境不妙时,才提出同我进行谈判!你们同英国结盟抱的是什么目的?它给你们什么了?"他急急忙忙地说,显然他说话已不是为了讲清媾和的好处和讨论这样做的可能性,

---

① 拿破仑在流放到圣赫勒拿岛后曾在同拉斯卡斯谈话时这样说。

而是为了证明自己的正确和自己的力量,证明亚历山大的不正确和错误。

他说这段开场白,显然是想要说明形势对他有利,表明虽然如此,他仍同意开始谈判。但是他开始说起来后,话说得愈多,就愈控制不住自己了。

现在他所说的话的全部目的显然只在于抬高自己和侮辱亚历山大,也就是说,在于做会见开始时最不愿意做的事。

"听说你们已经和土耳其人签订了和约,是吗?"

巴拉绍夫肯定地点了点头。

"和约已经签了①……"他刚想说。但是拿破仑不让他说下去。看来他需要自己一个人说,于是他不克制一下自己的恼怒,滔滔不绝地说下去,一般被宠坏了的人非常喜欢这样做。

"是的,我知道你们和土耳其签订了和约,没有得到摩尔达维亚②和瓦拉几亚③这两个地方。要是我就会把这些省份给你们皇上,就像我把芬兰给他一样。是的,"他继续说,"我曾答应过并且是会把摩尔达维亚和瓦拉几亚给亚历山大皇帝的,现在他得不到这些好地方了。然而他本来是能把这些地方并入他的帝国的,在一个朝代里把俄罗斯的疆土从波的尼亚湾扩展到多瑙河口。叶卡捷琳娜大帝也只能做到这样。"拿破仑说,愈来愈激动起来,在房间

---

① 俄国和土耳其在经过多年的战争后,于一八一二年五月签订了《布加勒斯特和约》。根据和约,格鲁吉亚西部和比萨拉比亚并入俄国,摩尔达维亚和瓦拉几亚脱离土耳其而独立。

② 摩尔达维亚,今摩尔多瓦。

③ 瓦拉几亚是今罗马尼亚的南部地区。

里来回走着,对巴拉绍夫重复着几乎同他在蒂尔西特对亚历山大本人说过的一样的话,"他本来可以凭我的友谊得到这一切的……啊,多么美好的朝代,多么美好的朝代!"他重复了好几遍,停住脚步,从口袋里取出金鼻烟壶,用鼻子贪婪地吸了一下。

"啊,亚历山大的朝代本来**可以**成为一个多么美好的朝代!"

他惋惜地看了巴拉绍夫一眼,当巴拉绍夫还想要说点什么时,他又一次急忙打断了他的话。

"他还能指望和找到在我的友谊中没有找到的东西吗?……"拿破仑说,困惑不解地耸耸肩膀,"不,他认为把我的敌人放在自己周围比较好些,可这是些什么人呢?"他继续说,"他把施泰因①、阿姆菲尔特②、温岑格罗德、本尼格森之类的人招到自己身边并加以重用。施泰因是被驱逐出自己祖国的叛徒,阿姆菲尔特是一个好色之徒和阴谋家,温岑格罗德是法国的逃亡者,本尼格森比起别的人来比较有点军人的样子,但是仍然是无能之辈,他在一八〇七年毫无作为,只能引起亚历山大皇帝的可怕的回忆③……假定说,他们都是有能耐的人,那么也还可以用他们,"拿破仑接着说,他的话勉强能跟得上不断出现的、表明他的正确或力量(根据他的理解这两者是一回事)的思想,"可是连这也不行,因为他们无论对战争还是对和平来说,都毫不中用。据说

---

① 施泰因(一七五七至一八三一年),普鲁士政治家,曾任普鲁士第一大臣,进行了一些改革,后在法国压力下被解职。一八一二年任亚历山大一世私人顾问。

② 阿姆菲尔特(一七五七至一八一四年),瑞典政治家和军事家。一八一一年到俄国避难,曾对亚历山大一世产生过影响。

③ 本尼格森所部在一八〇七年的战争中在弗里德兰附近被法军击败。

巴克莱[①]要比他们所有的人能干些；但是从他最初的行动来看，我并不那样认为。而他们在干些什么？所有这些近臣们在干什么！普弗尔[②]提出建议，阿姆菲尔特不同意，本尼格森进行研究，本来应该采取行动的巴克莱不知道该如何决定，时间就这样过去了。只有巴格拉季翁是一个军人。他很笨，但是他有经验、眼力和决心……而你们年轻的皇上在这群无能之辈中间扮演的是什么角色呢？他们败坏他的名声，把所有的事的责任都推到他身上。皇上只有当他是统帅时才应该待在军队里。"他说，显然这些话是对亚历山大皇帝的直接的挑衅。拿破仑知道亚历山大皇帝非常希望成为统帅。

"战争爆发已有一个星期，你们没有能守住维尔纳。你们的军队被切成两半，并已被赶出波兰各省。官兵们都在抱怨……"

"恰恰相反，陛下，"巴拉绍夫说，他几乎来不及记住对他说的话，吃力地倾听着连珠的妙语，"我们的军队热切希望……"

"我全都知道，"拿破仑打断他的话说，"我全都知道，我知道你们有多少个营，就像知道自己有多少个营一样。你们不到二十万军队，而我的军队要多两倍。我对您说实话，"拿破仑说，他忘了他这实话不可能有任何意义，"对您说实话，我在维斯瓦河这一边有五十三万人。土耳其人帮不了你们的忙；他们一点用处也没有，同你们讲和就证明了这一点。瑞典人——他们前世注定

[①] 巴克莱·德·托利（一七六一至一八一八年），俄国将领。曾任陆军大臣。一八一二年战争中，曾先后任第一军司令和俄军总司令。

[②] 普弗尔（一七五七至一八二六年），普鲁士将军和军事理论家，后到俄军服役。一八一二年曾奉亚历山大一世之命，制订反对拿破仑的军事计划。

要受发疯的国王统治。他们的国王是一个疯子；他们废黜了他，另立了一个——贝尔纳多特①，那人立即发了疯，因为作为瑞典人，只有疯子才能与俄国结盟。"拿破仑恶狠狠地冷笑了一声，又把鼻烟壶举到鼻子前。

巴拉绍夫想要反驳拿破仑的每一句话，而且也有反驳的理由；他不断做出想要说话的动作，但是拿破仑就是不让他开口。譬如说，关于瑞典人发疯的问题，巴拉绍夫想说，当俄国支持它时，瑞典是一个孤岛；但是拿破仑生气地喊叫起来，想把他的声音压下去。拿破仑处于一种兴奋的状态，他需要不断地说呀说，说的目的是为了向自己证明自己的正确性。巴拉绍夫感到非常为难：他作为使臣，担心失去尊严，觉得需要进行反驳；但是作为一个人，面对拿破仑忘乎所以地和无缘无故地发火，精神上感到压抑。他知道拿破仑现在说的所有的话都毫无意义，知道他在清醒过来后会感到难为情。巴拉绍夫垂下眼睛站着，看着拿破仑抖动着的粗腿，竭力回避他的目光。

"你们的盟友对我来说又算得了什么呢？"拿破仑说，"我的盟友是波兰人：他们有八万人，他们打起仗来像狮子一样。他们的人数将达到二十万。"

大概是因为他觉得自己说了明显的谎话，而巴拉绍夫又摆出听天由命的姿势默默地站在他面前，他的火气就更大了，他突然转过身，走到巴拉绍夫的紧跟前，他那白胖的双手迅速地做着有

---

① 贝尔纳多特（一七六三至一八四四年），出身平民，后为法国元帅，一八一〇年瑞典议会选他为瑞典王位继承人，他奉行亲英和亲俄政策，一八一二年四月与俄国结盟。

力的手势，几乎喊叫起来：

"告诉你们，如果你们鼓动普鲁士来反对我，听着，我就把它从欧洲地图上抹掉。"他说，他脸色苍白，整个脸气得变了样，一只小手用力地拍打着另一只。"是的，我要把你们赶回到德维纳河那边去，赶回到第聂伯河那边去，重新筑起阻挡你们的屏障[①]，这屏障是该受谴责的和无知的欧洲允许毁掉的。是的，你们将来就会这样，这就是你们离开我之后得到的东西。"他说，抖动着宽厚的肩膀，默默地在房间里来回走了几次。他把鼻烟壶放进背心的口袋，马上又把它掏出来，放到鼻子跟前闻了几次，在巴拉绍夫对面站住了。他沉默了一会儿，带着讥讽的表情直瞪瞪地看着巴拉绍夫，低声地说："可是你们的皇上本来能有一个多么好的朝代啊！"

巴拉绍夫感到需要进行反驳，便说俄国的情况看来并不那么一片黑暗。拿破仑沉默不语，继续带着讥讽的表情看着他，显然没有听他说话。巴拉绍夫说，在俄国，人们对战争都很乐观。拿破仑宽容地点点头，仿佛是说："我知道，这样说是您的责任，不过您自己也不相信这一点，您被我说服了。"

在巴拉绍夫快要说完时，拿破仑又掏出了鼻烟壶，闻了闻，一只脚在地板上跺了两下，这是叫人的信号。门开了；一个侍从弯着腰，恭恭敬敬地递给皇帝帽子和手套，另一个侍从递上一块手绢。拿破仑没有看他们一眼，朝巴拉绍夫转过身来。

"请您转告亚历山大皇帝，"他拿起帽子说，"我仍像以前一样是他的忠实朋友：我很了解他，并且非常看重他的高尚品质。我

[①] 屏障指波兰。

不再耽搁您了，将军，很快您就可以拿到我给你们皇上的信。"说完拿破仑快步朝门口走去。接待室的人全都跑向前去，跟着下楼。

七

在听了拿破仑对他说的一切，看到他发了火，又听见他冷淡地说了"我不再耽搁您了，将军，很快您就可以拿到我给你们皇上的信"这样的话之后，巴拉绍夫深信，拿破仑不仅不会愿意再次见他，而且会竭力设法不再遇见他，这不仅是因为他是一个受辱的使臣，而主要是因为他是这位皇帝有失身份地无端发火的目击者。但是，使巴拉绍夫感到惊讶的是，就在这一天他接到了迪罗克送来的参加法国皇帝宴会的请束。

参加宴会的有贝西埃①、科兰古和贝蒂埃。

拿破仑见到巴拉绍夫时神情愉快，态度亲切。他不仅没有因为早晨发火觉得不好意思或内疚的表情，相反，竭力给巴拉绍夫打气。可以看出，拿破仑深信对他来说早就不存在犯错误的可能，在他的思想里，他所做的一切都是好的，这不是因为这些事合乎好坏的观念，而是因为这是**他**做的。

这位皇帝在骑马游了维尔纳城后情绪很好，城里的人兴高采烈地迎接和欢送他。在他经过各条街道两边的所有窗户里都挂着花毯、彩旗和他的姓名的花字，波兰的贵妇人们朝他挥动手绢欢

---

① 贝西埃（一七六八至一八一三年），法国元帅。

迎他。

在宴会上,他让巴拉绍夫坐在自己身旁,不仅对他很亲切,而且仿佛把他看作自己的近臣,看作支持他的计划和为他取得的成就而高兴的人一样。在谈话中间,他说起了莫斯科,开始向巴拉绍夫询问这个俄国京城的情况,不只是像一个什么都想知道的旅行者打听他要访问的新地方那样打听,而且深信巴拉绍夫作为一个俄国人,一定会因他的求知欲强而感到荣幸。

"莫斯科有多少居民,多少座房子?莫斯科被人们称为圣莫斯科,是真的吗?莫斯科有多少座教堂?"他问。

当他听说莫斯科有两百座教堂时,便问道:

"干吗要这么些教堂?"

"俄罗斯人笃信上帝。"巴拉绍夫回答道。

"不过修道院和教堂数量多常常是一个国家的人民落后的标志。"拿破仑说,他转过头来看看科兰古,希望得到他的赞同。

巴拉绍夫恭敬地表示不同意法国皇帝的意见。

"每一个国家都有自己的习俗。"他说。

"但是欧洲任何地方都没有类似的情况。"拿破仑说。

"对不起,陛下,"巴拉绍夫说,"除俄国外,还有西班牙也有许多教堂和修道院。"

巴拉绍夫曾经说过,他的这个影射法国人不久前在西班牙遭到失败的回答后来在亚历山大皇帝的宫廷里得到很高评价,但是当时在拿破仑的宴会上并不认为怎么样,没有引起注意就过去了。

从元帅先生们脸上冷漠的和困惑不解的表情可以看出,他们弄不清巴拉绍夫说话的语气俏皮在哪里。"即使他真的说得很俏皮，那就是我们没有听出来，或者是根本不俏皮。"元帅们脸上的表情似乎这样说。这个回答没有引起多大重视，因为拿破仑甚至完全没有理会它，天真地问巴拉绍夫，从这里直达莫斯科的道路要经过哪些城市。在宴会上一直保持警惕的巴拉绍夫回答说，如同条条大路通罗马一样，所有的道路也通莫斯科，他说，有很多条道路，在这些不同道路当中，有一条是当年查理十二世所选择的通**波尔塔瓦**的道路①，他说到这里，不由得为自己这个巧妙的回答高兴得脸都红了。巴拉绍夫还没有来得及说完"波尔塔瓦"这几个字，科兰古便谈起从彼得堡到莫斯科的道路难行和回忆起在彼得堡的生活来。

饭后大家到拿破仑的书房里去喝咖啡，四天前那是亚历山大皇帝的书房。拿破仑坐了下来，搅动着塞夫尔瓷杯②中的咖啡，指了指身旁的椅子请巴拉绍夫坐下。

一个人饭后通常会有这样的心情，它比其他任何合乎情理的原因更能使人感到心满意足，把所有人看作自己的朋友。拿破仑这时的心情就是这样。他觉得他周围的人都崇拜他。他深信，巴拉绍夫吃过他的这顿饭后，也成了他的朋友和崇拜者。拿破仑同他说话时面带愉快的、稍带讥讽的微笑。

"人们对我说，这是亚历山大皇帝住过的房间。这很奇怪吧，将军，您说是吗？"他说，毫不怀疑他这样说一定会使对方感到愉快，因为这证明他拿破仑要比亚历山大高明。

---

① 波尔塔瓦在今乌克兰，十八世纪初，瑞典国王率军试图经乌克兰进攻莫斯科，一七〇九年在波尔塔瓦被彼得一世打败。

② 塞夫尔是法国巴黎附近的小城市，出产瓷器。

巴拉绍夫不知如何回答他的问题，默默地低下了头。

"是的，四天前温岑格罗德和施泰因曾在这个房间里开过会。"拿破仑仍面带讥讽和自信的微笑接着说，"我不能理解的是，亚历山大皇帝居然收罗了我的所有仇敌当作自己的亲信。这一点我不……明白。难道他不想一想我也会这样做吗？"他问巴拉绍夫，显然，一想起这件事，又勾起早晨尚未消失的怒火来。

"让他知道，我也要这样做。"拿破仑说，他站起身来，用一只手推开杯子，"我要把他的所有亲戚，把符腾堡、巴登、魏玛的亲戚①统统赶出德国……是的，我要把他们都赶走。就让他在俄国为他们准备避难所吧！"

巴拉绍夫低下头，他那样子表明，他很想告辞，而现在仍然听着，只是因为他不能不听人们对他说的话。拿破仑没有注意到这表情；他不像对待敌国的使臣那样对待巴拉绍夫，而像对待一个现在已完全忠于他、为自己的故主受辱而感到高兴的人一样。

"亚历山大干吗要统率军队呢？这又是为什么呢？打仗是我的职业，而他应做的事是当皇帝，而不是指挥军队。他为什么要承担起这个责任呢？"

拿破仑又掏出了鼻烟壶，默默地在房间里走了几次，突然走到巴拉绍夫跟前，面带轻松的微笑，像做一件不仅是重要的，而且会使巴拉绍夫感到愉快的事一样，自信、迅速而随便地朝这位四十岁的俄国将军的脸伸过一只手去，抓住他的一只耳朵，轻轻

---

① 亚历山大一世的母亲是符腾堡公爵小姐，他的妻子是巴登侯爵的女儿，他的姐妹玛丽亚嫁给了萨克森-魏玛公爵。

地拉了拉,咧开嘴微微一笑。

在法国宫廷里,被皇帝拉耳朵是一种莫大的光荣和恩宠。

"怎么,您这位亚历山大皇帝的崇拜者和朝臣,为什么什么也不说呀?"拿破仑说,仿佛在他面前做别人的而不做他拿破仑的朝臣和崇拜者是可笑的。

"给将军准备好了马没有?"他补充了一句,微微低下头作为对巴拉绍夫的鞠躬的回答。

"把我的马给他,他要**走很远的路**⋯⋯"

巴拉绍夫带回来的信,是拿破仑给亚历山大的最后一封信。他把谈话的全部详细情况都禀告了俄国皇帝,于是战争开始了。

八

安德烈公爵在莫斯科和皮埃尔见面后,便到彼得堡去了,他对家里人说是去办事,实际上是为了到那里去找阿纳托利·库拉金公爵,他认为必须找到他。到彼得堡后,他打听到库拉金已不在那里了。皮埃尔事先通知了他的内兄,说安德烈公爵要去找他。阿纳托利·库拉金立即弄到了陆军大臣的任命,到摩尔达维亚的部队去了。这时安德烈公爵在彼得堡遇见了一直对他有好感的老上司库图佐夫,库图佐夫要他和自己一起到摩尔达维亚的部队去,这位老将军被任命为那里的总司令①。安德烈公爵接到了在总部供

---

① 库图佐夫当时被任命为多瑙河军总司令。

职的任命后，便动身去土耳其。

安德烈公爵认为写信给库拉金提出决斗不合适。在没有提出新的理由的情况下，安德烈公爵认为决斗会损害罗斯托娃伯爵小姐的名誉，因此他寻找与库拉金见面的机会，想要找到一个进行决斗的新的借口。但是在驻扎在土耳其的军队里他也没有能遇见库拉金，因为他在安德烈公爵到土耳其的军队后不久回俄国去了。在一个不熟悉的国家和新的生活环境里安德烈公爵开始觉得轻松一些了。在未婚妻变心后，他愈是竭力想在所有人面前掩饰此事对他产生的影响，此事对他的伤害就愈厉害，过去觉得幸福的生活环境现在感到很不舒服，而以前十分珍视的自由和独立则更难以忍受了。他已没有了从前在奥斯特利茨战场上仰望天空时第一次出现的想法，他曾喜欢和皮埃尔一起讨论这些想法，在鲍古恰罗沃以及后来在瑞士和罗马离群索居时，这些想法曾使他的生活变得比较充实；不仅如此，他甚至害怕回忆起这些展示无限的和光明的前景的想法。现在他感兴趣的只是眼前的、与过去无关的实际问题，以往的事与他分隔得愈开，他就愈贪婪地抓住眼前的事不放。仿佛过去他头顶上不断远去的无限的苍穹突然变成一个低矮的、固定的、压抑着他的拱顶，其中一切都是清清楚楚的，没有任何永恒和神秘之处。

在他所想到的各种活动中，服军役是最简单的和他所熟悉的。他在库图佐夫的司令部里担任值班将官的职务，工作非常勤奋，库图佐夫见他积极主动和认真，甚为吃惊。安德烈公爵没有在土耳其找到库拉金，认为不必追回俄国去找他；但是尽管如此，他知道，不论再过多少时间，如果碰见库拉金，虽然他极其蔑视他，虽然他竭力向自己证明他不值得降低自己的身份同他发生冲突，他要是碰见还是不能不向他提出决斗，就像一个饥饿的人不能不扑向食物一样。安德烈公爵内心里总觉得耻辱未雪，仇恨未消，这就使得他很难保持那种到土耳其后以忙忙碌碌以及有点追求功名和虚荣的样子出现的表面的平静。

一八一二年，当和拿破仑开战的消息传到了布加勒斯特（库图佐夫在那里住了两个月，整天整夜和一个瓦拉几亚女人在一起）后，安德烈公爵请求库图佐夫把他调到西线军队。库图佐夫已对积极工作的鲍尔康斯基感到厌烦，因为觉得他那样工作实际上是在责备自己懒散，便乐意放他走，派他到巴克莱·德·托利那里去执行任务。

在前往五月间驻扎在德里萨营地的军队之前，安德烈公爵顺路去了童山，因为童山正在他经过的路上，离斯摩棱斯克大道三俄里。最近三年安德烈公爵的生活中发生了很多变化，他反复思考了很多事情，有很多感受，阅历很广（他走遍了西方和东方），在到童山时见到一切如旧，连最细小的地方也没有变化，生活还像过去一样，不禁感到奇怪和出乎意外。他像到了一个神奇的、沉睡的城堡一样，上了林荫道，进了童山宅院的石门。这宅院还是那样庄重，那样清洁，那样寂静，屋里还是那些家具、那些墙壁，听到的还是那些声音，散发出的还是那种气味，看到的还是那些怯生生的脸，只不过老了些。玛丽亚公爵小姐还是一个畏怯的、难看和日渐见老的姑娘，在恐惧和无限的精神痛苦中徒劳无益地和毫无乐趣地度过她最好的年华。布里安娜还是那样享受着生活中每一分钟的欢乐，充满着快乐的希望，心满意足，卖弄着风情。安德烈公爵觉得她只是变得更加自信了。他从瑞士带来的家庭教师德萨尔身穿一件俄国式的常礼服,正在用生涩的俄语同仆人们说话,但仍然是一个智力有限的、有教养和德行的学究。老公爵身体上只有一个变化,即他的嘴的一边缺了一颗牙;精神上还像以前一样,只不过对世界上发生的事情更加恼怒和更加不相信。只有尼科卢什卡一个人长高了,模样变了,脸红红的,满头深色的鬈发,自己也不知怎么了,快乐地笑着,好看的小嘴的上嘴唇向上噘起,完全像他死去的母亲小公爵夫人一样。在这个神奇的、沉睡的城堡里,只有他一个人不听从要求保持不变的法则。虽然外表上一切都还是老样子,但是从安德烈公爵离家以来,所有这些人内部的关系已发生了变化。家庭成员分为两个格格不入的和相互敌视的阵营,他们现在只是当着他的面才聚到一起,为了他才改变自己的生活方式。属于一个阵营的有老公爵、布里安娜小姐和建筑师,属于另一个阵营的有玛丽亚公爵小姐、德萨尔、尼科卢什卡以及所有的保姆和奶妈。

安德烈公爵在童山停留期间,家里所有的人在一起吃饭,但是大家都觉得别扭,他感到他像是一个客人,大家是为了他才破例这样做的,他在场时所有的人都很拘束。在第一天吃午饭时,安德烈公爵不由得感觉到这一点,默不作声,老公爵觉察到他的样子不自然,也沉下脸不再说话,一吃完饭就回屋去了。晚上安德烈公爵去见他,想和他说说话,活跃一下气氛,开始对他讲小卡缅斯基伯爵指挥作战的情况①,老公爵突然和他说起了玛丽亚公

---

① 小卡缅斯基伯爵(一七七六至一八一一年)是俄国元帅卡缅斯基伯爵之子,在库图佐夫之前任多瑙河军总司令,在他的指挥下攻占了一系列土耳其据点。

爵小姐，指责她迷信和不喜欢布里安娜小姐，并且说，只有布里安娜小姐一个人才真正忠于他。

老公爵说，如果他有病的话，那是被玛丽亚公爵小姐气病的；说她有意地折磨他和惹他生气；说她娇惯小尼古拉公爵，常对他说些愚蠢的话，把他教坏了。老公爵非常清楚，他在折磨自己的女儿，女儿的生活很痛苦，但是他也知道，他不能不折磨她，她理应受到折磨。"为什么安德烈公爵看到了这一点，对我一字不提妹妹呢？"老公爵想道。"他是怎么想的，是不是认为我是恶棍或老傻瓜，无缘无故地疏远女儿而去亲近那个法国女人？他不明白，因此需要对他进行解释，应当让他听一听我的话。"老公爵接着想道。于是他开始讲他为什么忍受不了女儿的那种无法理喻的性格的原因。

"如果您问我，"安德烈公爵说，眼睛没有看着父亲（他生平第一次责备自己的父亲），"我本来不愿意说；但是如果您一定要问，那么我将对您开诚布公地说出对这一切的看法。如果在您和玛莎之间有误会和不和的话，那么我怎么也不会归罪于她，因为我知道她非常敬爱您。如果您要问我，"安德烈公爵接着说，心情变得烦躁起来，因为最近他总是容易烦躁，"我只能说一点：如果有误会的话，那是那个微不足道的女人造成的，她本来就不应成为妹妹的女友。"

老人起先眼珠一动不动地盯着儿子，很不自然地微笑着，露出了安德烈公爵还没有看惯的掉了牙留下的新豁口。

"什么样的女友，亲爱的？啊？已经商量过了！是吧？"

"爸爸，我不想充当法官，"安德烈公爵用恼怒和生硬的口气说,"但是您叫我说,我就说了,而且一直还要说,玛丽亚公爵小姐没有过错,有过错的是……有过错的是这个法国女人……"

"啊,做出判决了!……做出判决了!……"老人低声说,安德烈公爵觉得他有点发窘,但是接着他突然跳了起来,喊道,"滚,滚!不许你再来!……"

安德烈公爵想立即就走,但是玛丽亚公爵小姐挽留他再住一天。这一天安德烈公爵没有和父亲见面,老人没有出来,除了布里安娜小姐和吉洪外,不许任何人进去见他,问了几次儿子走了没有。第二天,安德烈公爵在临行前到儿子住的屋里去。身体健康、像母亲一样长着一头鬈发的孩子坐到他的双膝上。安德烈公爵对他讲起蓝胡子的故事①,但没有讲完就陷入了沉思。他抱住坐在他膝盖上的孩子时,心里想的不是他的这个漂亮的儿子,而是他自己。他惶惶不安地在自己心中寻找着为惹父亲生气而悔恨和为他(生平第一次同父亲争吵后)就要离开父亲而惜别的心情,但是都没有找到。他觉得最主要的是,他寻找而没有找到已往的那种对儿子的柔情,他对儿子表示亲热,让他坐到自己的膝盖上,就希望能在自己心中唤起这种感情。

"喂,你往下说呀。"儿子说。安德烈公爵没有回答,把他从膝盖上放下来,出了房间。

安德烈公爵一放下他的日常工作,尤其是他一回到他过去觉得幸福时的生活环境,生活的苦闷就像以前那样充满他的心头,

---

① 蓝胡子的故事的作者是法国诗人和批评家佩罗(一六二八至一七〇三年),他整理的法国民间故事当时非常流行。

于是他急忙抛开这些回忆,想尽快找到一件事情来做。

"你一定要走,安德烈?"妹妹问他。

"谢天谢地,我可以走了,"安德烈公爵说,"可惜你走不了。"

"你干吗说这话!"玛丽亚公爵小姐说,"现在你就要去参加这场可怕的战争,他年纪这样大了,你干吗还说这话!布里安娜小姐说,他问到过你……"她一开始说这些,她的嘴唇就颤抖起来,开始掉眼泪。安德烈公爵转过身去,在房间里来回走动着。

"唉,我的上帝!我的上帝!"他说,"你想一想,微不足道的东西和微不足道的人居然都能给人们造成不幸!"他愤恨地说,使玛丽亚公爵小姐吃了一惊。

她知道,他在谈到他所说的微不足道的人时,指的不仅是使他感到不幸的布里安娜小姐,而且指那个毁了他的幸福的人。

"安德烈,我有一个请求,我恳求你。"她说,碰了碰他的胳膊肘,用含着泪水的炯炯有神的眼睛看着他,"我理解你(玛丽亚公爵小姐垂下了眼睛)。不要认为痛苦是人造成的,人是上帝的工具。"她朝略高于安德烈公爵头顶的地方看了一眼,用的是人们通常用来看圣像的那个熟悉地方的信赖的目光,"痛苦是他给的,不是人造成的。人是他的工具,不能怪他们。如果你觉得有人得罪了你,你就忘掉这些,宽恕他。我们没有权利进行惩罚。这样你就会懂得宽恕人是幸福的。"

"如果我是一个女人,玛丽,我就会这样做。这是妇女的美德。但是男人不应该和不能够忘记和宽恕。"他说,虽然在这之前他没有想库拉金,但是这时心中突然升起了旧仇未报引发的怒火。"既然玛丽亚公爵小姐已在劝我宽恕了,这就是说,我早就该进行惩罚了。"他想。他没有再搭理玛丽亚公爵小姐，开始想象他碰到在军队里的阿纳托利（他知道他在哪里）向他报仇的痛快时刻。

玛丽亚公爵小姐恳求哥哥再留一天，她说，她知道如果安德烈公爵没有与父亲和解就走，父亲会感到非常伤心的；但是安德烈公爵回答道，他大概很快就会再从部队里来，并且一定会给父亲写信，而现在待在这里的时间愈长，就会吵得愈厉害。

"再见，安德烈！记住，不幸是上帝给的，人永远是没有过错的。"这是安德烈公爵在和妹妹告别时听到她说的最后一句话。

"事情只能是这样！"安德烈公爵在出童山的林荫道时想道，"她这个可怜的无辜的人，只好受这个老糊涂的折磨了。老头子觉得自己不对，但是不能改变自己。我那孩子正在一天天长大，快活地生活着，而不知道他将成为和大家一样的人，受人欺骗或欺骗别人。我现在到军队去，去干什么？——自己也不知道，我希望的竟是碰到那个我所蔑视的人，给他一个打死我和嘲笑我的机会！"以前的生活条件和现在一样，可是以前它们是相互结合在一起的，而现在一切都散了架了。安德烈公爵脑子里一个接一个出现的，只是一些毫无意义的和没有任何联系的现象。

九

安德烈公爵于六月底来到部队的总部。皇帝所在的第一军的部队驻扎在德里萨河畔构筑了防御工事的营地里；第二军的部队在撤退，力图与第一军会合，据说它们之间的联系被法国的大部队切断了。在俄国军队里，大家对作战的进程都不满意；但是谁也没有想到敌军有入侵俄国各省的危险，也没有料到战争会超出西部的波兰各省的范围。

安德烈公爵在德里萨河边找到了巴克莱·德·托利，他是被派到这位将军这里来任职的。由于营地周围没有一个大的村庄或市镇，大批将军和随军的近臣被安置在两岸方圆十俄里内各个村庄的最好的房子里。巴克莱·德·托利的驻地在离皇上四俄里处。他冷淡地和毫不热情地接待了鲍尔康斯基，带着德国口音说，他将奏请皇上安排他的工作，请他暂时待在司令部里。安德烈公爵希望在部队里找到阿纳托利·库拉金，但是他不在这里，已到彼得堡去了，鲍尔康斯基得知这个消息反而感到高兴。这是因为他处于正在进行的巨大规模的战争的中心，对它非常关注，暂时摆脱了因想起库拉金而产生的愤恨。最初四天，没有要求他去完成什么任务，于是他骑马走遍了整个构筑了防御工事的营地，借助于自己的知识和通过与了解情况的人的交谈，力图使自己对营地有一个明确的看法。但是对安德烈公爵来说，这个营地是否可用的问题没有得到解决。他根据自己的作战经验深信，在军事上最深思熟虑的计划（如同在奥斯特利茨作战中看到的那样）毫无意义，一切取决于如何对付敌人的出人意料的和无法预见的行动，一切取决于由谁和如何来指挥整个战斗。为了弄清这最后的一个问题，安德烈公爵利用自己的地位和关系，力图深入了解军队的指挥、参加指挥的人员和派别的情况，最后对形势得出了如下的看法。

当皇上还在维尔纳时，军队分为三个军：第一军由巴克莱·德·托利统率，第二军由巴格拉季翁指挥，第三军由托尔马索夫①指挥。皇上待在第一军，但是不以总司令的身份。在命令中没有说皇上将进行指挥，只说皇上将待在军队里。此外，没有御前总指挥部，只有一个皇帝行营总部。皇上手下有担任皇帝行营总部主任的军需总监沃尔康斯基公爵、将军们、侍从武官们、外交官们以及一大批外国人，但是没有军队的指挥部。除了这些人外，跟随皇帝的还有一些没有职务的人：前陆军大臣阿拉克切耶夫、军衔很高的将军本尼格森伯爵、皇储康斯坦丁·帕夫洛维奇亲王、一等文官鲁缅采夫伯爵、前普鲁士大臣施泰因、瑞典将军阿姆菲尔特、作战计划的总起草人普弗尔、侍从将军撒丁人保卢奇②、沃尔佐根③和其他许多人。虽然这些人在部队里没有担任军职，但是凭他们的地位有着很大影响，一个军长甚至总司令常常不知道本尼格森，或者亲王，或者阿拉克切耶夫，或者沃尔康斯基公爵是以什么身份询问或提出这个或那个建议的，不知道某个以建议形式下达的指示是他本人的意见还是皇上的旨意，不知道需要不需要加以执行。但是这只是表面上如此，在近臣们看来，皇上和所有这些人待在军队里的实质意义大家是很清楚的。这意义就是：皇上没有给自己加上总司令的头衔，但是指挥着所有的军队；他周围的人是他的助手。阿拉克切耶夫是忠实的执行者和秩序的维护者，是皇上的侍卫；本尼格森是维尔纳省的地主，他

---

① 托尔马索夫（一七五二至一八一九年），俄国骑兵上将。
② 保卢奇先在法军服役，一八〇七年加入俄军。
③ 沃尔佐根（一七七四至一八四五年），普鲁士将军，从一八〇七年起在俄军服役。

尽地主之谊接待皇上,实际上是一位很好的将军,能提出有益的建议,并且可以随时用来顶替巴克莱。亲王待在这里,是因为他乐意在这里。前普鲁士大臣施泰因在这里,是因为有事可以让他出个主意,也因为亚历山大皇帝非常看重他的人品。阿姆菲尔特是拿破仑的死敌和十分自信的将军,一向对亚历山大有很大影响。保卢奇之所以在这里,是因为他说话大胆而果断。侍从将军们在这里是因为皇上到哪里,他们就跟到哪里,最后,这是主要的,普弗尔在这里是因为他制订了反拿破仑的计划并使亚历山大相信这个计划可行,现在他指导着战争的整个进程。普弗尔手下有沃尔佐根,他用比普弗尔本人更通俗易懂的形式说明普弗尔的思想,而普弗尔是一个说话粗鲁的、自信到了蔑视一切的程度的脱离实际的理论家。

除了这里列举的俄国人和外国人(尤其是外国人,他们以在异国从事活动的人所特有的大胆,每天都提出一些出人意料的新想法)外,还有许多次要人物,他们待在军队里是因为他们的上司在这里。

在这个人才济济、自视很高、紧张忙碌的巨大群体里有各种不同的想法和说法,安德烈公爵从中看出有以下几种明显的倾向和派别。

第一派是普弗尔和他的追随者,这是一些军事理论家,他们相信有一种军事科学,这种科学有其一成不变的规律,有斜行进、迂回等等的规律。普弗尔和他的追随者要求向国家的内地撤退,按照臆想的军事理论所规定的精确规律撤退,认为对这一理论的任何背离都是野蛮、无知或别有用心的表现。属于这一派的有德国的公爵们、沃尔佐根、温岑格罗德等人，主要是德国人。

第二派与第一派相反。如同常见的那样，有一种极端，也就会有另一种极端的代表。这一派的人早在维尔纳时就要求进攻波兰，不受事先制订的任何计划的约束。此外，这一派的代表主张采取大胆的行动，同时他们也是民族主义的代表，因此在争论中变得更加片面。这一派是俄罗斯人，例如巴格拉季翁和地位开始上升的叶尔莫洛夫①等人。这时曾广泛流传叶尔莫洛夫的一句笑话，仿佛他曾请求皇上给他一个恩典，封他为德国人。这一派在缅怀苏沃洛夫时说，应当做的事不是思前想后，不是用针往地图上做记号，而是战斗，打击敌人，御敌于俄国国门之外，不要挫伤部队的士气。

属于皇上最信任的第三派是在两派之间采取调和态度的近臣们。这一派的人大多不是军人，阿拉克切耶夫属于这一派，从他们所想和所说来看，他们是一些没有信念却希望显得有信念的人。他们说，要打仗，尤其是同像波拿巴那样的天才打仗（他们又称他为波拿巴了），无疑需要有深思熟虑的计划和对这门学问的深刻了解，在这方面普弗尔是一个难得的人才；但是与此同时也不能不承认，理论家往往是片面的，因此不应完全相信他们，也应当倾听普弗尔的反对者的看法以及从事实际工作和有作战经验的人的意见，在这一切之中取其中。这一派的人坚持根据普弗尔的计划坚守德里萨营地，改变其余两个军运动的方向。虽然采取这样的行动既达不到这个目的，也达不到那个目的，但是这一派的人

---

① 叶尔莫洛夫（一七七七至一八六一年），俄国将军，一八一二年战争开始前被任命为第三军参谋长。

认为这样做要好些。

第四派的最著名的代表是作为皇储的亲王,他忘不了在奥斯特利茨战役中大失所望的情景,当时他头戴盔形帽和身穿骑兵制服,像去检阅一样骑马走在近卫军的前面,希望能显一下威风,一举打垮法国人,但是却出乎意料地到了第一线,在一片混乱中好容易逃了出来。这一派的人发表意见时具有坦率的优点和缺点。他们害怕拿破仑,认为他很强大,认为自己很软弱,并且直截了当地这样说。他们说:"除了痛苦、耻辱和毁灭外,这一切不会有任何结果!我们现在放弃了维尔纳,放弃了维捷布斯克,还要放弃德里萨。对我们来说唯一聪明的办法,这就是签订和约,而且要赶在我们还没有被赶出彼得堡之前尽快签订!"

这种在部队上层非常流行的观点既得到了彼得堡的支持,也得到了由于其他政治原因主张议和的一等文官鲁缅采夫的支持。

第五派是巴克莱·德·托利的拥护者,这些人主要不是看重他的为人,而是拥护他当陆军大臣和总司令。他们说:"不管他怎么样(他们开头都是这样说的),他是一个正直的和能干的人,没有比他更好的了。给他实权吧,因为没有统一的指挥,战争就不可能顺利进行,给了他权力,他就会像在芬兰那样证明他会做些什么。① 我们的军队能保持秩序和实力,撤退到德里萨而没有遭到败绩,这只能归功于巴克莱。如果现在以本尼格森来取代巴克莱,那么一切就会完蛋,因为本尼格森已在一八〇七年表现出了自己

---

① 巴克莱·德·托利在芬兰并入俄国后任第一任总督,支持芬兰议会通过的关于芬兰大公国实行自治的决议。

的无能。"

第六派是本尼格森的支持者,他们说,恰恰相反,没有比本尼格森更能干和更有经验的人了,不管怎么着,仍然还得找他。这一派的人证明说,我们撤退到德里萨的整个行动是最可耻的失败和一连串接连不断的错误。"错误犯得愈多,"他们说,"那就更好,因为至少能快一些懂得不能再这样走下去。现在需要的不是某个巴克莱,而是像本尼格森那样的人,他在一八〇七年有过很好的表现,拿破仑本人对他做了公正的评价,像他这样的人掌权,人们是会乐意认可的,——而这样的人只有本尼格森一个。"

第七派是一些将军和侍从武官,在皇帝周围,尤其在年轻的皇帝周围常有这样的人,而在亚历山大皇帝跟前就特别多,他们对皇上忠心耿耿,不把他当作皇帝来崇拜,而是真诚无私地崇拜他这个人,就像一八〇五年罗斯托夫崇拜他一样,不仅在他身上看到所有的美德,而且看到人的所有优秀品质。这些人虽然赞赏皇上不接受军队的指挥权而表现出来的谦逊,但是并不赞成这种过分的虚心,希望并且坚决要求他们崇拜的皇上不要过于缺乏自信,公开宣布自任军队统帅,并组成御前总指挥部,必要时与有经验的理论家和实践家进行商讨,亲自率领部队作战,只要这样做就能极大地提高部队的士气。

第八派是最大的一派,就人数来说,他们与其他各派的比例是九十九比一,这一派的人既不愿意议和,也不愿意打仗,既不愿意进攻,也不愿意在德里萨河畔以及在其他任何地方设防,既不支持巴克莱、皇上、普弗尔,也不赞成本尼格森,他们只希望一点，也是最重要的一点：为自己获取最大的利益和欢乐。在皇上行营总部里人们钩心斗角，相互倾轧，关系错综复杂，在这一池浑水里，可以捞到许多别的时候无法想象的好处。其中的一个人不愿意失去有利的地位，今天同意普弗尔的意见，明天转而赞成他的对手，而后天则说他关于此事没有任何意见，为的只是逃避责任和取悦皇上。另一个人为了得到好处，设法引起皇上的注意，大声重复皇上前一天暗示的话，在会上进行争吵，拍着自己的胸脯，提出要和不同意的人决斗，以此表明准备为共同的利益而牺牲自己。第三个人在两次会议之间，在对手不在场时，索性请求发给他一次性补贴作为他忠实服务的酬报，因为他知道这时无暇较真，不会拒绝他。第四个人总是装出偶然让皇上碰见的样子，让他知道自己在埋头工作。第五个人为了达到早就想望的目的——受到皇上的宴请，拼命地证明某种刚发表的意见的正确或错误，为此引用各种多少有点道理和说服力的论据。

这一派的所有人捞着卢布、勋章和官衔，在这过程中只关注皇上好恶的风向标的方向，一发现风向标指向一个方面，军队中的所有这些不劳而食的雄蜂就往这个方面吹风，弄得皇上更难以把风向标转向另一个方面。在形势动荡不定、可怕的和严重的危险使得一切特别令人不安的情况下，在钩心斗角、自私自利、各种观点和感情的冲突的旋风中，人数最多、不同种族的人都有、只关心自己个人的利益的第八派把整个局面搅得极其混乱。不管提出什么问题，这一窝雄蜂在前一个题目上还没有嗡嗡叫完，就飞向新的题目，用它们的嗡嗡声压倒真诚地进行争论的声音，使人们无法听清。

在安德烈公爵到军队时,从所有这些派别中又形成了一个派,即第九派,并且开始提高嗓门说话了。这是一些年老的、明白事理的、有政治经验的人,他们善于在不赞同意见对立的任何一方的情况下以旁观者的态度看待行营总部发生的一切,想出摆脱这种情况不明、犹豫不决、混乱和软弱无能的局面的办法。

这一派的人这样认为也这样说,一切坏事主要是由于皇上带着宫廷的军事人员待在军队里造成的;认为这样做就把那种模糊不清、相互制约、摇摆不定的关系带到了军队,这种关系在宫廷尚无不可,而对军队来说是有害的;认为皇上应该当他的皇帝,而不应该指挥军队;认为改变这种状况的唯一办法是皇上和他的近臣离开军队;认为皇上待在这里,需要有五万人马保驾,使他们不能参加战斗;认为一个最差的然而独立自主的总司令,要比一个最优秀的但是受到待在军队里的皇上的权力制约的总司令要强。

在安德烈公爵闲住在德里萨时,这一派的主要代表之一、国务秘书希什科夫给皇上写了一封信,巴拉绍夫和阿拉克切耶夫都同意在信上署名。在这封信里,希什科夫利用皇上允许他就战事的总的进程发表意见的权利,借口皇上需要去鼓舞首都民众的斗志,恭请皇上离开军队。

提出由皇上来鼓舞民众的斗志和号召民众奋起保卫祖国的建议,为他离开军队找了个借口,这建议被皇上接受了,这种鼓舞民众斗志的做法(正如皇上亲自驾临莫斯科就是一种鼓舞一样)成了俄国获胜的主要原因。

十

这封信还没有呈交皇上时,巴克莱就在午餐时转告鲍尔康斯基,说皇上要亲自召见安德烈公爵,以便向他询问土耳其的情况,安德烈公爵应在晚上六点钟到本尼格森住处。

这一天皇上总部接到了拿破仑采取了可能对我军构成威胁的新的行动的消息,后来发现这个消息并不确实。这天早晨,米绍上校①在陪同皇上巡视德里萨的防御工事时对皇上证明说,普弗尔建造的这个筑有防御工事、至今被认为是战术的杰作、应能置拿破仑于死地的营地,实际上毫无意义,会毁了俄国军队。

安德烈公爵来到了本尼格森将军的住所,这是紧靠河边的一座不大的地主宅院。本尼格森和皇上都不在那里;皇上的侍从武官切尔内绍夫接待了鲍尔康斯基,对他说,皇上与本尼格森将军和保卢奇侯爵一起今天再一次去视察德里萨营地的工事了,开始对这营地是否适用产生了极大的怀疑。

切尔内绍夫手里拿着一本法国小说坐在第一个房间的窗口。这个房间以前大概是一个客厅;房间里还放着管风琴,上面乱堆着一些壁毯,在一个角落里支着本尼格森的副官的行军床。这个副官也在这里。他看来被酒宴或工作折磨得筋疲力尽,坐在卷起

---

① 米绍(一七七一至一八四一年),军事工程师,一八〇五年从撒丁军队转到俄军服役。

的铺盖上打瞌睡。这个厅有两道门，一道直接通向以前的客厅，另一道通向右边的书房。从第一道门里传出用德语和间或用法语说话的声音。在这个以前的客厅里，根据皇上的意思，召集的不是军事会议（皇上喜欢不做明确说明），只请来了一些人，皇上希望听听他们对目前的困难的看法。这确实不是军事会议，而似乎是一次被请来给皇上本人说明某些问题的特邀人士的会议。应邀参加这次非正式会议的有瑞典将军阿姆菲尔特、侍从将军沃尔佐根、被拿破仑称为逃亡的法国臣民的温岑格罗德、米绍、托尔①、完全不是军人的施泰因伯爵，最后还有普弗尔本人，安德烈公爵听说，他是整个事情的支柱。安德烈公爵有机会对普弗尔做仔细的观察，因为他到后不久普弗尔就来了，进了客厅，停下来和切尔内绍夫说了一会儿话。

普弗尔身穿缝制得很糟的俄国将军制服，他穿着它好像要去化装表演一样，安德烈公爵乍一看，觉得面熟，虽然从来没有见过他。他身上有魏罗特、马克、施米特以及安德烈公爵在一八〇五年见过的其他许多德国军事理论家的特点，但是他要比所有这些人更典型。像这样一个在自己身上集中了那些德国人的所有特点的德国理论家，安德烈公爵还从来没有见过。

普弗尔个子不高，很瘦，但是骨架大，体格粗壮，臀部很宽，肩胛骨显露。他的脸布满皱纹，眼窝深凹。他两鬓的头发前面显然匆匆地梳过，而在后面则一绺绺地自然地翘着。他进了房间，不安地和生气地瞧瞧四周，仿佛害怕这个房间里的一切。他用笨

---

① 托尔当时在德里萨营地担任总设营官。

拙的动作挟住佩剑,用德语问皇上在哪里。看来他很想赶快走遍各个房间,结束行礼和问候,在地图前坐下工作,在那里他才觉得自己待在该待的地方。他匆匆地朝切尔内绍夫点点头,露出讽刺的微笑,听他讲皇帝正在察看他普弗尔本人根据自己的理论构筑的工事。他像非常自信的德国人说话一样,用低沉的声音很不客气地轻轻地嘟囔了一句:愚蠢……或者整个事情要完蛋……或者有好戏看啦①……安德烈公爵没有听清,想要进房间去,但是切尔内绍夫把他介绍给了普弗尔,说安德烈公爵从土耳其来,那里战争非常顺利地结束了。普弗尔瞟了一眼,他与其说是看安德烈公爵,不如说是目光越过他看别的地方,笑着说:"是呀,那一仗想必有正确的战术。"②说着他轻蔑地笑了起来,便到那个有人说话的房间去了。

看来普弗尔本来已随时都可能发火和讽刺人,今天得知有人竟敢背着他去察看他构筑的营地和议论他,更是特别生气。安德烈公爵根据与普弗尔的短暂的见面,凭他关于奥斯特利茨战役的回忆,很快对这个人有了清楚的看法。普弗尔是那种一成不变的自信到了不可救药和宁愿受苦受难程度的人之一,只有德国人才会成为这样的人,这正是因为只有德国人才会根据抽象的观念——所谓的科学,即对完美的真理的虚假的知识,变得自信起来。法国人之所以自信,是因为他们认为自己本身无论就智力和肉体来说,对男人和女人都有不可抗拒的魅力。英国人是根据他

---

① 原文为德文。
② 同上。

们是世界上最完善的国家的公民这一点而变得自信的，因此他们作为英国人任何时候都知道该做些什么，并且知道他们作为英国人所做的一切无疑都是好的。意大利人自信是因为他们很激动，容易忘掉自己和别人。俄罗斯人自信就是因为他们什么也不知道而且也不想知道，因为不相信可以完全知道什么事。德国人的自信比所有人的自信都坏，都不可改变，都可恶，因为他们认为自己知道真理，知道科学，这科学是他们自己臆想出来的，但是对他们来说是绝对真理。显然，普弗尔就是这样的人。他有一种科学——斜行进理论，这是他从腓特烈大帝的战争史里得出来的，他觉得他在最新的腓特烈大帝战争史里看到的一切，在最新的战争史里看到的一切都是荒谬的、野蛮的行为，都是乱七八糟的冲突，在这冲突中双方都犯了许多错误，使得这些战争不能称之为战争：它们不符合理论，不能成为科学研究的对象。

一八〇六年，普弗尔是作战计划的制订人之一，这场战争以耶拿和奥尔施泰特两地的失败而告终；但是他认为这次战争的结局丝毫也不能证明他的理论的不对。相反，根据他的看法，违背他的理论是失利的唯一原因，他以他固有的幸灾乐祸的讽刺口气说："我可是说过，整个事情都会完蛋。"[①] 普弗尔是这样的一种理论家，他们非常喜欢自己的理论，以至于忘记了理论的目的是应用于实践；他由于喜欢理论而憎恨任何实践，对它不屑一顾。他甚至为失败而高兴，因为在实践中因违背理论而造成的失败只能证明他的理论的正确。

---

① 原文为德文。

他与安德烈公爵和切尔内绍夫说了几句关于当前的战争的话，看他表情，仿佛他事先知道一切将会很糟，他甚至对此并不感到不满。他后脑勺上翘起的没有梳过的一绺绺头发和匆忙地梳得很平的鬓角充分证明这一点。

他到了另一个房间里，从那里立刻传来了他低沉的唠唠叨叨说话的声音。

十 一

安德烈公爵还没有来得及目送普弗尔出去，本尼格森伯爵就匆匆忙忙地进了房间，他朝鲍尔康斯基点了点头，没有停步，给自己的副官做了一些指示，就到书房去了。皇上随后就到，本尼格森急忙赶在前面，以便做些准备，好迎接皇上。切尔内绍夫和安德烈公爵来到台阶上。皇上满面倦容，下了马。保卢奇侯爵对皇上说着什么。他说得特别热烈，皇上朝左边侧着头，带着不耐烦的神气听着。皇上朝前走动了一下，大概是想结束谈话，但是这个满脸通红、非常激动的意大利人忘记了礼仪，跟在他后面继续说。

"至于说到那个建议构建德里萨营地的人。"保卢奇说，这时皇上已上了台阶，看见了安德烈公爵，注视着这张他不熟悉的脸。

"至于说到，陛下，"保卢奇不顾一切地继续说，仿佛克制不住自己一样，"那个建议构建德里萨营地的人，那么在我看来，他只有两个地方可供选择：疯人院或绞刑架。"皇上没有听完。也可能没有听见这个意大利人的话，在认出鲍尔康斯基后，和气地对他说：

"见到你很高兴，请到他们那里去，我等一会儿就来。"皇上到书房去了。跟他进去的有彼得·米哈依洛维奇·沃尔康斯基公爵和施泰因男爵，他们进去后，门关上了。安德烈公爵经皇上允许，与他早在土耳其就已认识的保卢奇一起前去开会的客厅。

彼得·米哈依洛维奇·沃尔康斯基公爵担任类似皇上总部的参谋长的职务。他从书房出来，进了客厅，把带来的地图在桌子上摊开，提出了几个他想要听听在座的诸位的意见的问题。其实这是因为夜间得到了法国人迂回包抄德里萨营地的消息（后来发现这消息并不确实）。

第一个说话的是阿姆菲尔特将军，他出人意外地提出一个摆脱困境的新的、怎么也无法解释的方案（这只能用他希望表明自己也可能有自己的意见来解释），建议在彼得堡大道和莫斯科大道一边构筑阵地，根据他的意见，军队应在那里会合等待敌人。可以看出，这个计划阿姆菲尔特早就想好了，现在把它讲出来与其说是为了回答提出的问题（实际上这个计划并不回答这些问题），不如说是为了利用这个机会公之于众。这是千百万种设想之一，这些设想像其他设想一样，在不了解战争将具有何种性质的情况下，也都是有充分理由可以做出的。一些人对他的意见提出异议，另一些人则表示支持。年轻的托尔比别的人都激烈地反驳这位瑞典将军的意见，在争论时从侧兜里掏出一个写满字的笔记本，请求大家允许他读一读。托尔在其非常详细的笔记中提出了另一个与阿姆菲尔特的计划和普弗尔的计划完全相反的作战计划。保卢奇在反驳托尔时,提出了向前推进和进攻的计划,照他说来,只要一进攻,就能使我们摆脱情况不明的状态,脱离我们所处的陷阱(他这样称呼德里萨营地)。在进行这些争论时,普弗尔和他的翻译沃尔佐根(这是普弗尔和近臣们之间的桥梁)没有说话。普弗尔只是轻蔑地哼了一声,转过头去,表明他永远不会降低身份去反驳他现在听到的废话。当主持讨论的沃尔康斯基公爵请他发表自己的意见时,他只说:

"何必问我呢?阿姆菲尔特将军提出构建一个后方完全暴露的很好的阵地。或者像这位意大利先生所说的那样发起进攻,很好!或者撤退。也很好。①何必再问我呢?"他说。"要知道诸位都知道得比我清楚。"但是当沃尔康斯基皱起眉头说他是代表皇上征求他的意见时,普弗尔站了起来,突然精神振作起来,开始说道:

"一切都弄坏了,一切都搞乱了,大家都想显得比我高明,现在又来问我:怎么纠正?没有什么可纠正的。只要精确无误地照我阐明的原理去做就行了。"他一面说,一面用瘦骨嶙峋的手拍着桌子。"有什么困难?小事一桩,轻而易举的事②。"他走到地图前面,开始很快地说起来,用干瘦的手指在地图上指着,证明任何偶然情况都不能改变德里萨营地的合理性,说一切都预计到了,如果敌人真的进行迂回,那么他们将不可避免地被消灭。

不懂德语的保卢奇开始用法语向他提问。沃尔佐根走过来给法语说得不好的普弗尔帮忙,为他翻译,几乎跟不上他说的话,

---

① 原文为德文。
② 同上。

普弗尔说得很快,竭力证明,一切的一切,不仅是发生的一切,而且是可能发生的一切,在他的计划里都预见到了,如果说现在出现困难的话,那么全部原因在于一切没有精确无误地执行。他不断发出讽刺的冷笑,反复证明着,最后终于轻蔑地停止了,如同一个数学家不再用各种不同方法验证一道已证明计算正确的算题一样。沃尔佐根接过来替他说,继续用法语说明他的想法,不时地问普弗尔:"对吗,阁下?①"普弗尔像一个在战斗中杀红了眼的人那样打起自己人来,生气地对沃尔佐根喊道:

"就是这样,还有什么可解释的?②"保卢奇和米绍两人用法语向沃尔佐根发起进攻。阿姆菲尔特则用法语同普弗尔说话。托尔用俄语对沃尔康斯基公爵进行解释。安德烈公爵默默地听着,观察着。

在所有这些人当中,最引起安德烈公爵同情的是那个凶狠恼怒、固执己见、头脑不清而自以为是的普弗尔。显然,在所有在座的人之中,只有他一个人不为自己谋求什么,对谁也不怀敌意,只有一个希望——实行根据他花多年的劳动研究出来的理论制订的计划。他是可笑的,他的讥讽的态度令人不快,但是与此同时他对思想的无限忠诚使人肃然起敬。此外,除了普弗尔,所有人的发言有一个在一八〇五年的军事会议上所没有的共同特点,即对拿破仑的天才的惊慌和恐惧,这种情绪虽然掩饰着,但是在每一个人发表不同意见时流露出来。他们设想拿破仑一切都可能做

---

① 原文为德文。

② 同上。

到，认为对他防不胜防，彼此用他的可怕的名字来推翻对方的设想。看来只有普弗尔一个人也认为拿破仑像所有反对他的理论的人一样是野蛮人。但是，普弗尔除了博得安德烈公爵的尊敬外，也使他感到怜惜。从近臣们同他说话的语气，从保卢奇竟敢在皇帝面前说他的坏话这一点，主要的是从普弗尔本人的某种绝望的表情可以看出，别人已经知道和他自己也已感觉到，他垮台的日子已为期不远了。虽然他很自信，说话带有德国人的唠叨和讽刺，但是他那鬓角的头发梳得平平的、后脑勺的头发翘起的样子是可怜的。虽然他摆出气愤和蔑视的样子来加以掩饰，看来他处于绝望之中，因为他就要失去通过大规模的试验来检验和向全世界证明他的理论的正确性的唯一机会了。

讨论延续了很长时间，而延续的时间愈长，争论也就愈激烈，达到了大喊大叫、进行人身攻击的地步，这样也就愈不可能从发言中得出任何共同的结论。安德烈公爵听着各种不同语言说话的声音，听着这些设想、计划、反驳和叫喊，对他们大家的发言只不过感到惊讶而已。他在军事活动中早就产生和常常出现这样的想法，认为没有而且不可能有任何军事科学，因此也不可能有任何所谓的军事天才，这些想法现在对他来说具有十分明显的真理性。"如果战斗的条件和环境并不清楚而且无法确定，其中作战者的力量更无法确定，那么能有什么样的理论和科学可言呢？无论是谁过去和现在都不可能知道我军和敌军一天后的处境，都不可能知道这个或那个部队的力量。有时，当走在前面的不是一个喊叫'我们被切断了'并仓皇逃命的胆小鬼，而是一个喊起'乌拉'来的快乐的和勇敢的人，这样五千个人的部队就抵得上三万大军，就像在申格拉本那样；有时五万人的军队见了八千人就望风而逃，在奥斯特利茨附近就是这样。在战斗中，如同在任何实际活动中一样，什么也确定不了，一切都取决于无数的条件，而所有这些条件的作用只有在谁也不知道何时到来的那一刻才能确定，在这样的事情里能有什么样的科学可言呢？阿姆菲尔特说，我们的军队被切断了，而保卢奇说，我们使法国军队受到两面夹攻；米绍说，德里萨营地的不合适之处在于背靠着河，而普弗尔却说这正是它的长处。托尔提出一个计划，阿姆菲尔特则提出另一个；所有计划都很好，也都不好，任何处境是否有利，只有在事件发生时才能清楚地看出。为什么大家都说军事天才呢？难道一个能及时下令运来干粮，叫这个向右走、叫那个向左走的人就是天才吗？只是因为军人名声大，又有权，大批无耻之徒便讨好当权者，把他们本来没有的天才的品质加到他们身上，称他们为天才。恰恰相反，我所认识的优秀的将领都是一些傻里傻气或漫不经心的人。巴格拉季翁很出色，拿破仑本人都承认这一点。而波拿巴本人也是这样！我记得奥斯特利茨战场上他的那副洋洋自得的蠢相。一个好的统帅并不需要天才和任何特殊的品质，恰恰相反，他身上应当没有一般人的那些最优秀和最高尚的品德，例如仁爱、幻想、温情、钻研哲理的怀疑态度。他应该头脑简单，坚决相信他所做的事非常重要（否则他就不会有足够的耐心），只有这样他才能成为英勇的统帅。千万不要让他成为一个爱什么人、有怜悯心、老是考虑什么对什么不对的人。当然，自古以来就给他们编造了天才的理论，因为他们当权。军事胜利的取得并不取决于他们，而取决于那个在队伍里喊'完蛋了'或'乌拉'的人。只有在这队伍里服役,才能有这样的信心:你是有用的!"

安德烈公爵在听大家谈论时这样想道,直到保卢奇喊他,会已散了时,他才清醒过来。

第二天检阅时皇上问安德烈公爵愿意在哪里工作,安德烈公爵没有请求留在皇上身边,而请求允许他下部队,这就永远失去了成为近臣的机会。

十 二

罗斯托夫在战争开始前接到了父母的来信,信中简短地告诉他娜塔莎生病以及与安德烈公爵解除婚约的事(说是娜塔莎回绝他的),同时又一次要他退役回家。尼古拉接到这封信后,没有打算请假或退役,而是给父母写了一封信,说他对娜塔莎病情很关心,对她与未婚夫解除婚约感到非常惋惜,并表示将尽一切可能实现他们的愿望。他给索尼娅单独写了一封信。

"我心中非常热爱的朋友。"他写道,"除了荣誉,任何东西也不能阻止我回乡。但是现在,在战争即将开始时,如果我只考虑自己的幸福而不考虑对祖国应尽的义务和抛弃对祖国的爱,那么我不仅无颜面对所有的同事们,也觉得无地自容。不过这是最后的一次别离。请你相信,一等战争结束,如果我还活着,并且你还爱我,我就立刻扔下一切飞到你的身边,把你永远紧紧地搂在我火热的怀里。"

确实,只是因为战争爆发,罗斯托夫才没有像他所许诺的那样,回家和索尼娅结婚。奥特拉德诺耶秋天的打猎和冬天的过圣诞节以及索尼娅的爱,给他展示了平静的贵族生活的欢乐和安宁,这是他以前未曾体验过的,现在非常吸引他。"贤惠的妻子、孩子、一大群良种猎犬、十到十二小群凶猛的灵猩、管理家业、与邻居交往以及担任选举的职务!"他想道。而现在正在打仗,需要留在团里。而由于需要这样做,加上尼古拉·罗斯托夫生性能随遇而安,因此他对团里的生活倒也满意,并能使自己过得很愉快。

尼古拉休假回来后,受到同事们的热情欢迎,不久他被派去采购用于补充的马匹,从小俄罗斯[①]买来了一批出色的军马,这使他很高兴,也使他受到了上司的称赞。休假期间他被提升为大尉,而当团队进入战时状态和扩大编制时,他又担任原先的骑兵连连长。

战争开始后团队往波兰进发,发了双饷,来了一些新的军官和新的兵员,增加了马匹;而主要的是,普遍出现了一种平常战争开始时常有的兴奋欢快的情绪;罗斯托夫知道自己在团里处于有利地位,便全身心地沉浸在服军役的喜悦和乐趣之中,虽然知道他迟早要离开这种生活。

部队由于国家的、政治的和策略上的各种复杂原因撤离了维尔纳。每后退一步,在总部里各种利益、意见和情绪总有一场复杂的较量。对保罗格勒团的骠骑兵来说,在夏季最好的时候带着充足的给养撤退,是一件最简单和最快乐的事。沮丧、不安的情绪和钩心斗角的现象只能存在于总部,而在部队的基层,人们根本不问自己上哪里去,去干什么。如果说有人为撤退感到惋惜的

---

① 小俄罗斯指乌克兰。

话,那也只是因为要离开住惯了的营房和漂亮的波兰小姐。即使有人想到情况不妙,那么这个想到的人也像一个好军人应做的那样,竭力装出快乐的样子,不去考虑战争的总的进程,而只想自己眼前的事。开头团队快活地驻扎在维尔纳附近,结识了一些波兰地主,等待和接受了皇上和其他高级指挥官的检阅。后来接到了朝斯文齐亚内①撤退并销毁带不走的粮草的命令。斯文齐亚内之所以留在骠骑兵的记忆里,只是因为这是有名的"醉营",全军都这样称呼斯文齐亚内附近的驻地,也因为在斯文齐亚内告部队的状的人很多,抱怨他们利用征粮的命令,夺走波兰地主的马匹、马车和地毯。罗斯托夫之所以记得斯文齐亚内,是因为他在进入这个小镇的第一天更换了司务长,以致对付不了连里所有喝醉酒的人,他们未经他许可弄走了五桶陈年啤酒。从斯文齐亚内节节后退,退到了德里萨,又从德里萨后退,快要接近俄国边境了。

七月十三日,保罗格勒团的官兵们第一次正经地打了一仗。

七月十二日夜,在战斗的前夜,曾有过一场猛烈的暴风雨。一八一二年的夏天总的说来常有这样的暴风雨天气。

保罗格勒团的两个连在一片被牲口和马踩坏的已抽穗的黑麦地里宿营。大雨哗哗地下着,罗斯托夫和受他庇护的年轻军官伊林坐在匆忙搭起的棚子里。他们团的一个留着络腮胡子的军官从司令部回来,遇到了雨,进了罗斯托夫的棚子。

"伯爵,我从司令部来。听说拉耶夫斯基②立功了吗?"于是

---

① 斯文齐亚内,今立陶宛的什文乔尼斯。
② 拉耶夫斯基(一七七一至一八二九年),俄国将军。

这军官讲述了他在司令部听来的萨尔塔诺夫卡战斗①的详情。

罗斯托夫缩着进了水的脖子，吸着烟斗，漫不经心地听着，不时看看偎依在他身旁的年轻军官伊林。这个军官是一个十六岁的孩子，不久前到团里服役，他现在与尼古拉的关系，如同七年前尼古拉与杰尼索夫的关系一样。伊林竭力在各个方面学罗斯托夫的样，像女人一样爱上了他。

那个留两撇胡子的军官叫兹德尔任斯基，他绘声绘色地说萨尔塔诺夫卡水坝是俄国人的温泉关②，说拉耶夫斯基将军在这坝上的英勇行为可与古代英雄媲美。兹德尔任斯基讲述了拉耶夫斯基如何冒着可怕的炮火带领两个儿子到了坝上，和他们一起发起冲锋。罗斯托夫听着他讲，不仅没有说一句话来肯定兹德尔任斯基那么兴奋是理所当然的，相反，却露出了为听到的事感到难为情的样子，不过没有进行反驳。首先，罗斯托夫在参加奥斯特利茨战役和一八〇七年的历次战役后，根据自己切身经验知道，人们在讲述战斗经过时常常说谎，他自己也说过谎；其次，他已有足够的经验，知道战场上发生的一切完全不像我们所能想象和讲述的那样。因此他不喜欢听兹德尔任斯基讲，也不喜欢兹德尔任斯基这个人，觉得他胡子拉碴，说话时习惯性地俯下身来凑近听的人的脸，在这狭窄的棚子里挤着自己。罗斯托夫默默地看着他。"第一，在攻打的大坝上大概应该是混乱不堪和十分拥挤的，即

---

① 萨尔塔诺夫卡是莫吉廖夫附近的一个村庄，一八一二年七月十一（二十三）日俄军拉耶夫斯基军团与法军达武和莫尔蒂耶的军团之间进行了一场激战。

② 温泉关（德摩比利）是希腊中部东海岸卡利兹罗蒙山和马利亚科斯湾之间的狭窄通道，公元前四八〇年八月希腊人和波斯人曾在这里发生过一场激战。

使拉耶夫斯基带着儿子冲了上去，除了能带动他身旁的十来个人外，不会对任何人起什么作用，"罗斯托夫想，"其余的人根本看不到拉耶夫斯基带着什么人在大坝上走。而且那些看到了的人也不会十分振奋起来，因为在这生死关头，拉耶夫斯基的亲子之情与他们有什么相干呢？再说，祖国的命运并不像在谈到温泉关时所说的那样，取决于是否拿下萨尔塔诺夫卡大坝。这么说来，干吗要做出这样的牺牲呢？还有，干吗要把儿子带到这里的战场上来呢？我不仅不会带弟弟彼佳去冲锋，甚至也不会带这个非亲非故的好孩子伊林上去，而是要想方设法把他保护起来。"罗斯托夫一面听兹德尔任斯基说，一面继续想道。但是他没有说出自己的想法，在这方面他已经有经验了。他知道所讲的事能为我军增光，因此需要装出对此毫不怀疑的样子。他就是这样做的。

"真受不了啦，"伊林注意到罗斯托夫对兹德尔任斯基的话不感兴趣，说道，"袜子和衬衣都湿了，我身上直往下滴水。我去找个避雨的地方去。雨好像小一些了。"伊林出去了，兹德尔任斯基也骑上马走了。

五分钟后伊林吧嗒吧嗒踩着泥浆跑到棚子里来。

"乌拉！罗斯托夫，快走。找到了！离这里两百来步有一个小酒店，我们的人已上那里去了。哪怕去烘一烘衣服，玛丽亚·亨里霍夫娜也在那里。"

玛丽亚·亨里霍夫娜是团里军医的妻子，是一个年轻漂亮的德国女人，军医是在波兰和她结的婚。军医或者是由于没有钱，或者是由于新婚燕尔不愿与年轻的妻子分离，便带着她随着骠骑兵团东奔西走，医生的醋意常常成为骠骑兵军官之间说笑的话题。

罗斯托夫披上了斗篷，叫拉夫鲁什卡带着东西跟着他，和伊林一起走了，他们一路上有的地方在泥泞中滑行着，有的地方干脆冒着快要停的雨在水中吧嗒吧嗒走着，远方的闪电不时划破漆黑的夜空。

"罗斯托夫，你在哪里？"

"在这里。好亮的闪电！"他们彼此呼应着。

十 三

在废弃的小酒店门口停着军医带篷的马车，已有五六个军官在这酒店里。玛丽亚·亨里霍夫娜是一个胖胖的浅色头发的德国女人，她身穿短上衣，头戴睡帽，坐在前面角落里的一张很宽的长凳上。她的军医丈夫躺在她后面睡觉。罗斯托夫和伊林在一片快乐的叫喊声和笑声中进了屋。

"嗬！你们这里好快活！"罗斯托夫笑着说。

"你们怎么来晚了？"

"好哇！他们身上的水直往下滴！别把我们的客厅给弄湿了。"

"不要弄脏玛丽亚·亨里霍夫娜的衣服。"有人接过来说。

罗斯托夫和伊林急于找到一个不会冒犯玛丽亚·亨里霍夫娜的角落换下身上的湿衣服。他们正要到隔板后面去换衣服；但是小小的储藏室已挤得满满的，一只空箱子上点着一支蜡烛，三个军官坐在那里玩牌，怎么也不愿让出自己的地方。玛丽亚·亨里霍夫娜暂时借给他们一条裙子做帘子，于是在这帘子后面罗斯托夫和伊林在带来了马褡子的拉夫鲁什卡的帮助下脱下了湿衣服，换上了干衣服。

破炉里生起了火。找来了一块木板，把它固定在两个马鞍上，上面盖了马被，拿来了一个小茶炊、旅行食品箱和半瓶罗姆酒，请玛丽亚·亨里霍夫娜当女主人，大家聚集在她周围。有人递给她一块干净的手绢，让她用来擦那双漂亮的小手，有人在她的小脚下铺了一件骑兵上衣防潮，有人用斗篷挂在窗户上挡风，有人轰赶她丈夫脸上的苍蝇，免得苍蝇把他弄醒。

"不用管他，"玛丽亚·亨里霍夫娜说，羞怯地和幸福地微笑着，"他一夜没有睡觉，就这样也能睡得很好。"

"不，玛丽亚·亨里霍夫娜，"一个军官回答道，"应当好好巴结大夫，将来要锯胳膊或截腿时，他也许会不忍心对我这样做。"

杯子只有三个；水很脏，弄不清茶浓不浓，茶炊里的水只够沏六杯茶，不过按照职位的顺序轮流着从玛丽亚·亨里霍夫娜那双指甲不那么干净的胖胖的小手里接过茶来喝，觉得更有意思。这天晚上，所有军官似乎都爱上了玛丽亚·亨里霍夫娜。就连在隔板后面玩牌的人也很快扔下了牌，坐到茶炊旁边来，和大家一起向玛丽亚·亨里霍夫娜献殷勤。玛丽亚·亨里霍夫娜看见自己处在这样一些出色的和彬彬有礼的年轻人当中，顿时容光焕发，不管她如何竭力地想加以掩饰，不管睡在她背后的丈夫每动一下她都明显地露出胆怯的表情，她仍然还是那么喜气洋洋。

匙子只有一个，糖却很多，要搅它都轮不过来，因此决定由她轮流给每个人搅。罗斯托夫接到杯子后，倒了一点罗姆酒，便请玛丽亚·亨里霍夫娜给搅一搅。

"您不是没有放糖吗？"她说，脸上始终挂着微笑，仿佛不管她说什么，不管别的人说什么，都是非常可笑的，都含有另一种意义。

"不是让您给我搅匀糖，只要您亲手给我搅一搅就行。"

玛丽亚·亨里霍夫娜同意了，开始寻找匙子，因为匙子已被人拿走了。

"您就用手指搅吧，玛丽亚·亨里霍夫娜，"罗斯托夫说，"这样就更好。"

"太烫！"玛丽亚·亨里霍夫娜说，快乐得涨红了脸。

伊林提来一桶水，往桶里滴了些罗姆酒，走到玛丽亚·亨里霍夫娜那里，请她用手指搅一搅。

"这是我的一杯水，"他说，"您只要把手指往里面伸一下，我就一口把它喝干！"

茶炊里的水全都喝完后，罗斯托夫拿起一副牌，提议和玛丽亚·亨里霍夫娜一起玩"当国王"。抓阄决定谁和玛丽亚·亨里霍夫娜一起玩。根据罗斯托夫的建议，玩牌的规则是这样的：谁当上了"国王"，就有权吻一下玛丽亚·亨里霍夫娜的小手；谁当了"坏蛋"，就得在医生醒来时为他生上茶炊。

"要是玛丽亚·亨里霍夫娜当上'国王'呢？"伊林问。

"她本来就是王后！她的命令就是法律。"

刚开始玩牌，医生突然从玛丽亚·亨里霍夫娜背后抬起了他头发蓬乱的脑袋。他早就醒了，一直倾听着大家说的话，看来没有在他们说的和做的一切之中发现任何快乐的、可笑的或有趣的东西。他的脸色是忧愁的和沮丧的。他没有和军官们打招呼，搔搔头皮，请求让他出去，因为人们挡了他的道。他一出去，所有军官就哈哈大笑起来，而玛丽亚·亨里霍夫娜脸红得流出了眼泪，而在所有军官看来，她变得更加招人喜欢了。医生从院子里回来后对妻子说（她已停止幸福地微笑，带着惊恐地等待判决的神情看着他），雨已经停了，应当到带篷的马车里去过夜，要不车上的东西会被人偷光的。

"我派勤务兵去看着……派两个！"罗斯托夫说，"何必这样呢，大夫。"

"我去看守！"伊林说。

"不，诸位，你们都睡足了觉，而我两夜没有睡了。"医生说，脸色阴沉地在妻子身旁坐下，等待玩牌结束。

医生沉下脸，斜视着自己的妻子，军官们看着他的模样就更乐了，许多人忍不住笑出声来，同时急忙为发笑寻找冠冕堂皇的借口。当医生带着他的妻子出去，在带篷的马车上安顿好后，军官们也在小酒店里躺下了，身上盖着淋湿的军大衣；但是他们很久没有睡着，时而交谈着，回想着医生惊恐的表情和他的妻子快乐的样子，时而跑到台阶上，报告马车里的动静。罗斯托夫几次蒙住头想睡，但是又被某人的一句话逗乐了，大家又交谈起来，发出了无缘无故的、快乐的和天真的笑声。

十 四

夜里两点多钟，谁都还没有入睡，司务长带来了向奥斯特罗夫纳镇开拔的命令。

军官们还是那样有说有笑地做出发的准备；又烧了一茶炊脏水，但是罗斯托夫没有喝茶就到连队去了。天已经亮了；雨已停了，乌云正在散开。天气又潮又冷，尤其是穿着没有干透的衣服，更觉得冷飕飕的。罗斯托夫和伊林两个人出了小酒店，在黎明时分的昏暗中朝医生的那辆皮篷上的雨滴闪闪发亮的马车看了一眼，只见挡布下面跷着医生的双脚，而在马车中央的坐垫上露出医生太太的睡帽，从那里传出熟睡的呼吸声。

"说真的，她非常可爱！"罗斯托夫对和他一起出来的伊林说。
"这女人太迷人了！"伊林带着十六岁孩子的认真的神情回答道。
半个小时后，连队已在路上排好队。传来了口令："上马！"士兵们画了十字，开始上马。罗斯托夫骑马向前走，发出"齐步走！"的口令，于是骠骑兵们四人一排，跟在走在前面的步兵和炮兵后面，沿着两旁种着桦树的大道前进，马蹄踩在积水的路上发出吧嗒吧嗒的声音，马刀碰得叮当响，人们低声地说着话。

一片片青紫色的残云被曙光映得红红的，在风的驱赶下迅速地浮动。天愈来愈亮了。可以清楚地看到常常生长在乡间道路上的茂密的野草，它在昨天的一场雨后还是湿漉漉的；桦树的悬垂的树枝也是湿的，随风摇曳，把亮晶晶的水滴洒向一旁。士兵们的脸愈来愈清晰可见了。罗斯托夫与紧跟着他的伊林在路旁两行桦树之间走着。

罗斯托夫在作战时没有按照规矩骑战马，而骑一匹哥萨克马。他作为行家和喜欢马的人，不久前给自己弄到了一匹高大的烈性顿河马，这是一匹白鬃白尾的枣红马，骑着它，谁也追不上他。

对罗斯托夫来说，骑这匹马是一种乐趣。他心里想着马，想着早晨的事，想着医生太太，一次也没有想到面临的危险。

从前罗斯托夫去参加战斗是害怕的；现在他没有一点恐惧的感觉。他不害怕不是由于他对上火线已习惯了（对危险是无法习惯的），而是由于他学会了在危险面前控制自己。他在前去参加战斗时，已习惯于什么都想，但不去想看来似乎是最关心的事，即不去想面临的危险。在服役的初期，不管他做出什么样的努力，不管他如何责备自己胆小，他做不到这一点；但是随着岁月的流逝，现在自然而然地做到了。现在他骑着马与伊林并排在桦树之间走着，不时顺手捋那碰到的枝条上的树叶，有时用脚踢踢马肚子，有时头也不回地把吸完的烟斗递交给后面的骠骑兵，他的神态是那样的平静和无忧无虑，仿佛他是在骑马兜风。他看着伊林紧张的脸色，听他激动地唠唠叨叨，不禁有些可怜他；他根据经验知道，这个骑兵少尉正处于恐惧和等待死亡的痛苦状态之中，知道除了时间之外，无论什么都不能帮助他摆脱这种状态。

太阳刚钻出乌云，出现在明净的天空，风就停了，仿佛它不敢破坏雷雨后夏日清晨的美景似的；水还在滴着，不过已是垂直落下——这时一切都沉寂下来。太阳完全出来了，浮在地平线上，接着又消失在它上方的一片又窄又长的乌云里。几分钟后，太阳冲破乌云出现在它的上方，变得更加明亮。一切都亮了起来，闪闪发光。与此同时，仿佛与这亮光相呼应似的，从前面传来了隆隆的炮声。

罗斯托夫还没有来得及仔细考虑和确定这炮声有多远，奥斯特曼-托尔斯泰伯爵①的副官就骑马从维捷布斯克跑来,带来了沿大路快步前进的命令。

骑兵连超过了也在急忙快速前进的步兵和炮兵,下了山,然后经过一个已没有居民的空荡荡的村庄,又上了山。马匹开始冒汗,人也满脸通红。

"立定!看齐!"从前面传来骑兵营长的口令。

"右转弯,齐步走!"前面又传来了口令。

于是骠骑兵沿着战线走到阵地的左翼,在处于第一线的枪骑兵后面停住。右边是我军密集的步兵纵队——这是预备队;在步兵纵队上方的山上,在天地交接的地方露出我军的大炮,在明净的天空中,在早晨斜射过来的明亮的阳光照耀下可以看得很清楚。在前面谷地的那一边,是敌人的纵队和大炮。在谷地里可以听到我军散兵线的枪声,他们已经交上了火,发出与敌人对射的欢快的噼啪声。

罗斯托夫听到这些很久没有听到的声音,像听见最欢快的音乐一样,心里高兴起来。嗒——嗒——嗒!——时而突然一齐响了起来,时而很快地一声接一声一连好几下。接着又沉寂下来,然后又像有人踩着响炮一样,噼啪响起来。

骠骑兵在原地大约停了一个钟头。炮击开始了。奥斯特曼将军带着随从从骑兵连的后面过来,勒住马,和团长说了几句,又到山上炮队那里去了。

奥斯特曼走后,枪骑兵就听到了口令:

---

① 奥斯特曼-托尔斯泰(一七七〇至一八五七年),俄国将军,当时任步兵军长。

"成一路纵队,准备冲锋!"他们前面的步兵分成两排,让骑兵过去。枪骑兵出动了,长矛上的小旗飘动着,催马快步朝山下左边出现的法国骑兵奔去。

枪骑兵一下山,骠骑兵奉命朝山上推进,前去掩护炮兵。当骠骑兵到了刚才枪骑兵的地方时,从远处散兵线那里飞来的子弹呼啸而过,没有打中目标。

罗斯托夫很久没有听到这种声音了,他心里比从前听到射击声时更高兴和更激动。他挺直身子,仔细察看着山前的战场,整个心都与冲锋的枪骑兵在一起。枪骑兵一直向法国龙骑兵扑过去,在那里的烟雾里混成一团,五分钟后枪骑兵后退了,但不是退往原地,而是退向靠左边的地方。在穿着橙黄色制服和骑着枣红马的枪骑兵之间和在他们后面,可以看到一大群穿着蓝色制服和骑着灰马的法国龙骑兵。

十 五

罗斯托夫有着猎人的敏锐目光,他是第一批看见穿蓝色制服的法国龙骑兵追赶我们的枪骑兵的人之一。溃逃的枪骑兵和追赶他们的法国龙骑兵愈来愈近了。已经可以看到这些在山下显得很小的人碰到一起,相互追赶,挥动着胳膊或马刀。

罗斯托夫像看猎犬追捕野兽似的看着他面前发生的事。他凭本能感觉到,如果现在带着骠骑兵向法国龙骑兵发起攻击,那么他们是抵挡不住的;但是如果要攻击,那么就得马上进行,不然就晚了。他朝自己周围看了一眼。他身旁的大尉也目不转睛地看着山下的骑兵。

"安德烈·谢瓦斯季亚内奇，"罗斯托夫说，"要知道我们能把他们打垮……"

"这是一个高招，"大尉说，"其实……"

罗斯托夫没有听他说完，就刺了刺马，跑到连队前面，他还没有来得及下令出击，与他有同样感觉的全连官兵已跟着他出动了。罗斯托夫自己也不知道他怎么这样做和为什么要这样做。这一切他都是像在打猎时一样不假思索和不经考虑地做的。他看见龙骑兵靠近了，他们队伍散乱；他知道他们抵挡不住，他知道这只是一分钟的事，如果错过了，就无法挽回。子弹那样刺激性地在他周围呼啸着，马那样使劲地往前冲，他自己也忍不住了。他催动坐骑，发出口令，在这一瞬间听到自己背后全连展开队形快步奔跑的马蹄声，便直朝山下的龙骑兵冲去。他们一下了山，不由得从快步改为大跑，愈接近枪骑兵和追赶他们的法国龙骑兵便跑得愈来愈快。龙骑兵已很近了。他们前面的人看见骠骑兵便开始向后转，后面的人暂时停住了。罗斯托夫以拦截狼的心情，放开顿河马，全速奔跑过去堵那队形已乱的法国龙骑兵。一个枪骑兵停住了，一个步兵扑倒在地上，以免被马踩着，一匹无人骑的马混在骠骑兵中间。几乎所有的法国龙骑兵都往回跑。罗斯托夫选定了他们当中一个骑灰马的人，纵马追他。路上他碰上了一株矮树，骏马驮着他一跃而过，尼古拉刚在马鞍上坐稳，就发现他立刻就要追上那个他选作目标的敌人。这个法国人从他身上穿的制服来看大概是一个军官，他骑在灰马上，弯下身子，用马刀赶着马。转瞬之间罗斯托夫的马的前胸已碰到那军官的马的臀部，差一点把它撞翻了，在同一瞬间罗斯托夫自己也不知道为什么，举起马刀，朝那法国人砍去。

在他这样做的同一瞬间，罗斯托夫兴奋的心情突然消失了。那军官只在一只手臂肘弯以上的地方受了点轻伤，他摔下马来与其说是因为挨了罗斯托夫一马刀，不如说是因为被马撞了一下吓破了胆。罗斯托夫勒住马，用眼睛寻找着那个敌人，想看一看他打败的是什么人。那个法国龙骑兵军官一只脚在地上跳着，另一只脚套在马镫里。他惊恐地眯起眼睛，仿佛随时都在等待着再挨一马刀，接着皱起眉头，带着恐惧的表情从下往上看了罗斯托夫一眼。他脸色苍白，脸上溅满泥浆，长着一头浅色头发，显得很年轻，下巴上有一个小坑，眼睛是浅蓝色的，那张脸不是战场上的人的脸，不是敌人的脸，而是最普通的住在家里的人的脸。罗斯托夫还没有决定拿他怎么办。他就喊叫起来："我投降！"他急急忙忙地想要把脚从马镫里抽出来，但是抽不出来，他那双惊恐的蓝眼睛一眨不眨地望着罗斯托夫。几个骠骑兵跑上前来，帮他抽出了脚，叫他骑上马。四处的骠骑兵们正在和龙骑兵们忙活着：一个龙骑兵受了伤，满脸是血，但不肯交出自己的马；另一个搂住一个骠骑兵，坐在他的马屁股上；还有一个由骠骑兵扶着，正在上他的马。前面的法国步兵一面射击，一面逃跑。骠骑兵带着俘虏急忙往回走。罗斯托夫也和别的人一起回来了，一种不愉快的感觉使他心里憋得慌。他俘虏了这个军官，砍了他一马刀，产生了一种模糊的、混乱的、自己怎么也说不清的心情。

奥斯特曼-托尔斯泰伯爵前来迎接胜利归来的骠骑兵，把罗斯托夫叫去，表扬了他，说要向皇上奏明他的英勇行为，并呈请授予他格奥尔吉十字勋章。当罗斯托夫被叫去见奥斯特曼伯爵时，他想起他是没有接到命令发起冲锋的，完全相信长官把他叫去是要处罚他的这种自作主张的行为。因此奥斯特曼称赞他和答应奖赏他，他本应感到惊喜；但是那种不愉快的模糊的感觉使他精神上很难受。"究竟是什么使我感到痛苦呢？"他在从将军那里出来时问自己，"是伊林吗？不，他安然无恙。我做了什么丢脸的事了吗？不，完全不是那么回事！"使他感到痛苦的是另一种类似后悔的东西，"是的，是的，是这个下巴上有一个小坑的法国军官。我清楚地记得，我举起手中的马刀后又停住了。"

罗斯托夫看见被押走的俘虏，便跟在他们后面，想看一看自己俘获的那个下巴上有一个小坑的法国人。这个法国人身穿古怪的制服，骑着骠骑兵的一匹备用的马，不安地环视着自己的周围。他手臂上的伤几乎算不上什么伤。他对罗斯托夫假装出笑脸，朝他挥手致意。罗斯托夫还是那样觉得不自在，好像为什么事感到问心有愧似的。

第二天一整天罗斯托夫的朋友和同事们注意到他并不烦闷，也并不生气，但是沉默寡言，若有所思，心神专注。他不大乐意喝酒，竭力想一个人独自待着，一直想着什么事。

罗斯托夫一直想的是他的这个光辉业绩，他感到惊奇，他居然因此而获得了格奥尔吉十字勋章，甚至赢得了勇士的名声——对有些事他怎么也弄不明白。"这么说来他们比我们还害怕！"他想，"难道那种被称作英雄行为的东西只不过如此？难道我是为保卫祖国这样做吗？那个下巴有个小坑和长着蓝眼睛的人有什么罪？他是多么害怕啊！他以为我要杀死他。我为什么要杀死他呢？我的手颤动了一下没有砍下去。可是给了我格奥尔吉十字勋章。我什么，什么也不明白！"

但是正当尼古拉心里反复思考着这些问题，仍然弄不明白是什么东西使他如此不安时，如同常有的那样，他在服军役方面时来运转了。在奥斯特罗夫纳战斗后，他得到了提拔，把一个骠骑兵营交给他指挥，而在用得着勇敢的军官时，便派他去执行任务。

十 六

伯爵夫人得到娜塔莎生病的消息后，虽然还没有完全恢复健康，身体还比较虚弱，但是仍然带着彼佳和一家人到了莫斯科，于是全家从玛丽亚·德米特里耶夫娜那里搬回了自己的住宅，在莫斯科定居下来。

娜塔莎病情很重，这样作为她的病因的那件事就不那么去想了，她的行为以及她同未婚夫解除婚约的事都退居到了次要地位，这对她和她的亲人来说，反倒是件好事。她病得很厉害，使人不能去考虑她在发生的整个事情当中有多少错，她不吃，不睡，明显地瘦了，不断咳嗽，大夫多次暗示，她处于危险之中。应当只考虑如何治她的病。大夫们常到娜塔莎这里来，他们又是单独给她看病，又是进行会诊，用法语、德语和拉丁语说了很多，互相指责，开了能治他们所知道的所有疾病的各种各样的药，而他们之中没有一个想到这样一个简单的道理，即他们不可能知道娜塔莎生的病，如同不可能知道一个活人所得的任何一种疾病一样，因为每个活人都有自己的特点，通常都有特殊的、医学上尚未见过的新的复杂的疾病，不是医典上有记载的肺部、肝脏、皮肤、心脏、神经等等的病，而是这些器官的疾患的无数综合征之一。医生们之所以不会想到这个简单的道理（正如魔法家不会想到他施展的魔法会不灵一样），是因为他们一生的工作是治病，因为他们用这种方法挣钱，因为他们在这事情上耗费了自己最好的年华。但是医生们不能想到这一点主要是因为他们看到他们无疑是有用的，而对罗斯托夫全家人来说，也确实是有用的。他们之所以有用处不是因为他们强迫病人吞食大都是有害的物质（这种害处不大容易感觉出来，因为有害物质给的剂量很小），他们有用、必不可少和离不了（这就是为什么任何时候都有假郎中、算命先生、顺势疗法和对抗疗法①医生的原因），是因为他们能满足病人本身和关爱病人的亲人的精神需要。他们满足一般人永远都有的希望减轻病痛的需要，得到同情和能够活动的需要，一个人在痛苦时常有这样的需要。他们满足一般人永远都有的揉揉碰伤的地方的需要（这在孩子身上以最原始的形式显露出来）。孩子碰疼了，立刻扑进母亲和保姆的怀里，让她们亲亲他和揉揉疼的地方，而疼的地方被揉了揉或亲了亲后，他就觉得好多了。孩子不相信家里最有力和最聪明的人会没有办法减轻他的疼痛。于是减轻痛苦的希望以及母亲在揉他的鼓包时所表示的同情给他以安慰。大夫们

---

① 顺势疗法是一种用小剂量的、能使健康人产生某种疾病症状的药物的治病方法，由德国医生哈内曼（一七五五至一八四三年）提出，他把相反的疗法称为对抗疗法。

对娜塔莎的用处也表现在他们又亲又揉她的**痛处**，要她相信，如果马夫到阿尔巴特街的药房去，用一卢布七十戈比买回装在漂亮的盒子里的药粉和药丸的话，如果这药粉不多不少每隔两个小时用开水冲服的话，那么病情就会立刻减轻。

如果不是遵照大夫的嘱咐，按时给娜塔莎服药，侍候她喝温水和吃鸡肉饼以及做其他生活琐事，并把遵照医嘱看作自己的工作和安慰，那么索尼娅、伯爵和伯爵夫人又能做些什么呢？他们也许只好束手无策地看着虚弱的娜塔莎一天天消瘦下去。现在这些措施愈严格，愈复杂，周围的人心里就愈感到安慰。伯爵如果不为娜塔莎治病花几千卢布，并且为了有利于她的身体不惜再花几千；如果他见女儿还不能恢复健康，舍得再花几千，把她送到国外去，在那里找人给她进行会诊；如果他不能详细讲讲梅蒂维埃和费列尔没有诊断出来，费里斯却诊断出来了，而穆得罗夫诊断得最准确，等等，那么真不知他将如何熬过爱女生病的日子。伯爵夫人如果不能有时因娜塔莎不严格遵守医嘱而和她吵几句，她又有什么事可做呢？

"要是你再不听大夫的话，不按时服药，"她说，因为气恼，一时忘掉了自己的痛苦，"那么你就永远也好不了！要知道你可能转为肺炎，这可不是闹着玩的。"伯爵夫人说，她在说出"肺炎"这个并不只是她一个人不明白的医学术语时，仿佛得到很大安慰似的。索尼娅如果不高兴地意识到她开头的三夜为了准确地按医生的嘱咐行事，没有脱过衣裳，现在她夜里也不睡，以免病人错过服用金色小盒子里的毒性很小的药丸的时间，如果她不这样做，又会做些什么呢？娜塔莎虽然嘴里说，任何药物都治不了她的病，这一切都是胡闹，但是她看到人们为她做了这么多的牺牲，她需要按时服药，心里很高兴；她甚至为她能够用不遵医嘱的方式表明她不相信治疗和不珍视自己的生命而感到很得意。

大夫每天都来，号号脉，瞧瞧舌苔，故意不看病人沮丧的脸色，和她开玩笑。当他到另一个房间去时，伯爵夫人急忙跟着他出来，这时他摆出严肃的样子，若有所思地摇摇脑袋，说虽然还有危险，但是他希望这最后的药能起作用，说需要等待和观察；还说这病主要是精神上的，不过……

伯爵夫人把一枚金币塞到大夫手里，竭力想让自己和大夫都不注意她塞钱，每一次都带着宽慰的心情回到女儿那里。

娜塔莎的症状是吃得很少，睡得很少，咳嗽，一直萎靡不振。大夫们说，病人的病不能不医治，因此就让她待在空气又闷又浊的城里。一八一二年夏天罗斯托夫一家没有回到乡下去。

娜塔莎虽然服用了大量的药丸、药水和药粉（爱好收集小玩意儿的绍斯太太已把装药的小罐和小盒收集了一大堆），虽然离开了习惯的乡村生活，但是发生作用的还是她的青春：她的悲伤开始为以往生活的感受的厚层所覆盖，不再痛苦地折磨她的心灵，正在成为过去，这时她的身体也开始恢复了。

十 七

娜塔莎变得平静些了，但是并没有快活起来。她不仅躲避诸如舞会、骑马兜风、音乐会、看戏等外部的娱乐活动，而且她笑的时候也没有一次不含眼泪。她还不能唱歌。她刚开始要笑或者一个人自然而然地想要唱点什么时，眼泪就把她哽住了：这是后悔的眼泪，是想起那个永不复返的纯洁的时期觉得伤心的眼泪，是恼恨自己白白毁了自己的青春的眼泪，要知道本来她的生活是能够变得很幸福的。她尤其觉得欢笑和唱歌是对她的悲伤的亵渎。她一次也没有想过要卖弄风情；她甚至不必克制自己。她这样说而且也感觉到，这时对她来说所有男人都是像娜斯塔西娅·伊万诺夫娜那样的小丑。她内心的那个警卫坚决禁止她有任何的欢乐。再说，她已经没有了以前过着无忧无虑的和充满希望的少女生活时的所有生活兴趣。她回忆得最经常的和回忆时感到最难受的是那年的秋天，是打猎、大叔以及与尼古拉一起在奥特拉德诺耶过的圣诞节。哪怕能像那时一样再过上一天这样的日子，她可以付出任何代价！但是这已永远地结束了。当时的预感并没有欺骗她，那时她就感到这种自由自在的和可以尽情享受一切欢乐的状况将一去永不复返。但是应当生活下去。

她高兴地想到，她并不像过去所想的那样要比所有人都好，而是比他们要坏，比世界上所有的人要坏得多。但是还不只是这样。她知道这一点，并且问自己："以后还有什么呢？"而以后什么也没有。生活中没有任何欢乐，而生活正在过去。看来娜塔莎只竭力想使自己不成为任何人的累赘，不妨碍任何人，而她自己什么也不需要。她疏远家里所有的人，只有同弟弟彼佳在一起感到轻松些。她更喜欢和他在一起，而不大喜欢同别人在一起；有时，当她和弟弟单独在一起时，她会笑起来。她几乎不出门，在来访的客人中只乐意见皮埃尔一个人。别祖霍夫伯爵对待她做到了不能再体贴、再小心，同时也不能再严肃的地步。娜塔莎不由得感觉到了对她的这种体贴，因此与皮埃尔在一起心里很高兴。但是她对他的体贴甚至不表示感激，因为她觉得他做任何好事都不费力。皮埃尔似乎很自然地对所有的人都很善良，因此他的善良不是什么长处。有时娜塔莎发现皮埃尔在她面前显得犹豫和不安，尤其是当他想做一点使她感到愉快的事或者当他担心某一句话勾起了娜塔莎痛苦的回忆的时候。她看到了这一点，把它归之为他一般的善良和腼腆，她认为他对她和对大家都是一样的。不久前，在娜塔莎心慌意乱的时候，皮埃尔曾无心地说过，如果他现在是自由的，他将跪下来向她求婚和祈求她的爱情，从那之后，皮埃尔再也没有说过一句关于他对娜塔莎的感情的话；娜塔莎很清楚，皮埃尔说这几句当时使她得到极大安慰的话，就像人们哄啼哭的孩子时说一些毫无意义的话一样。这不是由于皮埃尔是一个结了婚的人，而是由于娜塔莎觉得在他俩之间隔着一道极大的精神障碍（她觉得同库拉金之间没有这种障碍），她从未想过，她同皮埃尔的关系会使她产生爱情，更不能使对方产生爱情，甚至不可能产生男女之间的那种温存的、尊重自身的、富有诗意的友谊，她知道几个这种友谊的例子。

在彼得斋戒期①的末尾，罗斯托夫一家的那位在奥特拉德诺耶的邻居阿格拉费娜·伊万诺夫娜·别洛娃到莫斯科来朝拜这里的圣徒。她建议娜塔莎斋戒，娜塔莎高兴地接受了这个意见。尽管大夫禁止大清早出门，娜塔莎仍坚持要斋戒，并且不用罗斯托夫

---

① 彼得斋戒期为复活节后的第九周到旧历六月二十八日。

家里通常的方式，即在家里做三次祷告，而像阿格拉费娜·伊万诺夫娜那样，整个星期不放过一次晚祷、日祷和晨祷。

伯爵夫人看见娜塔莎这样热心很高兴；在医疗没有效果后，她心里希望祈祷能起药物起不到的作用，虽然她怀着疑惧的心情瞒着大夫，但是同意了娜塔莎的要求，把她托付给了别洛娃。阿格拉费娜·伊万诺夫娜夜里三点来叫醒娜塔莎，但是多半看见她没有睡觉。娜塔莎担心睡过了晨祷的时间。她匆匆地洗了脸，毫不讲究地穿上自己最坏的衣服，到了外面一接触到凉爽的空气就哆嗦起来，上了被朝霞映得通红的空荡荡的大街。娜塔莎听从阿格拉费娜·伊万诺夫娜的劝告，不在本教区的教堂里斋戒，而去另一个教堂，据虔诚的别洛娃说，那里的神父非常严格，品德高尚。在这教堂里平常人很少；娜塔莎和别洛娃一起在左边唱诗班后面的圣母像前常站的地方站住，在早晨这个不寻常的时刻，她望着在面前点燃着的蜡烛的烛光和从窗户透进来的晨光照亮的圣母像的暗黑的面庞，听着祷文并且竭力想要听懂它的意义，这时她在伟大的和不可理解的事物面前心中充满了一种未曾有过的谦卑的感觉。当她听懂了祷文的意义时，她的带有个人特点的感情便与她的祈祷会合在一起；而当她没有听懂时，她便更加高兴地想到，这种要求理解一切的愿望是高傲的表现，要想理解一切是不可能的，只需要信仰和皈依上帝就行了，她觉得上帝此时此刻正控制着她的灵魂。她画着十字，行着礼，在没有听懂时，为自己的卑劣而感到惊恐，只请求上帝宽恕她的一切的一切，赦免她。她最为投入的祈祷是悔过的祈祷。在清早回家的路上，她只碰到前去上工的泥瓦匠和扫大街的清洁工，各家各户的人还在睡觉，这时娜塔莎有一种新的感觉，觉得自己还有可能改掉自己的恶习，过纯洁的新生活和得到幸福。

在她过这样的生活的整整一周里，这种感觉一天天地增强。她认为领圣餐，或者像阿格拉费娜·伊万诺夫娜高兴地玩弄字眼对她所说的那样，领圣体血是一种巨大的幸福，觉得她活不到这个幸福的星期日。

但是这幸福的一天来到了，娜塔莎在这个对她来说难忘的星期日穿着白纱衣服领过圣餐回来，许多个月来第一次感到心境平静，不觉得受到眼前生活的重压。

这一天大夫来家检查了娜塔莎的身体，吩咐继续服用他两个星期前开的药粉。

"一定要继续服用——早晚各一次。"他说，看来他真的对自己取得的治疗效果很满意。"只是要准时吃药。放心吧，伯爵夫人，"大夫一面用开玩笑的口气说，一面动作灵活地把一枚金币抓在手心里，"很快她又会唱起歌来，蹦蹦跳跳的。最后开的药对她非常非常有效。她变得有精神多了。"

伯爵夫人看了看指甲，吐了口唾沫①，面有喜色地回客厅去了。

十 八

七月初，关于战争进程的各种令人不安的传闻在莫斯科流传

---

① 这是一种求吉利的习惯动作。

得愈来愈广,人们谈论着皇上的告民众书,提到皇上本人从部队来到了莫斯科。由于在七月十一日以前没有正式收到宣言和告民众书,因此下面流传着关于这些文件和俄国局势的种种做了夸张的流言。有人说皇上离开军队是因为军队处于危险之中,还说斯摩棱斯克已经失守了,拿破仑有百万大军,只有奇迹才能拯救俄国,等等。

七月十一日,星期六,收到了宣言,但是还没有印好;前来看望罗斯托夫一家人的皮埃尔答应第二天,即星期日,到他们家来吃饭,顺便带来他从拉斯托普钦伯爵那里要来的宣言和告民众书。

在这个星期日,罗斯托夫一家人照例到拉祖莫夫斯基家的教堂做日祷。这是七月的一个炎热的日子。十点钟罗斯托夫一家人在教堂前下了马车,这时在炎热的空气里,在小贩的叫卖声中,在人群浅色的鲜艳的夏季服装中,在林荫道上落满灰尘的树叶上,在前去换班的一营军人吹奏的军乐声中和身上穿的白色裤子上,在马路上车辆的隆隆声和炎日耀眼的光芒中,已可感受到一种夏日的慵困以及对现时的满意和不满,这一点在城里晴朗炎热的日子里尤其能清楚地觉察出来。在拉祖莫夫斯基家的教堂里聚集了莫斯科的显贵和罗斯托夫家的所有熟人(在这一年,仿佛是要等待什么似的,许多通常到各地乡村去度夏的富有家庭都留在城里)。娜塔莎跟着在前面为母亲开路的穿仆役制服的仆人走过去的时候,听见一个年轻人在声音很大地嘀咕着,谈论着她。

"这是罗斯托娃,就是那个……"

"她瘦多了,但还是很漂亮!"

她听到,也许是感觉到他们提到了库拉金和鲍尔康斯基的名字。不过,她总有这样的感觉。她总是觉得,所有的人看着她,只想着她发生的事。娜塔莎像平常在人群里时一样,心里感到痛苦和麻木,她身穿镶黑色花边的浅紫色丝绸衣服,像一般女人走路那样走着——她心里愈是觉得痛苦和羞愧,就愈装得平静和庄重。她知道她很漂亮,而且她这样认为也是对的,但是这并不像以前那样使她高兴。相反,最近,尤其是在城里的这个晴朗炎热的夏日,这更使她感到十分痛苦。"又是一个星期日,又是一个星期,"她想起那个星期日她在这里的情况,自言自语地说,"仍然还是那种没有生活的生活,还是从前曾经生活得很轻松的环境。我又漂亮,又年轻,我知道现在我很善良,从前我很坏,现在我是善良的,我知道,"她想道,"就这样,最好的年华就要不为任何人地白白过去了。"她在母亲身旁停住,和站在身边的熟人打了个招呼。娜塔莎按照习惯观察着女士们的装束打扮,看不惯一个站在近旁的女人的穿戴和她画十字时随便比画一下的不成体统的方法,又恼怒地想到,人们都在议论她,而她也在议论别人,这时她突然听见祈祷的声音,对自己的卑劣大吃一惊,也为她又失去原来的纯洁而感到惊讶。

一个庄重文静的小老头念着祷文,他的温和庄严的神情对做祷告的人的心灵起着镇静和安抚的作用。圣障的中门关上了,帘子缓缓地拉上了;可以听到里面有一个神秘的声音在低声说着什么。娜塔莎涌出了自己也不明白从哪里来的泪水,胸口像被堵住了一样,她产生了一种又快乐又难受的感觉,心中激动不已。

"教会我怎么做,怎么从此改过自新,永不重犯,怎么对待我的生活吧……"她想道。

助祭上了读经台,大张开拇指,理了理从法衣里露出来的长头发,把十字架放到胸前,开始庄严地大声朗诵祷文:

"让我们一起向主祷告。"

"大家一起,不分等级,不抱仇恨,由兄弟的友爱联合在一起,向主祷告。"娜塔莎想道。

"为了进了天堂和拯救我们的灵魂!"

"为了天使们和我们上方所有的神灵。"娜塔莎祷告说。

在为军人祈祷时,她想起了哥哥和杰尼索夫。在为海上和陆上旅行的人祈祷时,她想起了安德烈公爵并为他祷告,并祈求上帝宽恕她对他做的坏事。在为爱我们的人祈祷时,她为自己家里的人,为父亲和母亲,为索尼娅祷告,现在第一次明白了自己对不起他们,感到自己非常爱他们。在为仇恨我们的人祈祷时,她想出了几个仇敌和恨她的人,以便为他们祷告。她把债主以及所有与她父亲打交道的人归入敌人之中,并且在想到敌人和恨她的人时每次都回忆起对她做了这么多坏事的阿纳托利,虽然他不属于恨她的人,她还是把他当作敌人,高兴地为他祈祷。只有在祈祷时她才能清楚地和心平气和地回想起安德烈公爵和阿纳托利来,她对他们的感情与对上帝的敬畏之情相比简直不值一提。在为皇室和正教院①祈祷时,娜塔莎特别虔诚地鞠着躬和画着十字,对自己说,虽然她并不了解,但是也不怀疑,仍然爱正教院,为它祈祷。

助祭在结束应答祈祷②后,对着胸前肩带画了十字,说:

---

① 正教院(Синод)是俄国最高宗教管理机构。

② 应答祈祷是东正教整个祈祷仪式的一部分,由助祭或神父在讲经台上带领,祈祷时,唱诗班应答着:"上帝保佑!"

"把我们自己和我们的生命交给我主基督。"

"我们把自己交给基督。"娜塔莎在心里重复着。"我的上帝，我完全听从你的旨意。"她想。"我什么也不要，一无所求；教会我怎么做，告诉我应把我的意愿用在何处！你收留我，收留我吧！"娜塔莎心里深受感动，急不可耐地说；她没有画十字，而是放下了纤细的手臂，仿佛在等待一种无形的力量马上把她带走，使她摆脱自己，摆脱自己的懊悔、愿望、责怪、希望和恶习。

在祈祷时，伯爵夫人几次回头看女儿的那张深受感动、眼睛闪闪发亮的脸，祈求上帝帮助她。

突然在祈祷的中途，助祭不按照娜塔莎熟悉的程序，搬出一条在圣灵降临节①跪在上面念祷文的板凳，把它放在圣障的中门前。神父头戴淡紫色丝绒尖顶软帽从那里出来，理了理头发，费劲地跪了下来。大家也跟着这样做，困惑不解地面面相觑。这是要读刚从正教院得到的祷文，内容讲的是抗击敌人入侵，拯救俄国。

"全能的上帝，我们的救主。"神父用清晰、朴实和温和的声音读了起来，只有斯拉夫教士才用这样的声音朗读，这声音能对俄罗斯人的心灵产生不可抗拒的感召力，"全能的上帝，我们的救主！请用仁慈宽厚的目光俯视你恭顺的百姓，以仁爱之心倾听我们祈祷，宽恕和保佑我们。敌人发动进攻，骚扰你的土地，欲将整个世界变为废墟；此等不法之徒纠合党羽，意在毁灭你的国家，破坏你的神圣的耶路撒冷以及你所垂爱之俄国：玷辱你的神殿，毁掉祭坛，亵渎我们的圣物。上帝啊，此类罪人将逞强显能到何

---

① 圣灵降临节在复活节后第五十天。

时？将胡作非为到何时？

"上帝啊！请倾听我们的祷告：请用你的神力激励我们最虔诚的和权力无限的伟大皇帝亚历山大·帕夫洛维奇；请垂念其正直与温和，奖赏其仁慈，促其保护你所垂爱的以色列。请赐福于他的意图、创举和事业；请用你万能的手增强他的国家，帮助他克敌制胜，如同摩西之战胜亚玛力，基甸之击败米甸人，大卫之杀死歌利亚①。请保佑他的军队；请将铜制之强弩授予以你的名义奋起抗敌勇士之手，并给以战斗的力量。请手执武器和盾牌前来助我，使图谋加害于我的人受到羞辱和遭到可耻失败，愿彼等在你忠实的战士面前如同风中尘沙，愿你强有力的天使羞辱彼等，将其驱逐；愿彼等在不知不觉之中陷入罗网，暗中施诡计结果将自作自受；愿彼等跪倒在你的仆人脚下，任凭我们践踏。主啊！你无须费力，无论多少人均能拯救；你是上帝，常人无法违抗你。

"我们在天上的父！你永远宽厚仁慈：不要不理睬我们，不要厌恶我们的卑微，请以慈悲为怀宽恕我们，宽厚地看待我们的违规行为和罪孽。请为我们创造纯洁的心，复活我们正义的精神；请增强我们对你的信仰，给我们以希望，激励我们相亲相爱，用团结一致的精神武装我们，以保卫你赐予我们和我们祖先的土地，不让罪人们支配你所降福的人的命运。

"我们的主啊，我们信仰你，我们指望你，不要让我们想得到你的恩赐的期望落空，请显现吉兆，让仇恨我们和我们的东正教

---

① 摩西、亚玛力、基甸、米甸人、大卫、歌利亚均为《圣经》中人物，分别见《旧约》中的《创世记》《出埃及记》《士师记》《撒母耳记（上）》。

信仰的人见了蒙受耻辱和灭亡；让万邦皆知，你是上帝，我们是你的仆人。主啊，请你就给我们以恩赐，使我们得救；请以你的恩赐振奋你的仆人的心；请打击我们的敌人，将其立刻击倒在你的忠实仆人的脚下。你是一切寄希望于你的人的庇护者、救助者和胜利的赐予者，光荣归于你，归于圣父、圣子和圣灵，世世代代，直到永远。阿门。"

娜塔莎正处于敞开心扉的状态中，这个祷文对她产生了强烈的作用。她倾听着祷文中每一句关于摩西战胜亚玛力、基甸打败米甸人和大卫杀死歌利亚以及关于要破坏你的耶路撒冷的话，心里满怀着柔情和热忱祈求着上帝；但是并不非常明白她在这祷告里祈求的是什么。她全心全意地参与祈求复活正义的精神，增强心中的信仰和希望，激励人们相亲相爱。但是她不能祈求把自己的敌人踩在脚下，因为在这之前的几分钟她还希望有更多的敌人，以便爱他们，为他们祷告。但是她也不能怀疑这跪着读的祷文的正确性。她想到敌人因他们的罪孽而受惩罚，尤其是想到她也因自己的罪孽而受罚，觉得心中有一种虔敬而又不安的畏惧，便祈求上帝宽恕他们所有的人和她自己，赐予他们大家和她以平静幸福的生活。她觉得上帝听得到她的祷告。

十 九

皮埃尔自从他从罗斯托夫家出来，回忆着娜塔莎感激的目光，仰望天空的彗星的那一天起，就觉得他看到了某种新的东西，于是思想上便不再出现那个总是折磨着他的问题,即关于人世间的一切徒劳无益和极不理智的问题。以前,任何事情做到一半,他都会出现"为了什么?干什么用?"这个可怕的问题,现在取代它的不是另一个问题,也不是对这个问题的答案,而是关于**她**的想法。不管他听见什么还是自己进行无聊的谈话,不管他读什么还是听说某种卑鄙和毫无意义的行为,他都不像以前那样大吃一惊了;他不再问自己,既然一切都那么短暂和不可知,人们为什么还那么忙忙碌碌,但是他回想起他最后一次看到她时的那种样子,他的所有怀疑都消失了,这不是因为她回答了他心里常常出现的问题,而是因为一想起她就立即进入了精神活动的另一个光明的领域,其中没有正确或有过错之分;进入了值得在其中好好生活的美和爱的领域。不管他在生活中看到什么卑鄙的事,他都对自己说:

"即使某某人盗窃了国家和沙皇的财富,国家和沙皇仍给他以荣誉;她昨天对我笑了笑,请我去看她,我爱她,不过无论是谁永远不会知道这一点。"他想道。

皮埃尔还是那样经常去参加社交活动,酒还是喝得很多,还过着那种无所事事的懒散的生活,因为除了在罗斯托夫家消磨时间外,还应当消磨其余的时间,而他的老习惯和在莫斯科结识的人不可抗拒地吸引着他去过那样的生活。但是最近,从战场上不断传来愈来愈令人忧虑的消息,同时娜塔莎的身体开始恢复了,她不再在他的心中引起以前的那种关切怜悯的感情,他却产生了一种他愈来愈弄不明白的不安情绪。他感觉到他现在的这种状况不会延续多久,一场将要改变他的整个生活的灾难正在到来,同时他焦急地在各种事物上寻找这场日益临近的灾难的预兆。共济会的一个师兄弟告诉了皮埃尔从圣约翰的《启示录》中得出的关于拿破仑的预言。

《启示录》第十三章第十八节说:"在这里有智慧。凡有聪明的,可以算计兽的数目,因为这是人的数目,他的数目是六百六十六。"

这一章的第五节说:"又赐给他说夸大亵渎话的口,又有权柄赐给他,可以任意而行四十二个月。"

法文字母同犹太人的数字按照前九个字母表示个位数、其余字母表示十位数的方式排列,那么各个字母的数值如下:

a b c d e f g h i k l m n o p
1 2 3 4 5 6 7 8 9 10 20 30 40 50 60

q r s t u v w x y z①
70 80 90 100 110 120 130 140 150 160

按照这个字母表,L'empereur Napoleon(拿破仑皇帝)这个词组中各个字母的数值的总和为六百六十六,因此拿破仑就是《启示录》所预言的那个兽。此外,再按照这个字母表,quarante deux(四十二),即表示那个兽"说夸大亵渎话"的极限的词组,其中各个字母的数值的总和又等于六百六十六,由此可以得出结论,拿破仑已在一八一二年到了掌权的极限,因为这一年这位法国皇帝已过了四十二岁。这个预言使皮埃尔感到很惊讶,经常给自己提出这样的问题:是什么给这个兽即拿破仑掌权规定了极限,并

---

① 法文字母共二十六个,此处去掉了"j"。

力图用计算各个词的字母的数值的同样方法，找出这个他感兴趣的问题的答案。皮埃尔写下了这个问题的两个答案：L'empereur Alexandre（亚历山大皇帝）和 Lanation Russe（俄罗斯民族）。他计算了各个字母的数值，但是总数不是大大超过六百六十六就是少于六百六十六。有一次，他在做这样的计算时，写下了自己的名字：Comte Pierre Besouhoff（皮埃尔·别祖霍夫伯爵）；数值的总和也差得多。他改变了拼写法，把其中的 s 改为 z，加上了 de，再加上冠词 le，仍没有得到预想的结果。于是他想到，如果他探讨的问题的答案就在他的名字之中，那么在答案里一定要说他属于哪个民族。他写了 Le Russe Besuhof（俄罗斯人别祖霍夫），计算结果得出的总数是六百七十一，只多了五；而表示五的字母"e"，也就是在 L'empereur 前的冠词中省略的那个"e"。于是皮埃尔也把"e"省略了，虽然这样做是不对的，他把所寻找的答案写成 L'Russe Besuhof，正好等于六百六十六。这个发现使他非常激动。他不知道他自己是如何和通过何种联系同《启示录》里预言的伟大事件连在一起的；但是他一刻也不怀疑这种联系的存在。他对罗斯托娃的爱，敌基督，拿破仑的入侵，彗星，六百六十六，L'empereur Napoleon 和 L'Russe Besuhof——所有这一切合在一起，想必会发展成熟起来，突发出来，把他从那个他觉得自己已陷入的莫斯科习气的空虚无聊的怪圈里解脱出来，引导他去建立伟大的功勋和争取巨大的幸福。

在读祷文的那个星期日的前一天，皮埃尔答应给罗斯托夫一家人带来他将从他的老熟人拉斯托普钦伯爵那里要来的告俄国民众书以及从军队得到的最新消息。早晨他到拉斯托普钦伯爵那里去时,碰到了刚从军队来的信使。

这个信使是皮埃尔的一个熟人,常参加莫斯科的各种舞会。

"看在上帝分上,您能不能给我帮点忙?"信使说,"我带来了满满一口袋家信。"

在这些信中有尼古拉·罗斯托夫给他父亲的信。皮埃尔拿了这封信。此外,拉斯托普钦伯爵给了皮埃尔刚印好的皇上告莫斯科民众书、给军队下达的最新命令和他自己新写的传单。皮埃尔看了看给军队的命令,他在一项命令里所附的伤亡和获奖人员的通报中找到了尼古拉·罗斯托夫的名字,尼古拉因在奥斯特罗夫纳战斗中作战英勇而获四级格奥尔吉勋章,在同一命令中,还任命安德烈·鲍尔康斯基公爵为特种步兵团团长。虽然皮埃尔不愿意对罗斯托夫一家提起鲍尔康斯基,但是他忍不住想要告诉他们尼古拉获得奖赏的消息,好让他们高兴高兴,便立即派人把这个命令和信给他们送去,而把告民众书、传单和其余的命令留下,打算自己去吃饭时带去。

和拉斯托普钦伯爵的谈话以及他忧虑焦急的声调,和信使的相遇以及他对军队的糟糕状况的无忧无虑的谈论,关于在莫斯科抓获几个间谍和发现一份说拿破仑有可能在秋天前占领俄国两个京城的传单的传闻,关于皇上明天就要驾临的谈论——所有这一切更加激起了皮埃尔的不安和期待的心情,他从出现彗星,尤其是从开战以来,一直怀有这样的心情。

皮埃尔早就有了去服军役的想法,不过有几件事妨碍他这样做,第一,他是共济会的会员,对它宣过誓,而共济会宣扬永久和平和消灭战争;第二,他看到大批穿上军装和宣扬爱国主义的莫斯科人，不知为什么羞于采取这样的步骤。而他没有实现服军役的意图的主要原因在于他有一种模糊的想法，似乎觉得他 L'Russe Besuhof 具有**兽**的数值六百六十六以及他将参与结束那个说夸大亵渎话的**兽**的权力的伟大事业，这两点都是永远不变地决定了的，因此他不必采取任何行动，只要等待应当发生的事就行了。

二 十

在罗斯托夫家，这一天如同平常每个星期日一样，有一些故交密友来吃饭。

皮埃尔来得早些，想单独同他们谈一谈。

皮埃尔在这一年里发胖了，要是他个子不那么高，四肢不那么发达，要是他的体力不大得足以轻松自如地支撑他肥胖的身躯，那么就会显得是畸形的了。

他喘着粗气，低声嘟囔着，上了楼梯。他的车夫已经不问要不要等他了。他知道，伯爵到罗斯托夫家来，就会待到十一二点。罗斯托夫家的仆人们高兴地跑过来替他脱斗篷，接过手杖和帽子。皮埃尔按照俱乐部的习惯，把手杖和帽子留在前厅里。

他在罗斯托夫家看到的第一个人是娜塔莎。在看到她之前，在前厅里脱斗篷时，他已听到了她的声音。她在大厅里唱视唱练习曲。他知道她自从生病以来没有唱歌，因此听到她唱感到惊奇和高兴。他轻轻打开门，看见娜塔莎身穿做日祷时穿的淡紫色衣服在屋里边走边唱。当他开门时，她正背冲着他，而当她突然转过身来看见他胖胖的、带着惊奇表情的脸时,她的脸红了,快步走到他面前。

"我想再试着唱一唱。"她说。"这毕竟是一件正经事。"她加了一句,仿佛是在为自己辩解似的。

"好极了。"

"您来了,我很高兴!我今天是多么幸福啊!"她还像以前那样兴奋地说,皮埃尔很久没有看见她的这种样子了,"您知道,尼古拉获得了格奥尔吉十字勋章。我为他感到非常骄傲。"

"当然啰,那命令是我派人送来的。好吧,我不打扰您了。"他又说了一句,就想要到客厅去。

娜塔莎拦住了他。

"伯爵,怎么样,我唱得很糟吗?"她涨红了脸问,用询问的目光注视着皮埃尔。

"不……为什么?恰恰相反……但是您为什么这样问我?"

"我自己也不知道,"娜塔莎很快地回答道,"但是我不愿意做任何您不喜欢的事。我在所有事情上都相信您。您不知道,您对我来说是多么的重要,您为我做了多少事!……"她说得很快,没有发觉皮埃尔听见这些话时脸红了。"在那个命令里我也看见有**他**,鲍尔康斯基(她很快地低声说出这个名字),他在俄国,又去服役了。您怎么认为,"她说得很快,看来急于说出心里的话,因为她担心自己没有足够的力气把它说完,"他到时候会原谅我吗?他会不会对我抱有恶意?您怎么认为?您怎么认为?"

"我认为……"皮埃尔说,"他没有什么可原谅的……要是我处在他的地位上……"皮埃尔根据回忆,立刻想起了那天的情景,当时他在安慰她时对她说,如果他不像现在这样,而是世界上最好的人,而且是一个自由的人,那么他将跪下来向她求婚,想到这里,他心中又充满了那种怜悯、温柔和爱慕的感情,那些话又到了他的嘴边。但是娜塔莎没有给予他说出来的时间。

"而您——您,"她说,异常高兴地说出"您"这个词,"就是另一回事了。我不知道还有比您更善良、更宽宏大量和更好的人,而且也不可能有这样的人。如果当时没有您在,现在也一样,我真不知道我会怎么样,因为……"眼泪突然涌出了她的眼眶;她转过头去,把乐谱举到眼前,唱了起来,又开始在大厅里来回走动。

这时彼佳从客厅里跑出来。

彼佳这时已是一个相貌俊美、面色红润的十五岁少年,长着红红的厚嘴唇,那模样很像娜塔莎。他正准备要考大学,但是最近和同学奥博连斯基一起暗地里决定去当骠骑兵。

彼佳是跑出来找他的同名者①商量事情的。

他曾托皮埃尔打听一下,部队会不会收他当骠骑兵。

皮埃尔在客厅里走着,没有听彼佳说话。

彼佳拉了拉他的手,以便引起他的注意。

"我的事怎么样了,彼得·基里雷奇?看在上帝分上!只能指望您了。"彼佳说。

"对了,你托的事。想当骠骑兵?我去说,我去说。今天就去说。"

"怎么样,亲爱的,怎么样,拿到宣言了吗?"老伯爵问,"伯爵夫人在拉祖莫夫斯基家的教堂里做日祷时,听了新的祷文。

---

① 彼佳的大名和皮埃尔的俄文名字均为彼得。

听她说，写得很好。"

"拿到了。"皮埃尔回答道，"明天皇上就到……举行了一次特别贵族会议，据说一千人要抽十人去当兵。对了，我应该向您表示祝贺。"

"是的，是的，感谢上帝。那么，军队有什么消息吗？"

"我们又撤退了。听说已到了斯摩棱斯克附近。"皮埃尔回答。

"我的上帝，我的上帝！"伯爵说，"宣言在哪里？"

"告民众书！啊，对了！"皮埃尔开始在衣兜里寻找起来，但是没有能找到。他拍着衣兜，吻了吻进屋来的伯爵夫人的手，不安地回头看看，显然是在等娜塔莎，这时娜塔莎不再唱了，但也没有进客厅来。

"说真的，不知道把它塞到哪里去了。"他说。

"瞧他，总是丢三落四的。"伯爵夫人说。

娜塔莎脸上带着温和而兴奋的表情进了客厅，坐了下来，默默地望着皮埃尔。她一进屋，在这之前脸色阴沉的皮埃尔突然容光焕发，他在继续寻找文件的同时，朝她看了几次。

"说真的，我忘在家里了，我回去一趟。一定……"

"那就赶不上午饭了。"

"唉，车夫又走了。"

但是，到前厅去找文件的索尼娅，在皮埃尔的帽子里找到了，原来他小心把文件藏到帽褶里了。皮埃尔马上就想拿过来读。

"不，吃完午饭再读吧。"老伯爵说，看来他预计读这文件是一件非常快乐的事。

在吃午饭时，大家喝香槟酒祝新的格奥尔吉勋章获得者身体健康,申升讲了城里的各种新闻,例如老格鲁吉亚公爵夫人生了病,梅蒂维埃从莫斯科失踪,有人把一个德国人带到拉斯托普钦那里,对他说,这是一个香菇①(拉斯托普钦伯爵本人这样说),拉斯托普钦伯爵下令把他放了,对老百姓说,这不是香菇,只不过是一个德国老蘑菇②。

"在抓人了,在抓人了,"伯爵说,"我对伯爵夫人说,要她少说点法语。现在不是时候。"

"听说了吗?"申升说,"戈利岑公爵请了俄国老师,正在学习俄语,——在街上说法语成了危险的事情了。"

"怎么样,彼得·基里雷奇伯爵,到征集民兵时,您也得跨上战马吧?"老伯爵问皮埃尔。

在这一天吃饭时,皮埃尔沉默寡言,若有所思。在老伯爵这样问时,好像没有听明白一样,朝他看了一眼。

"是的,是的,要上战场,"他说,"不!我算是什么军人!不过一切都很奇怪,都很奇怪!就是我自己也不明白。我不知道,我对打仗毫无兴趣,但是在目前这样的时候谁也不能对自己负责了。"

午饭后,老伯爵安安稳稳在圈椅里坐好,脸上带着严肃的表情,叫以朗诵得很好而出名的索尼娅读告民众书。

"告故都莫斯科民众书。

"敌人以强大兵力入侵俄国。他们前来践踏我们亲爱的祖国。"索尼娅用她尖细的嗓子很卖力气地读着。老伯爵闭上眼睛听着,

---

① "香菇"(шампиньон)与"间谍"(шпион)谐音。
② "老蘑菇"(старый гриб)也有"老朽的人"的意思。

听到某些段落时急促地喘着气。

娜塔莎挺直身子坐着,用仔细观察的目光时而看看父亲,时而看看皮埃尔。

皮埃尔感觉到她投过来的目光,竭力不回头看。伯爵夫人听到宣言中每一个慷慨激昂的语句,不以为然地和生气地摇摇头。她在所有这些词句中只看到一点,即她儿子遭受的危险还不会很快过去。申升撒撒嘴,露出讽刺的微笑,显然准备嘲笑任何一个可以嘲笑的对象:嘲笑索尼娅的朗诵,嘲笑伯爵要说的话,如果没有更好的借口,甚至嘲笑告民众书本身。

在读了关于俄国遭受的危险,关于皇上对莫斯科,尤其是对著名的贵族寄予的希望的段落后,索尼娅用颤抖的声音读了最后的几句话,她声音颤抖主要是由于大家都在注意地听她读,心里很紧张,这几句话是:"朕将立即亲自到首都和全国其他地方的民众中去,进行商讨,指导所有的民兵,既指导目前正在阻击敌人的民兵,也指导为打击任何侵犯我国土之敌而能组建的民兵。敌人妄图毁灭我们,就让这毁灭的命运落到他们自己头上吧,让摆脱了奴役的欧洲赞美俄罗斯的英名吧!"

"说得好极了!"老伯爵喊道,他睁开湿润的眼睛,几次中断呼哧呼哧的喘气声,仿佛有人把一个装着醋酸盐的瓶子举到他鼻子前似的,"只要皇上说一声,我们就舍得牺牲一切,什么也不吝惜。"

申升还没有来得及说出他准备好的讽刺伯爵的爱国主义的笑话,娜塔莎就从座位上跳起来,跑到父亲跟前。

"我们的这个爸爸多么可爱啊!"她亲吻着父亲说,又朝皮埃尔看了一眼,不自觉地摆出撒娇的样子,她精神振作起来后,恢复了这样的姿态。

"真是一个女爱国者!"申升说。

"完全不是女爱国者,只不过是……"娜塔莎生气地说,"您觉得一切都很可笑,而这完全不是说着玩的……"

"什么说着玩的!"老伯爵重复说,"只要他说一句话,我们大家一起上……我们可不是那些德国人……"

"您注意到没有,"皮埃尔说,"那上面说:'进行商讨'。"

"不管那里说要进行什么……"

这时谁也没有注意的彼佳走到父亲跟前,满脸通红,用时粗时细的正在变音的嗓音说:

"现在,爸爸,我全说了吧——也要对妈妈说,不管怎么样——我坚决要求你们放我去从军,因为我不能……就这样……"

伯爵夫人惊恐地两眼望天,举起双手轻轻一拍,生气地朝丈夫转过身来。

"瞧你说呀说,说出事情来了吧!"她说。

伯爵立刻恢复了平静。

"好了,好了。"他说,"瞧,又出来了一个军人!别胡闹:还得好好上学。"

"这不是胡闹,爸爸。费佳·奥博连斯基年纪比我还要小,他也要去,而主要的,我什么也学不进去,在这……"彼佳停住了,脸红得冒出了汗,但还是往下说,"在这祖国处在危险之中的时候。"

"够了,够了,胡闹……"

"您自己不是说我们可以牺牲一切吗?"

"彼佳,我对你说,住嘴。"伯爵喊道,同时转过头来看看妻子,这时伯爵夫人脸色苍白,两眼一动不动地盯着小儿子。

"我对你们说了。彼得·基里雷奇也要说……"

"我对你说,全是胡扯,乳臭未干,就想去从军!就这样,就这样,我对你说。"于是伯爵拿起文件往外走,大概他打算到书房后在午休前再读一遍。

"彼得·基里洛维奇,这么着,咱们去抽袋烟……"

皮埃尔处于困窘和犹豫不决之中。娜塔莎的那双异常明亮和充满活力的眼睛不断地和非常亲切地看着他,使他处于这样的状态。

"不,我似乎该回家了……"

"怎么要回家,晚上您不是想待在我们这里吗?……再说您又不常来了。而我的这一位……"伯爵指着娜塔莎温和地说,"只有您在的时候才高兴……"

"是的,我忘记了……我一定得回家去……有事……"皮埃尔急忙说。

"那就再见啦。"伯爵说,出了客厅。

"您为什么要走?您为什么心情不好?为什么?……"娜塔莎问皮埃尔,挑衅似的看着他的眼睛。

"因为我爱你!"他想要说,但是他没有说出口,一时脸红得要落泪,便垂下了眼睛。

"因为我最好少到您这里来……因为……不,只不过因为我有事。"

"为什么?不,您说。"娜塔莎想要坚决地说,但是突然停住了。他俩惊恐而又困惑地相互对视着。他想要笑笑,但是笑不出来,因为他的笑容所包含的是痛苦,于是他默默地吻了吻她的手,出去了。

皮埃尔暗自决定不再到罗斯托夫家去了。

二十一

彼佳在遭到坚决拒绝后，回到自己的房间锁上门，抱头痛哭。后来当他一言不发，脸色阴沉，眼睛哭得红红的出来喝茶时，大家装出什么也没有看见的样子。

第二天皇上到了。罗斯托夫家的几个家奴请求准许他们去看一看沙皇的模样。在这天早晨，彼佳穿衣服穿了很长时间，像大人一样梳头和整好衣领。他对着镜子皱皱眉头，做各种姿势，耸耸肩，最后没有告诉任何人，戴上帽子，竭力不引起人们注意，出了后门。彼佳决定直接去皇上待的地方，直接向某个侍从（彼佳觉得皇上周围随时都有很多侍从）解释说，他罗斯托夫伯爵虽然年轻，但是希望为祖国服务，年轻不能成为效忠的障碍，他时刻准备……彼佳在为出门做准备时，想好了许多要对侍从说的委婉动听的话。

彼佳指望他能见到皇上，正是因为他是一个孩子（彼佳甚至认为所有的人会因他年轻而感到惊讶），与此同时，他想通过自己竖着的衣领、梳的发式和庄重缓慢的步态，显示自己是一个老成持重的人。但是他愈往前走，愈受到不断来到克里姆林宫旁的人群的吸引，他也就愈忘记走路要保持成年人的那种庄重和缓慢的步态。快到克里姆林宫时，他已开始担心自己会被人挤伤，于是他坚决地朝两边撑开双肘，摆出威严的样子。到了三位一体门后，虽然他的样子很坚决，但是人们大概不知道他是抱着爱国的目的到克里姆林宫来的,把他挤到了墙边,他只好顺从地站住,只听到马车驶进大门时在拱门下发出的隆隆声。在彼佳的身旁站着一个农妇和仆人、两个商人和一个退伍的士兵。彼佳在门里站了一些时候,没有等到所有马车全都过去,就想抢先往前走,双肘使劲地往两边撑;站在他对面的农妇最先受到他的推搡,便生气地朝他喊道:

"喂,小少爷,你干吗推人,你看,大家都站着。有什么好挤的!"

"那就大家都挤吧。"仆人说,他也开始用双肘往两边撑,把彼佳挤到了门洞里的一个散发着臭气的角落里。

彼佳用手擦掉脸上冒出的汗,整了整汗湿变软的领子,他在出门前曾把它整得像大人的领子一样好。

彼佳觉得他的外表不整齐,担心这副模样去找侍从,侍从不会让他去见皇上。但是周围很挤,整整衣裳和换一个地方根本不可能。一个坐车经过的将军是罗斯托夫家的熟人。彼佳想请他帮忙,但是又认为这样做不像一个勇敢的男子汉。等到所有的马车过去后,人群拥了上来,也把彼佳挟带到已站满人的广场上。不仅在广场上,而且在斜坡上,屋顶上,到处都是人。彼佳一到广场上,就清楚地听见整个克里姆林宫的钟声和人们欢快的说话声。

在一段时间内广场内比较松动,突然所有的人都摘下帽子,朝前面某个地方跑过去。彼佳被挤压得喘不过气来,大家都喊了起来:"乌拉!乌拉!乌拉!"彼佳踮起脚,被推着夹着,除了周围的人外,什么也看不见。

在所有人的脸上都有一种深受感动和欢欣鼓舞的共同表情。站在彼佳身旁的一个女商人放声大哭，眼泪从她的眼睛里直往下流。

"父亲，天使，我的爷！"她一面说，一面用手指擦着眼泪。

"乌拉！"四面八方都在高喊着。

人群在原地停了一会儿，但是接着又朝前拥了。

彼佳不顾一切地咬紧牙关，像野兽似的瞪大眼睛，双肘往两边推搡着，嘴里喊着"乌拉"拼命向前冲，仿佛他在这时想要把自己和所有的人统统打死似的，然而在他两边的人脸上带着同样的野兽般的表情和同样喊着"乌拉"朝前挤。

"这才是皇上的气派！"彼佳想，"不，我不能亲自向皇上提出请求，那样做太放肆了！"尽管他还是拼命地朝前挤，但是在他面前的人背后闪现出了一片空地，那里有一个铺着红毯的通道；这时人群开始往后退（在前面，警察正在推开与经过的队伍靠得太近的人；皇上正从皇宫里到圣母升天教堂去），突然彼佳一侧的肋骨被猛撞了一下，整个人被紧紧地挤压住，霎时间他两眼发黑，失去了知觉。当他醒过来时，一个身穿破旧的蓝色长袍、脑后有一绺白发的神职人员，大概是一个教会执事，一只手搀住他，另一只手阻挡着挤过来的人群。

"把这位小少爷挤伤了！"教会执事说，"怎么能这样呢！……轻一点……挤伤人了，挤伤人了！"

皇上进了圣母升天教堂。人群又散开了，于是教会执事把脸色苍白、呼吸困难的彼佳往炮王[①]那里带。几个人很可怜彼佳，突

[①] 炮王是一五八六年铸的一尊大炮，重两千四百普特，陈列于莫斯科克里姆林宫。

然整个人群朝他拥过来,在他周围又拥挤起来。离得近一些的人主动照料他,替他解开上衣,把他抱到大炮上,并且责备那些挤压他的人。

"这样会把人挤死的。这算什么呀!简直像行凶杀人一样!瞧这可怜的孩子,脸白得像纸一样。"人们七嘴八舌地说。

彼佳很快清醒过来了,脸上又有了血色,也不再痛了,这件暂时的不愉快的事使他得到了大炮上的一个位置,他希望能从这里看到准会往回走的皇上。彼佳现在已不想提出请求的事了。他只要能看见皇上,就会认为自己是一个幸福的人!

在圣母升天教堂做礼拜——迎接皇上驾临和庆祝与土耳其签订和约的祈祷合在一起——时,人群散开了;出现了一些叫卖克瓦斯、蜜糖饼干和彼佳特别喜欢吃的带罂粟花籽的馅儿饼的小贩,又可以听见平常的谈话声,一个女商贩让大家看她的那条被撕破的披巾,说她买这条披巾花了很多钱;另一个女商贩说,现在所有丝绸料子都涨价了。救彼佳的教会执事在和一个官员谈论今天某人和某人同至圣者①一起主持礼拜。教会执事把"会同"②一词说了几遍,彼佳不明白它是什么意思。两个年轻的小市民在和几个嗑榛子的年轻女仆调笑。所有这些谈话,尤其是与女仆的调笑,对彼佳这样年龄的人是有特殊吸引力的,可是现在并不引起他的兴趣;他坐在大炮的高处,想起皇上和自己对皇上的爱,心里仍然很激动。在他被挤伤时产生的疼痛和恐惧

---

① 至圣者是对主教的尊称。
② "会同"是"在许多神职人员参加下"的意思。

的感觉与欢欣鼓舞的感觉同时并存，更使他意识到这一时刻的重要性。

突然从河岸那边传来了炮声（这是庆祝与土耳其人签订和约的礼炮），于是人群迅速朝那里拥去——想看看如何放礼炮。彼佳也想往那里跑，但是主动担当起保护这位小少爷责任的教会执事不放他去。炮声还在响着，这时从圣母升天教堂里跑出一群军官、将军和宫廷侍从，随后又出来另一些人，他们走路已不那么急急忙忙了，人们又摘下了帽子，那些跑去看大炮的人又跑了回来。最后从教堂的门里出来了四个身穿制服、佩戴绶带的男人。"乌拉！乌拉！"人群又欢呼起来。

"哪一个？哪一个？"彼佳用哭泣的声音问自己周围的人，但是谁也没有回答他；大家看得太全神贯注了，于是彼佳在这四个人当中挑了一个，他的眼睛被欢乐的泪水蒙住看不清挑中的人，他仍然把全部热情倾注在此人身上，虽然此人并不是皇上；彼佳发狂似的喊起"乌拉"来，并且决定，不管他要付出多少代价，一定要成为一个军人。

人群跟在皇上后面跑，一直把他送到皇宫里，然后开始散了。时间已经很晚了，彼佳什么也没有吃，汗像水一样往下流；但是他不回家，而是和人数已明显减少、但是还相当大的人群一起站在皇宫前，在皇上进餐时望着皇宫的窗户，还等待着什么，既羡慕坐车前去与皇上共进午餐的达官贵人们，也同样羡慕那些在窗口闪动着侍候进餐的宫廷仆役们。

在皇上进餐时，瓦卢耶夫往窗外看了一眼说：

"民众仍然希望能见到陛下。"

午餐已经结束了，皇上站起身来，吃着最后的一块饼干，到了阳台上。人群朝阳台拥过来，彼佳就在这人群的中央。

"天使，父亲！乌拉，我的爷！……"人们和彼佳高喊着，几个农妇和某些比较脆弱的人，其中包括彼佳，幸福得哭了起来。皇上手里拿着的一块相当大的吃剩的饼干碎了，落到阳台的栏杆上，又从栏杆落到地上。一个身穿紧腰长外衣的车夫离得最近，他朝这块饼干扑过去，抓住了它。人群中的几个人朝车夫扑过去。皇上发现这种情况，吩咐给他端来一盘饼干，开始从阳台上往下扔饼干。彼佳两眼充血，被挤伤的危险更激起了他的热情，他一下子朝饼干扑了过去。他并不知道为了什么，但是觉得需要从皇上手里拿到一块饼干，需要做到不退让。他扑过去时撞倒了一个去抓饼干的老太婆。老太婆倒在地上（她去抢饼干，但是手没有够到），然而不肯认输。彼佳用膝盖顶开她的手，抓住了饼干，仿佛担心落后似的，又喊起"乌拉"，不过嗓子已经哑了。

皇上走了，在这之后，大部分人开始散了。

"我就说过，需要再等一等——果然等着了。"在人群里到处都在高兴地说着。

不管彼佳感到如何幸福，他知道这一天的欢乐结束了，该回家了，心中仍然觉得闷闷不乐。彼佳从克里姆林宫出来没有回家，而去找奥博连斯基，他的这个十五岁的同学也要去从军。回家后，他坚决地和斩钉截铁地宣布，如果不让他去，他就逃走。第二天，伊里亚·安德烈依奇伯爵虽然没有完全答应，但是已在打听能否把彼佳安排在一个比较安全的地方。

二十二

在这之后的第三天,即十五日的早晨,在斯洛博达宫①附近停着无数辆马车。

各个大厅里挤满了人。聚集在第一个大厅里的是穿制服的贵族,而聚集在第二个大厅里的则是佩戴奖章、留着大胡子和身穿蓝色长衫的商人。在贵族会议大厅里,人来人往,人声嘈杂。在皇上画像下面的大桌子旁,在高背椅子上坐着最重要的高官显贵;但是大多数人都在大厅里走动着。

这里所有的贵族,以前皮埃尔每天或在俱乐部里或在家里都曾见过,现在他们都穿着制服,有的人穿的是叶卡捷琳娜时代的,有的人穿的是保罗时代的,有的人穿的是新的、亚历山大时代的,还有的人穿一般的贵族制服,所有制服的共同特点,就是给这些年老的和年轻的人,给各种各样相互熟悉的人增添一种奇特和古怪的色彩。特别给人以深刻印象的是那些老眼昏花、牙齿脱落、头顶光秃、面孔黄肿或者满脸皱纹、瘦骨嶙峋的人。他们大都坐在位置上,默不作声,即使走动和说话,也往往去找年纪较轻的人。如同彼佳在广场上看到的人群的脸上一样,在这些人的脸上也有一个惊人的矛盾的特点:一方面期待着某种重大事情的发生,另一方面又惦记着日常的、昨天的事情——波士顿牌的牌局、厨师彼得鲁什卡的手艺、季娜伊达·德米特里耶夫娜的健康状况等等。

---

① 斯洛博达宫位于莫斯科列福尔托沃。

皮埃尔从清早起身上就紧紧裹着已显得瘦了的不合身的贵族制服,来到各个大厅里。他的心情很激动:不仅贵族,而且有商人等不同等级参加的这次不寻常的会议——三级会议①——在他心里勾起了一系列早就抛到一边,但深深印在心中的想法,使他想起了社会契约和法国革命。他在告民众书里读到皇上即将驾临首都与民众进行**商讨**这样的话,更使他确信这个观点是正确的。他认为从这一点来看,他早就期待的某种事情快要到来了,便到各处走走,观察着,倾听着人们的谈话,但是哪里也没有发现他感兴趣的思想的表现。

宣读了皇上的宣言,引起了一阵欢呼,接着大家一面谈论着,一面散开了。除了平常的事外,皮埃尔听见人们在谈论等一会儿皇上进来时首席贵族应该站在哪里,什么时候举行欢迎皇上的舞会,按照各个县分组还是全省一起,等等;但是当一谈到战争和召开贵族会议的目的时,这些谈论便变得吞吞吐吐和含糊不清了。大家都更愿意听而不愿多说。

一个威武英俊的中年男子,身穿退役海军制服,正在一个大厅里说什么,他身边围了一些人。皮埃尔走到围住他的人那里,倾听起来。伊里亚·安德烈依奇伯爵穿着叶卡捷琳娜时代的督军服,面带愉快的微笑在人群中间走来走去,他和所有的人都认识,也到这群人身旁来听,像平常听人说话时那样和善地笑着,朝说话的人赞许地点点头,以表示同意。这个退役的海军军人说话非常大胆;这可从听他说话的人脸上的表情看出来,也可从皮埃尔

---

① 三级会议是法国大革命前君主制下三个等级(教士、贵族和第三等级)代议制议会。

认识的温顺平和的人不以为然地走开或表示异议这一点看出来。皮埃尔挤到圈子中间倾听起来,确信说话的人的确是一个自由派,不过是与皮埃尔所想的完全不同的自由派。这个海军军人说话声音洪亮动听,用的是贵族常有的男中音,用悦耳的法语腔发"P"音,常常吞掉辅音,如同喊人"端茶,拿烟袋来!"的声音一样。他说话带有一种放纵和发号施令的习惯。

"就说是斯摩棱斯克人建议皇上组织民兵。难道斯摩棱斯克人的话对我们就是命令吗?一旦莫斯科省的高尚的贵族认为必要,他们能以别的方式向皇上表示自己的忠诚。难道我们忘记了一八〇七年的民兵了吗?只不过养肥了吃教堂饭的人和盗贼……"

伊里亚·安德烈依奇伯爵甜蜜地微笑着,赞许地点点头。

"怎么,难道我们的民兵有益于国家吗?毫无益处!只会破坏我们的家业。最好还是征兵……不然从战场回来的既不是士兵,也不是庄稼汉,完全是浪荡子。贵族并不怜惜自己的生命,我们将全体出动,还要招募新兵,只要昂上(他把'皇上'说成'昂上')一声令下,我们大家可以为他献出生命。"那个讲话的海军军人慷慨激昂地加了一句。

伊里亚·安德烈依奇高兴得直咽唾沫,推着皮埃尔,但是皮埃尔也想要说话。他挤上前去,心情激动,有话要说,自己也不知道为什么这样激动,同时还不知道要说什么。他刚要开口,一个站在刚才说话的人身旁的参政员打断了他,此人牙齿已完全掉光,有一张聪明的脸,但是满面怒容。他显然惯于进行辩论和抓住问题,低声地,但是清楚地说了起来。

"我认为,先生,"参政员吧嗒着无牙的嘴说道,"我们被召集到这里来不是为了讨论当前怎么做对国家更合适——是征兵还是组织民兵。我们到这里来是为了对皇上向我们发表的告民众书做出回答。至于是征兵还是组织民兵更为合适的问题，我们让最高当局去审议……"

皮埃尔突然找到了宣泄激愤的机会。他听到这位参政员对目前贵族迫切要做的事发表的四平八稳的和狭隘的看法，决定狠狠地批驳他。皮埃尔走上前去打断参政员的话。他自己也不知道他将说些什么，但是热烈地说了起来，有时夹着一些法语和俄语书面语的表达方法。

"请原谅，大人，"他开口说道（皮埃尔和这位参政员很熟，但他认为这里应该用正式的称呼），"虽然我不同意这位先生……（皮埃尔一下子卡壳了。他想要说我尊敬的论敌）这位我尚未能荣幸地认识的先生的意见，但是我认为，贵族阶层除了表示自己的同情和欣喜外，也应讨论我们可以用来帮助祖国的措施。我认为，"他激动地说，"如果皇上发现我们只是一些把自己的农奴献给他的农奴主，发现我们只能充当炮灰，而不能给他献计……献策，那么他本人是会不满意的。"

许多人看到参政员轻蔑的微笑，听到皮埃尔发表的自由言论，便离开了这个圈子；只有伊里亚·安德烈依奇伯爵对皮埃尔的话很满意，如同他对海军军人、参政员以及通常对刚听到的话都很满意一样。

"我认为，在讨论这些问题之前，"皮埃尔接着说，"我们应当问一问皇上，恭恭敬敬地请求陛下向我们通报一下，我们有多少部队，我们的军事力量和军队的状况如何，然后……"

但是皮埃尔没有来得及说完这些话，突然从三个方面对他发起了攻击。对他攻击得最厉害的是他的老熟人，平常对他很有好感的玩波士顿牌的牌友斯捷潘·斯捷潘诺维奇·阿普拉克辛。斯捷潘·斯捷潘诺维奇身穿制服，由于他穿着制服，或者由于其他原因，皮埃尔在自己面前看到的仿佛完全是另一个人。斯捷潘·斯捷潘诺维奇脸上突然表现出老年人的恼怒，朝皮埃尔喊叫起来。

"第一，告诉您，我们没有权利向皇上提出这个问题，第二，即使俄国贵族有这个权利，皇上也无法回答我们。部队随着敌军的行动而行动，不断减员和增员……"

另一个说话的人中等身材，四十岁上下，以前皮埃尔曾在茨冈人那里见过他，知道他玩牌玩得不好，现在穿了制服也变了样，他走近皮埃尔，打断了阿普拉克辛的话。

"而且现在也不是发议论的时候，"这个贵族说，"而需要行动，因为战火已烧到了俄国。我们的敌人在前进，想要毁灭俄国，凌辱我们祖先的坟墓，掠走我们的妻子儿女。"这个贵族捶了一下自己的胸脯。"我们大家一齐起来，人人勇往直前，为沙皇父亲而战！"他瞪着充血的眼睛喊道。从人群中传出了几个人的赞许声。"我们俄罗斯人为了保卫自己的信仰、皇上和祖国，毫不吝惜自己的鲜血。如果我们是祖国的儿子，应当不再抱有妄想。我们要让欧洲看看，俄罗斯人怎样起来保卫俄罗斯。"这个贵族大声说道。

皮埃尔想要反驳，但是无法说一句话。他感觉到，他的话不管包含着什么样的意思，都不能像那个慷慨激昂的贵族说的话那样被人们听清楚。

伊里亚·安德烈依奇在围成一圈的人后面表示赞同；有几个人在那贵族快要说完时朝他转过身去，说道：

"说得对!就是这样!"

皮埃尔想要说,他并不反对捐献金钱、农奴和牺牲自己,但是为了做到有补于事,应当了解情况,但是他无法说话。许多人一齐嚷着说着,使得伊里亚·安德烈依奇来不及向所有的人点头表示赞同;人们聚拢来,又分散开,再聚拢来,吵吵嚷嚷地朝大厅,朝那张大桌子走去。皮埃尔不仅未能把话都说出来,而且粗暴地被打断,被推开,好多人不理睬他,仿佛他是他们共同的敌人一样。这不是由于人们对他说话的内容不满意——在他之后有很多人说话,他的话已被忘记了,而是由于为了振奋人们的精神,需要有明显的爱的对象和明显的恨的对象。皮埃尔成了后一种对象。在那个慷慨激昂的贵族讲话后,有许多人发了言,大家说的是同一个调子。许多人说得很好,很有独特的地方。

《俄罗斯通报》的出版者格林卡①被人们认了出来(人群中发出"作家,作家!"的喊声),他说,地狱应当用地狱来反击,他看见过一个在电光闪闪和雷声隆隆时还在微笑的孩子,但我们不要成为这样的孩子。

"是的,是的,在雷声隆隆时!"后排有人用赞同的语气重复说。

人群走到了大桌子前面,那里坐着身穿制服和佩戴绶带、白发苍苍、头顶光亮的七十岁的高官显贵,皮埃尔几乎都看见过这些人如何在家里逗小丑取乐和在俱乐部里玩波士顿牌。人群到了桌旁后还在喧闹。发言者一个接一个,有时两人一起说,他们被后面拥过来的人群挤到椅子的高背上。一些站在后面的人发现发

---

① 格林卡(一七七六至一八四七年)于一八〇八至一八二〇年、一八二四年出版了《俄罗斯通报》杂志,在拿破仑入侵期间,这份刊物曾持爱国主义立场。

言者有什么话没有说完,便急忙进行补充。另一些人在这又热又挤的大厅里绞尽脑汁,想找点东西赶快把它说出来。皮埃尔认识的那些年老的达官贵人坐在那里时而看看这个人,时而看看那个人,他们之中大部分人的表情只说明一点,即他们觉得很热。然而皮埃尔发现自己很激动,人们一心想显示我们什么都不在乎的共同愿望也感染了他,这种愿望主要通过他们的声音和表情,而不是通过讲话的内容表现出来。他没有放弃自己的看法,但是觉得自己在某些方面有不对的地方,想要进行辩解。

"我只是说,如果我们知道需要什么,我们做的奉献就更相宜些。"他大声说,力图压倒别人的声音。

一个离得最近的小老头朝他看了一眼,但是立刻被桌子另一边的喊声吸引过去了。

"是的,莫斯科将要放弃!它将成为赎罪的牺牲品!"一个人大声喊道。

"他是人类的敌人!"另一个人喊道,"请让我说……先生们,你们把我挤坏了……"

二十三

这时拉斯托普钦伯爵快步经过让开道的贵族面前进了大厅,他下巴突出,眼睛灵活,身穿将军制服,肩上斜披着绶带。

"皇上立刻就到,"拉斯托普钦说,"我刚从那里来。我认为在目前我们所处的情况下,不必多发议论。是皇上把我们和商人召集来的。"拉斯托普钦伯爵说,"那边(他指了指商人待的大厅)将捐献几百万,而我们应做的事是提供民兵和不吝惜自己……这是我们能够做到的最低限度的事!"

坐在桌旁的达官贵人们开始单独进行讨论。会开得非常平静。老人们一个一个地发言,一个人说"同意",另一个为了话不说得千篇一律,便说"我也是这个意见"等等,在听了刚才的喧闹声后,听到他们说话的声音,甚至觉得有些沉闷。

会议决定让书记起草莫斯科贵族的决议:莫斯科贵族也像斯摩棱斯克贵族一样,千人出十人,并供给全副装备。会议结束后,这些达官贵人仿佛卸下了重担似的站了起来,推开椅子,开始在大厅里走动,以便活动活动腿脚,同时顺便挽起一个人的胳膊,和他交谈起来。

"皇上!皇上!"突然叫喊声传遍了各个大厅,所有的人朝门口跑去。

皇上沿着两边站着贵族的宽阔通道进了大厅。所有人的脸上露出敬畏和好奇的神情。皮埃尔站得相当远,不能完全听清皇上的话。他从所听到的话里只听出皇上谈到国家的危险处境,谈到他寄托在莫斯科贵族身上的希望。另一个声音回答皇上说,刚才通过了贵族的决议。

"诸位!"皇上用颤抖的声音说;人群发出了一阵簌簌声,立刻又安静下来了,皮埃尔清楚地听见了深受感动的皇上富有人情味的悦耳的声音,听见他说:"我从来没有怀疑过俄国贵族的忠诚。但是今天它超过了我的预料。我代表祖国感谢你们。诸位,行动起来吧,——时间是最宝贵的……"

皇上停住不说了,人群开始在他周围挤着,四面八方响起了热烈的欢呼声。

"是的,皇上的话……比什么都宝贵。"伊里亚·安德烈依奇在后面哭着说,他什么也没有听到,但是对一切做了自己的理解。

皇上从贵族大厅到了商人大厅。他在那里待了大约十分钟。皮埃尔和别的人一起看见皇上从商人大厅出来时眼里含着感动的泪水。后来才知道,皇上刚开始对商人讲话,眼泪就夺眶而出,他用颤抖的声音把话讲完。在皮埃尔看见皇上时,皇上正好在两个商人陪同下出来。一个是皮埃尔认识的胖胖的包税人,另一个是商人的首领,黄瘦的脸,尖下巴颏。两人都在哭。那个瘦子含着眼泪,而胖胖的包税人像孩子一样放声大哭,嘴里反复地说:

"陛下,把生命和财产都拿去吧!"

皮埃尔此刻没有任何别的想法,一心只想表明他什么也不在乎,准备牺牲一切。他觉得他的有立宪倾向的言论是不对的;他寻找着改正的机会。当他听说马莫诺夫伯爵①打算提供一个团时,便立即向拉斯托普钦伯爵表示,他愿出一千个人和提供他们的全部给养。

老罗斯托夫无法平静地向妻子说这些事,他边说边哭,立刻同意了彼佳的请求,并亲自去替孩子报名。

第二天,皇上走了。所有召集起来的贵族都脱下了制服,又各自回到家里和俱乐部里,唉声叹气地盼咐管家们去办关于民兵的事,并为他们自己所做的事感到惊讶。

---

① 德米特里耶夫-马莫诺夫(一七九〇至一八六三年),诗人,政论家。他提供的团在他自己指挥下参加了一八一二年的一系列战役。

第二部

一

拿破仑之所以和俄国开战,是因为他不能不去德累斯顿,不能不因受到尊重而昏昏然,不能不穿上波兰军服,不能不沐浴在六月的晨光中而心生非分之想,不能克制自己而不在库拉金面前、后来在巴拉绍夫面前发火。

亚历山大之所以拒绝进行任何谈判,是因为感到他个人受到了侮辱。巴克莱·德·托利竭力以最好的方式指挥军队,是为了恪尽自己的职责和赢得伟大统帅的荣誉。罗斯托夫之所以骑着马冲向法国人,是因为他忍不住要沿着平坦的田野奔驰。所有数不清的人,这场战争的参加者都是这样按照自己个人的禀性、习惯、条件和目的而行动的。他们惧怕、有虚荣心、高兴、愤怒、爱发议论,都认为他们知道他们做的事,知道他们那样做是为了自己,其实他们都不由自主地充当着历史的工具,做着他们自己并不知道,但我们却一目了然的工作。所有从事实际工作的活动家的命运一直都是如此,他们在人的阶梯上站得愈高,就愈不自由。

现在，一八一二年的活动家们早已离开了自己的位置，他们个人的欲望已经消失得不留一点痕迹，展现在我们面前的只是那个时代历史的结果。

但是，假定说欧洲人**必定**会在拿破仑的统率下深入俄国腹地并在那里灭亡，那么对我们来说，参加这场战争的人的整个自相矛盾的、毫无意义的、残酷的活动就变得可以理解了。

天意迫使所有这些人在努力实现自己的个人的目标的同时，促进一个巨大的结果的形成，对这个结果，无论是谁（无论是拿破仑还是亚历山大，也无论是战争参加者中较小的人物）事前都一无所知。

现在我们已清楚知道，一八一二年法国军队覆灭的原因是什么。谁也不会争论，拿破仑的法国军队覆灭的原因一方面是它进入俄国腹地时间太晚，而且未做过冬的准备；另一方面是由于它焚烧俄国城市，在俄国民众中激起了对敌人的仇恨，使战争具有新的性质。但是，当时谁也没有预见到，这支世界上最好的、由最优秀的统帅指挥的拥有八十万人马的军队，在与比它弱一倍、既没有经验又由没有经验的统帅指挥的俄国军队交锋中会归于灭亡（现在看来这已经很明显了）；不仅**谁也没有预见到这一点**，而且**俄国人**所做的一切努力常常旨在阻碍这个唯一能拯救俄国的事情的实现，而**法国人**虽然有经验，又有拿破仑的所谓军事天才，他们却尽一切努力，到夏末把战线拉长到莫斯科，也就是说，做了必然会使他们灭亡的事。

在研究一八一二年的历史著作中，法国的作者们①总是津津乐

---

① 法国作者们指梯也尔、拉普、梅斯特尔等人。

道,说什么拿破仑感觉到了拉长战线很危险,他寻找着战机,说什么他的元帅们劝他到斯摩棱斯克后停止前进,并引用其他类似的论据来证明,似乎他们当时已明白了战局的危险性;而俄国的作者们[①]更是喜欢说,从战争一开始就有引诱拿破仑深入俄国内地的斯基泰战争计划,有人说这计划是普弗尔制订的,有人说是某个法国人制订的,有人说是托尔制订的,有人则说是亚历山大皇帝亲自制订的,指出了各种笔记、草案和书信,其中确实隐隐约约地提到要采取这样的行动方式。但是所有这些隐隐约约地说明对发生的事已有预见的说法,无论是法国人的还是俄国人的,现在之所以把它们撂出来,只是因为发生的事件证明它们是正确的。假如事件没有发生,那么这些说法已被忘记了,正如当时流行的千千万万相反的说法和推测因为不正确而被忘记一样。关于正在发生的每个事件的结局,通常都有许许多多推测,不管事件最后是如何结束的,总可以找到这样的人,他们会说"我当时就已说过,这事将会这样",完全忘记了在无数的推测中有过完全相反的说法。

关于拿破仑意识到拉长战线的危险和关于俄国方面诱敌深入的推测,显然属于这一类,历史学家们只能非常牵强地说拿破仑和他的元帅有过这样的想法,说俄国的军事长官们有过这样的计划。所有的事实都完全与这样的推测相抵触。在战争的整个期间,俄国人不仅不愿意引诱法国人深入俄国内地,而且尽一切努力想在法国人一进入俄国领土时就把他们阻挡住;而拿破仑不仅不害

[①] 俄国作者们指波格丹诺维奇等人。

怕拉长战线，而且为他的胜利、为每前进一步而高兴，不像以前的历次战役那样，急于寻找战机。

在战争刚开始时，我们的军队是被分割的，我们力图达到的唯一目的在于使它们会合，虽然部队会合对撤退和诱敌深入并不有利。皇上待在军中，是为了鼓舞部队捍卫每一寸俄国土地，而不是为了撤退。按照普弗尔的设计建造了巨大的德里萨营地，并不打算进一步后退。皇上为每一步后退而责备各军的总司令们。对皇上来说，不仅莫斯科被焚，就连撤退到斯摩棱斯克也是不可思议的，而当部队会师时，皇上对斯摩棱斯克沦陷和被焚而没有在它城外进行一场决战非常生气。

皇上是这样想的，而俄国军事长官和所有俄罗斯人一想到我军在向内地撤退，更加气愤。

拿破仑把俄国军队分割开后，向俄国内地推进，放过了几个战机。八月，他到了斯摩棱斯克，考虑的只是如何继续前进，虽然现在我们看到，对他来说，继续前进显然是致命的错误。

事实清楚地说明，拿破仑没有预见到向莫斯科推进的危险，亚历山大和俄国军事长官们当时也没有想到要引诱拿破仑深入，他们考虑的是相反的事情。拿破仑深入国家内地不是由于谁有这个计划（谁也不相信有这种可能），而是参加战争的人们钩心斗角的行为、各种不同目的和愿望进行复杂斗争的结果，这些人并没有猜到必然会发生什么事，也没有猜到唯一能拯救俄国的是什么。一切都是无意之中发生的。军队在战争开始时被分割。我们千方百计地让它们会合，目的显然是想进行决战和阻止敌人进攻，但是在做会合的努力时，避免与强大的敌人交战，不由自主地呈锐角形后退,把法国人引到了斯摩棱斯克。但是只说我们呈锐角形后退还不够,因为法国人在我们两支军队之间前进,使这个锐角的角度变得更小,而我们之所以进一步后退,还因为巴格拉季翁厌恶声望不高的德国人巴克莱·德·托利①(可是他又受巴克莱的指挥),他统率的第二军竭力拖延时间不与巴克莱会师,以便不受他的节制。巴格拉季翁长时间没有会师(虽然会师是所有指挥官的主要目的),因为他觉得他这样做会使自己的部队遭到危险,觉得他最好从左边和南边撤退,一方面可骚扰敌军的侧翼和后方,另一方面可在乌克兰补充自己的部队。看来,他之所以想出这个主意,是因为他不愿服从他所厌恶的和军衔比他低的巴克莱。

皇上为了鼓舞士气而待在军队里,而他亲自出征,不知道该下什么决心,带来了一大批顾问和许多计划,这就削弱了第一军的战斗力,部队在撤退。

原来预定据守在德里萨营地;但是一心想当总司令的保卢奇对亚历山大施加了影响,于是普弗尔的整个计划被抛弃了,全部事务交由巴克莱办理。但是由于巴克莱威信不高,他的权力受到限制。

部队是被分割开的,没有统一指挥,巴克莱又没有声望;但是这种混乱、分割和当总司令的德国人的没有声望,一方面造成了犹豫不决和避免决战的现象(如果军队都在一起并且不由巴克莱指挥,那么会忍不住要打一仗的),另一方面使得人们对德国人愈来愈感到愤慨,激发了爱国主义精神。

---

① 巴克莱·德·托利是十七世纪移居里加的古老的苏格兰家族的后裔,然而俄国上流社会把他称为"德国人"。

最后,皇上离开了军队,为他离开军队找了一个唯一的和最合适的借口,说他需要去鼓舞两个京城的民众,发动人民战争。皇上离开军队到莫斯科去,使得我国军队的力量增加了两倍。

皇上离开军队以免妨碍总司令的统一指挥,希望能采取更加坚决的措施;但是部队领导的情况变得更加混乱和薄弱了。本尼格森、亲王和一大群侍从将军留在军队里一面监视总司令的行动,一面给他鼓劲,因此巴克莱在所有这些**皇上的耳目**的注视下觉得更不自由,对采取坚决行动更抱谨慎态度,避免进行大的战斗。

巴克莱主张谨慎行事。亲王含沙射影地说这是背叛行为,要求进行大会战。柳博米尔斯基、勃拉尼茨基、弗洛茨基①以及诸如此类的人四处张扬,使得巴克莱只好借口要送奏章给皇上,把这些波兰侍从将军打发去彼得堡,同时与本尼格森和亲王展开了公开的斗争。

最后,不管巴格拉季翁如何不愿意,军队在斯摩棱斯克会师了。

巴格拉季翁坐马车到了巴克莱的住处。巴克莱披上武装带出来迎接,并向军衔高的巴格拉季翁报告。巴格拉季翁竭力装出宽宏大量的样子,虽然自己军衔高,但是表示服从巴克莱的指挥;但是服从后,更不同意他的意见。巴格拉季翁根据皇上命令,有事可亲自向他报告。他在给阿拉克切耶夫的信中这样写道:"听候皇上发落,我无论如何也无法与**大臣**(巴克莱)共事了。看在上帝分上,把我调到另一个地方去,哪怕去指挥一个团,这里实在待不下去了;整个总部里全是德国人,因此俄国人简直受不了,而且什么事也办不成。我本以为我是真正地为皇上和祖国效劳,

---

① 柳博米尔斯基(一七八六至一八七〇年)、勃拉尼茨基(一七八二至一八四三年)和弗洛茨基(生卒年不详)均为亚历山大一世的侍从武官。

而实际上却是为巴克莱服务。老实说，我不愿意。"勃拉尼茨基、温岑格罗德之类的人使得各军总司令之间的关系更加恶化，结果指挥更不统一了。打算要在法军到达斯摩棱斯克前向他们发动进攻。派一个将军去视察阵地。这个将军仇恨巴克莱，他到了他的一个军长朋友那里，在那里待了一天，回来向巴克莱逐条地批评了他并没有看见的战场选得如何不好。

正当人们为未来的战场争吵不休和钩心斗角时，正当我们弄错了法国人的位置、正在寻找他们时，法国人与涅韦罗夫斯基[①]指挥的师遭遇，到了斯摩棱斯克城下。

只好在斯摩棱斯克仓促应战，以便保住自己的交通线。这一仗打了。双方各战死几千人。

斯摩棱斯克在违背皇上和全国人民意愿的情况下放弃了。但是斯摩棱斯克是受省长欺骗的居民自己焚毁的，这些倾家荡产的居民给其余的俄国人做出了榜样，他们向莫斯科退去，心里只想自己的损失，点燃着仇恨敌人的怒火。拿破仑继续前进，而我们不断后退，造成了必然会战胜拿破仑的那种情况。

二

在儿子走后的第二天，尼古拉·安德烈依奇公爵把玛丽亚公爵小姐叫到自己跟前。

[①] 涅韦罗夫斯基（一七七一至一八一三年），俄国将军。

"怎么样，现在满意了吧？"他对女儿说，"让我和儿子吵了一架！满意了吧？你就需要这样！满意了吧？……这使我很痛心，很痛心。我年老体弱，你就希望这样。好吧，高兴吧，高兴吧……"在这之后，玛丽亚公爵小姐有一个星期没有见到父亲。他病了，没有出自己的书房。

玛丽亚公爵小姐惊奇地发现，老公爵在这次生病期间也没有让布里安娜小姐去见他。只有吉洪一人伺候他。

一个星期后，老公爵出来了，又开始过以往的生活，特别起劲地搞建筑和侍弄花园，完全断绝了同布里安娜小姐的关系。他的神情和对玛丽亚公爵小姐说话的冷冰冰的语气仿佛在对她说："你看，你捏造事实反对我，向安德烈公爵告我的状，说我与这个法国女人有什么关系，弄得我与他吵了一架；你看，我既不需要你，也不需要那个法国女人。"

玛丽亚公爵小姐把半天的时间花在尼科卢什卡身上，监督他做功课，自己给他上俄语课和音乐课，同德萨尔谈话；另一部分时间她在自己房里读书，同老保姆和常从后门进来找她的修士们在一起。

玛丽亚公爵小姐对战争的想法是同一般女人的想法一样的。她替在战场上的哥哥担心，不明白人们为什么要互相残杀，对他们的残忍感到恐怖；同时也不理解这场战争的意义，觉得它和以往的战争一样。虽然经常与她进行交谈的德萨尔非常关心战争的进程，竭力把自己的想法讲给她听，虽然来找她的修士们照自己的理解惊恐地讲述民间流传的关于敌基督入侵的种种传闻，虽然已成为德鲁别茨卡娅公爵夫人并和她恢复通信的朱丽从莫斯科给她写来充满爱国热情的信,但是她仍然不理解这场战争的意义。

"我用俄语给您写信,我的好朋友,"朱丽写道,"因为我恨所有的法国人,同样也恨他们的语言,我听不得人们说法语……在莫斯科我们大家对我们所崇拜的皇帝充满热情,人人兴高采烈。

"我的可怜的丈夫在犹太人的小客栈里受苦和挨饿;但是我得到的消息更加鼓舞了我。

"您大概听说过拉耶夫斯基的英雄事迹,他搂住两个儿子说道:'我准备和他们一起死,但是决不动摇!'确实,虽然敌人要比我们强大一倍,我们没有动摇。我们尽量想办法消磨时间;但是战时毕竟是战时。阿林娜公爵小姐和索菲整天和我在一起,我们这些守活寡的女人一面扯着裹伤用的棉纱,一面进行很有意思的谈话;这里,我的朋友,只缺您一个人……"等等。

玛丽亚公爵小姐之所以不理解这场战争的全部意义,主要是因为老公爵从来没有对她讲过它,不承认它,在吃饭时嘲笑谈论这次战争的德萨尔。老公爵说话的语气非常平静自信,玛丽亚公爵小姐也就不假思索地相信他的话了。

整个七月,老公爵精力特别充沛,甚至可以说精神饱满。他又开辟了一个新的花园,为家奴盖了一座房子。有一点使玛丽亚公爵小姐感到不安,这就是他睡得很少,并且改变了在书房睡觉的习惯,每天都变换过夜的地方。时而吩咐把他的行军床支在穿廊里,时而他在客厅的沙发上或伏尔泰安乐椅上不脱衣服地打个瞌睡,同时读书给他听的已不是布里安娜小姐,而是童仆彼得鲁沙;时而他在餐厅里过夜。

八月一日接到了安德烈公爵的第二封信。在他走后不久收到的第一封信里,安德烈公爵恭请父亲宽恕他说话放肆,请求父亲恢复对他的慈爱。老公爵写了一封亲切的回信,他在这之后疏远了那个法国女人。安德烈公爵的第二封信是他在维捷布斯克附近写的,当时这个城市已被法国人占领,这封信简要描述了整个战役,附有一张地图,并讲述了对今后战局的看法。安德烈公爵在这封信里还对父亲说,他不宜待在靠近战场的地方和在部队经过的路上,劝他搬到莫斯科去住。

在这一天吃饭时,德萨尔谈到他听说法国人已进入维捷布斯克,这时老公爵想起了安德烈公爵的信。

"今天收到了安德烈公爵的信,"他对玛丽亚公爵小姐说,"你读了吗?"

"没有,爸爸。"公爵小姐惊恐地回答道。她不可能读过这封信,她甚至没有听说收到信的事。

"他信里说到这场战争。"老公爵带着他那已成习惯的轻蔑的微笑说,他在谈到真正的战争时常露出这样的微笑。

"想必很有意思,"德萨尔说,"公爵能够知道……"

"啊,一定很有意思!"布里安娜小姐说。

"请您去给我拿来。"老公爵对布里安娜小姐说,"您知道,就在小桌子上用镇纸压着。"

布里安娜小姐高兴地一跃而起。

"不,不用您去,"老公爵皱起眉头喊道,"你去,米哈依尔·伊万内奇。"

米哈依尔·伊万内奇站起身来,前去书房。但是他一出去,老公爵便不安地环顾四周,扔下餐巾,自己跟着去了。

"他们什么也不会,总是弄错。"

他走的时候,玛丽亚公爵小姐、德萨尔、布里安娜小姐,甚至还有尼科卢什卡,都默默地彼此对看了一眼。老公爵拿着信和图纸同米哈依尔·伊万内奇一起急忙回来了,他把信放在自己身边,没有让任何人在吃饭时读它。

饭后大家到了客厅里,他把信交给玛丽亚公爵小姐,把新建筑物的图纸在自己面前摊开,吩咐女儿朗读信。玛丽亚公爵小姐读完信后,用询问的目光朝父亲看了一眼。

老公爵看着图纸,显然陷入了沉思。

"您对这事是怎么想的,公爵?"德萨尔壮着胆问道。

"我!我!……"老公爵仿佛不高兴被叫醒似的说,仍然聚精会神地看着建筑图纸。

"战场很有可能向我们这里挪过来……"

"哈——哈——哈!战场!"老公爵说,"我过去说过,现在还要这样说,战场在波兰,敌人永远不会越过涅曼河。"

德萨尔听见老公爵在敌人已到了第聂伯河时还在说不会越过涅曼河,惊奇地看了他一眼;而忘记了涅曼河的地理位置的玛丽亚公爵小姐则认为父亲说的话是对的。

"等到大雪融化时他们会淹死在波兰的沼泽里。他们就是看不到这一点。"老公爵说,看来他想的是一八〇七年的战争,他觉得这是不久前的事,"本尼格森应该早一些进入普鲁士,那样情况就会变得不一样了……"

"但是,公爵,"德萨尔怯生生地说,"信里讲的是维捷布斯克……"

"啊，在信里，是的……"老公爵不满地说，"是的……是的……"他的脸突然露出阴郁的表情。他沉默了一会儿。"是的，他信中写道，法国人被击败了，这是在哪条河边？"

德萨尔垂下了眼睛。

"关于这一点安德烈公爵在信中根本没有提到。"他低声说。

"难道他没有提到？这可不是我想出来的。"大家沉默了很长时间。

"是的……是的……喂，米哈依尔·伊万内奇，"他突然抬起头指着建筑物图纸说，"你说一说，你想如何修改……"

米哈依尔·伊万内奇走到图纸跟前，老公爵与他就建筑物的图纸谈了一会儿，生气地朝玛丽亚公爵小姐和德萨尔看了一眼，回自己屋里去了。

玛丽亚公爵小姐看见德萨尔投向她父亲的困惑和诧异的目光，发现他没有说话，对父亲居然把安德烈公爵的信忘在客厅里感到很惊奇；但是她不仅不敢同德萨尔说话，不敢问他为什么困惑和沉默，而且也怕去想这件事。

晚上，米哈依尔·伊万内奇奉老公爵之命到玛丽亚公爵小姐这里来取忘在客厅里的安德烈公爵的信。玛丽亚公爵小姐把信给了他。虽然她感到不大愉快，但是她还是大胆地问米哈依尔·伊万内奇父亲在做什么。

"仍在那里忙忙碌碌。"米哈依尔·伊万内奇带着恭敬而又讥讽的微笑说，玛丽亚公爵小姐见了这微笑，脸都白了。"为新房子操心。读了一会儿书，而现在，"米哈依尔·伊万内奇压低声音说，"坐在写字台旁，想必是在写遗嘱。"（最近，老公爵最喜欢干的事情之一是整理文稿，这些文稿应当在他死后留下来，他将其称为遗嘱。）

"要派阿尔帕特奇到斯摩棱斯克去吗？"玛丽亚公爵小姐问。

"那还用说，他早就在等着了。"

三

当米哈依尔·伊万内奇拿着信回到书房时，老公爵正坐在打开的写字台旁，他戴着眼镜和眼罩，也给烛台罩上灯罩，把一只拿着文稿的手伸得远远的，带着几分得意的神情读着这些自己写的东西（他将其称为意见书），在他死后这些文稿应当呈交给皇上。

米哈依尔·伊万内奇进屋时，老公爵正回想起他写现在读的文稿的那个时代，两眼含着泪水。他从米哈依尔·伊万内奇手里接过信，装进衣兜里，放好文稿，然后把早在等候的阿尔帕特奇叫来。

他在一张纸上记了要在斯摩棱斯克办的事，便一面在等候在门口的阿尔帕特奇身旁来回踱步，一面对他做着吩咐。

"第一，买信纸，听着，要八刀，就照这个样子；要裁口喷金的……一定要照这个样子；还有漆、火漆——照米哈依尔·伊万内奇开的单子买。"

他在房间里走了一会儿，看了看那个清单。

"然后把有关登记的信面呈省长。"

此外还需要新房子的门闩，一定要老公爵自己想出来的那种样式。然后需要定做一个存放遗嘱的匣子。

向阿尔帕特奇交代要办的事交代了两个多钟头。老公爵还不放这位总管走。他坐了下来，陷入了沉思，闭上了眼睛，打起瞌睡来。阿尔帕特奇动了动。

"好了，去吧，去吧；如果还需要什么，我派人告诉你。"

阿尔帕特奇出去了。老公爵重新走到写字台前，朝里面看了看，摸了摸自己的文稿，又锁上了，坐到桌前给省长写信。

当他封好信站起身来时，天色已经很晚了。他想要睡觉，但是他知道睡不着，躺在床上脑子里会出现乱七八糟的想法。他叫来吉洪，和他一起到各个房间去走走，以便告诉他今天晚上把床铺在哪里。他走来走去，看看哪个地方合适。

所有地方他都觉得不好，不过最不好的是书房里的那张他睡惯了的沙发。他感到这张沙发很可怕，大概是因为他以前躺在上面时翻来覆去想过许多很不愉快的事。他觉得哪里都不好，但还是休息室里钢琴后面的角落不错，因为他从来没有在那里睡过。

吉洪和一个侍仆搬来了卧具，开始铺床。

"不这样，不这样！"老公爵喊叫起来，自己动手把床挪离角落四分之一俄丈，接着又把它挪回来。

"终于什么事都做了，现在我要休息一会儿。"老公爵想，让吉洪帮他脱衣服。

脱长衫和裤子时需要使劲，老公爵懊恼地皱起眉头，脱好衣服后，他沉重地坐到床上，轻蔑地看着自己黄色干瘦的腿，仿佛陷入了沉思。实际上他并没有陷入沉思，而是因为把腿抬起来并在床上挪动很吃力，要在这之前停一下。"唉，多么费劲！唉，还不如早点结束这种苦役,**你们就放我走吧**!"他想。他咬住嘴唇,费了九牛二虎之力躺下了。但是他刚躺下,突然整张床在他身子底下均匀地前后活动起来,仿佛在沉重地喘气和碰撞。他几乎每天夜里都是如此。他睁开了想要闭上的眼睛。

"不得安宁,该死的!"他不知是在愤怒地唠叨谁,"是的,是的,还有一件重要的事,我还把一件非常重要的事留到夜里躺在床上来考虑。是门闩吗?不,这已经说过了。不,有一件事,在客厅里发生的事。好像玛丽亚公爵小姐瞎说了什么。德萨尔——这个傻瓜——也说了话。在衣兜里有件东西——想不起来了。"

"吉什卡①!吃饭时说什么来着?"

"说公爵,米哈依尔……"

"你住嘴,你住嘴,"老公爵用手拍起桌子来,"对了!我想起来了,是安德烈公爵的信。玛丽亚公爵小姐给大家读过。德萨尔说了一些关于维捷布斯克的话。现在我再读一遍。"

他盼咐把衣兜里的信拿来,把一张放着柠檬水和螺旋形蜡烛的小桌子挪到床边,戴上眼镜,读了起来。到这夜深人静的时候,凑近绿灯罩下微弱的烛光读信,霎时间他第一次明白了信里说的意思。

"法国人已在维捷布斯克,再过四天他们可能到达斯摩棱斯克;也许他们已经到了那里。"

"吉什卡!"吉洪一跃而起,"不,不用了,不用了!"他高声说道。

---

① 吉什卡是吉洪的昵称。

他把信藏到烛台底下，闭上了眼睛。脑海里浮现出了多瑙河，晴朗的中午，芦苇，俄军的营地，他走了进去，当时他还是一个年轻的将军，脸上没有一道皱纹，精力充沛，神情快活，面色红润，进了波将金的华丽的营帐①，对这个宠臣的强烈的嫉妒至今还像当时那样使他非常激动。他想起了在与波将金第一次见面时所说的话。他眼前又出现了肥胖的脸上带着黄点的矮胖女人——女皇陛下②，想起了她第一次接见他时脸上的微笑和所说的话，回忆起了她躺在灵柩台上的遗容以及他和祖博夫在她的灵柩旁为争吻她的手的权利而发生的冲突。

"唉，快点，快点回到那个时代去，希望现在的一切快点，快点结束，不要再来打扰我！"

四

尼古拉·安德烈依奇·鲍尔康斯基公爵的庄园童山在斯摩棱斯克以东六十俄里，离莫斯科大道二俄里。

在老公爵吩咐阿尔帕特奇去办事的那天晚上，德萨尔要求和玛丽亚公爵小姐见面，对她说，老公爵身体不佳，而且不采取任何措施来保障自己的安全，而从安德烈公爵的信中可以看出，待在童山不无危险，因此他恭请公爵小姐亲自写一封信让阿尔帕特奇带到斯摩棱斯克去交给省长，请他把战局和童山遭受危险的程

---

① 老公爵大概回想起了参加一七六八至一七七四年俄土战争的情况。
② 女皇陛下指叶卡捷琳娜二世。

度告诉她。德萨尔替玛丽亚公爵小姐写好了信，让她签了名，把这封信给了阿尔帕特奇，吩咐他呈交省长，如遇到危险，叫他尽快回来。

阿尔帕特奇接到各种指示后，头戴白绒毛帽子（这是公爵送的），像公爵一样拿着手杖，在家里人的伴送下出来，坐上套了三匹膘肥体壮的黑鬃黄褐色马的皮篷马车。

马车上的大小铃铛裹了起来和塞了纸。老公爵不允许任何人在童山坐车时响着铃。但是阿尔帕特奇喜欢在走远道时坐带铃铛的马车。他手下的人，文书、账房、给下人和老爷做饭的厨娘、两个老太婆、哥萨克孩子、车夫和家奴们前来送行。

女儿给他背后和身子下面垫了印花布的羽绒垫子。年老的姨子偷偷塞给他一个包袱。一个车夫搀着他的手扶他上了车。

"瞧，瞧，婆娘们全来了！这些婆娘们！"他像老公爵一样，喘着粗气说得很快，随即坐上了马车。他向文书对要办的事做了最后的交代，这时已不再模仿老公爵，摘下秃头上的帽子，画了三次十字。

"如果出什么事……您就回来，雅科夫·阿尔帕特奇；看在上帝分上，可怜可怜我们吧。"妻子朝他喊道，话里透露出了在听了关于战争和敌人的流言后的担心。

"这些婆娘们，在一起婆婆妈妈的。"阿尔帕特奇低声说了一句，上路了，他环视周围的田野，看见有的地方黑麦已经发黄，有的地方绿油油的燕麦非常茂密，有的地方土地还是黑的，刚开始复耕。阿尔帕特奇一路上欣赏着将获得少有的收成的春播作物，仔细观察着一块块黑麦地，在那里有的地方已开始收割，心里考虑着播种和收割的事,想着自己有没有忘记老公爵的某个嘱咐。

在路上喂了两次马,八月四日傍晚阿尔帕特奇到了城里。

路上阿尔帕特奇曾遇到过辎重车和部队,并超过他们。在快到斯摩棱斯克时,他听到了远处的枪炮声,但这并不使他感到惊奇。最使他感到惊奇的是,在接近斯摩棱斯克时,他看到了一片长势很好的燕麦地,士兵们在那里扎下了营,正在割燕麦,显然是用来当饲料的;这种情况使阿尔帕特奇很吃惊,但是他很快把它忘了,只顾考虑自己的事情。

三十多年来,阿尔帕特奇的所有兴趣爱好都限制在老公爵的意志允许的范围内,他从来没有出过这个范围。一切与执行公爵的指示无关的事,不仅不引起他的兴趣,而且对他来说是不存在的。

阿尔帕特奇于八月四日晚到达斯摩棱斯克后,落脚在第聂伯河对岸郊区加琴斯克的一家小客店里,店主叫费拉蓬托夫,三十年来已习惯于在他那里住宿。十二年前,费拉蓬托夫由于阿尔帕特奇从中玉成,买了公爵的一个小树林,开始做买卖,现在在省城里拥有一座房子,开了一家旅店和一家面粉店。这是一个四十岁的农民,身体肥胖,皮肤黝黑,面色红润,厚嘴唇,大鼻子上长着疙瘩,在紧皱的黑眉毛上方也有类似的疙瘩,挺着一个大肚子。

费拉蓬托夫穿着印花布衬衣和背心站在临街的店铺旁。他看见阿尔帕特奇,便走到他跟前。

"欢迎欢迎,雅科夫·阿尔帕特奇。人们都出城去,你却进城来了。"这个店主说。

"怎么回事,都出城去?"阿尔帕特奇说。

"我说,老百姓都很蠢。总是怕法国人。"

"娘儿们的见识,娘儿们的见识!"阿尔帕特奇说。

"我也这样认为,雅科夫·阿尔帕特奇。我说,有命令不让敌人进来——这就是说,一定不会进来。农民们每辆大车要三个卢布的车费——心真黑!"

雅科夫·阿尔帕特奇漫不经心地听着。他吩咐给他烧茶炊和给马喂草料,喝足了茶后,躺下睡了。

整个夜里客店门前的街上都有部队经过。第二天,阿尔帕特奇穿上了到城里才穿的无袖男上衣,就去办事了。早晨阳光灿烂,从八点钟起就已很热了。阿尔帕特奇想,这是收割庄稼的好天气。城外从清晨起就可以听见射击声。

从八点起,枪声里开始夹杂着炮声。大街上人很多,都在急急忙忙地赶路,兵也很多,但是像平常一样,车夫赶着出租马车,商人站在店铺旁,教堂里在做礼拜。阿尔帕特奇到店铺去,到各个衙门去,前去邮局,去见省长。在衙门、店铺和邮局里,几乎人人都在谈论军队和已在攻城的敌人;大家相互问该怎么办,竭力相互安慰。

在省长府前,阿尔帕特奇发现那里有很多老百姓和哥萨克,停着省长的旅行马车。雅科夫·阿尔帕特奇在台阶上碰到两个贵族,他认识其中的一个。他认识的那个贵族当过警察局长,正在激动地说话。

"这可不是闹着玩的,"他说,"单身一人没有牵挂。要倒霉,只一个人倒霉,可是一家十三口人,还有全部家产……弄到大家都要家破人亡的地步,这还算是什么长官?……唉,真想把这些强盗全都吊死……"

"够了,别说了。"另一个贵族说。

"我怕什么,就让他听见好了!怎么啦,我们又不是狗。"过去的警察局长说,他回头一看,看见了阿尔帕特奇。

"啊,雅科夫·阿尔帕特奇,你来干什么?"

"奉公爵大人之命来见省长先生,"阿尔帕特奇回答道,自豪地抬起头,一只手伸进怀里,他在提到公爵时都这样做……"他派我来打听一下局势。"他说。

"你就去打听吧,"那个贵族地主大声说道,"把事情弄到了没有大车,什么也没有的地步!……这就是,听见了吗?"他指着传来枪炮声的方向说。

"弄到了大家都要完蛋的地步……强盗!"他又说了一句,下了台阶。

阿尔帕特奇摇摇头,朝楼梯走去。在接待室里,商人、妇女和官员们默默地你看看我,我看看你。办公室的门打开了,大家都站了起来,走向前去。一个官员从门里跑出来,和一个商人说了些什么,叫一个脖子上挂着十字架的胖胖的官员跟他走,又消失在门里了,看来是在躲避向他投去的目光和提出的问题。阿尔帕特奇朝前走了几步,在那官员再次出来时,把一只手伸进扣着的常礼服里面迎了上去,交给他两封信。

"这是陆军上将鲍尔康斯基公爵给阿舒男爵先生的信。"他庄严地和郑重其事地说,那官员听了转过身来,接过信。几分钟后,省长接见了阿尔帕特奇,匆匆忙忙对他说:

"请回禀公爵和公爵小姐,我对情况一无所知:我是照最高当局的指示行事的——你瞧……"

他给了阿尔帕特奇一份公文。

"不过因为公爵身体欠安,我奉劝他去莫斯科。我自己就要去。你去回禀吧……"但是省长没有把话说完,就有一个满身尘土、满头大汗的军官跑了进来,开始用法语说什么。省长脸上露出了恐惧的表情。

"你可以走了。"他朝阿尔帕特奇点点头说,开始问那军官一些事情。当阿尔帕特奇出了省长的办公室时,人们向他投来贪婪的、惊恐的和无可奈何的目光。他不由自主地听着现已很近的和声音愈来愈大的枪炮声,赶回旅店来。省长给他的公文写的是:

> 请您相信,斯摩棱斯克尚无任何危险,而且该城极不可能受到威胁。本人从一边,巴格拉季翁公爵从另一边正在向斯摩棱斯克前进,预计二十二日将在城下会师,两军会师后将同心协力保卫贵省的同胞,直到将祖国的敌人击退,或者直到最后一名英勇的战士壮烈牺牲为止。从中您可以看到,您完全有权开导斯摩棱斯克居民不要惊慌,因为受两支英勇的军队保卫的人可以相信他们必胜。
>
> (巴克莱·德·托利给斯摩棱斯克省省长阿舒男爵的指示,一八一二年。)

老百姓惶惶不安地在街上走来走去。

满载着家用器皿、椅子、小柜子的大车不时地从房屋大门里出来,在街上走着。在费拉蓬托夫隔壁的房子里停着几辆马车,告别时婆娘们一边哭着,一边诉说着。一条看家犬吠叫着在套上车的马跟前转来转去。

阿尔帕特奇迈着比平常更加急促的步子进了院子，直奔拴着自己的马和停着车的木棚。车夫在睡觉；他叫醒了他，要他套车，自己进了门廊。从店主的正房里传来孩子的啼哭声、女人的哀号声和费拉蓬托夫哑着嗓子的怒斥声。阿尔帕特奇一进去，门廊里的厨娘像一只受惊吓的母鸡一样浑身哆嗦起来。

"打出人命来了——把老板娘狠狠打了一顿！……一面打，一面把她拖来拖去！"

"为了什么？"阿尔帕特奇问。

"她要求离开这里。妇道人家嘛！你把我送走吧，她说，不要害了我和孩子；人家都走了，她说，我们为什么不走？他就打她。一面打，一面把她拖来拖去！"

阿尔帕特奇听了这些话好像赞同似的点点头，不愿意再听下去，走到对面店主正房的门口，他买的东西都放在正房里。

"你这个恶棍，害人的东西。"这时一个瘦瘦的、脸色苍白的女人喊叫了一声，她怀里抱着孩子，头巾被扯掉了，从门里冲出来，沿着阶梯往下朝院子里跑。费拉蓬托夫跟着她出来，见了阿尔帕特奇后，整了整背心和头发，打了个哈欠，跟着阿尔帕特奇进了正房。

"你要走了？"他问。

阿尔帕特奇没有回答店主的问题，也没有回头看他，一面收拾自己买的东西，一面问他要多少住店的钱。

"以后再说！怎么，到省长那里去了吗？"费拉蓬托夫问，"做出了什么决定？"

阿尔帕特奇回答说,省长什么也没有告诉他。

"干我们这行的,难道都能搬得走?"费拉蓬托夫说。"雇一辆马车到多罗戈布日要七卢布。我说:他们的心真黑!"他又说。

"谢利瓦诺夫那家伙星期四赶上了,以九卢布一袋的价钱把面粉卖给了军队。怎么,喝不喝茶?"他加了一句。在套马时,阿尔帕特奇和费拉蓬托夫喝足了茶,谈了粮食的价钱、今年的收成以及有利于收割的好天气。

"不过枪声开始停下来了,"费拉蓬托夫说,他喝了三杯茶,站起身来,"想必是我们占了上风。就说不让他们进来嘛。这说明,我们有力量……前几天,听说马特维·伊万内奇·普拉托夫把他们赶进马里纳河中,一天就淹死了一万八千人。"

阿尔帕特奇把买来的东西收拾好,交给进来的车夫,与店主结了账。大门里响起了驶出去的马车的车轮声、马蹄声和铃铛声。

时间已是晚半晌了;大街的半边是阴影,另一个半边被阳光照得很亮。阿尔帕特奇看了看窗外,朝门口走去。突然从远处传来了奇怪呼啸声和射击声,接着响起了连成一片的炮弹爆炸声,震得窗玻璃丁零当啷作响。

阿尔帕特奇到了街上;街上有两个人跑到大桥那里。四面八方响起了圆形炮弹的呼啸声和爆炸声,落到城里的榴弹的炸裂声。但是这些声音几乎没有被听到,而且也不像从城外传来的枪炮声那样引起居民的注意。这是一百三十门大炮按照拿破仑四点多下达的炮轰城市的命令在猛烈开火。最初人们并不明白这次炮轰的意义。

开头榴弹和圆形炮弹落地的声音只引起人们的好奇。费拉蓬托夫的妻子在这之前在木棚底下号啕大哭,这时停止了,抱着孩子朝大门走去,默默地望着过往的人,听着炮声。

厨娘和店铺伙计也来到大门口。大家快乐地和充满好奇地竭力想看清从他们头上飞过的炮弹。从拐角处出来几个人,他们在热烈谈论着什么。

"劲儿可真大!"一个人说,"把屋顶和天花板炸得粉碎!"

"像猪一样把地都拱开了。"另一个人说。"真棒,看了可真来劲!"他笑着说,"幸好跳开了,要不它把你也捎带上了。"

人们向这几个人打听。他们停下来,说几颗炮弹打中了他们身旁的一座房子。与此同时,又有一些炮弹——圆形炮弹带着急速低沉的呼啸声,榴弹则发出悦耳的嗖哨声——不停地从人们头上飞过;但是没有一发炮弹落在近处,全都飞过去了。阿尔帕特奇坐上马车。店主站在大门口。

"好像没有见过!"他对厨娘喊道,这时穿着红裙子的厨娘卷起袖子,摆动着两条光胳膊,到拐角里去听他们说话。

"真稀奇。"她说,但是听见主人的声音,便回来了,随手把披在腰里的裙子放下来。

又有什么东西呼啸起来,但是这一次很近,像一只鸟从空中飞下来一样,只见街心火光一闪,这东西爆炸了,街上硝烟弥漫。

"恶棍,你这是干什么?"店主喊道,朝厨娘跑过去。

在这一瞬间四面八方响起了女人们的哀号声,孩子吓得哭起来,脸变得煞白的人们默默地聚集在厨娘的近旁。在这个人群中,可以听得最清楚的是厨娘的呻吟声和哭诉声。

"喔——唷——唷,我的亲人哪!我的好人哪!不要让我死!

我的好人哪！……"

五分钟后，街上一个人也没有了。被榴弹片炸断肋骨的厨娘被抬进了厨房。阿尔帕特奇和他的车夫，费拉蓬托夫的妻子和孩子们，还有看院子的，坐在地窖里听外面的动静。隆隆的炮声、炮弹的呼啸声以及压过所有声音的厨娘的悲哀的呻吟声一刻不停。店主的妻子时而摇晃和哄着孩子，时而悲戚地低声问所有进地窖来的人，她那留在外面的丈夫在哪里。进地窖来的伙计告诉她说，东家和人们一起到大教堂去了，那里正在把很有灵验的斯摩棱斯克圣像抬起来。

暮色快要降临时，炮击逐渐停止了。阿尔帕特奇出了地窖，在门口站住。原来明亮的夜空硝烟弥漫。一弯新月高挂在天空，透过硝烟，发出奇异的光辉。在可怕的炮轰声停息后，城市上空似乎一片寂静，它只被似乎传遍全城的脚步声、呻吟声、远处的喊声和大火的噼啪声所打破。厨娘现在停止了呻吟。从两边升起了一团团黑烟，并且不断蔓延开来。穿着各种不同制服的士兵在街上朝不同方向走着和跑着，他们已不成队伍，而像蚂蚁从捣毁的窝里出来乱爬一样。阿尔帕特奇看见其中的几个人跑进费拉蓬托夫的院子。阿尔帕特奇前去大门口。一个团的士兵挤着争着，把街道堵住，便朝后退。

"城市要放弃了，走吧，走吧！"一个看见他的身影的军官对他说，同时对士兵喊道：

"我允许你们进各家各户去！"

阿尔帕特奇回到屋里，叫来车夫，吩咐他出发。费拉蓬托夫的一家人全都跟着阿尔帕特奇和车夫出来。在这之前一直没有说话的妇女们一看见烟雾和在薄暮中已看得很清楚的火光，突然大声号哭起来。仿佛与她们相呼应，大街的另一头也有人在这样哭。阿尔帕特奇和车夫在屋檐下用哆嗦着的手整理着弄乱的缰绳和挽索。

当阿尔帕特奇出大门时，他看见费拉蓬托夫的店铺的门被打开，十来个士兵正大声说着话往口袋和背囊里装面粉和葵花子。这时，费拉蓬托夫从街上回来进了门。他看见士兵们，想要喊叫起来，但是突然停住了，双手抓住头发，又哭又笑起来。

"全都拿走吧，弟兄们！不要让它落到魔鬼手里！"他喊叫起来，自己搬起口袋，把它们扔到街上。有几个士兵害怕了，跑了出来，有几个继续装着。看见阿尔帕特奇，费拉蓬托夫朝他喊道：

"完了！俄国完了！"他喊道，"阿尔帕特奇！完了！我自己来放火。完了……"费拉蓬托夫朝院子跑去。

川流不息的士兵把街道全都堵塞了，阿尔帕特奇的车过不去，只好等着。费拉蓬托夫的妻子和孩子也坐在车上，等着出发。

已经完全是深夜了。天空闪烁着星星，一弯不时被烟雾遮住的新月发出朦朦胧胧的光。到第聂伯河岸边的斜坡时，在一排排士兵和另一些马车中间缓缓行进的阿尔帕特奇和女店主的马车只好停下来。在离马车停住的十字路口不远的地方，在一条胡同里，一座房子和几家店铺在燃烧。大火快要熄灭了。火焰时而缩小，消失在黑烟里，时而又突然蹿起来，它的亮光把聚集在十字路口的人的脸照得非常清楚。在大火前闪动着黑色的人影，透过火焰不断发出的噼啪声可以听见说话声和叫喊声。阿尔帕特奇下了车，看见不会很快让他的马车通过，便拐到胡同里去看大火。士兵们不停地在火场旁边窜来窜去，阿尔帕特奇看见两个士兵和一个穿粗毛呢军大衣的人把一些燃烧的圆木从火里拖出来，然后拉到街对面的院子里去；另一些人抱着一捆捆干草。

阿尔帕特奇走到一大群站在火势正旺的高高的粮仓对面的人那里。粮仓的墙已被火吞没，后墙倒了，木板的顶盖塌陷了，横梁在燃烧，显然，人们都在等待着顶盖倒塌下来的时刻。阿尔帕特奇也在等着。

"阿尔帕特奇！"突然有一个熟悉的声音叫他。

"我的老天爷，是公爵大人。"阿尔帕特奇立刻听出来是小公爵的声音，回答道。

安德烈公爵披着斗篷，骑着黑马，停在人群后面看着阿尔帕特奇。

"你怎么在这里？"他问。

"公爵大……大人，"阿尔帕特奇说着放声大哭起来……"大……大人，我们是不是完了？大人……"

"你怎么在这里？"安德烈公爵又问了一次。

这时火焰又蹿了起来，在它的照耀下阿尔帕特奇看到了小主人苍白疲惫的脸。阿尔帕特奇讲述他如何被派到这里来，费了多大劲才得以离开。

"怎么，公爵大人，我们是不是完了？"他又问。

安德烈公爵没有回答，掏出笔记本，抬起一个膝盖，用铅笔在一张撕下来的纸上写了起来。他给妹妹写道：

> 斯摩棱斯克就要放弃了，童山在一个星期后将被敌人占领。立刻到莫斯科去。派人送信到乌斯维亚日来，告诉我何时动身。

他写完纸条交给阿尔帕特奇后，又口头告诉他如何安排老公爵、公爵小姐、儿子和家庭教师离开童山，如何回答他和把回信送到哪里。他还没有来得及交代完，一个参谋长在随从陪同下骑马到了他跟前。

"您是上校吗？"参谋长带着安德烈公爵熟悉的德国口音大声问道。"在您面前房子在燃烧，您怎么还站着不动？这是什么意思？请您回答。"贝格嚷道，现在他是第一军步兵部队左翼的副参谋长——这个职位如同贝格自己所说的那样，既胜任愉快，又引人注目。

安德烈公爵朝他看了一眼，没有回答，继续对阿尔帕特奇说：

"你就说，我在十号前等待回答，如果十号前得不到大家已离开的消息，我自己就将扔下一切到童山来。"

"公爵，我之所以这样说，"贝格认出安德烈公爵后说道，"是因为我应当执行命令，因为我任何时候都严格执行……请您原谅。"贝格辩解说。

大火中什么东西爆裂了。霎时间火灭了；一团团黑烟从顶盖下冒出来。大火中又有什么东西爆裂了，发出可怕的声音，一个庞然大物倒塌了。

"啊——呀——呀！"人群随着粮仓顶盖倒塌的声音喊叫起来，从粮仓里散发出烧煳的粮食的类似面饼的气味。冒出的火焰照亮了站在火场周围的人的欢快而又筋疲力尽的脸。

穿粗呢军大衣的人举起一只手喊道：

"好极了！烧起来了！弟兄们，好极了！……"

"这就是主人本人。"有人这样说。

"就这样吧,"安德烈公爵对阿尔帕特奇说,"把我说的话全转告他们。"他没有对默默站在他身旁的贝格说一句话就催马进胡同去了。

五

部队继续从斯摩棱斯克撤退。敌人跟踪而来。八月十日,安德烈公爵指挥的团队行进在大道上,经过通往童山的路口。炎热和干旱已持续三个多星期了。每天,天空中都飘浮着一团团白云,不时遮住太阳;但是到了傍晚又晴空万里,夕阳落入红褐色的暮霭中。只有在露水大的时候,夜里才觉得凉爽些。没有收割的庄稼枯焦和掉粒了。沼泽地干了。牲口在烈日晒焦的草场上找不到草吃,饿得哞哞咩咩地直叫唤。只有夜晚在露水未干的树林里,才有点凉意。但是在部队行走的大道上,即使在夜里,在穿过树林的地方,也不觉得凉快。在沙尘厚达四俄寸多的大路上,看不到露水的痕迹。天刚亮,人马车辆就走动起来。辎重车、炮车无声地行进着,松软的、一夜未曾冷却的闷热的尘土深及车辆的轮毂,淹没步兵的踝骨。一部分这样的尘土被人们的脚和车的轮子踩着压着,另一部分扬起来,像云雾一样停留在部队头顶,落到眼睛里,头发上,耳朵和鼻子里,灌进走在这条路上的人畜的肺里。太阳升得愈高,尘土也就升得愈高,隔着这一层薄薄的火热的尘土,可以用肉眼直视没有被云彩遮住的太阳。太阳好像是一个巨大的火球。没有风,人们在这纹丝不动的空气中喘不过气来。

他们走着,用手绢包住鼻子和嘴。到了一个村庄,大家都奔向水井。一个个争着喝水,一直喝到见到水底的泥土。

安德烈公爵指挥着一个团,他需要安顿自己的团,关心官兵的福利,接收和发布各种命令,弄得没有一点空闲。斯摩棱斯克的大火和这个城市的被放弃,对安德烈公爵来说是一个转折点。对敌人的仇恨使他忘记了自己的痛苦。他全身心地投入团的工作中去,关心本团的官兵,对他们很体贴。在团里人们称他为**我们的公爵**,为他而自豪,爱戴他。但是,他只对本团的人,对季莫欣等人,对新到不熟悉的环境里的人,对不可能知道和理解他的过去的人才表现得善良和温和;只要一碰到自己过去的熟人,司令部的人,他就立即警觉起来,变得凶狠、爱讽刺人和瞧不起人了。凡是能引起他对过去的回忆的一切,都使他反感,因此他对以前的圈子里的人只求不采取不公正态度和只做自己**职责**内的事。

确实,安德烈公爵觉得一切都暗淡和阴沉——尤其是在八月六日放弃斯摩棱斯克之后(他认为这个城市是可以和应该守住的),尤其是想到生病的父亲不得不逃往莫斯科,扔下他居住的建设得很好的心爱的童山,任凭敌人蹂躏时,更是这样;但是,尽管如此,由于指挥着这个团,安德烈公爵有了另一个可以经常想着的而与所有这些问题完全无关的对象——这就是他的团队。八月十日,他的团所在的纵队到了童山附近。两天前安德烈公爵得到了他的父亲、儿子和妹妹已去莫斯科的消息。虽然他到童山去已无事可做,但是他生性喜欢触动自己的痛处,决心到童山去一趟。

他吩咐给自己鞴马,从行军途中骑马前去父亲的庄园,去那个他出生和度过童年的村庄。在经过通常几十个妇女一面交谈着一面捣衣涮衣的池塘时,安德烈公爵发现那里一个人也没有,只有一只离岸的小木筏一半泡在水里,侧着在池塘中央漂浮。安德烈公爵到了看守人的岗亭前。在入口处的石头大门旁没有人,而门敞开着。花园的小道已长满了野草,牛犊和马在英国式公园①里游荡。安德烈公爵到了暖房前,那里玻璃被打碎了,有的种着小树的木桶倾倒了,有的木桶里的小树枯死了。他叫花匠塔拉斯,没有人答应。他绕暖房走了一圈来到露台,看见薄板雕花的围栏全部被毁,李树上的李子连同树枝被摘走。一个老农民(安德烈公爵小时候就看见他常坐在大门旁)坐在一张绿色长凳上编树皮鞋。

老人是个聋子,没有听见安德烈公爵过来。他坐在老公爵喜欢坐的长凳上,身旁的一棵木兰树的断裂的枯枝上挂着树皮。

安德烈公爵到了房子前面。老花园里的几棵菩提树被砍掉了,一匹花马带着马驹在房子前面月季花丛之间走来走去。房子的百叶窗全钉死了。楼下的一扇窗户开着。一个家奴的孩子看见安德烈公爵,跑进屋去。

阿尔帕特奇把家眷送走后,一个人留在童山;他坐在家里,正在读圣徒传。他得知安德烈公爵到来后,没有摘下鼻梁上的眼镜,扣着衣服从房子里出来,急忙走到小公爵面前,什么也没有说就哭起来,吻着安德烈公爵的膝盖。

接着他转过脸去,对自己的软弱很生气,开始向小公爵报告家里的情况。他说,所有值钱的东西都运到鲍古恰罗沃去了。大约一百俄石②的粮食也运走了;干草和他所说的今年长势非常好的

---

① 英国式公园是公园的一种,其中树木不照几何图形而是随意地栽植。
② 一俄石约合二百一十升。

春播作物还没有黄熟就被部队割走了。农民们破产了，有的人也到鲍古恰罗沃去了，一小部分留了下来。

安德烈公爵没有听完便问父亲和妹妹是什么时候走的，他指的是他们什么时候去莫斯科的。阿尔帕特奇以为是问他什么时候去鲍古恰罗沃的，便说是七号走的，接着又详细地讲起家里的事来，问他有什么指示。

"能不能让部队打收条把燕麦拿走？我们还剩下六百俄石。"阿尔帕特奇说。

"怎么回答他呢？"安德烈公爵想道，他瞧着老头子在阳光下闪闪发亮的秃顶，从他脸上的表情中看出，他自己也知道提这些问题不合时宜，他这样问只是为了减轻内心的悲伤。

"可以，给他们吧。"他说。

"您看见了花园里乱糟糟的样子，"阿尔帕特奇说，"这无法防止：三个团路过这里，在这里过夜，特别是来了龙骑兵。我记下了指挥官的军衔和名字，将来好控告他们。"

"那么，你将怎么办呢？如果敌人来了，你还留下来？"安德烈公爵问道。

阿尔帕特奇把脸向安德烈公爵转过来，朝他看了一眼；突然庄严地举起一只手。

"上帝会保佑我的，一定听从他的旨意！"他说。

一群农民和家奴摘下帽子，沿着草场走着，离安德烈公爵愈来愈近。

"好了，再见了！"安德烈公爵弯下身子对阿尔帕特奇说，"你自己也走吧，把能带的东西带走，告诉人们，叫他们到梁赞或莫斯科近郊去。"阿尔帕特奇紧靠着他的一条腿,放声大哭起来。安德烈公爵小心地把他推开,刺了刺马,往下沿林荫道奔驰而去。

在露台上,那个老头像叮在可爱的死人脸上的苍蝇似的,还是那样无动于衷地坐着,敲打着树皮鞋的楦头;两个小姑娘用衣襟兜着她们在暖房的树上摘下来的李子,从那里跑出来,碰上了安德烈公爵。看见小主人后,那个年纪较大的姑娘脸上带着惊恐的表情,抓住小同伴的一只手,和她一起躲到桦树的后面,没有来得及去捡那些落在地上的青李子。

安德烈公爵慌忙扭过头去,担心两个小姑娘发觉他看到了她们。他可怜起那个吓坏了的漂亮小姑娘来了。他不敢朝她看一眼,但是与此同时忍不住想要这样做。当他看着这两个小姑娘时,明白了人间还存在着另一些与他完全不同的、与他自己的兴趣一样合理的兴趣,心中不禁充满了一种快乐的和令人欣慰的新感觉。这两个小姑娘显然很想做一件事——把这些青李子拿走、吃完而不被人抓住,安德烈公爵也像她们一样希望她们的事情能够成功。他忍不住又看了她们一眼。这两个小姑娘觉得自己已没有危险了,便从躲的地方出来,用细嗓子尖声说着什么,仍用衣襟兜着李子,撒开晒得黑黑的光腿在草地上飞快地跑着。

安德烈公爵在走出部队行进的尘土飞扬的大路后,觉得凉爽一些了。但是在离童山不远的地方他又上了大路,正当团队在池塘的堤坝边休息时追上了队伍。时间是午后一点多。太阳像尘土中的一个火球,晒透了黑制服,把后背烘烤得无法忍受。尘土仍然一动不动地弥漫在吵吵嚷嚷地停下来的部队上空。没有风。安德烈公爵经过堤坝时,闻到了水草的气味,感觉到一阵凉意。他很想跳进水去——不管池水是多么的脏。他环视了池塘，听见从那里传来了叫喊声和笑声。这个水很浑浊、长满绿色水草的不大的池塘，看来水位上涨了大约半俄丈，水漫上了堤坝，因为整个池塘挤满了在其中洗澡的士兵的白色的躯体以及红褐色的手臂、脸和脖子。所有这些裸露着白色肉体的人笑着和吆喝着，像漏斗里的鲫鱼一样，在这肮脏的水坑里扑腾着。这样扑腾使人高兴，因此也特别令人感到悲伤。

三连的一个年轻的浅色头发的士兵——安德烈公爵还认识他——小腿上系着一条皮带，画着十字，往后退，以便能很好地助跑几步，扑通一声跳进水中；另一个黑黑的、总是头发蓬乱的士官在齐腰深的水中扯动着肌肉发达的身躯，用一双黑黑的手捧着水浇自己的脑袋，鼻子发出呼哧呼哧的声音，看样子很高兴。可以听到相互拍打的声音、尖叫声和扑通扑通的跳水声。

在岸边，在堤坝上，在水塘里，到处都是健康的、肌肉发达的白色肉体。红鼻子的军官季莫欣在堤坝上擦身体，看见安德烈公爵不好意思起来，然而还是大胆地对他说：

"真舒服，公爵大人，您不妨也试试！"他说。

"太脏。"安德烈公爵皱起眉头说。

"我们马上给您腾个地方。"于是季莫欣没有穿衣服就跑过去腾地方了。

"公爵要洗澡。"

"哪一位？是**我们的**公爵？"几个人问道，于是大家急忙往岸上爬，弄得安德烈公爵好容易才把他们劝住。他想最好还是打点水在棚子里冲冲身体。

"肉，肉体，炮灰！"他看着自己脱光衣服的身体想道，浑身哆嗦起来，这主要不是由于水凉，而是由于他看见这么多肉体在肮脏的池塘里扑腾产生了一种他自己也不明白的厌恶和恐惧。

八月七日，巴格拉季翁公爵在斯摩棱斯克大道上的米哈依洛夫卡的驻地写了以下的一封信：

阿列克谢，安德烈依奇伯爵阁下：

（他给阿拉克切耶夫写信，但是知道皇上会看到这封信，因此他尽其所能，力求做到字斟句酌。）

我想，陆军大臣已经报告了放弃斯摩棱斯克一事。这最重要的地方白白地送给敌人，令人痛心和悲伤，全军将士陷入了绝望。我曾极其恳切地请求他，最后给他写了信：但是怎么也说服不了他。我以我的名誉向您担保，拿破仑从未像现在这样陷入了困境，他即使损失一半军队，也拿不下斯摩棱斯克。我们的军队从来没有这样英勇战斗过。我率领一万五千人坚守了三十五个小时以上，并给以痛击；但是他连十四个钟头也不愿坚持。这真丢脸，是我军的耻辱；我觉得他本人无颜活在世上。如果他报告说伤亡很大，这不是实话；大概损失了四千人左右，不会更多，也许不到这个数字。即使损失一万人，也在情理之中，有什么办法呢，战争嘛！但是敌人的伤亡就会不计其数……

再坚持两天又有什么困难呢？至少敌人将会自行退去；因为人畜没有饮水。他曾想向我保证不撤退，但是突然给我送来了作战部署，说他夜里就要后撤。这就无法作战，很快我们可能会把敌人引到莫斯科……

传说您在考虑讲和。我的上帝,讲什么和!在做出了所有这些牺牲之后,在这样疯疯癫癫地退却之后讲和,您就会使整个俄国起来反对您,我们当中每一个人将耻于再穿军装。事情已到了这一步,只要俄国还有能力,只要人们还活着,就应当打下去……

应当由一个人,而不是由两个人来指挥。您的那位大臣也许当大臣很称职;然而他不仅是一个不好的将军,而且糟糕得很,可是却把整个祖国的命运交给他掌握……说实话,我快要气疯了;请恕我直言。可以看出,那个提出缔结和约和推荐大臣指挥军队的人,并不爱皇上,希望我们大家全都灭亡。总之,我要向您说句实话:组织民兵吧。因为大臣正在用最巧妙的方式把那位不速之客带到京城来。侍从武官沃尔佐根先生引起了全军的极大怀疑。人们说,他更像拿破仑的人,而不像我们的人,他给大臣出各种主意。我对大臣不仅很客气,而且像一个军士那样服从他,虽然我的资格比他老。这令人痛心;但是由于爱戴恩主和皇上,我只好服从。我只是为皇上感到惋惜,他把出色的军队信托给这样的人。请您想一想,我们因避免决战,许多人劳累过度和伤病住院,减员一万五千多人;要是进攻,就不会有这样的事。看在上帝分上,请告诉我,我们的俄国——我们的母亲——看见我们这样惊慌,把如此善良和勤劳的祖国交给那些歹徒,使每个臣民含恨受辱,会说什么呢?为什么这样胆小,究竟怕谁?大臣犹豫不决,胆小怕事,头脑不清,行动迟缓,具有一切不好的品质，并不是我的过错。全军都在痛哭，都在拼命地骂他……

六

生活现象可做无数种分类，可以把它们分为以内容为主的一类和以形式为主的一类。彼得堡的生活，尤其是沙龙里的生活，可归入后一类，它是与乡村的、地区的、省城的甚至莫斯科的生活截然相反的。这类生活一成不变。

从一八〇五年起，我们同波拿巴战战和和，我们制定宪法而又废除宪法，而安娜·帕夫洛夫娜的沙龙七年来，埃莱娜的沙龙五年来还是那个老样子。在安娜·帕夫洛夫娜的沙龙里，人们仍像以前一样困惑地谈论波拿巴取得的成功，认为他的成功和欧洲各国君主对他的姑息纵容是一个凶恶的阴谋，唯一目的是要使安娜·帕夫洛夫娜所代表的近臣圈子里的人感到不愉快和焦急不安。在鲁缅采夫本人称之为出色的女人并常去拜访她的埃莱娜那里也完全如此，人们无论在一八〇八年还是在一八一二年都兴高采烈地谈论那个伟大的民族和那个伟大的人，对与法国关系破裂表示惋惜，根据聚集在埃莱娜的沙龙里的人的意见，最后应当讲和。

最近，在皇上从军队里回来后，在这两个相互对立的沙龙里发生了某种波动，有过某些相互反对的表示，但是各自的倾向保持不变。在安娜·帕夫洛夫娜的圈子里，只接待顽固的正统派，这里人们表达了这样的爱国思想，认为不应到法国剧院看戏，供养一个剧团所花的钱能供养整整一个军团。他们聚精会神地注视着战局的变化，散布各种最有利于我军的流言。在埃莱娜的圈子里，即在鲁缅采夫的和法国派的圈子里，则对宣扬敌人和战争残酷的流言加以驳斥，谈论着拿破仑议和的意图。在这个圈子里，人们责备那些建议把受皇太后保护的皇家学校和女子学校疏散到喀山去的人，认为他们过于着急。一般说来，在埃莱娜的沙龙里把整个战争看作是虚张声势的示威，认为它很快就会以讲和而结束，那里占支配地位的是目前正在彼得堡并已成为埃莱娜家常客（任何一个聪明人都应当常到她家来）的比利宾的意见，照他的说法，起决定作用的不是火药，而是发明火药的人。在这个圈子里，非常巧妙地，不过又是非常谨慎地讽刺嘲笑莫斯科人的热情，有关那里的消息是皇上回到彼得堡时带来的。

在安娜·帕夫洛夫娜的圈子里则相反，人们赞赏这种热情，谈论它就像普卢塔克①谈古代的名人一样。仍然担任着以前的重要职位的瓦西里公爵是连接这两个圈子的一个中间环节。他常去亲爱的朋友安娜·帕夫洛夫娜那里和自己的女儿的外交沙龙，在不断来往两个阵营之间时，常常弄糊涂了，在安娜·帕夫洛夫娜那里说应该在埃莱娜那里说的话，或者相反。

在皇上回来后不久，瓦西里公爵在安娜·帕夫洛夫娜那里谈论战局时，严厉地谴责了巴克莱·德·托利，但又说不出应任命谁当总司令。一个被称为有很多优点的人的客人说，他今天看见

---

① 普卢塔克（约四六至约一二七年），古希腊作家和历史学家，他最著名的著作是写希腊罗马的军人、立法者、演说家、政治家的《希腊罗马名人比较列传》。

了当选为彼得堡民兵司令的库图佐夫在财税局主持民兵登记,这个客人小心地说出了自己的设想,觉得库图佐夫倒是一个符合所有要求的人。

安娜·帕夫洛夫娜忧伤地笑了笑,说库图佐夫除了给皇上带来不愉快外,什么也没有做。

"我曾在贵族会议上多次说过,"瓦西里公爵插进来说,"但是大家不听我的话。我说选他当民兵司令皇上不会高兴。我的话他们不听。"

"全是一些反对狂,"他接着说,"反对谁呢?这都是由于我们想要模仿莫斯科人愚蠢的狂热。"瓦西里公爵说,他一时弄糊涂了,忘记了在埃莱娜那里应当嘲笑莫斯科人的热情,而在安娜·帕夫洛夫娜这里应当进行赞扬。但是他立刻纠正了自己的错误:"库图佐夫伯爵是俄国最老的将军,让他到财税局去接收民兵合适吗?他忙忙碌碌,毫无用处!难道能任命一个不会骑马、开会时打瞌睡、脾气很坏的人当总司令吗!他在布加勒斯特表现得太出色了!我就不说他作为一个将军的品质了,但是在这样的时刻难道能任用一个老朽的、视力不好的人,任用一个真正的瞎子吗?瞎眼的将军可真好!他什么也看不见。可以玩捉迷藏……他根本什么也看不见!"

谁也没有进行反驳。

这在七月二十四日是完全正确的。但是七月二十九日库图佐夫被授予公爵封号。授予他公爵封号可能意味着想要把他摆脱掉——因此瓦西里公爵的意见还是正确的,虽然他并不急于马上就说出来。但是八月八日,由萨尔蒂科夫元帅、阿拉克切耶夫、维亚兹米季诺夫、洛普欣和科丘别依组成的委员会开会讨论战局。委员会认定，战争失利是由于指挥不统一造成的，尽管委员会的组成人员知道皇上对库图佐夫没有好感，但是他们在进行简短商议后，还是建议任命库图佐夫为总司令。同一天，库图佐夫就被任命为统率各军和管辖部队所在的整个地区的全权总司令。

八月九日，瓦西里公爵在安娜·帕夫洛夫娜家里又碰见了有很多优点的人。这个有很多优点的人想当太后玛丽亚·费多罗夫娜保护下的女子学校的学监，正在给安娜·帕夫洛夫娜献殷勤。瓦西里公爵带着幸运的胜利者和实现了自己的愿望的人的神气进了房间。

"怎么，你们知道一个重要消息吗？库图佐夫公爵被提升为元帅①。所有的分歧解决了。我感到非常幸福，非常高兴！"瓦西里公爵说。"毕竟是个人物。"他又说，意味深长地和严肃地扫视着客厅里所有的人。有很多优点的人虽然很想得到他谋求的职位，但也忍不住提醒瓦西里公爵不要忘了他原先的意见。（这样做对正在安娜·帕夫洛夫娜的客厅里的瓦西里公爵是不礼貌的，对听到这个消息很高兴的安娜·帕夫洛夫娜也是不礼貌的；但是他忍不住要说。）

"公爵，有人说他是个瞎子，是吗？"他说，意在使瓦西里公爵想起他自己的话。

"哪能呢，他看得很清楚。"瓦西里公爵用他的低音很快地说，中间带着几声干咳，他总是用这样的说话方式来摆脱所有困境。

---

① 库图佐夫是在波罗金诺战役后提升为元帅的。

"哪能呢，他看得很清楚。"他又说了一遍。"我高兴的是，"他接着说，"皇上给了他指挥所有军队和管辖整个地区的全权——从来没有一个总司令有这样的权力。这是第二个君主。"他带着得意的微笑下结论说。

"但愿如此，但愿如此。"安娜·帕夫洛夫娜说。有很多优点的人在近臣的圈子里还是个新手，他想要奉承安娜·帕夫洛夫娜，为她以前的意见辩护说：

"听说皇上不大乐意把这权力交给库图佐夫。听说，当有人对他说'皇上和祖国给您这个荣誉'时，他像那个听人读《若孔德》①的小姐那样涨红了脸。"

"也许他的心思不完全在这上面吧。"安娜·帕夫洛夫娜说。

"不，不。"瓦西里公爵热烈地辩护说。现在他已不能把库图佐夫出让给任何人了。照瓦西里公爵的看法，库图佐夫不仅本人很好，而且大家都崇拜他。"不，这不可能，因为皇上以前就非常看重他。"他说。

"但愿上帝保佑，"安娜·帕夫洛夫娜说，"库图佐夫公爵能掌握真正的权力，不让**任何人**从中作梗——des bâtons dans les roues。"

瓦西里公爵明白了这**任何人**是谁。他低声说：

"我确切地知道，库图佐夫提出了一个必需条件，要求不让皇储随军；您知道他对皇上说了什么？"接着瓦西里公爵重复了似乎是库图佐夫对皇上说的话，"'如果他表现得很坏，我不能惩处

---

① 《若孔德》是法国作家拉封丹（一六二一至一六九五年）的一篇故事诗，有色情内容。

他;如果他表现得很好,我又不能奖赏他。'啊!库图佐夫公爵真是个极顶聪明的人,多么有个性。我早就认识他了。"

"甚至有人说,"还没有掌握近臣说话分寸的有很多优点的人说,"公爵大人还提出了一个必需条件,请皇上也不要到军队去。"

他刚说完这句话,瓦西里公爵和安娜·帕夫洛夫娜立即背转身去,为他的幼稚叹了一口气,很不痛快地相互看了一眼。

七

在彼得堡发生这件事时,法国人已过了斯摩棱斯克向莫斯科推进,离它愈来愈近了。拿破仑的历史学家梯也尔和这位皇帝的其他历史学家一样,力图为拿破仑辩护,说他是不由自主地被吸引到莫斯科去的。他像所有在一个人的意志中寻找各种历史事件的解释的历史学家一样,说得很对;他也像那些断定拿破仑是被俄国统帅们用巧计引诱到莫斯科的俄国历史学家一样,说得也是对的。这里除了把全部经历的事看作是已发生的事实的准备的追溯规律(回顾规律)外,还有把整个事情弄得错综复杂的相互作用规律。好棋手在下输了棋后真心地相信他输棋是由于犯了错误,于是他在开局中寻找这个错误,但是忘记了他每走一步,在整个过程中也有这样的错误,他每一步棋都不是完美无缺的。他注意到的错误之所以被他发觉,只是因为对手利用了它。战争是在一定时间条件里发生的,其中不是一个人的意志指导着无生命的机器,一切都是由各种任意行为的无数冲突造成的,如此说来,这种游戏不知会比下棋复杂多少倍!

在占领斯摩棱斯克后,拿破仑先是谋求在多罗戈布日东北的维亚济马附近,后又谋求在察廖沃-宰米谢附近打一仗;但是由于各种情况所发生的无数冲突的结果,俄国人一直到离莫斯科一百二十俄里的波罗金诺之前无法应战。从维亚济马拿破仑下令直接向莫斯科进军。

莫斯科是这个大帝国的亚洲首都,是亚历山大的臣民的圣城,莫斯科有着无数中国宝塔式的教堂!这个莫斯科使拿破仑心潮起伏,不得安宁。在维亚济马到察廖沃-宰米谢的行军途中,拿破仑骑着一匹浅黄色截尾溜蹄马,在近卫军、卫队、少年侍从和副官的护送下前进。参谋长贝蒂埃落在后面,他要审问一个被骑兵抓获的俄国俘虏。他在翻译勒洛涅·迪德维尔的陪同下飞马追上了拿破仑,快活地勒住马。

"怎么样?"拿破仑问。

"普拉托夫部下的一个哥萨克说,普拉托夫的军团已与主力会师,库图佐夫被任命为总司令。人很聪明,话很多!"

拿破仑笑了笑,吩咐给这个哥萨克一匹马,把他带到这里来。他很想亲自和这个哥萨克谈一谈。几个副官骑马走了,一个小时后,原来是杰尼索夫的农奴、后来他让给了罗斯托夫的拉夫鲁什卡骑着一匹法国骑兵的马到了拿破仑跟前,他身穿勤务兵的制服,脸上带着狡猾的和喝醉酒的快活的表情。拿破仑叫他骑着马和自己并排走,开始问他:

"您是哥萨克吗?"

"是哥萨克,大人。"

"这个哥萨克不知道他处在什么人中间,因为拿破仑的纯朴使这个东方人想不到皇上就在身边,他非常随便地谈论当前的战事。"梯也尔在叙述这个插曲时这样写道。[①]确实,拉夫鲁什卡头一天因喝醉酒没有给主人准备好饭而被抽了一顿,后来奉命到村里去找鸡,热衷于抢东西,结果被法国人俘虏了。拉夫鲁什卡是一个见过世面的粗鲁和厚颜无耻的仆人,这种人认为做事下流狡猾是自己的本分,为了自己的主人什么都可以干,能机灵地猜出主人的不好的想法,尤其是爱虚荣和庸俗低级的想法。

拉夫鲁什卡很快就轻易地认出了拿破仑,他到了他们中间后,一点也不惊慌,只想全心全意地为新主人效劳。

他非常清楚地知道这就是拿破仑,在拿破仑面前并不比在罗斯托夫或拿着树条要抽他的司务长面前更为慌张,因为他没有什么可让司务长和拿破仑剥夺的东西。

他讲了勤务兵之间谈论的一切。其中很多东西是真的。但是当拿破仑问他俄国人对他们能不能战胜拿破仑有什么看法时,拉夫鲁什卡眯起了眼睛,沉思起来。

他像他这一类人常在任何事情上都看到诡计一样,在这里也看到了狡猾的诡计,便皱起眉头,没有说话。

"这就是说:如果这一仗打起来,"他若有所思地说,"而且很快就打,那么就会那样。要是在那个日子后过了三天再打,那么,这就是说,这个仗就会拖延下去。"

勒洛涅·迪德维尔微笑着把这段话译成这样:"如果仗在三天

[①] 这段话见梯也尔的《执政府和帝国时代的历史》第十四卷。

之前打起来，那么法国人将取胜，但是如果在三天之后再打，那么天知道会发生什么。"拿破仑尽管心情非常好，但是听后没有笑，他吩咐把这些话再给他重复一遍。

拉夫鲁什卡觉察到了这一点，为了使他高兴，装出不知道他是谁的样子，说：

"我们知道，你们有个拿破仑，他把世界上所有的人都打败了，至于我们嘛，那就是另一回事了……"他说，自己也不知道说到最后为什么会冒出夸口的爱国主义的词句来。翻译给拿破仑翻译这几句话时没有翻译最后的结尾，拿破仑笑了笑。"年轻的哥萨克使得有巨大权势的交谈者笑了。"梯也尔这样写道。拿破仑默默地走了几步，转过身来对贝蒂耶说，他想要试一试，告诉这个顿河的孩子，让他知道和他谈话的是皇帝本人，也就是那位把永垂不朽、常胜不败的英名写在金字塔上的皇帝，看他有什么反应。

于是这样做了。

拉夫鲁什卡（他知道这是为了叫他不知所措，知道拿破仑认为他一定会大吃一惊）为了迎合新的主人，马上装出惊讶和大为震惊的样子，瞪大眼睛呆呆地望着，脸上露出他被拉去抽鞭子时惯有的表情。"拿破仑的翻译刚把这一点告诉那个哥萨克，那哥萨克顿时目瞪口呆，再也没有说一句话，继续朝前走着，目不转睛地看着这位英名已越过东方的草原传到他那里的征服者。他突然不再唠唠叨叨地说话了，脸上露出天真和默默无言的欣喜。拿破仑奖赏了哥萨克，下令给他自由，就像把一只小鸟放归故乡的田野似的。"

拿破仑继续朝前走，想象着一直挂在心上的莫斯科，而那只放归故乡田野的小鸟则朝前哨驰去，心里预先编造着没有发生过的事，打算说给自己人听。至于实际发生过的事他并不想讲，因为他觉得这不值得讲。他到了哥萨克那里，打听他的那个隶属于普拉托夫部队的团在哪里，傍晚他找到了住在扬科沃的主人尼古拉·罗斯托夫，这时罗斯托夫正骑上马要和伊林一起到附近村庄去走走。他给了拉夫鲁什卡另一匹马，带着他一起去。

<h1 style="text-align:center">八</h1>

玛丽亚公爵小姐没有去莫斯科，并不像安德烈公爵所想的那样，到了安全的地方。

阿尔帕特奇从斯摩棱斯克回来后，老公爵仿佛突然从梦中醒来了。他吩咐把各村的民兵召集起来和武装起来，并给总司令写了一封信，信中说，他将留在童山进行死守，请总司令考虑是否采取措施保卫童山，不然俄国最老的将军之一有可能在那里被俘或被杀，同时他对家里人宣布，他要留在童山。

然而老公爵在自己留在童山的同时，却下令把公爵小姐和德萨尔以及小公爵送到鲍古恰罗沃去，并从那里送往莫斯科。玛丽亚公爵小姐看见父亲改变了以前闲散无聊的状态，狂热地和彻夜不眠地忙碌着，她非常担心，下不了把他一个人撇下的决心，生平第一次没有听从他。她不同意离开，于是老公爵对她大发雷霆。他又把以前对她说的不公正的话全都说出来。使劲责备她，说她快要把他折磨死了，说她唆使安德烈公爵和他争吵，无端地怀疑他有卑劣的行为，说她活在世上的目的就是要使他生活得不愉快，把她赶出了书房，对她说，如果她不走，他也无所谓。他说，他根本不愿意知道有她这个人存在，并且警告她，不要让他看见她。玛丽亚公爵小姐本来担心他会下令强行把她送走，现在听见他只说不要让他看见她，心里很高兴。她知道，这证明父亲看见她留在家里没有走，内心深处是很高兴的。

在尼科卢什卡离开后的第二天，老公爵早晨穿上全套军装，打算去见总司令。马车已经准备好了。玛丽亚公爵小姐看见他穿着军装和佩戴着所有勋章从家里出来，到花园去检阅武装的农民和家奴。她坐在窗口，倾听着他在花园里说话的声音。突然从林荫道跑出几个神色惊慌的人。

玛丽亚公爵小姐跑到台阶上，然后上了花径到林荫道去。一大群民兵和家奴朝她迎面过来，在人群中央几个人架着一个穿军装和佩戴勋章的小老头。玛丽亚公爵小姐朝他跑过去，在透过林荫道上菩提树树荫投下来的闪耀不定的阳光下，看不清他的脸发生了什么变化。她只看到一点，即他脸上原来严厉和坚决的表情为怯弱和顺从的表情所取代。他看见女儿，翕动了一下无力的嘴唇，发出嘶哑的声音。弄不清他想要什么。人们把他抱起来，送到书房里，把他放在那张最近他觉得非常可怕的沙发上。

当夜请来的大夫给他放了血，大夫说，老公爵中了风，右半边偏瘫。

留在童山变得愈来愈危险了，在老公爵中风后的第二天把他送往鲍古恰罗沃。大夫也跟着去。

当他们到达鲍古恰罗沃时，德萨尔和小公爵已去了莫斯科。

得了偏瘫的老公爵在鲍古恰罗沃安德烈公爵新建的房子里躺了三个星期①，病情还是那样，既不见好，也没有恶化。他不省人事，像一具变了形的尸体那样躺着。他牵动眉毛和抽动嘴唇，不停地嘟囔着什么，无法知道他是否还明白他周围的一切。有一点无疑可以看出来，这就是他很痛苦，觉得还需要说点什么。但是他想说什么，谁也弄不清；这是否是病人和处于半疯状态的人在耍性子，是否他想说说总的局势或家里的事？

大夫说，他表现出来的焦躁不安并不意味着什么，这是由生理上的原因造成的；但是玛丽亚公爵小姐认为（她的在场常常引起他更大的不安这一点证实了她的推测），他想要对她说点什么。显然，他肉体上和精神上都很痛苦。

已没有治愈的希望。送他走也不行。要是他路上死了，那可怎么办？"还不如完了的好，来一个彻底了结！"玛丽亚公爵小姐有时这样想。她白天黑夜照料着他，几乎不睡觉；说起来都觉得可怕，她照料时不是希望看到病情减轻的迹象，而是常常希望发现临近死亡的征兆。

尽管公爵小姐因意识到自己有这样的感情心里觉得很奇怪，但是她确实有这种感情。对她来说更可怕的是，自从父亲病倒后（甚至还可能早一些，在她期待着什么，和他一起留下来时），她心中所有沉睡着的、被遗忘的个人愿望和希望全都苏醒了。几年来没有想到的事——关于希望过一种不必永远害怕父亲的自由生

---

① 老公爵在八月十日左右第一次中风后的第二天被送往鲍古恰罗沃，这里说他在鲍古恰罗沃躺了三个星期，与下文说他在八月十五日去世有矛盾。

活以及能够得到爱情和家庭幸福的想法，像魔鬼的诱惑一样，不停地在她脑子里转悠着。不管她如何驱赶，心里不断冒出今后、在**那事**以后如何安排自己生活的问题。这是魔鬼的诱惑，玛丽亚公爵小姐明白这一点。她知道，反对魔鬼的唯一办法是祈祷，于是她试图这样做。她摆出祈祷的姿势，望着圣像，念着祷词，但是祈祷不下去。她觉得她现在处于另一个世界——一个从事平常的、困难的和自由的活动的世界，这个世界是与她以前被禁锢在其中、最大的安慰是祈祷的精神世界完全不同的。她祈祷不下去，又哭不出来，心中为平常生活的事而操心。

留在鲍古恰罗沃变得危险了。从四面八方传来法国人正向这里逼近的消息，在一个离鲍古恰罗沃十五俄里的村子里法国大兵抢劫了一座庄园。

大夫坚持要把老公爵送到远一些的地方去；首席贵族派一个官员来见玛丽亚公爵小姐，劝她赶紧离开。县警察局长来到鲍古恰罗沃后，也坚持这样做，他说，法国人已到了离此地四十俄里的地方，许多村庄发现了散发的法国传单，如果公爵小姐和她的父亲不在十五日前离开，那么他就负不了这个责任了。

公爵小姐决定在十五日走。要做各种准备，大家都来向她请示，她忙碌了一整天。十四日夜里，她像平常一样，和衣躺在父亲隔壁的房间里。她醒了几次，听见父亲哼哼和嘟囔的声音，听见床发出的咯吱声以及帮他翻身的吉洪和大夫的脚步声。她几次到门口谛听，觉得父亲今天嘟囔的声音比平常要大，翻身的次数也要多些。她反正睡不着，几次到门口听，想要进去，又不敢这样做。虽然父亲没有说，但是玛丽亚公爵小姐看见了并且知道，任何为他担忧的表示都使他感到不快。她发现，当她有时不由自主地盯着他时，他不满意地避开她的目光。她知道，她在夜里这个不是她常去看望的时间进去，一定会惹他生气。

但是她从来没有这样怜惜过他，这样担心失去他。她想起了她与他一起生活的全部时光，发现他的一言一行都表达了他对她的爱。有时在这些回忆之间魔鬼的诱惑闯入了她的头脑，她便想父亲死后会怎么样，她的新的、自由的生活将怎样安排。但是她厌恶地驱除了这些想法。天快亮时，他安静下来了，她也睡着了。

她醒得很晚。醒来时常有的那种坦诚清楚地告诉她，在父亲的病中她最关心的是什么。她醒来后倾听着门里的动静，听见了他的哼哼声，叹息着对自己说，情况还是那样。

"究竟会发生什么事？我到底想要什么？我居然想要他死！"她怀着对自己的厌恶喊道。

她穿好衣服，洗完脸，念了祷文，到了台阶上。台阶旁停着几辆没有套马的马车，正在往车上装东西。

早晨很暖和，灰蒙蒙的。玛丽亚公爵小姐在台阶上站住，不断为自己内心的卑鄙而感到可怕，在去见父亲之前，竭力想好好理一理自己的思绪。

大夫从楼梯上下来，走到她跟前。

"他今天好一些了，"他说，"我刚才找过您。他说的有些话可以听明白了，头脑清楚一些了。咱们走吧。他叫您去……"

玛丽亚公爵小姐听到这个消息后，心剧烈跳动起来，她脸色发白，靠在门上，以免摔倒。在心里充满那些可怕的罪恶念头的情况下，见到他，和他说话，处在他目光的注视下，既是痛苦和高兴的，又觉得可怕。

"咱们走吧。"大夫催她。

玛丽亚公爵小姐进了父亲的房间，走到床前。他高高地仰卧着，把一双瘦骨嶙峋、青筋盘结的小手放在被子上，左眼直瞪，右眼斜视，眉毛和嘴唇一动不动。他整个人是那么的瘦小和可怜。他的脸仿佛干瘪了，或者说消融了，脸盘缩小了。玛丽亚公爵小姐走过去吻了吻他的手。他的左手紧紧握住她的手，可以看出，他早就在等候她了。他拉她的手，眉毛和嘴唇生气地抽动起来。

她惊恐地看着他，竭力想猜出他想要她做什么。当她改变姿势，挪了挪，使得他的左眼能看见她的脸时，他安静下来了，目不转睛地朝她看了几秒钟。然后他的嘴唇和舌头动了起来，发出了声音，开始说话，用胆怯的和恳求的目光看着她，看来担心她听不懂他的话。

玛丽亚公爵小姐聚精会神地看着他。见他吃力地转动舌头的滑稽样子，便垂下眼睛，使劲地压住涌上嗓子眼的痛哭声。他说了点什么，把自己的话重复了几次。玛丽亚公爵小姐没有能够听懂；但是她竭力猜测他说的话，把自己的猜测反复说了几次，问他是不是。

"啊啊——纳……纳……"他重复了好几次。

怎么也听不明白这些话。大夫以为他猜着了，一面重复着，一面问他：是不是问**公爵小姐害怕吗**？他摇摇头，又把这话说了一遍。……

"**心里，心里难受。**"玛丽亚公爵小姐猜着了，说了出来。他哼哼起来表示她猜对了，抓住她的一只手，把它在自己胸脯的不同地方摁来摁去,仿佛在替它寻找一个合适的地方似的。

"全部心思!想着你……心思。"现在,当他相信别人听懂他的话时,他就说得比以前好得多和明白得多了。玛丽亚公爵小姐把头贴在他的手上,竭力不让他看到她在哭和流眼泪。

他用手抚摸着她的头发。

"我喊了你一整夜……"他说。

"要是我知道的话……"她含着眼泪说,"我不敢进来。"

他握住她的手。

"你没有睡吧?"

"是的,我没有睡。"玛丽亚公爵小姐点点头说。她不由自主地跟着父亲,竭力多用手势代替说话,好像转动舌头也很费力似的。

"好闺女……"父亲说,也许他说的是"好孩子……"——玛丽亚公爵小姐分辨不出来;但是根据他的眼神,一定说的是一句他从来没有说过的温柔和亲切的话。接着他说:"你为什么不来?"

"而我却希望,希望他死!"玛丽亚公爵小姐心里想道。他沉默了一会儿。

"谢谢你……女儿,孩子……谢谢你的一切……原谅我……谢谢……原谅我……谢谢!……"泪水从他眼睛里流出来。"把安德留沙叫来。"他突然说道,在他说出这个要求时,脸上露出了一种天真、胆怯而又不相信的神情。他似乎知道,他的这个要求没有任何意义。至少玛丽亚公爵小姐这样觉得。

"我收到了他的一封信。"玛丽亚公爵小姐回答道。

他惊讶地和胆怯地看着她。

"他在哪里?"

"他在军队里,爸爸,在斯摩棱斯克。"

他闭上了眼睛,很久没有说话;然后肯定地点点头,仿佛在回答自己的疑问,说明他现在什么都明白了和想起来了,同时睁开了眼睛。

"是的。"他清晰地低声说,"俄国完了!被毁掉了!"他哭了起来,泪水从他眼睛里流出来。玛丽亚公爵小姐再也忍不住了,望着他的脸哭着。

他又闭上了眼睛。他的哭声停止了。他朝眼睛做了个手势;吉洪明白了他的意思,给他擦掉了眼泪。

然后他睁开眼睛,说了些什么,在很长时间里谁也听不明白,最后还是吉洪一个人听懂了,转达了他的意思。玛丽亚公爵小姐根据他在这之前一分钟说话时的情绪猜测他的话的意思。时而她觉得他说的是俄国,时而认为他说的是安德烈公爵,时而认为他说的是她,是孙子,时而又认为他说的是自己的死。因此她没有能猜出他的话的意思。

"穿上你的衣服,我喜欢。"他说。

玛丽亚公爵小姐听懂了这句话,她哭的声音更大了,于是大夫挽起她的胳膊,把她从屋里带到凉台上,劝她平静下来,做出发的准备。玛丽亚公爵小姐出去后,老公爵又讲起了儿子,讲起了战争和皇上,生气地扬起眉毛,开始抬高沙哑的嗓门,于是他第二次,也是最后一次中风了。

玛丽亚公爵小姐在凉台上站住。天放晴了,阳光灿烂,气温很高。她心里充满着对父亲的热爱,除此之外她什么也不明白,什么也不想,什么也感觉不到,她觉得在此时此刻之前她未曾有过这样的感情。她跑到花园里，一面哭着，一面沿着安德烈公爵在两旁种了菩提树的小道往下朝池塘跑去。

"是的……**我**……**我**……**我**。我曾希望他死。是的，我曾希望一切快点结束……**我想要安宁**……我将会怎么样呢？要是他不在了，我还要安宁做什么。"玛丽亚公爵小姐一面出声地念叨着，一面快步在花园里走着，双手按住抽抽搭搭地哭时一起一伏的胸脯。她在花园里走了一圈，又回到房子前面，看见朝她迎面走来的布里安娜小姐（她留在鲍古恰罗沃，不愿意离开这里）和一个陌生男人。这是县首席贵族，他亲自来见公爵小姐，告诉她必须赶快离开。玛丽亚公爵小姐听着他说，但没有听明白他的意思；她把他领到屋里，请他吃早饭，陪他坐下。然后她对首席贵族表示歉意，站起来走到老公爵的门前。大夫面带惊慌不安的神情出来对她说，她不能进去。

"您走吧，公爵小姐，走吧，走吧！"

玛丽亚公爵小姐又到花园里去，到了池塘边小丘下谁也看不见的地方，在草地上坐下来。她不知道她在那里待了多久。沿着小路跑来的女人的脚步声惊醒了她。她站起身来，看见了她的女仆杜尼亚莎，显然杜尼亚莎是跑来叫她的，一见公爵小姐吓了一跳，站住了。

"快来，公爵小姐，……公爵……"杜尼亚莎说，嗓音都变了。

"马上就来，马上就来。"公爵小姐急忙回答，没有让杜尼亚莎说完要对她说的话，竭力不看她，朝家里跑去。

"公爵小姐，上帝的意旨快要实现了，您应当做好一切准备。"首席贵族在入口的门旁迎着她，说。

"不要管我。这不是真的!"她恼怒地对他喊道。大夫想要拦住她。她推开他,跑到了门边。"这些人为什么带着惊恐的表情拦住我?我谁也不需要!他们这里在干什么?"

她推开门,看见本来半明半暗的房间里很亮堂,不禁不寒而栗。房间里有几个女人和保姆。她们离开床,让她过去。老公爵还是那样躺在床上,但是他平静的脸上的严厉表情使得玛丽亚公爵小姐在门口站住了。

"不,他没有死,这不可能!"玛丽亚公爵小姐自言自语说,她走到他跟前,克制着内心的恐惧,把自己的嘴唇贴到他的面颊上。但是她立即放开了他。霎时间她心中对他的全部柔情消失了,取而代之的是对她面前的景象的恐惧。"没有了,再也没有他了!没有他了,这里,在他待过的地方有的是一种陌生的和敌对的东西,是某种可怕的、非常吓人的和令人反感的秘密……"玛丽亚公爵小姐双手捂住脸,倒在扶住她的大夫怀里。

女人们当着吉洪和大夫的面擦洗了老公爵的遗体,用一条头巾裹住头,以免张开的嘴僵硬,再用一条头巾捆住叉开的双腿。然后给他穿上挂着勋章的军服,把他小小的干缩了的遗体放在桌上。天知道有谁在什么时候曾经做过这种事,一切似乎是自然而然地完成的。入夜时棺材周围点着蜡烛,棺材上盖着盖棺布,地上撒着刺柏枝,在死者干瘪的脑袋底下放了一张印刷的祷文,而在角落里一个教会执事坐在那里念《圣经》的诗篇。

如同一群马冲向一匹死马,聚集在它旁边,对着它打着响鼻一样,一些外人和自家人——首席贵族、村长和农妇们聚集在客厅里的棺材周围,他们大家惊恐地瞪着眼睛,画着十字和鞠着躬,吻着老公爵的冰冷的和僵硬的手。

九

在安德烈公爵搬来前，鲍古恰罗沃一直是一个主人不在那里住的庄园，鲍古恰罗沃的农民的特点和童山的农民完全不同。他们的语言、衣着和性情也与童山的农民有区别。他们被称为草原农民。当他们到童山来帮助收割或者挖池塘和沟渠时，老公爵称赞他们的吃苦耐劳，但是不喜欢他们的粗野。

安德烈公爵住在鲍古恰罗沃时，实行了一些新的措施——建了医院，开办了学校，减轻了代役租，等等，但这并没有使他们的性情变得温和起来，相反，加强了老公爵称之为粗野的性格特点。在他们之间经常流传着某些含糊不清的说法，时而说要把他们所有的人算作哥萨克，时而说要让他们改信新的宗教，时而说有皇上的什么诏书，时而说一七九七年有过向保罗·彼得罗维奇皇帝宣誓的事（谈到这次宣誓时说，当时曾赐给自由，可是被老爷们剥夺了），时而说彼得·费多罗维奇①将在七年后重新登基，到那时一切将会很自由，很简单，以致什么也没有了。对他们来说，关于战争和波拿巴以及他的入侵的传闻，是与关于敌基督、世界末日和绝对自由的流言结合在一起的。

---

① 指彼得三世（一七二八至一七六二年），他在一七六二年的宫廷政变中被迫退位，当时曾传说他因试图解放农奴而被贵族推翻。农民领袖普加乔夫曾自称彼得三世。

在鲍古恰罗沃周围，都是一些国家的和实行代役租的地主的大村庄。居住在这个地区的地主很少；家奴和识字的人也很少，在这个地区的农民的生活中，俄罗斯民间生活的神秘的潜流要比在其他地区表现得更明显和更强烈，产生这些潜流的原因及其意义，对当代人来说常常是无法解释的。这种现象之一，是二十来年前在这个地区农民之间出现的向某些温暖的河流迁移的运动①。几百个农民，其中包括鲍古恰罗沃村的，突然卖掉牲口，拉家带口前去东南面的某地。如同鸟儿飞往海外某个地方一样，这些人带着妻子儿女到他们之中谁也没有去过的东南面的一个地方去。他们成群结队地出发，有的一个一个地赎了身，有的一跑了之，他们或者坐车，或者步行，去找那温暖的河流。许多人受到惩罚，被流放到西伯利亚，许多人冻死和饿死在路上，许多人回来了，于是这运动像它无缘无故地掀起来一样，自然而然地停止了。但是在这些人当中潜流仍在不停地流动，并且积聚着一种新的力量，这种力量将会同样奇怪地、出人意料地，同时又是简单自然地和强烈地爆发出来。现在，在一八一二年，一个接近老百姓的人可以看到，这些潜流正在加紧积蓄力量，快要表现出来了。

阿尔帕特奇在老公爵去世前不久来到鲍古恰罗沃，他发现老百姓当中出现了骚动，情况与童山相反，那里在方圆六十俄里的地区内，所有农民都逃难去了（听任哥萨克抢劫自己的村庄），而在这里的草原地区，在鲍古恰罗沃一带，听说农民们与法国人有来往，收到了法国人的一些在他们之间散发的文告，留在当地没

---

① 这里指的大约是当时农民大批逃往北高加索和摩尔达维亚的事。

有走。阿尔帕特奇通过他的心腹的家奴得知，前几天在村里很有影响的农民卡尔普出官差时带回消息说，哥萨克正在抢劫居民逃走的村庄，但是法国人却鸡犬不惊。他得知，另一个农民昨天甚至从维斯洛乌霍沃——那里驻扎着法国军队——带来了一个法国将军的文告，其中向居民们宣布，如果他们留下来，将不会做任何有害于他们的事，征用的东西将作价付钱。为了证明这一点，这个农民从维斯洛乌霍沃带来了预付给他的干草钱一百卢布纸币（他不知道这是假币）。

最后，最重要的是，阿尔帕特奇得知，在他吩咐村长集合大车把公爵小姐的物品运出鲍古恰罗沃的那天早晨，村里开了会，会上决定不出车，采取等着瞧的态度。而与此同时不能再拖延了。首席贵族在八月十五日老公爵去世的那一天坚持要玛丽亚公爵小姐当天就离开，因为情况危急。他说，十六日后就不再负任何责任了。老公爵去世的当天晚上他走了，不过答应第二天参加葬礼。但是第二天他来不了，因为根据他本人获得的消息，法国人出乎意料向前推进了，这样他只来得及把自己的家眷和贵重物品送出自己的庄园。

大约三十年来，鲍古恰罗沃一直由村长德龙管理，老公爵叫他德龙努什卡。

德龙属于那种身体健壮和精神饱满的农民，这种人一上了岁数就长起大胡子，就这样毫无变化地活到六七十岁，没有一丝白发或不掉一颗牙，六十岁时还像三十岁的年轻人那样腰板挺直，精力旺盛。

德龙像别的人一样，参加过迁移到温暖的河流的活动，在这之后不久，当了鲍古恰罗沃的村长，从那时起，他担任这个职务二十三年，没有出过差错。农民怕他比怕主人还厉害。老爷们，包括老公爵和年轻的公爵，还有总管，都很尊重他，戏称他为大臣。德龙在担任村长的整个期间没有喝醉过一次酒，没有生过一次病；无论是在一宿不睡觉后，无论是在干了什么样的重活后，从来不露出一点疲劳的样子，他不识字，可是从来没有忘记过一笔账，记得他卖掉的好几大车面粉的重量，记得鲍古恰罗沃每一俄亩土地上每一垛收割下来的庄稼。

阿尔帕特奇从遭到破坏的童山来到这里后，在举行公爵葬礼的当天把这位德龙叫来，吩咐他准备十二匹马拉公爵小姐的车，十八匹马运送就要从鲍古恰罗沃起运的财物。虽然农民都是代役租农民，但是阿尔帕特奇认为，要他们这样做不会有什么困难，因为在鲍古恰罗沃有二百三十个课税单位①，农民都比较富裕。但是村长听了他的命令后，默默地垂下了眼睛。阿尔帕特奇对他说了自己认识的农民的名字，命令他们出车。

德龙回答说，这些农民的马拉脚去了。阿尔帕特奇又说了另一些农民的名字，而据德龙说，他们也没有马可派，有的出官差去了，有的拉不了车，还有一些因没有饲料饿死了。照德龙的说法，不仅没有拉贵重物品的马，而且连拉人坐的马车的马也很难找到。

阿尔帕特奇朝德龙凝视了一下，皱起眉头。如同德龙是一个模范的村长一样，阿尔帕特奇也是一个模范的总管，他并没有白

---

① 课税单位是当时农民的劳动单位，通常由一个男劳力和一个女劳力组成，大家庭有几个课税单位。

白地管理了二十年公爵的庄园。他特别能凭他的感觉了解他与之打交道的人的需要和本能，因此他是一个出色的总管。他朝德龙看了一眼后，立刻明白了德龙的回答并不表达他自己的想法，而是表达了鲍古恰罗沃村居民的总的情绪，村长已受这种情绪的影响。但是与此同时，发了财和遭到全村人憎恨的德龙必定会在地主老爷和农民这两个阵营之间摇摆。阿尔帕特奇在他的目光里看到了这种摇摆，便皱起眉头，朝他走过去。

"德龙努什卡，你听着！"他说，"你别对我说空话。安德烈·尼古拉依奇公爵大人命令我把所有人都送走，不要让他们留下来和敌人在一起，皇上对此也有诏令。谁要是留下来，就是背叛沙皇。听见了吗？"

"是。"德龙回答道，没有抬起眼睛。

阿尔帕特奇对这回答并不满意。

"唉，德龙，这可不行！"阿尔帕特奇摇摇头说。

"听您的吩咐！"德龙伤心地说。

"唉，德龙，算了吧！"阿尔帕特奇又说，他把一只手从怀里抽出来，郑重其事地指着德龙脚下的地板，"我不但看透了你，而且你脚下三俄尺深的地方的东西也看得清清楚楚。"他说，眼睛盯着德龙脚下的地板。

德龙发窘了，匆匆看了阿尔帕特奇一眼，又垂下了眼睛。

"你别说废话，告诉大家，要他们收拾一下离开家到莫斯科去，明天清早给公爵小姐准备好马车，不要去参加什么会。听见了吗？"

德龙突然跪了下来。

"雅科夫·阿尔帕特奇，撤我的职吧！把钥匙从我这里拿走，看在上帝分上撤了我吧。"

"算了吧!"阿尔帕特奇严厉地说。"我能看透你脚下三俄尺深的地方。"他重复说,他知道,他有养蜂技术,懂得什么时候播种燕麦,二十年来善于博得老公爵的欢心,已使他获得了魔法师的名声,而一般都认为只有魔法师才具有看到一个人脚下三俄尺深的地方的功力。

德龙站了起来,想说点什么,但是阿尔帕特奇打断了他的话。

"你们想要干什么?啊?……你们是怎么想的?啊?"

"我拿他们有什么办法呢?"德龙说,"全都骚动起来了。我也对他们说……"

"你听我说。"阿尔帕特奇说。"都酗酒吗?"他简短地问。

"全都骚动起来了,雅科夫·阿尔帕特奇:又拉来了一桶酒。"

"那么你就听着。我这就去找县警察局长,你告诉大家,叫他们别胡闹,并且把马车准备好。"

"是。"德龙回答道。

雅科夫·阿尔帕特奇没有再坚持。他长期管理老百姓,知道要人们服从的主要手段是不要让他们看到他们有不服从的可能。他迫使德龙顺从地说"是"后,也就感到满意了,虽然他不仅怀疑,而且深信不借助于军队的帮助是弄不到马车的。

确实,到傍晚时马车还没有着落。村里的小酒馆旁边又在开会,会上决定把马赶到树林里去,不出大车。阿尔帕特奇什么也没有对玛丽亚公爵小姐说,他吩咐仆人把自己的东西从童山来的马车上卸下,让这些马去拉公爵小姐的马车,自己骑马去找警察当局去了。

十

在举行了父亲的葬礼后,玛丽亚公爵小姐关在自己房里,不让任何人进去见她。一个女仆走到门口说,阿尔帕特奇来请示动身的事。(这还是阿尔帕特奇和德龙谈话之前。)玛丽亚公爵小姐从她躺着的沙发上欠起身来,隔着关着的门说,她不走了,什么地方也不去,希望不要去打扰她。

她所在的那个房间的窗户是朝西开的。她脸冲着墙在沙发上躺着,手指抚摸着皮靠垫上的扣子,眼睛只看到这个靠垫,她的模糊的思想集中在一点上:她想着人死不可复生,想着自己内心的卑鄙,在这之前她一直不知道自己是这样的人,在父亲生病期间才暴露出来。她想要祈祷,但又不敢,不敢抱着这样的心情去求助于上帝。她在这种状态中躺了很长时间。

太阳移到了房子的那一边,落日的余晖斜射进敞开的窗户,照亮了房间和玛丽亚公爵小姐看着的皮靠垫的一部分。她的思路突然中断了。她无意识地欠起身来,理了理头发,站起来走到窗口,不由自主地呼吸着晴朗有风的夜晚冷爽的空气。

"是的,现在你可以随心所欲地欣赏傍晚的景色了!他已经不在了,谁也不会妨碍你。"她自言自语地说,在椅子上坐下,头靠在窗台上。

有人从花园那边亲切地低声喊她,吻了吻她的头。她回头一看。原来这是布里安娜小姐,她穿着黑衣服,戴着丧章。她轻轻地走到玛丽亚公爵小姐跟前,叹着气吻了吻她,立刻就哭了起来。玛丽亚公爵小姐朝她看了一眼。想起了以前和她的所有冲突以及对她的猜疑;也想起了最后**他**改变了对布里安娜小姐的态度,不再理她,觉得自己心里对她的责备是没有道理的。"而且像我这样希望他死的人有什么资格责备别人呢?"她想道。

布里安娜小姐最近疏远了玛丽亚公爵小姐而同时又得依赖她,过着寄人篱下的生活,玛丽亚公爵小姐设身处地地想象着她的处境。她开始可怜她。用询问的目光温和地看了看她,朝她伸出手去。布里安娜小姐立即哭了起来,开始吻她的手,讲起公爵小姐遭到的不幸来,做出同样遭到不幸的样子。她说,她在不幸中唯一的安慰是公爵小姐允许她分担自己的痛苦。她还说,过去所有的误会在这巨大的不幸面前应当消除,她觉得自己在所有人面前都是清白的,**他**在那个世界会看到她的爱心和感激。公爵小姐听着她说,没有听明白她的话的意思,不时看看她,细听着她说话的声音。

"您的处境更加可怕了,亲爱的公爵小姐。"布里安娜小姐沉默了一会儿说,"我明白,您一向不替自己着想,现在也是这样;但是我从爱您出发应当这样做……阿尔帕特奇到您这里来过了?他对您谈了动身的事了吗?"她问。

玛丽亚公爵小姐没有说话。她不明白谁应该动身和到什么地方去。"难道现在还能着手做什么事,考虑什么问题吗?难道不全都一样吗?"她想,没有回答。

"您知道吗,亲爱的玛丽,"布里安娜小姐说,"您知道吗,我们处于危险之中,我们被法国人包围了;现在要走,很危险。如果我们走的话,我们几乎一定会被俘虏,天知道……"

玛丽亚公爵小姐望着她的女友,不明白她说的话。

"唉,要是有人知道我现在对一切的一切都无所谓就好了。"她说,"当然,我无论如何也不愿意离开他……阿尔帕特奇对我讲过关于动身的事……您去和他谈一谈,我什么也不能而且也不想和他说……"

"我和他谈过了。他希望我们能够走成;但是我想,现在最好还是留在这里。"布里安娜小姐说,"因为您也会同意,亲爱的玛丽,在路上落到大兵或造反的农民手中非常可怕。"说着布里安娜小姐从手提包里取出一份不是用普通的俄国纸印的法国将军拉莫的告示,告示要求居民不要离开自己的家,说法国当局将给他们以应有的保护,她把告示递给了公爵小姐。

"我想,最好去找这位将军,"布里安娜小姐说,"我相信他们会给您应有的尊重。"

玛丽亚公爵小姐读着告示,无泪的干哭使她的脸抽搐起来。

"您通过谁得到这个的?"她问。

"大概是他们根据我的名字知道我是法国人。"布里安娜小姐红着脸说。

玛丽亚公爵小姐手里拿着告示从窗口站起来,脸色苍白地出了房间,前去安德烈公爵以前的书房。

"杜尼亚莎,把阿尔帕特奇、德龙努什卡以及别的什么人给我叫来,"玛丽亚公爵小姐说,"告诉阿马利娅·卡尔洛夫娜①,叫

---

① 阿马利娅·卡尔洛夫娜是布里安娜小姐的名字和父称。她的称名与上文不一致(那里她的父名为叶夫根尼耶夫娜)。

她不要上我这里来。"她听见布里安娜小姐说话的声音,又加了一句,"赶快离开!赶快离开!"玛丽亚公爵小姐说,想到她可能会落到法国人手里,心里不禁有些惊慌。

"要是让安德烈公爵知道她落到了法国人手里会怎么样!要是她,尼古拉·安德烈依奇·鲍尔康斯基公爵的女儿,去请求拉莫将军保护,接受他的恩惠,又将如何!"——这个想法使她非常害怕,浑身哆嗦,涨红了脸,体验到了一种未曾感受过的愤怒和自尊。她生动想象着她的困难的、主要是受屈辱的处境。"法国人将住进这座房子;拉莫将军将占用安德烈公爵的书房;将翻阅他的信件和文稿作为消遣。布里安娜小姐将在鲍古恰罗沃殷勤地接待他。他们将发善心给我一个小房间;大兵们将掘开父亲的新坟,拿走他的十字勋章和星章;他们将对我讲述怎样打败俄国人,还将装出同情我的不幸的样子……"玛丽亚公爵小姐想道,这并不是她自己的想法,但是她觉得应该按照父亲和哥哥的想法来想。对她个人来说,不管留在什么地方,不管发生什么事,都无所谓;但是她觉得自己同时又是已故的父亲和安德烈公爵的代表。她不由自主地用他们的思想来思想,用他们的感觉来感觉。她觉得,她必须说他们现在可能会说的话,做他们可能会做的事。她前去安德烈公爵的书房,竭力领会他的想法,来考虑自己的处境。

玛丽亚公爵小姐本来以为生活的要求已随着父亲的去世而消失了,现在这些要求突然以新的、从未有过的力量出现在她面前,充满了她的心。

她激动得满脸通红,在房间里走着,时而叫阿尔帕特奇来见她,时而叫米哈依尔·伊万诺维奇来,时而叫吉洪来,时而又要德龙来见她。杜尼亚莎、保姆和所有女仆说不出布里安娜小姐的话有多少道理。阿尔帕特奇不在家:他去找警察当局了。建筑师米哈依尔·伊万内奇应召睡眼惺忪地到了玛丽亚公爵小姐那里,对她也说不出什么来。十五年来他在回老公爵的话时从不表示自己的意见,只带着微笑表示同意,这已成为习惯,现在他也带着这样的微笑回答玛丽亚公爵小姐的问题,因此从他的回答中也得不出任何明确的看法。被叫来的老仆吉洪面孔干瘪消瘦,上面带着难以消除的痛苦的印记,无论玛丽亚公爵小姐问他什么,他只回答"是,是",两眼望着她,几乎忍不住要放声大哭。

最后村长德龙进了房间,他朝公爵小姐深深一鞠躬,在门框旁站住了。

玛丽亚公爵小姐在房间来回走了一趟,在他对面停住脚步。

"德龙努什卡,"玛丽亚公爵小姐说,她无疑把他看作自己的朋友,记得他每年到维亚济马赶集回来每一次都给她带来一种特殊的蜜糖饼干并满脸堆笑交给她,"德龙努什卡,现在,在我们遭到不幸后……"她刚开了个头就停住了,没有力气再往下说。

"祸福难测啊。"德龙叹着气说。他们一时都没有说话。

"德龙努什卡,阿尔帕特奇不知上哪里去了,我无人可以商量。有人说我不能走,这说得对吗?"

"你为什么不走,公爵小姐,可以走。"德龙说。

"有人对我说,会碰到敌人,很危险。亲爱的,我什么也不会,什么也不明白,身边什么人也没有。今天夜里或明天清晨,我一定要走。"德龙没有说话。他皱着眉头看了玛丽亚公爵小姐一眼。

"没有马,"他说,"我也对雅科夫·阿尔帕特奇说了。"

"为什么没有？"公爵小姐问。

"全是报应，"德龙说，"有的马被军队征用了，有的饿死了，谁叫我们碰到今年这样的年头。不要说喂马，人不饿死就算不错了！有的人三天没有吃东西了。什么也没有，全都给抢光了。"

玛丽亚公爵小姐注意地听着他说的话。

"农民们都遭到了抢劫？他们没有粮食？"她问。

"他们快要饿死了，"德龙说，"还谈得上什么出车……"

"你为什么不说，德龙努什卡？难道不能帮他们一把吗？我将尽力而为……"玛丽亚公爵小姐想到在现在，在她心里充满这样的悲痛的时刻，还可能有富人和穷人之分，富人还可能不帮助穷人，不禁感到很奇怪。她模糊地知道和听说过，地主家都有储备粮，常把它发放给农民。她还知道，无论是哥哥还是父亲，看见农民有困难都不会不帮助的；她想要使用这批粮食，只担心在把它发放给农民的事情上说错话。现在她为自己有了过问这件事的借口而高兴，觉得为此而暂时忘记自己的悲伤问心无愧。她开始详细询问农民的需要以及鲍古恰罗沃存粮的情况。

"我们这里不是有哥哥的存粮吗？"她问。

"老爷的存粮原封未动，"德龙自豪地说，"我们的公爵没有吩咐把它卖掉。"

"把它发放给农民，他们需要多少给多少，我代表哥哥允许你这样做。"玛丽亚公爵小姐说。

德龙什么也没有回答，深深地叹了一口气。

"你把这粮食发放给他们，如果数量还够的话。全部发放下去。我代表哥哥命令你，你就对他们说：这是我们的，也是他们的。为了他们,我们什么也不吝惜。你就这样说。"

德龙在公爵小姐这样说的时候,目不转睛地看着她。

"你把我撤了吧,好小姐,看在上帝分上,吩咐别人把钥匙从我这里拿走。"他说,"我当了二十三年村长,没有做过坏事;看在上帝分上,把我撤了吧。"

玛丽亚公爵小姐不明白他想要她做什么,为什么请求撤他的职。她回答他说,她从来没有怀疑过他的忠诚,她准备为他和为农民尽自己的一切力量。

十一

在这之后过了一个小时,杜尼亚莎前来向公爵小姐报告,说德龙来了,所有农民根据公爵小姐的命令集合在粮仓附近,想要和女主人进行商谈。

"我根本没有叫他们来,"玛丽亚公爵小姐说,"我只对德龙努什卡说过要给他们发放粮食。"

"看在上帝分上,公爵小姐,您下令把他们轰走,不要上他们那里去。这是个骗局,"杜尼亚莎说,"等雅科夫·阿尔帕特奇回来,咱们就走……请您……"

"什么骗局?"公爵小姐惊奇地问。

"我真的知道,看在上帝分上,您就听我的吧。您可以去问保姆。听说,他们不同意遵照您的命令离开这里。"

"你说到哪里去了。我根本没有命令他们离开……"玛丽亚公爵小姐说,"把德龙努什卡叫进来。"

德龙进来了,他证实了杜尼亚莎的话:农民们是奉公爵小姐之命来的。

"我根本没有叫他们来,"公爵小姐说,"你大概把我的话传达错了。我只叫你分给他们粮食。"

德龙没有回答,叹了一口气。

"只要您下命令,他们就会走的。"他说。

"不,不,我要去见他们。"玛丽亚公爵小姐说。

玛丽亚公爵小姐不顾杜尼亚莎和保姆的劝说,到了台阶上。德龙、杜尼亚莎、保姆和米哈依尔·伊万内奇跟在她后面。

"他们大概以为我给他们粮食是为了让他们留在原地不动,而我自己一走了之,把他们扔下,听任法国人摆布。"玛丽亚公爵小姐想。"我将答应在莫斯科近郊给他们发月粮,提供住处;我相信,安德烈处在我的位置上将会做得更多。"她在暮色中朝聚集在粮仓附近牧场上的人群走过去时想道。

人群聚集拢来,骚动起来,人们很快摘下了帽子。玛丽亚公爵小姐垂下眼睛,双腿被衣裙绊着,走到了他们紧跟前。那么多的老人和年轻人用不同的目光注视着她,那么多不同的面孔出现在她眼前,使得玛丽亚公爵小姐没有看清一张脸,她觉得需要一下子就跟所有的人说话,不知道该怎么办。但是她意识到自己是父亲和哥哥的代表,又是这种意识给她增添了力量,于是她大胆地开始讲话。

"你们来了,我很高兴。"玛丽亚公爵小姐开口说道,她没有抬起眼睛,觉得她的心跳得很快、很猛烈,"德龙努什卡对我说，战争使你们破了产。这是我们共同的不幸，我要不惜一切帮助你们。我自己就要走了，因为这里已经很危险，敌人已经很近了……因为……我把一切都给你们，我的朋友们，请你们把所有东西都拿走，拿走全部粮食，这样你们就不会缺什么了。而如果有人对你们说，我给你们粮食是为了让你们留在这里，那么这不是实话。恰恰相反，我请求你们带着全部财产到我们莫斯科近郊去，到那里后，我负责并向你们保证，你们的生活不会发生困难。会给你们房子住和粮食吃。"公爵小姐停住了。人群中只发出一片叹息声。

"我不是代表自己这样做的，"公爵小姐接着说，"我这样做代表我已故的父亲和你们的好主人，代表我的哥哥和他的儿子。"

她又停住了。谁也没有打破她的沉默。

"我们的不幸是共同的，我们将要平均分担。凡是属于我的一切，也都是你们的。"她看看站在她面前的人的脸说。

所有人的眼睛都带着同样的表情看着她，而她没有能弄明白这表情表示什么。不知这是好奇、忠诚、感激还是恐惧和不信任，但是所有人脸上的表情都是一样的。

"对您的恩惠我们很感激，不过我们不能要老爷的粮食。"后面的一个人说。

"为什么呢？"公爵小姐问。

没有一个人回答，玛丽亚公爵小姐扫视着人群，注意到所有与她目光相遇的人都马上垂下了眼睛。

"你们为什么不想要？"她又问。没有任何人回答。

玛丽亚公爵小姐见大家沉默不语感到很难堪，她力图捕捉住某个人的目光。

"你们为什么不说话呀？"她对一个拄着拐杖站在她面前的老人说。"如果你认为还需要什么，你就说吧。我一定做到。"她捕捉住了他的目光说。但是老人好像对此很生气，完全低下了头，说：

"有什么好同意的，我们不需要粮食。"

"怎么，叫我们把一切都扔了？不同意。就是不同意……我们不会同意。我们同情你，可是我们不同意。你自己一个人走吧……"人群里四处发出了这样的叫喊声。所有人的脸上又出现了同一种表情，现在它所表示的已肯定不是好奇和感激，而是恼怒和决心。

"你们大概没有听明白我的话，"公爵小姐带着苦笑说，"你们为什么不愿意走？我答应给你们安排好吃和住。在这里敌人会把你们抢光的……"

但是她的声音被人群的喧哗声压了下去。

"我们不同意，就让他们抢好了！我们不要你的粮食，我们不同意！"

玛丽亚公爵小姐又想捕捉住什么人的目光，但是没有一个人朝她看；显然，大家的目光都在回避她。她觉得奇怪而又尴尬。

"你瞧，她可真会说话，叫你跟着她去当农奴！扔下家去受奴役。可不是吗！说什么我给你们粮食！"人群里有人这样说。

玛丽亚公爵小姐低下头，从人群里出来，往家里走。她再一次吩咐德龙，要他明天准备好马匹，说完回到自己的房间，剩下独自一人时，各种思绪涌上了心头。

十 二

这天夜里,玛丽亚公爵小姐在自己屋里敞开的窗前坐了很久,倾听着从村里传来的农民的说话声,但是她没有去想他们。她觉得,不管她怎样想他们,仍不能理解他们。她总是想着一件事——想自己遭受的不幸,现在因操心眼前的事暂时没有想它,对她来说它似乎已成为过去了。她现在已经能够回忆,能够哭泣和祈祷了。日落后风停了。夜晚宁静而凉爽。到十一点多,说话声逐渐沉寂下来,鸡叫头遍,一轮满月从菩提树后面出来,地面升起一层清新的带着露水的白雾,村子里和宅院里一片寂静。

最近发生的事——父亲的病和他的最后时刻的情景,一幕一幕地出现在她眼前。她现在既悲伤又高兴地回想着这些场面,她要驱赶的只是父亲临终时的可怕的景象,她觉得甚至在这宁静和神秘的深夜里,她也没有勇气去回想它。这些情景连同所有细节是那么清楚地出现在她眼前,使她时而觉得这是现实,时而觉得这是往事,时而又觉得这是未来的事。

有时她历历在目地回想起他中风的时刻,当时人们从童山的花园里架着他出来,他抖动着无力的舌头嘟囔着什么,牵动着白眉毛,不安地和胆怯地望着她。

"他在当时就想对我说那些他在去世的那一天对我说的话,"她想,"他一直就想对我说这些话。"接着她想起了在童山时他中风前的那一天夜里的全部细节,当时玛丽亚公爵小姐预感到要出事，违背他的意志留下来陪他。她没有睡觉，夜里蹑手蹑脚地到了楼下，到了这天晚上父亲过夜的花房的门口，谛听着他的声音。他正在疲惫不堪地和吉洪说着什么。看来他想要说说话。"为什么他不叫我？为什么他不允许我代替吉洪待在这里？"玛丽亚公爵小姐当时和现在这样想，"要知道现在他永远不能对任何人说出他的全部心里话了。他本来可以说出他想要说的话，而听他说话和明白他的意思的本应是我而不是吉洪，现在对我和对他来说这个时刻一去不复返了。当时我为什么不进屋去呢？"她想，"也许他当时就会对我说他在去世的那一天说的话。当时他在和吉洪谈话时也曾两次问到我。他想要见我，而我正站在这里，站在门外。他和吉洪说话，而吉洪并不理解他，他一定感到伤心和难受。记得当时他和吉洪谈起了丽莎，好像谈活着的人一样——他忘记了她已经死了，这时吉洪提醒他说她已不在了，他喊叫起来，说他'傻瓜'。他很难受。我在门外听到他哼哧哼哧地躺到床上，大声喊道：'我的上帝！'当时我为什么不进去呢？他会对我怎么样呢？我又能丢了什么呢？也许他当时会得到安慰，对我说这句话。"于是玛丽亚公爵小姐大声地说出他在去世的那一天对她说的那个亲切的字眼："好——闺——女！"她重复着这个字眼放声大哭起来，泪下如雨，心里反倒感到轻松了一些。她现在仿佛看到他的脸就在自己面前。这不是她自从记事以来就熟悉的那张脸，也不是常常从远处看到的那张脸；而是一张胆怯的和虚弱的脸，那张她在最后一天弯下身去凑近他的嘴以便听清他说的话，第一次从近处看清了所有皱纹和细微特点的脸。

"好闺女。"她又重复了一次。

"他在这样叫我时想的是什么？他现在又想什么？"她脑子突然出现这个问题，作为对它的回答她看见他在自己眼前，脸上带着他躺在棺材里用白头巾裹住脑袋时的那种表情。于是那时当她嘴唇接触他的面颊，觉得这不仅不是他，而且是某种神秘的和令人反感的东西时产生的恐惧，现在又充满她的心。她想要想点别的事，想要祈祷，但是什么也做不成。她把眼睛睁得大大的，望着月光和阴影，每时每刻都料想会看到他死人的脸，觉得屋里屋外的一片寂静把她紧紧包围住了。

"杜尼亚莎！"她轻轻喊了一声。"杜尼亚莎！"接着她狂叫起来，冲出了寂静，朝着女仆住的房间跑去，这时保姆和几个女仆正朝着她迎面跑来。

十三

八月十七日，罗斯托夫和伊林在刚被法国人放回来的拉夫鲁什卡和一名传令兵陪同下，从离鲍古恰罗沃十五俄里的驻地扬科沃出来遛遛——试试伊林新买的马和打听村里有没有干草。

最近三天鲍古恰罗沃处于敌我两支军队之间，俄军的后卫部队和法军的前哨部队都很容易到这里来，因此罗斯托夫作为一个细心的骑兵连长，想赶在法国人之前把可在鲍古恰罗沃征集到的粮草弄到手。

罗斯托夫和伊林的心情都十分愉快。他们希望在鲍古恰罗沃这个公爵的庄园里找到大批家奴和漂亮的姑娘，一路上时而询问拉夫鲁什卡关于拿破仑的情况,听了他的讲述高兴地笑着,时而你追我赶,试着伊林的马。

罗斯托夫不知道而且没有想到,他去的那个村庄就是曾和他的妹妹订过婚的鲍尔康斯基的庄园。

罗斯托夫和伊林到鲍古恰罗沃前面有慢坡的高地后最后一次纵马赛跑,罗斯托夫赶到了伊林的前面,第一个进了鲍古恰罗沃村。

"你领先了。"满面通红的伊林说。

"是的,一直领先,在草地上领先,这里也领先。"罗斯托夫一面回答,一面抚摸着已冒汗的顿河马。

"我骑的法国马,大人,"拉夫鲁什卡在后面说,他把他骑的那匹拉车的驽马称为法国马,"本来能跑到前头去,不过我不想让别人丢脸。"

他们慢步到了粮仓前面,那里站着一大群农民。

有的农民摘下了帽子,有的农民没有摘帽,看着骑马过来的人。两个身材很高的老农民,满脸皱纹,胡子稀稀拉拉,从小酒馆里出来,面带微笑,摇摇晃晃地唱着不合调的歌,走到了两个军官面前。

"好样的!"罗斯托夫笑着说,"怎么,干草有吗?"

"全都一个模样……"伊林说。

"多么……快……快……活的……聚……聚……"这两个农民带着幸福的微笑唱着。

一个农民从人群中出来,走到罗斯托夫跟前。

"您是什么部队的?"他问。

"法国人,"伊林笑着回答道,"瞧,这就是拿破仑本人。"他又指着拉夫鲁什卡说。

"这么说来,是俄国人吧?"农民反问道。

"这里有你们的很多部队吗?"另一个矮个儿的农民朝他们走过来,问道。

"很多,很多。"罗斯托夫回答。"你们聚集在这里干什么?"他加了一句,"是在过节吧?"

"老头子们聚在一起商谈村里的事。"那个农民一面回答,一面走开了。

这时从地主宅院门前的路上出现了两个女人和一个戴白帽子的男人,他们正朝军官们走来。

"穿粉红色衣服的归我,说定了,谁也不准抢!"伊林看见杜尼亚莎正果断地朝他走过来,说。

"是我们大家的!"拉夫鲁什卡朝伊林眨眨眼说。

"我的美人儿,你需要什么?"伊林笑着说。

"公爵小姐叫我打听一下,你们是哪个团的,姓什么。"

"这是罗斯托夫伯爵,骑兵连长,而我是您忠实的奴仆。"

"快活的……聚……聚会!"喝醉酒的农民幸福地微笑着,看着正在与女仆谈话的伊林接着唱道。跟在杜尼亚莎后面的阿尔帕特奇老远就摘下了帽子,走到了罗斯托夫面前。

"我冒昧地打扰您,大人。"他把一只手伸进怀里恭恭敬敬地说,但是看见这军官很年轻,又带有几分轻蔑的意味。"我的女主人是本月十五日逝世的陆军上将尼古拉·安德烈耶维奇·鲍尔康斯基公爵的女儿,由于这些人野蛮无礼,她正处于困境之中,"他指着农民说,"请多关照……不知您是否可以往边上靠一靠,"阿尔帕特奇带着苦笑说，"不然当着他们的面不大方便……"说话时他又指了指那两个像马蝇围绕着马一样在他身边来回走动的农民。

"啊！……阿尔帕特奇……啊？雅科夫·阿尔帕特奇！……好极了！看在上帝分上请原谅。好极了！啊？……"农民们高兴地朝他微笑着说。罗斯托夫朝喝醉酒的老头子们看了一眼，笑了笑。

"也许大人您看见这种样子很开心吧？"雅科夫·阿尔帕特奇用那只没有伸进怀里的手庄重地指着老头子们说。

"不，这里没有什么可开心的。"罗斯托夫说，往一边走了几步。"怎么回事？"他问。

"我冒昧地向人人报告，这里粗野的农民不让公爵小姐离开庄园，扬言要卸下马匹，结果早晨已装好了车，直到现在她还走不了。"

"不可能！"罗斯托夫喊道。

"我向您禀告的全是实情。"阿尔帕特奇说。

罗斯托夫下了马，把马交给传令兵，和阿尔帕特奇一起朝宅院走去，边走边问他详细情况。确实，昨天公爵小姐答应给农民们粮食，同德龙和集会的群众进行解释后，情况更糟了，德龙最后交出了钥匙，和农民们站在一起，阿尔帕特奇叫他，他也不来，早晨公爵小姐吩咐套车做动身的准备时，一大群农民聚集在粮仓旁，派人来说，他们不放公爵小姐出村，还说有命令不准出车，他们将卸掉马匹。阿尔帕特奇到了他们那里，规劝他们，但是他们回答他说，不能放公爵小姐走，有命令不准她走（说得最多的是卡尔普；德龙没有在人群里出现）；还说，让公爵小姐留下来吧，他们将照旧侍候她，在一切方面服从她。

当罗斯托夫和伊林在路上奔驰时，玛丽亚公爵小姐不听阿尔帕特奇、保姆和女仆们的劝说，吩咐套车，想要动身；但是人们看见奔驰而来的骑兵后，把他们当作法国人，车夫逃散了，屋里响起了女人们的哭喊声。

"老天爷！我的亲爹！准是上帝派你来的。"在罗斯托夫经过前厅时听见人们感激地说。

当人们领着罗斯托夫进来时，玛丽亚公爵小姐正心慌意乱和束手无策地坐在大厅里。她不明白进来的是谁，来干什么，会对她怎么样。她看见他的俄国人的脸，根据他的步伐和开头的几句话认出他是自己这个阶层的人后，用深沉的和闪闪发光的眼睛看了他一眼，说起话来，由于激动，说话的声音断断续续、哆哆嗦嗦。罗斯托夫立刻觉得这次见面有某种浪漫色彩。"一个无依无靠、悲恸欲绝的姑娘，孤身一人，听任起来造反的粗鲁的农民的摆布！一个多么奇怪的机遇鬼使神差地把我推到了这里！"罗斯托夫听着她的话和看着她想道。"她的面容和神情又是多么的温顺和高尚啊！"他听着她的怯生生的讲述时又想道。

她讲起所有这一切都是在举行她父亲的葬礼后第二天发生的，这时她的声音颤抖起来。她转过脸去，接着又仿佛担心罗斯托夫会认为她这样说是想得到他的怜悯，便疑惧地看了他一眼。罗斯托夫的眼睛里含着泪水。玛丽亚公爵小姐发现了这一点，又用闪闪发光的眼睛感激地看了看他，这目光能使人忘记她的不漂亮的面孔。

"公爵小姐，我偶然来到这里，能够向您表示为您效劳的决心，真是感到说不出的荣幸。"罗斯托夫站起身来说，"请您动身吧，只要您允许我护送您，我以我的名誉担保，再也不会有一个人胆敢找您的麻烦。"他像人们对皇家的妇女鞠躬一样，恭恭敬敬地向她鞠了一躬，朝门口走去。

罗斯托夫仿佛想用他恭敬的态度表明，虽然他认为与她相识是一件幸事，但是他不愿意利用她的不幸来与她接近。

玛丽亚公爵小姐明白了他为什么采取这种态度，并且很珍视它。

"我非常，非常感谢您，"她用法语对罗斯托夫说，"不过我希望那一切只是误会，谁也没有过错。"公爵小姐突然哭了起来。"请您原谅。"她说。

罗斯托夫皱起眉头，又深深鞠了一躬，走出了客厅。

十 四

"怎么样，可爱吗？不，老兄，我的那个穿粉红色衣服的才迷人呢，她叫杜尼亚莎……"伊林说，但是他看了看罗斯托夫的脸，住口了。他看到他心目中的英雄和连长想的完全是别的事情。

罗斯托夫恶狠狠地朝伊林看了一眼，没有搭理他，快步向村子走去。

"我要叫他们看看我的厉害，好好教训教训他们，这些强盗！"他自言自语地说。

阿尔帕特奇迈着轻快的步子，只差没有跑了，好容易追上了罗斯托夫。

"请问您做了什么决定？"他追上后问道。

罗斯托夫停住脚步,握紧拳头,突然威严地朝阿尔帕特奇逼过去。

"决定?什么决定?老东西!"他对他喊道,"你为什么瞧着?啊?农民们造反,你就无法对付?你就是一个叛徒。我知道你们这些人,我要剥掉所有人的皮……"他仿佛担心把自己的火气随便发泄掉,便扔下阿尔帕特奇,快步向前走。阿尔帕特奇忍着委屈,迈着轻快的步子跟着罗斯托夫,继续对他讲自己的想法。他说,农民都很顽固,现在没有军队,不宜与他们**对抗**,不如先派人去找军队来。

"我要叫他们看看军队的厉害……我就是要与他们对抗。"尼古拉不假思索地嘀咕着,他喘着粗气,心中充满着不理智的和无理性的愤恨,需要把这种愤恨发泄出来。他没有考虑该怎么做,不知不觉地迈着急速和坚定的步伐朝人群走去。他离人群愈近,阿尔帕特奇愈感觉到他的这种不明智的行动可能产生好的结果。人群中农民看着他迅速坚定的步伐和坚决阴沉的脸色,也感觉到这一点。

在这几个骠骑兵进了村和罗斯托夫去见公爵小姐后,人群中发生了混乱和争执。有的农民说,来的这些人是俄国人,恐怕会责怪他们不放公爵小姐走。德龙抱这种看法;但是他刚说出口,卡尔普和另外几个农民就对这个前村长发起了攻击。

"你吸全村人的血吸了多少年了?"卡尔普对他喊道,"你反正无所谓!你把钱罐子刨出来,运走就行了,至于我们家会不会被毁掉,都与你不相干,是吧?"

"有命令,要保持正常秩序,谁也不准离开家,一针一线都不准带走——就是这样!"另一个人喊道。

"本来轮到你的儿子,你大概舍不得你的胖小子,"突然小老头攻击起德龙来,他说得很快,"把我的万卡抓去当了兵。唉,我们都快要活不下去了!"

"真是活不下去了!"

"对村里的事我可没有撒手不管。"德龙说。

"倒真是没有撒手不管,瞧他的肚子,把自己都养肥了!……"

两个高个子农民在谈自己的事。罗斯托夫带着伊林、拉夫鲁什卡和阿尔帕特奇刚走近人群,卡尔普就把手指插进宽腰带,面带微笑走上前来。德龙则相反,退到了后排,人群变得更加密集了。

"喂!你们这里谁是村长?"罗斯托夫快步走到人群前大声问道。

"村长吗?您有什么事?……"卡尔普问。

他没有来得及把话说完,头上的帽子已经飞走了,挨了狠狠的一拳,脑袋歪向了一边。

"全摘下帽子,叛徒们!"罗斯托夫声音洪亮地喊道。"村长在哪里?"他狂怒地问道。

"村长,在喊村长呢……德龙·扎哈雷奇,在喊您呢。"人群中传出急促而顺从的说话声,人们开始摘下头上的帽子。

"我们不能造反,我们都遵守秩序。"卡尔普说,在这同一瞬间后面的几个人突然说了起来:

"是老人们决定的,你们这样的长官太多了……"

"还说话?……简直造反了!……强盗!叛徒!"罗斯托夫抓住卡尔普的领口,不假思索地狂喊起来。"把他捆起来,捆起来!"他喊道,虽然身边只有拉夫鲁什卡和阿尔帕特奇,没有别的人可以前来捆他。

然而拉夫鲁什卡还是朝卡尔普跑过去,从后面抓住他的双手。

"要把我们的人从小丘下叫来吗?"他问。

阿尔帕特奇向农民转过脸,喊两个人的名字,要他们来捆卡尔普。这两个农民顺从地走出了人群,开始解身上的腰带。

"村长在哪里?"罗斯托夫喊道。

德龙脸色苍白,双眉紧皱,从人群里出来。

"你是村长吗?把他捆上,拉夫鲁什卡!"罗斯托夫喊道,仿佛觉得他的命令不会有人违抗似的。果然又有两个农民来捆德龙,而德龙好像想帮他们捆似的,把自己的腰带解下来递给他们。

"你们大家都听着,"罗斯托夫对农民们说,"现在都回家去,不要让我再听到你们的声音。"

"怎么啦,我们没有做什么欺负人的事。我们只不过一时糊涂。只不过胡闹了一场……我说过,这样不行。"可以听到有人在相互责备。

"我对你们说过,"阿尔帕特奇开始行使自己的权力,"这样不好,乡亲们!"

"我们一时糊涂,雅科夫·阿尔帕特奇。"人们回答道,人群立刻开始散了,人们各自回家去了。

两个捆起来的农民被带往主人的院子去。两个喝醉酒的农民跟在他们后面。

"喂,让我看看你!"其中一人对卡尔普说。

"难道可以这样对老爷们说话吗?你想什么来着?"

"傻瓜,"另一个一唱一和地说,"真是傻瓜!"

两个小时后,几辆马车停在鲍古恰罗沃宅院的院子里。农民们热热闹闹地把主人的东西搬出来装上车,而德龙根据玛丽亚公爵小姐的意思已被从院子里的一只大箱子里放了出来,现在站在那里指挥农民们装车。

"你不要把它乱放。"一个高个子圆脸的农民带着微笑从女仆手里拿过一只小箱子说,"要知道它也很值钱。你干吗把它乱扔或者用绳子捆上——这样它会被磨坏的。我不喜欢这样做。干什么活都要老老实实,要有个规矩。应该这样用席子包上,再盖上干草,这就好了。看起来都觉得舒服!"

"瞧,这么多书,"另一个搬出安德烈公爵的书柜的农民说,"你别绊住!沉得很,伙计们,书真多!"

"是的,可见他们总是在写,没有玩!"高个子圆脸的农民指着放在上面的厚厚的词典,意味深长地眨眨眼说。

罗斯托夫不愿意主动地去和公爵小姐结识,没有上她那里去,而留在村里等待她出发。玛丽亚公爵小姐的马车从宅院里出来后,他便骑上马,在离鲍古恰罗沃十二俄里我军控制的大道上骑马护送她。在扬科沃,在一个小客栈里他恭恭敬敬地和她告了别,第一次吻了吻她的手。

"您怎能这样说,"当玛丽亚公爵小姐感谢他的救命之恩(她把他的行为说成是救命)时他红着脸回答道,"每个区警察局长都会这样做的。如果我们打仗的敌手是这些农民的话,那么我们就不会让他们深入内地了。"他有些不好意思地说,力图改变话题,"我感到幸运的只是有机会跟您认识。再见了,公爵小姐,祝您幸福安康,希望我能在比较顺遂的情况下和您重逢。如果您不想让我感到脸红的话,请不要说感谢的话。"

但是公爵小姐虽然不再说感谢的话,也仍然以她容光焕发的脸上充满感激和柔情的整个表情来表示感谢。她不能相信他说的没有什么可感谢的话。相反,她毫不怀疑地认为,如果没有他,她一定会死于暴徒和法国人之手;而他为了救她,显然冒了极大的风险;而更加毫无疑问的是,他是一个心灵高尚的人,善于理解她的处境和痛苦。他那双善良诚实的眼睛在她哭诉自己的遭遇时充满了泪水,此情此景一直留在她的脑海里。

玛丽亚公爵小姐在与他告别后只剩下一个人时,突然觉得自己眼睛里噙着泪水,就在这时第一次出现了一个奇怪的问题:她是不是爱他?

在继续朝莫斯科前进的路上,虽然公爵小姐的处境并不令人愉快,与她同坐一辆车的杜尼亚莎不止一次地注意到,公爵小姐把头探出车窗,不知为什么又高兴又伤心地微笑着。

"如果我真的爱上了他,那又有什么呢?"玛丽亚公爵小姐想道。

不管她在承认自己首先主动爱上了一个也许永远不会爱她的人时感到多么难为情,她一直安慰自己,心想谁也不会知道这一点,如果她直到生命结束默默地爱一个她一生中第一次,也是最后一次爱的人,也不是什么过错。

有时她想起了他的目光、他的同情、他的话,她觉得要得到幸福并不是不可能的。这时杜尼亚莎注意到,她微笑着望着窗外。

"真想不到他会到鲍古恰罗沃来,而且在这样的时刻!"玛丽亚公爵小姐想,"真想不到他的妹妹会和安德烈公爵退了婚!"玛丽亚公爵小姐认为这一切都是天意。

玛丽亚公爵小姐也给罗斯托夫留下了十分愉快的印象。当他想起她时，心里很高兴；同伴们得知他在鲍古恰罗沃碰到的这件不平常的事后，跟他开玩笑说，他去找干草，却找到了俄国的一个最富有的姑娘，他听了很生气。他之所以生气，正是因为娶这个他有好感的性格温顺而又拥有巨大财产的玛丽亚公爵小姐的想法，不止一次地违反他的意志在他脑子里出现过。对他个人来说，他不能希望有比玛丽亚公爵小姐更好的妻子了：娶了她将会使他母亲伯爵夫人感到高兴，将可改善他父亲的经济状况；甚至——尼古拉感觉到这一点——将会使玛丽亚公爵小姐得到幸福。

但是索尼娅呢？许下的诺言呢？因此罗斯托夫在人们拿鲍尔康斯卡娅公爵小姐跟他开玩笑时生气了。

十 五

库图佐夫接收全军的指挥权后，想起了安德烈公爵，并命令他到总部来。

安德烈公爵在库图佐夫进行第一次阅兵的那一天来到了察廖沃-宰米谢。他看见村里神父家的住宅旁停着总司令的马车，便在那里下了马，在门口的长凳上坐下来等候殿下——现在大家都这样称呼库图佐夫。从村后的田野上时而传来军乐声，时而传来许许多多人向新总司令欢呼"乌拉！"的狂喊声。两个勤务兵、一个信使和一个管家趁库图佐夫不在，加上天气又好，便出来站在大门旁离安德烈公爵十步远的地方。一个皮肤浅黑、留着小胡子和连鬓胡子的矮小的骠骑兵中校骑马到了大门口,朝安德烈公爵看了一眼,问道:殿下是否住在这里,他是否很快就回来?

安德烈公爵说,他不是殿下总部的人员,也是外来的。骠骑兵中校便问服装漂亮的勤务兵,这个勤务兵带着总司令的勤务兵们和军官谈话时特有的轻蔑语气对他说:

"什么,殿下吗?他大概马上就回来了。您有什么事?"

骠骑兵中校听到勤务兵说话的那种腔调,冷笑了一声,下了马,把马交给传令兵,走到安德烈公爵面前,朝他微微鞠了一躬。鲍尔康斯基在长凳上挪了挪身子给他让座。骠骑兵中校便在他身旁坐下了。

"您也是在等总司令吧?"骠骑兵中校开口问道,"听说谁都能见到他,谢天谢地。不然去跟卖香肠的家伙打交道,可倒霉了!怪不得叶尔莫洛夫要求封他为德国人。现在大概俄国人也可以说话了。要不天知道搞的是什么名堂。老是退啊退。您参加过行军作战吗?"

"有幸参加过,"安德烈公爵回答道,"不仅参加过撤退,而且在这次撤退中丧失了所有宝贵的东西,不用说庄园和亲爱的家了……也失去了父亲,他是忧愤而死的。我是斯摩棱斯克人。"

"啊?……您是鲍尔康斯基公爵?很高兴和您认识,我是杰尼索夫中校,不过瓦西卡这个名字叫得更多些。"杰尼索夫握着安德烈公爵的手说,用特别和善的目光注视着他。"不错,我听说过。"他同情地说,沉默了一会儿,然后接着说,"就拿斯基泰战争计划来说吧。这里一切都很好,不过对那些受苦受难的人来说并不如此。那么,您就是安德烈·鲍尔康斯基公爵?认识您,公爵,我非常高兴,非常高兴。"他又握着他的手,带着苦笑重复了一遍。

安德烈公爵曾经听娜塔莎说过杰尼索夫是第一个向她求婚的人,因此知道他。这个回忆使他现在又甜蜜又痛苦地感觉到了以往的伤痛,这伤痛他近来早就不想了,不过仍然留在他的心中。在最近这段时间里,他经历了其他许多大事——例如斯摩棱斯克的放弃,他的童山之行,不久前得到的父亲的死讯,——有过许多感受,因而早就不去回想这些事,即使有时回想起来,对他所起的作用也远没有以前那么大。而对杰尼索夫来说,鲍尔康斯基的名字所引起的一系列回忆是富有诗意的遥远的过去,当时他在吃了晚饭和听了娜塔莎唱歌后,自己也不知道是怎么回事,居然向十五岁的小姑娘求了婚。他想起那时的情景和对娜塔莎的爱,不禁微微一笑,思想立即转到他现在所迷恋和特别关心的事情上。这就是他在撤退过程中在前哨部队服役时想出来的作战计划。他曾把这计划呈交巴克莱·德·托利,现在想把它呈交给库图佐夫。这个计划的依据是:法国人的战线拉得太长,因此不应从正面阻挡法国人,而应去袭击敌人的交通线,或者两件事同时进行。他开始对安德烈公爵讲起他的计划来。

"他们守不住这整条线。这是不可能的,我担保我能把它突破;给我五百人,我能把它切断,一定能行!唯一的办法是打游击战。"

杰尼索夫站起身来,做着手势,向鲍尔康斯基讲述他的计划。在他讲述的中途,从检阅的场地传来了军队的喊声,这声音变得不大整齐和分散了,与军乐声和歌声融合在一起。村里响起了马蹄声和欢呼声。

"总司令来了,"一个站在大门口的哥萨克喊了一声,"来了!"

鲍尔康斯基和杰尼索夫朝站着一队士兵(仪仗队)的大门口走过去,看见了骑着一匹低矮的枣红马逐渐走近的库图佐夫。他后面跟着一大批将军。巴克莱几乎和他并排走着;一群军官跟在他们后面跑,喊着"乌拉"。

几个副官在他之前进了院子。库图佐夫不耐烦地催着他的那匹驮着他沉重的躯体迈着溜蹄步的马,不停地点着头,把一只手举到他头上的白色近卫重骑兵军帽(带有红帽圈,但没有帽檐)的帽边上。当他走到向他行礼的由英俊的掷弹兵、大多是骑兵组成的仪仗队前时,沉默了一会儿,用指挥官的专注的目光聚精会神地看了他们一眼,便朝一群站在他身边的将军和军官转过身去。他的脸突然露出了一种莫测高深的神情,他用困惑不解的姿势耸了耸肩膀。

"有这样的好汉,还一直退啊退!"他说,"好吧,再见了,将军。"他加了一句,催马从安德烈公爵和杰尼索夫面前经过,进了大门。

"乌拉!乌拉!乌拉!"人们在他背后喊道。

自从安德烈公爵上次见到他以来,库图佐夫又发胖了,显得皮肤松弛,身躯臃肿。但是安德烈公爵所熟悉的那只发白的眼睛、伤疤以及脸上和全身疲惫的表情依然如故。他身穿制服(肩上斜挂细皮条编的鞭子),头戴白色近卫重骑兵军帽。他骑在一匹很精神的马上,笨重的身体抖动和摇晃着。

"嘘……嘘……嘘……"他在进院子时轻轻地吹着口哨。脸上露出一个人在出头露面后想休息一下时常有的高兴快慰的表情。

他整个身子朝右侧,把左脚从马镫里抽出来,吃力得皱起眉头,哼哧了一声,倒在接住他的哥萨克和副官们的手臂上。

他定了定神,眯着眼睛环视四周,朝安德烈公爵看了一眼,大概没有认出他,迈着一瘸一拐的步子朝台阶走去。

"嘘……嘘……嘘……"他吹了一声口哨,又朝安德烈公爵看了一眼,安德烈公爵的脸给他留下的印象在几秒钟后(老人常有这样的情况)才与对这个人的回忆联系起来。

"你好,公爵,你好,亲爱的,咱们一起走吧……"他疲惫地说,回头看了看,吃力地上了在他脚下咯吱作响的台阶。他解开衣服,在台阶上的长凳上坐了下来。

"先说说,你父亲怎么样?"

"昨天接到了他去世的消息。"安德烈公爵简短地说。

库图佐夫惊恐地睁大眼睛朝安德烈公爵看了一眼,然后脱下军帽,画了个十字:"愿他早升天国!让我们大家都听上帝的安排吧!"他沉重地深深喘了一口气,沉默了一会儿。"我敬爱他,对你表示衷心的同情。"他搂住安德烈公爵,让他紧靠在自己肥胖的胸脯上,很久没有放开。当他放开后,安德烈公爵看见库图佐夫肥厚的嘴唇在颤动,眼睛里含着泪水。老人叹了口气,两手撑住长凳,想要站起来。

"走吧,到我屋里去,咱们好好谈谈。"他说;但是这时在见到长官和敌人时很少胆怯的杰尼索夫不顾副官们生气的低声劝阻,大胆地上了台阶,马刺碰到阶梯叮当作响。库图佐夫放开撑着长凳的手,不满地朝杰尼索夫看了一眼。杰尼索夫报了自己的姓名后,说自己有一件有利于祖国的大事要向殿下禀告。库图佐夫开始用疲惫的目光看着杰尼索夫，抬起双手，交叉地放在肚子上，不耐烦地反问道："有利于祖国？什么样的事？你说吧。"杰尼索夫像大姑娘似的涨红了脸（看见这张胡子拉碴、苍老和带有几分醉意的脸上出现红晕，不免令人觉得奇怪），开始大胆地叙述他设想的在斯摩棱斯克和维亚济马之间切断敌人战线的计划。杰尼索夫曾在那些地方住过，非常熟悉那里的地形。他的计划看起来是一个好计划，尤其是因为他讲得很有说服力。库图佐夫看着自己的双腿，不时瞧瞧隔壁的院子，仿佛他在等待那里出现什么不愉快的事似的。在杰尼索夫说话时，从那座房子里真的出来了一个腋下夹着公文包的将军。

"怎么？"库图佐夫在杰尼索夫说到一半时问那个将军道，"已经准备好了？"

"准备好了，殿下。"将军回答道。库图佐夫摇摇头，仿佛是在说"一个人怎么能来得及干这么多事"，继续听杰尼索夫讲。

"我以一个俄国军官的名誉郑重保证，"杰尼索夫说，"我能切断拿破仑的交通线。"

"军需总监基里尔·安德烈耶维奇·杰尼索夫是你的什么人？"库图佐夫打断了他的话问道。

"是家叔，殿下。"

"噢！我们是老朋友了。"库图佐夫高兴地说，"好，好，亲爱的，你在司令部里留下，明天咱们再谈。"他朝杰尼索夫点点头，转过身去，伸手去拿科诺夫尼岑①给他送来的文件。

---

① 科诺夫尼岑（一七六四至一八二二年），俄国将军。

"殿下是否可以进屋去，"这位值班将军不满意地说，"需要审核计划和签署几个文件。"从门里出来的副官报告说，屋里一切都准备好了。但是库图佐夫看来想办完事再进屋去。他皱了皱眉头……

"不，亲爱的，你叫人搬一张小桌子到这里来，我就在这里看。"他说。"你不要走。"他对安德烈公爵说了一句。安德烈公爵便在台阶上留下来，听值班将军说话。

在值班将军报告时，安德烈公爵听见门里有女人的低语声和女人的绸衣服发出的窸窣声。他朝那里看了看，几次发现门里有一个身穿粉红色衣服和头上裹着浅紫色头巾的体态丰满、面色红润的漂亮女人，她手里正端着一个盘子，显然是在等总司令进去。库图佐夫的副官低声对安德烈公爵说，这是女房东，她是神父的妻子，想要向殿下献面包和盐。她的丈夫已在教堂里手捧十字架欢迎了殿下，而她则在家里欢迎……"很漂亮。"副官带着微笑加了一句。库图佐夫听见他的话，回头看了一眼。他听值班将军的报告（其主要内容是批评察廖沃-宰米谢附近的阵地）如同听杰尼索夫的叙述一样，也像七年前听奥斯特利茨军事会议的讨论一样。他之所以听着，显然只是因为他长着两只耳朵，尽管其中的一只塞着绳絮，他不可能听不见；但是可以明显地看出，值班将军所能对他说的一切不仅不能使他感到惊讶或者使他感兴趣，而且人们要对他说的一切他事先就已知道了，他之所以听着，只是因为需要听完它，正如需要听完唱诗祈祷一样。杰尼索夫所说的一切，是有道理的和聪明的。而值班将军说的话更有道理和更加聪明，但是很明显，库图佐夫轻视知识和才智，他知道能决定问题的另一种东西——另一种与知识和才智无关的东西。安德烈公爵细心地观察着总司令脸上的表情，唯一能看出来的是无聊和好奇的表情，发现他很想知道门里的女人在低声说些什么，又希望能遵守礼节。显而易见，库图佐夫轻视才智、知识，甚至轻视杰尼索夫表现出来的爱国热情，但是他不是凭才智、感情和知识（因为他并不竭力加以显示）而轻视的，而是由于别的原因。他轻视是因为自己年纪大，有生活经验。库图佐夫就这个报告发布的一项命令是关于俄国军队进行抢劫的问题的。值班将军结束报告时拿出一份根据地主提出的求赔偿被割的青麦的要求决定处罚有关部队长官的命令，要总司令签字。

库图佐夫听完这件事，咂咂嘴，摇了摇头。

"扔进炉子里……烧掉！我索性对你说了吧，亲爱的，"他说，"把所有这些东西都扔进火里。就让他们尽管割庄稼和烧木柴吧。我不下这样的命令，也不许可，但是也不处罚什么人。不这样不行。要劈柴就得飞碎木片，这些事情是免不了的。"他再次朝那命令看了一眼。"噢！像德国人一样一丝不苟！"他摇摇头说。

十 六

"好了，现在总算办完了。"库图佐夫在签署最后一份文件时说，吃力地站起身来，白胖的脖子上的褶皱舒展开来，他面带愉快的表情朝门口走去。

神父的妻子脸涨得通红，抓起了盘子，虽然她准备了很长时间，但是还是没有能及时端上来。她深深地鞠着躬，把盘子举到库图佐夫面前。

库图佐夫眯缝起眼睛；他笑了笑，用一只手托住她的下巴，说道：

"多么漂亮的美人！谢谢你，亲爱的！"

他从裤兜里掏出几个金币，放到她的盘子里。

"怎么样，日子过得好吗？"库图佐夫问，朝给他安排的房间走去。神父的妻子微笑着，粉红的脸上露出两个酒窝，跟着他进了正房。副官来到台阶上请安德烈公爵去用早餐；半个小时后，他又被叫去见库图佐夫。库图佐夫还穿着解开的制服倒在圈椅上。他手里拿着一本法国书，看见安德烈公爵进来，便把一把小刀子夹在读到的地方，合上了书。安德烈公爵从封面上看出，这是让利斯夫人的《天鹅骑士》。

"来，坐下，坐到这里来，咱们谈谈。"库图佐夫说，"我心里很难过。但是你记住，朋友，我也是你的父亲，第二个父亲……"安德烈对库图佐夫讲了他所了解的父亲临终时的情况，并讲了他路过童山时在那里的所见所闻。

"把事情弄到了……这个地步！"库图佐夫激动地说，显然从安德烈公爵的叙说中清楚地意识到了整个俄国的处境。"等着瞧吧，等着瞧吧，不会总是这样的。"他脸上带着愤怒的表情补充说，显然不愿再谈这个使他激动的话题，"我叫你来，是为了把你留在我身边。"

"谢谢殿下，"安德烈公爵说，"不过我担心我已不再适合在司令部工作了。"他说话时面带微笑，库图佐夫注意到了他的笑容，便用疑惑的目光看了他一眼。"而主要的是，"安德烈公爵补充说，

"我已习惯了团队的生活，喜欢上了军官们，而我觉得人们也都喜欢我。我舍不得离开团队。如果我不识抬举不愿留下的话，那么请您相信……"

库图佐夫虚胖的脸上闪现出聪明而和善的、同时微带讥讽的神情。他打断了鲍尔康斯基的话。

"很遗憾，我很需要你；但是你说得对，你说得对。我们这里并不需要进人。顾问总是很多，可是没有会办事的人。如果所有顾问都像你一样下到团里，团队就不会是这个样子了。我从奥斯特利茨战役以来一直记得你……我记得，记得，记得你举着军旗。"库图佐夫说，安德烈公爵听他回忆起这件事，顿时高兴得脸都红了。库图佐夫拉住他的一只手，把面颊朝他凑过去，安德烈公爵又看见老人的眼睛里含着泪水。虽然安德烈公爵知道，库图佐夫容易落泪，老人现在对他特别亲切和怜惜是因为想要表示对他的丧父之痛的同情，但是关于奥斯特利茨的回忆仍然使他感到高兴和引以为荣。

"上帝保佑，走自己的路吧。我知道你的道路是一条光荣的路。"说完他沉默了一会儿。"在布加勒斯特放走你我很后悔：当时我需要派一个人去。"库图佐夫改变了话题，说起土耳其战争和签订和约的事。"是的，我受了很多责备，"库图佐夫说，"既为战争也为和平责备我……可是一切都来得很及时。只要善于等待，一切都会及时到来。而在那里顾问也不比在这里少……"他接着说，话题又回到顾问上，看来他很感兴趣。"唉，顾问呀顾问！"他说，"如果谁的话都听，我们在那里，在土耳其，既不会签订和约，也不会结束战争。都想要快些，而想快，结果反倒慢了。如果卡缅斯基没有死①,他也会完蛋。他带着三万人攻打要塞。攻下要塞并不难,难的是赢得战争。而为此不需要攻打和冲锋,而需要**耐心和时间**。卡缅斯基派士兵去攻鲁休克②,而我只派这两者(耐心和时间)去,攻下的要塞比卡缅斯基多,迫使土耳其人吃马肉。"他摇了摇头。"法国人也会吃马肉的!请相信我的话,"库图佐夫精神振奋起来,拍着自己的胸脯说,"我要叫他们吃马肉!"他的眼睛又泪汪汪的了。

"然而也应当迎战吧?"安德烈公爵说。

"如果大家都想要这样做,就应当迎战,这是没有办法的事……要知道,亲爱的:没有比**耐心和时间**这两个战士更强有力的了;他们什么都能做到,而顾问们的这只耳朵听不进去,坏就坏在这里。一些人想要打,另一些人不想打。那怎么办呢?"他问,看来是在等待对方回答。"你说该怎么办?"他又问了一句,他的眼睛露出了深沉和聪明的闪光。"我要告诉你该怎么做。"他见安德烈公爵仍然没有回答,便说,"告诉你该怎么做和我是怎么做的。法国有句谚语,拿不稳时,亲爱的,"他停了停,"不要干。"他一字一顿地说。

"好吧,再见了,朋友;记住,我和你一样痛切地感受到你遭受的巨大损失,我对你来说不是殿下,不是公爵,不是总司令,我是你的父亲。如果需要什么,可直接来找我。再见了,亲爱的。"他又拥抱和亲吻了他。安德烈公爵还没有来得及走到门口,

---

① 一八一一年初,当时任多瑙河军总司令的卡缅斯基患病,不久去世,其职务由库图佐夫继任。

② 鲁休克即今保加利亚的鲁塞。

库图佐夫就安心地喘了一口气,又拿起了没有读完的让利斯夫人的小说《天鹅骑士》。

这种心情的变化是怎么发生的,由于什么原因,安德烈公爵自己怎么也说不清;但是他在会见库图佐夫后回到团里时,对整个战局和委以指挥全局重任的人感到放心了。他愈是看到这位老人没有任何个人的东西,仿佛只有易动感情的习惯,仿佛没有对事件进行分门别类和做出结论的才智,只有静观事件发展进程的能力,他就愈是感到放心,相信一切会照应有的方式进行。"他不会有任何自己的东西。他什么也不构想,什么办法也不采取,"安德烈公爵想道,"但是他听取一切,记住一切,使一切各得其所,不妨碍任何有益的事,不允许任何有害的东西。他懂得有一种东西比他的意志更强大更重要——这就是事件的必然进程,他善于看到这些事件,善于理解它们的意义,由于有这种理解,他善于放弃对这些事件的参与,放弃本来另有所图的个人意志。而主要的是,"安德烈公爵想道,"相信他是因为他是一个俄国人,虽然他读让利斯的小说和说法国谚语;是因为他在说'把事情弄到了这个地步!'时他的声音颤抖起来,在说到他要'叫他们吃马肉'时啜泣起来。"正是因为大家都有这种或多或少有些模糊的感觉,他们才在违反近臣们的意愿选择库图佐夫当总司令一事上有一致的意见,并表示普遍的赞同。

十 七

皇上离开莫斯科后,那里的生活恢复了以前的常轨,一切是那么平平常常，使人很难想起刚过去的那些爱国热情高涨的日子，很难相信俄国确实处于危险之中，很难相信英国俱乐部成员同时也是准备做出任何牺牲的祖国的儿子。有一点能使人想起皇上驾临莫斯科期间出现的普遍的爱国主义激情，这就是出人出钱的要求很快得到了落实，开始具有法律的、正式的形式，似乎成为必须照办的了。

随着敌人步步逼近莫斯科，莫斯科对形势的看法不仅没有变得严肃起来，反而更加轻浮了，当人们看见巨大的危险即将到来时，常常会有这样的情形。在面临巨大的危险时，一个人的心里常常会发出两个同样有力的声音：一个声音非常理智地要他很好地考虑危险的性质和避免危险的方法；另一个则更加理智地说，考虑危险会使人非常难受和痛苦，而预见一切和避开事件总的进程求得保全自己是非人力所能及的事，因此还是不去考虑令人难受的事，在它到来之前想想愉快的事为好。人在一人独处时大多听从第一个声音，而当人们在一起时则相反，往往听从第二个声音。现在莫斯科居民也是这样。在莫斯科，人们很久没有像今年那样寻欢作乐了。

拉斯托普钦印发的一张传单的上方画着一个小酒店和酒店掌柜、莫斯科小市民卡尔普什卡·奇吉林，此人当了民兵，在小酒馆里喝了一杯，听说拿破仑想要进攻莫斯科，可气坏了，把所有法国人臭骂了一顿，出了酒馆，在鹰徽下对聚集拢来的民众讲起话来，这些传单与瓦西里·利沃维奇·普希金①最近写的一首限韵诗一样为人们所传阅，并引起了讨论。

---

① 瓦西里·利沃维奇·普希金（一七七〇至一八三〇年），俄国大诗人普希金的叔叔，擅长写限韵诙谐诗。

在俱乐部里，在一个拐角房间里，人们聚在一起读这些传单，有的人喜欢卡尔普什卡这样取笑法国人，他说，法国人**吃大白菜吃胖了，吃饭撑破了肚子，喝菜汤呛死了，他们都是侏儒，一个农妇能用草叉一下子叉起三个把他们扔出去**。有的人不赞成用这种语气，他们说，这既庸俗又愚蠢。人们说，拉斯托普钦把法国人，甚至所有外国人赶出了莫斯科，说他们当中有拿破仑的间谍和侦探；但是他们这样说主要是为了借机转述拉斯托普钦在送走这些人时说的俏皮话。外国人被用驳船送往下诺夫哥罗德，拉斯托普钦对他们说：**"你们自己好好想想，上这条船去，不要让它成为卡戎①的船。"**人们又说，所有政府机关都已迁出了莫斯科，讲到这一点时他们提起申升说的一句笑话，申升曾说，为此莫斯科应该感谢拿破仑。人们还说，马莫诺夫组建一个团花了八十万，别祖霍夫为自己的民兵花费得更多，但是别祖霍夫最精彩的表演是他自己将穿上军装，骑马走在自己的团队前面，对前来观看他的人将不收门票。

"您总是谁也不放过。"朱丽·德鲁别茨卡娅说，她用戴满戒指的纤细手指把撕扯好的裹伤用的绒布收在一起，捏成团儿。

朱丽打算明天离开莫斯科，现在正在举行告别晚会。

"别祖霍夫很可笑，但是他非常善良，非常可爱。这样挖苦是什么快乐呢？"

"罚款！"一个穿着民兵制服的年轻人说，他被朱丽称为"我的骑士"，要和她一起去下诺夫哥罗德。

---

① 卡戎是希腊神话中在冥河上用独木舟把鬼魂送到冥府的摆渡者。

在朱丽的圈子里，如同在莫斯科的许多社交场所一样，只准许说俄语，谁要是犯了错误，说了法语，就要受罚，罚款上缴捐献委员会。

"还要再罚一次，因为用的是法国表达方式。"在客厅里的一个俄国作家说，"'是什么快乐'——这不是俄语的说法。"

"您总是谁也不放过。"朱丽接着对穿民兵制服的人说，没有搭理提意见的作家。"说了'挖苦'，我认罚，"她说，"并缴付罚款，但是为了得到对您说真话的快乐，我准备再付一次罚款；不过我不能对说话用法国表达方式负责任。"她转过身来对作家说，"我不像戈利岑公爵那样，我既没有钱也没有时间请教师和学俄语。瞧，他来了，"朱丽接着说，"每当……不，不，"她又转向那穿民兵制服的人，"您抓不住我的错。每当人们说到太阳时就看见阳光，真是说谁谁就到。"女主人亲切地朝皮埃尔微笑着说。"我们刚才谈到了您，"朱丽像一般上流社会妇女一样轻松自如说着谎，"我们都说，您的民兵团一定要比马莫诺夫的团好。"

"唉，不要对我说我的团，"皮埃尔一面回答，一面吻女主人的手，在她身旁坐下，"它使我厌烦极了！"

"您不是要亲自指挥它吗？"朱丽说，狡黠地与穿民兵制服的人交换了一个讥讽的眼色。

穿民兵制服的人当着皮埃尔的面已不那么挖苦了，他脸上露出了对朱丽的微笑困惑不解的神情。虽然皮埃尔漫不经心和温厚和善，但是他的人格的力量立刻使得任何人不再当面讥刺他。

"不，"皮埃尔看看自己的肥大的身体笑着回答道，"法国人很容易打中我，而且我也担心爬不到马背上去……"

被朱丽圈子里的人选作议论对象的还有罗斯托夫一家人。

"听说,他们的景况很不好,"朱丽说,"伯爵本人又那么糊里糊涂。拉祖莫夫斯基家想买下他的住宅和莫斯科郊区的花园,但这事一直拖着。他要价太高。"

"不,似乎近日内就要成交,"有人说,"虽然现在这种时候在莫斯科置办产业简直是发疯。"

"为什么?"朱丽问,"难道您认为莫斯科有危险吗?"

"那么您为什么要走呢?"

"我?这就问得奇怪了。我要走是因为……是因为大家都要走,再说我又不是贞德①,也不是阿玛宗人②。"

"是的,说得对,说得对,再给我一些碎绒布。"

"要是他善于经营管理的话,他就能偿还所有债务。"穿民兵制服的人继续说罗斯托夫家的事。

"是一个和善的老头,不过是一个好好先生。他们干吗在这里住这么长时间?他们早就想回乡下去了。娜塔利现在好像身体好了吧?"朱丽狡黠地微笑着问皮埃尔。

"他们在等小儿子,"皮埃尔说,"他参加了奥博连斯基的哥萨克部队,去了白采尔科维。那里正在组建一个团。而现在他们把他调到了我的团,每天都在等着他。伯爵早就想走了,但是伯爵夫人怎么也不同意在小儿子回来前离开莫斯科。"

"前天我曾在阿尔哈罗夫家见过他们。娜塔利又变得漂亮和快

---

① 贞德(约一四一二至一四三一年),法国女英雄,在百年战争时期曾领导反英斗争。

② 阿玛宗人是希腊神话中居住在亚速海沿岸的尚武好战的女部落。

活了。她唱了一首抒情歌曲。有的人一切都很容易忘掉！"

"忘掉什么？"皮埃尔不满地问。朱丽笑了笑。

"您知道，伯爵，像您这样的骑士只有在苏扎夫人的小说里才能见到。"

"什么骑士？为什么？"皮埃尔红着脸问。

"好了，别装啦，亲爱的伯爵，这事全莫斯科都知道。说实话，您真使我感到奇怪。"

"罚款！罚款！"穿民兵制服的人说。

"好吧。弄得话都没法说了，真没有意思！"

"全莫斯利知道什么？"皮埃尔站起身来生气地说。

"别装了，伯爵。您全知道！"

"我什么也不知道。"皮埃尔说。

"我知道您曾跟娜塔利很要好，因此……不，我一向跟薇拉更合得来。这个可爱的薇拉！"

"不，夫人，"皮埃尔用不满的声调接着说，"我根本没有担任罗斯托娃的骑士的角色，而且我几乎有一个月没有去他们家了。但是我不明白这样的冷酷……"

"在受到指责前为自己辩护等于承认错误。"朱丽挥动着裹伤用的绒布笑着说，为了不让对方再说，立即改变了话题，"怎么样，我今天得知可怜的玛丽亚·鲍尔康斯卡娅公爵小姐昨天到了莫斯科。你们听说她失去了父亲吗？"

"真的？她在哪里？我很想见到她。"皮埃尔说。

"我昨天晚上和她在一起。她今天或明天将带着侄儿到莫斯科郊区去。"

"她怎么样?"皮埃尔问。

"没有什么,很悲伤。你们知道是谁救了她吗?这简直是一个富有浪漫色彩的故事。是尼古拉·罗斯托夫。她被围住了,想要杀死她,她的仆人被打伤了。他冲了过去,救了她……"

"又是一个故事,"穿民兵制服的人说,"这兵荒马乱,就是为了让所有的老姑娘都能出嫁。卡蒂什是一个,鲍尔康斯卡娅公爵小姐又是一个。"

"您知道,我真的认为她有点爱上了那个年轻人。"

"罚款!罚款!罚款!"

"可是这句话用俄语怎么说呢?……"

十 八

皮埃尔回家后,仆人递给他今天送来的拉斯托普钦的几份传单。

第一份传单说,关于拉斯托普钦伯爵禁止离开莫斯科的消息并不确实,相反,拉斯托普钦希望太太小姐们和商人的妻子们离开莫斯科。"少一点恐惧,少传播一点新闻,"传单里说,"我以生命担保,那个恶棍到不了莫斯科。"这些话第一次向皮埃尔清楚地表明,法国人会到莫斯科来。第二份传单说,我军的总部在维亚济马,维特根施泰因伯爵①战胜了法国人,由于许多居民愿意武装起来,因此军械库里为他们准备了武器——马刀、手枪、大炮,

---

① 维特根施泰因(一七六八至一八四二年),俄军将军,一八一二年曾指挥独立第一军,打过几次胜仗。

居民可以廉价购得这些武器。传单的语气已不像以前传单上的奇吉林说话那么诙谐了。皮埃尔读着这些传单,沉思起来。显然,正在孕育着一场他的整个心灵都在呼唤着的,同时又使他不由自主地感到恐惧的暴风雨,这场暴风雨的乌云正在逐渐临近。

"去服军役,到部队去,还是等待?"皮埃尔上百次地向自己提出这个问题。他从桌子上拿起一副牌,开始摆起牌阵来。

"如果这次摆成了,"他洗好牌,拿在手里,眼睛向上看,自言自语地说,"如果摆成了,那么这意味着……意味着什么?"他还没有来得及想出意味着什么,从书房门外传来了大公爵小姐的声音,她在问是否可以进来。

"那么就意味着我应当到部队去。"皮埃尔对自己说完了这句话。"请进来,请进来。"他朝公爵小姐说。

(那个腰身很长、表情呆板的大公爵小姐一个人继续住在皮埃尔家里;她的两个妹妹都出嫁了。)

"请原谅,表弟,我来打搅您了,"她用责备的语气激动地说,"最后总得拿个主意吧!这算是怎么回事?大家都离开了莫斯科,老百姓在闹事。我们怎么还留在这里不走?"

"正好相反,一切似乎都平安无事,表姐。"皮埃尔用习以为常的开玩笑的口气说,由于他在公爵小姐面前充当恩人总觉得有些难为情,便用这种口气和她说话。

"是的,是平安无事……平安无事极了!今天瓦尔瓦拉·伊万诺夫娜说,我们的军队可现了眼了。这的确可以认为给他们增添了光彩。老百姓都闹起来了,不再听话了;我的女仆也变野了。这样下去我们很快就要挨揍了。现在都不能上街了。主要的是,眼看法国人就要进来,我们还等什么?我有一个请求,表弟,"公爵小姐说,"请您把我送到彼得堡去:不管我这个人怎么样,我可无法在波拿巴统治下生活。"

"得了,表姐,您是从哪里得来这些消息的?正好相反……"

"我决不做您的拿破仑的顺民。别的人愿意做就让他们做去……如果您不愿意送我走……"

"我一定照办,现在就下命令。"

看来公爵小姐感到很懊恼,因为她找不到人发火。她低声嘀咕着什么,在椅子上坐下了。

"不过您听到的消息不确实,"皮埃尔说,"城里很平静,没有任何危险。您看,我刚读过……"皮埃尔给公爵小姐看那些传单,"拉斯托普钦伯爵写道,他用生命担保,敌人进不了莫斯科。"

"唉,您的这位伯爵,"公爵小姐愤怒地说,"这是一个伪君子,恶棍,是他本人鼓动老百姓闹事的。难道不是他写了这些荒谬的传单,那上面说,不管是谁,都要抓住头发送拘留所(多么愚蠢)!又说,谁要是能抓住,荣誉就归于谁。瞧,他讨好到了这个地步。瓦尔瓦拉·伊万诺夫娜说,老百姓差一点把她打死,因为她说了法语……"

"是这么一回事……您把这一切看得太认真了。"皮埃尔说,开始摆牌阵。

虽然牌阵摆成了,但是皮埃尔没有到军队去,而留在人都走空了的莫斯科,仍然不安地、犹豫不决地、惊恐而又高兴地等待着某种可怕的事情的发生。

第二天傍晚,公爵小姐坐车走了,总管来见皮埃尔,对他说,如果不卖掉一处庄园的话,装备团队的钱就无处筹集。总管明明白白地告诉皮埃尔，这装备一个团的事必将使他破产。皮埃尔在听总管的话时，使劲地掩盖着笑容。

"好吧，您就卖吧，"他说，"有什么办法呢，我现在又不能反悔呀！"

任何事情，尤其是他自己的事情变得愈糟，皮埃尔也就愈高兴，愈清楚地看到他所期待的灾难正在临近。皮埃尔的熟人当中几乎没有人留在城里了。朱丽走了，玛丽亚公爵小姐也走了。在亲近的人当中只有罗斯托夫一家人留了下来；但是皮埃尔不上他们那里去。

这一天，皮埃尔为了散散心，到沃龙佐沃村去看大气球，这是列皮赫为消灭敌人制造的，一个试验的气球预定在明天升空。①这气球还没有制造好；但是皮埃尔得知，它是根据皇上的意愿制造的。皇上就这气球的事曾给拉斯托普钦伯爵这样写道：

一旦列皮赫准备就绪，您就组织一批可靠和聪明的人作为气球吊篮的乘员，并派信使告知库图佐夫将军。我已将此事告诉他。

请关照列皮赫，叫他特别注意第一次降落的地点，不要误落在敌人手里。他必须使自己的行动与总司令的行动相配合。

皮埃尔从沃龙佐沃回来经过沼泽广场时，看见一群人聚集在宣谕台附近，便停住车，从车上下来。这是在鞭打一个被控进行

---

① 拿破仑入侵俄国后，荷兰人斯米德（弗兰茨·列皮赫）来找莫斯科总司令，建议制造一个装有炮弹的大气球，作为消灭敌人的武器。此建议得到了亚历山大一世的支持。于是便在离莫斯科六俄里的沃龙佐沃试制，但未获成功。

间谍活动的法国厨子。鞭刑刚结束,行刑者把一个穿着蓝袜子和蓝色无袖短上衣、留着红色连鬓胡子、正在可怜地呻吟着的胖子从行刑凳上解下来。另一个瘦瘦的、脸色苍白的罪犯站在旁边。从脸型来看,两人都是法国人。皮埃尔面带与那个瘦瘦的法国人一样的惊恐和痛苦的神情,挤进人群里。

"这是干什么?是谁?因为什么?"他问。但是围观的人——官吏、小市民、商人、农民、穿着斗篷式外衣和短皮大衣的妇女——都把注意力集中在宣谕台上发生的事情上,谁也没有搭理他。胖子站了起来,皱起眉头,耸了耸肩,显然想要显示他很坚强,没有向周围看,开始穿无袖短上衣;但是他的嘴唇突然颤动起来,像一个爱激动的成年人那样哭了,一面哭,一面生自己的气。人群里大声说起话来,皮埃尔觉得这是为了把自己怜悯的感情压下去。

"这是某公爵的厨师……"

"怎么样,先生,看来俄国调味汁法国人觉得很酸……都倒了牙了。"当那法国人哭起来时,站在皮埃尔身旁的一个满脸皱纹的小官吏说道。他看了看自己周围,显然是在等待人们对他的俏皮话做出反应。有些人笑了,有些人惊恐地看着正在给另一个人脱衣服的行刑者。

皮埃尔呼哧呼哧地喘起粗气来,皱起眉头,很快转过身,回马车停的地方,在走路和坐上马车时,不停地低声嘟囔着。一路上他哆嗦了几次,大声喊叫起来,车夫听见后不禁问道:

"您有什么吩咐?"

"你往哪里走?"皮埃尔见车夫把车往鲁比扬卡赶,便朝他喊道。

"您吩咐把您送到总司令家。"车夫回答说。

"笨蛋！畜生！"皮埃尔喊了起来，他很少这样骂车夫，"我说过回家去；快点走，蠢货。今天就应该离开。"皮埃尔低声说。

皮埃尔在看到受罚的法国人和宣谕台周围的人群后，终于最后决定，不再在莫斯科待下去了，今天就到军队去，他仿佛觉得，这件事他已经对车夫说了，或者车夫自己应当知道这一点。

回到家后，皮埃尔告诉他的那个无所不知、无所不能、全莫斯科闻名的车夫叶夫斯塔菲耶维奇，说他今天夜里就要到莫扎依斯克的部队去，吩咐他把他的坐骑送到那里去。这些事不可能在当天就做好，因此根据叶夫斯塔菲耶维奇的想法，皮埃尔应当推迟到第二天出发，这样才有时间把替换的马送走。

二十四日，恶劣天气过去了，天放晴了，这一天午后，皮埃尔离开了莫斯科。夜里，在佩尔胡什科沃换马时，皮埃尔得知这天晚上打了一场大仗。人们说，在这里，在佩尔胡什科沃，隆隆炮声震得大地都颤动了。皮埃尔问谁打胜了，没有人能够回答。（这是二十四日的舍瓦尔金诺之战。）黎明时，皮埃尔到了莫扎依斯克。

莫扎依斯克的所有房子都住了军队，他的驯马师和车夫在一家客栈里迎接他，这里的正房没有空位置了：全住满了军官。

在莫扎依斯克城里和城外，到处都驻扎着军队和有军队经过。四面八方都可看到哥萨克、步兵、骑兵、辎重车、弹药箱和大炮。皮埃尔急于向前走，他离开莫斯科愈远，愈深入到这部队的海洋里，他就愈有一种焦急不安和从未体验过的新的喜悦的感觉。这种感觉与他在皇上驾临时在斯洛博达宫体验到的感觉相类似——觉得必须做点什么和贡献点什么。他现在高兴地意识到，构成人的幸福的一切，舒适的生活条件，财富，甚至生命本身，都是小事，与某种东西相比微不足道，可以愉快地抛掉……与什么相比呢？皮埃尔弄不明白，而且也不设法去弄清楚为了谁和为了什么牺牲一切是一件特别美好的事。他对他想为之做出牺牲的东西并不感兴趣，但是牺牲这行为本身使他感受到一种新的喜悦。

十 九

二十四日在舍瓦尔金诺多面堡发生了战斗，二十五日双方都没有发射一发炮弹，二十六日发生了波罗金诺会战。

在舍瓦尔金诺和波罗金诺，一方是为了什么和怎样发起进攻的，另一方为了什么要应战和怎样应战？为了什么要进行波罗金诺会战？这问题无论是对法国人还是对俄国人来说，都没有一点意义。对俄国人来说，它的直接后果就是而且不能不是我们更接近于莫斯科的毁灭（这是我们最担心的事），而对法国人来说，则是他们更接近于全军覆没（这也是他们最担心的事）。这个结果当时是显而易见的，可是拿破仑发动了这次战役，而库图佐夫应了战。

如果两位统帅都比较明智的话，那么拿破仑似乎应当清楚地看到，他深入俄国两千俄里，在可能损失四分之一军队的情况下发动这次战役，必定会走向灭亡；库图佐夫似乎也应当同样清楚地看到，冒损失四分之一军队的风险来应战，一定会丢掉莫斯科。对库图佐夫来说，这像一道数学题那么清楚，通常在下跳棋时，如果我少一个子儿，再要跟对手拼，我一定会输，因此我就不应该拼。

如果对方有十六个子儿，而我只有十四个，那么我的实力只比他弱八分之一；而当我拼掉十三个子儿时，他就要比我强两倍。

在波罗金诺会战前，我军与法军兵力的对比为五比六，而在会战后则为一比二，即在会战前为十万比十二万，而在会战后则为五万比十万。可是聪明而有经验的库图佐夫应了战。而被人们称为天才统帅的拿破仑发动了战役，损失了四分之一军队，把自己的战线拉得更长了。有人说，他占领莫斯科，是想要像当年占领维也纳那样结束战争，然而有许多证据证明事情并不如此。拿破仑的那些历史学家们就说，拿破仑早在占领斯摩棱斯克后就想停止前进，明白战线拉得太长的危险，也知道占领莫斯科并不是战争的结束，因为在斯摩棱斯克他就已经看到，留给他的俄国城市是什么样子，他不止一次地提出愿意进行和谈，但是没有得到任何答复。

库图佐夫和拿破仑在进行波罗金诺会战时，都是不由自主地和无意识地这样做的。而历史学家们事后却给已发生的事实提供巧妙地编选出来的论据，证明两位统帅的预见和英明，其实在各种历史事件的工具中，他们是最驯服的和最不由自主的。

古人给我们留下了英雄史诗的典范之作，其中英雄构成了历史的全部价值，我们还不能习惯于这样认为，对人类当今的时代来说，这样的历史是没有意义的。

关于另一个问题，即波罗金诺会战以及在它之前的舍瓦尔金诺之战是如何发动的，也有十分明确的和人们所共知的，不过是完全错误的看法。所有历史学家是这样描述的：

俄国军队似乎从斯摩棱斯克撤退时就在寻找进行决战的

最好阵地,这样的阵地似乎在波罗金诺附近找到了。

俄国人似乎事先在从莫斯科到斯摩棱斯克的大道的左侧,在与大道成直角的地方,从波罗金诺到乌季察一带构筑了工事,会战就在这里进行。

在这阵地的前面,为了观察敌人的行动,似乎在舍瓦尔金诺土岗上建了一个构筑了防御工事的前哨。二十四日,似乎拿破仑攻打了这个前哨并占领了它;二十六日则对波罗金诺阵地上的全部俄军发起了进攻。

史书上都这样说,不过这一切是完全不确实的,任何人只要愿意深入了解一下事情的真相,就可很容易地相信这一点。

俄国人没有寻找最好的阵地;而是相反,他们在撤退途中经过许多比波罗金诺好的阵地。他们没有在这些阵地中的任何一个阵地停留,这既是因为库图佐夫不愿接受不是他选择的阵地,也是因为民众进行会战的要求还没有十分强烈地表现出来,还因为米洛拉多维奇率领的民兵还没有到达,此外尚有无数别的原因。事实是:以前经过的阵地都比较好,而波罗金诺阵地(会战就在这里进行)不仅不好,而且与俄罗斯帝国的任何别的地点相比,与在地图上的这些随便别着大头针的地点相比,根本算不上什么阵地。

俄国人不仅没有加强左侧与大道成直角的波罗金诺的阵地(即进行会战的地点)的防御设施,而且在一八一二年八月二十五日以前根本没有想到会战会在这里进行。这一点可由以下事实来证明:第一,在这个地方不仅二十五日前没有工事,而且在二十五日开始修筑的工事到二十六日还没有完成。第二,舍瓦尔金诺多面堡位置可以证明,这个多面堡位于应战的阵地的前面,没有任何意义。为什么这个多面堡要修筑得比其他所有据点都坚固呢?为什么要在二十四日坚守到深夜,消耗所有的精力和损失六千人呢?为了观察敌人的行动,只要一个哥萨克小分队就够了。第三,可以证明进行会战的阵地不是预先料到的和舍瓦尔金诺多面堡不是这个阵地的前沿,还有这样的事实,即巴克莱·德·托利和巴格拉季翁在二十五日前还相信舍瓦尔金诺多面堡是阵地**左翼**,库图佐夫本人在会战后趁热写出的报告中也称舍瓦尔金诺多面堡为阵地的**左翼**。在过了很长时间后,在自由自在地写关于波罗金诺会战的报告时,虚构出了(大概是为了替一贯正确的总司令的错误辩护)不符合实际的和奇怪的说法,似乎舍瓦尔金诺多面堡是**前哨**(可是这只不过是左翼的一个筑有防御工事的据点),似乎在波罗金诺会战中我们是在一个筑有防御工事的和事先选定的阵地上应战,而实际上战斗是在一个完全出乎意料的和几乎没有防御工事的地方进行的。

事情显然是这样的:阵地选在那条穿过大道时不是与它成直角、而是成锐角的科洛恰河的河畔,因此左翼在舍瓦尔金诺,右翼在新村附近,中央在科洛恰河与沃依纳河汇合处的波罗金诺。任何人只要看一看波罗金诺战场,而不去想会战实际上是如何进行的,都会明显地看出,这个以科洛恰河为屏障的阵地,对目的是要阻止敌人沿斯摩棱斯克大道向莫斯科前进的军队来说是很合适的。

拿破仑于二十四日到瓦卢耶沃,没有看见(史书上这样说)从乌季察到波罗金诺的俄军阵地(他不可能看见,因为这阵地并不存在),也没有看见俄军的前哨,而在追击俄军后卫部队时碰上了俄军的左翼,到了舍瓦尔金诺多面堡,出于俄国人意料地率领军队渡过了科洛恰河。俄军没有来得及进行决战，左翼就撤离他们试图据守的阵地，占据了没有预料到的和没有防御工事的新阵地。拿破仑到了科洛恰河左岸和大道左侧后，把将要发生会战的地点从右边往左边移（从俄军方面来看），把它移到乌季察、谢苗诺夫斯科耶和波罗金诺之间的原野上（这个原野作为阵地，并不比俄国的任何其他原野更为有利），就在这个原野上发生了二十六日的会战。设想中的会战和实际发生的会战大致可图示如下：

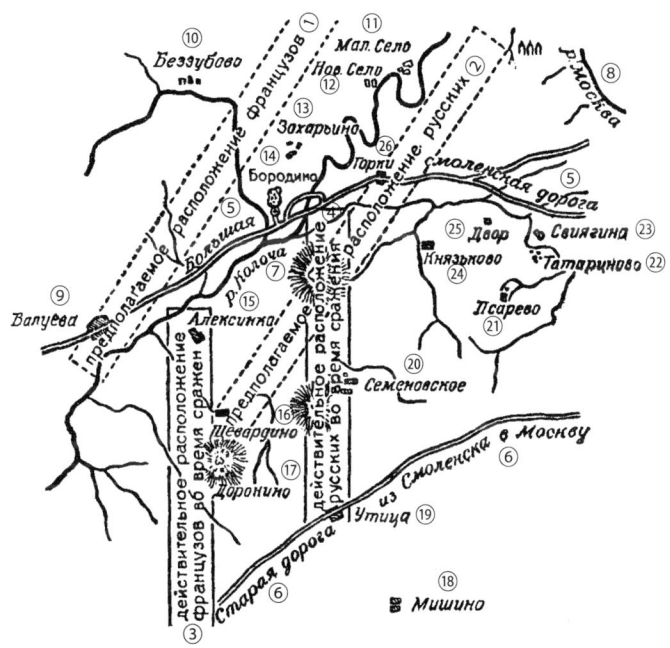

1. 设想中的法军阵地 2. 设想中的俄军阵地 3. 会战时法军实际阵地 4. 会战时俄军实际阵地 5. 斯摩棱斯克大道 6. 旧斯摩棱斯克大道 7. 科洛恰河 8. 莫斯科河 9. 瓦卢耶沃 10. 别祖博沃 11. 小村 12. 新村 13. 扎哈里诺 14. 波罗金诺 15. 阿列克辛科 16. 舍瓦尔金诺 17. 多罗尼诺 18. 米希诺 19. 乌季察 20. 谢苗诺夫斯科耶 21. 普萨列沃 22. 塔塔里诺瓦 23. 斯维亚吉纳 24. 克尼亚兹科沃 25. 德沃尔 26. 戈尔基

假如拿破仑二十四日晚上不到科洛恰河边去,不当晚立即下令攻打多面堡,而是在第二天早晨发起进攻,那么谁也不会怀疑舍瓦尔金诺多面堡是我军阵地的左翼;会战将会像我们预料的那样进行。在这种情况下,我军大概会更加坚决地守卫作为我军左翼的舍瓦尔金诺多面堡;会在中央或右翼向拿破仑发起进攻,二十四日就会在预料到的和设有防御工事的阵地上进行决战。但是由于攻打我军左翼的战斗发生在晚上我后卫部队的撤退之后,也就是说紧接着格里德涅瓦战役,同时由于俄国军事长官不愿意或来不及在二十四晚就进行决战,因此波罗金诺会战中的第一仗和主要的一仗早在二十四日就打输了,显然这导致二十六日的那一仗的失败。

二十五日晨舍瓦尔金诺多面堡失守后,我们在左翼就没有了作战阵地,不得不将左翼后撤,急忙随便找个地方构筑工事。

八月二十六日俄国军队不仅只有未完工的薄弱的防御工事,而且由于以下原因形势更为不利:俄国军事长官不承认既成的事实(左翼阵地的丢失以及整个战场从右向左的移动),仍停留在从新村到乌季察的拉得很长的阵地上,因此在开战时不得不把部队从右向左调动。这样一来,在整个会战期间,俄国人用来抵抗向我军左翼发起进攻的全部法军的兵力只有它的一半。(波尼亚托夫斯基①的攻打乌季察和乌瓦罗夫在法军右翼的战斗,是与会战进程无关的独立行动。)

总之,波罗金诺会战完全不是像人们所描述的那样进行的

---

① 波尼亚托夫斯基(一七六三至一八一三年),波兰将军,拿破仑的盟友。

（他们竭力掩盖我们的军事长官的错误，结果贬低了俄国军队和人民的光荣业绩）。波罗金诺会战俄军不是以稍弱于敌人的兵力在选定的筑有防御工事的阵地上进行的，而是在舍瓦尔金诺多面堡失守后以相当于敌人一半的兵力在一个几乎没有防御工事的开阔地带被迫进行的，也就是说，是在这样的条件下进行的，当时不仅作战十个小时，使战斗不分胜负是不可能的，而且坚持三个小时，不使军队完全崩溃和逃跑也是难以想象的。

二十

二十五日早晨，皮埃尔离开了莫扎依斯克。一个陡峭而歪斜的大山坡从城里延伸出来，皮埃尔从那里下来，路过右边的一座教堂，看见那里正在做礼拜和打钟，便下了车，徒步往前走。在他后面一个骑兵团以歌手为前导，也从山坡上下来。迎面而来的则是一列载着昨天战斗中受伤的伤员的大车。赶车的农民吆喝着马，用鞭子抽着，从一边到另一边来回奔跑。每辆大车上躺着和坐着三四个伤兵，这些大车在铺着石子的陡峭的上坡路上颠簸着。伤兵们裹着布片，脸色苍白，紧闭着嘴唇和皱着眉头，抓住栏杆，在车上颠动着和推撞着。几乎所有的人都带着天真的好奇看着皮埃尔的白帽子和绿燕尾服。

皮埃尔的车夫生气地朝运载伤兵的车队喊叫着，要他们靠边走。骑兵团唱着歌从山坡上下来，碰到皮埃尔的马车上，把路堵塞了。皮埃尔被挤到山坡上开出的道路的路边，停住了。太阳被斜坡挡住，阳光照射不到道路的底部，这里又冷又潮湿；皮埃尔头顶上是八月明亮的朝阳，耳边回荡着教堂的快乐的钟声。一辆运伤兵的马车在路边皮埃尔的近旁停住了。穿树皮鞋的车夫上气不接下气地跑到自己的大车跟前，在不带轮箍的后轮下垫了一块石头，开始整理停下来的马身上的后鞦。

一个裹着一只手跟在大车后面走的老伤兵，用没有受伤的手抓住车子，回头看了皮埃尔一眼。

"怎么，老乡，要把我们撂在这里不成？还是要送到莫斯科去？"他说。

皮埃尔正在凝思着什么，没有听清问题。他时而看看现在与伤兵车队相遇的骑兵团，时而又看看他身旁的那辆坐着两个和躺着一个伤兵的大车，他觉得在这里，在这些人身上包含着他所关心的问题的答案。坐在大车上的一个士兵看来面颊受了伤。他的整个脑袋都用布片包扎着，一边的面颊肿得像孩子的脑袋那么大。他的嘴和鼻子歪到了一边。这个士兵望着教堂，画着十字。另一个是像孩子一样的新兵，浅色的头发，清秀的脸苍白得没有一点血色，带着和善呆滞的微笑瞧着皮埃尔。第三个趴在那里，因此看不见他的脸。骑兵团的歌手们紧挨着大车走过去。

"唉，你上哪儿去了……刺儿头……"

"大概流落在异乡……"他们唱着士兵的舞蹈歌曲。仿佛与他们相呼应似的，空中响着充满着另一种欢乐的清脆的钟声。灼热的阳光照射在对面斜坡的顶上，也显现出这另一种欢乐。但是在斜坡下面，在伤兵的大车附近，在皮埃尔身旁喘着气的小马那里，却又潮湿，又阴暗，又使人感到悲愁。

面颊肿得很高的士兵生气地望着骑兵团的歌手们。

"唉,花花公子!"他责备说。

"眼下不仅可以看见士兵,也可以看见许多农民!也在把农民赶到这里来。"站在大车后面的一个士兵脸上带着苦笑对皮埃尔说,"眼下就不分是谁了……要让全体老百姓一起扑上去,一句话——让莫斯科①全都上。想要拼个你死我活。"尽管士兵的话说得含糊不清,皮埃尔还是听明白了他想要说的一切,并且点点头表示赞同。

路通了,于是皮埃尔下了山坡,坐车继续前进。

皮埃尔坐在车上,眼睛不时瞧着道路两边,寻找着熟悉的面孔,但是到处看到的是各个不同兵种的陌生的军人的脸,他们都同样地带着惊奇的表情看着他的白帽子和绿燕尾服。

走了大约四俄里光景,他遇见了第一个熟人,便高兴地和他打招呼。这个熟人是军队里的一个医官。他乘坐的四轮轻便马车朝皮埃尔迎面过来,他和一个年轻医生并排坐着,认出皮埃尔后,叫坐在赶车人座位上赶车的哥萨克停车。

"伯爵!伯爵大人,您怎么在这里?"医官问。

"我想来看一看……"

"对,对,会有东西可看的……"

皮埃尔下了车,站住后便与医官攀谈起来,对他讲自己想要参加战役的意图。

医官建议别祖霍夫直接去找殿下。

---

① 见第一卷第三部第十四章注。

"打仗时您怎么到天知道的什么地方来,到无人知道的地方来,"他说,与他的年轻同事交换了一下眼色,"不过殿下还是知道您的,他会亲切地接待您。老兄,就这么办吧。"医官说。

医官看起来很疲劳,并急于赶路。

"您这么认为……而我想要问您,阵地在哪里?"皮埃尔说。

"阵地?"医官反问道,"这可与我无关。您过了塔塔里诺瓦,就可看到那里许多人在挖什么。您就上那里的土岗:从那里就能看得见了。"医官说。

"从那里能看得见吗?……如果您……"

但是医官打断他的话,朝自己的轻便马车走去。

"我本来可以送您去,不过,说真的,我现在这样(他指了指喉咙,表示忙得很),要赶到军长那里去。我们到底怎么样?……您知道,伯爵,明天就要打仗了:十万人的军队少说也得有两万伤员;而我们既没有担架和病床,也没有够六千人用的医士和医生。有一万辆大车,但是还需要别的什么;那就只好看着办了。"

皮埃尔产生一个奇怪的想法:这好几万高兴而又惊奇地看着他的帽子的年轻和年老的健康的活人,其中大概会有两万人注定要受伤和死亡(也许就是他看见的这些人),这个想法使他感到很吃惊。

"他们明天就有可能死去,那么他们干吗还想着死亡以外的其他事情呢?"突然通过各种想法之间的神秘的联系,他生动地回想起莫扎依斯克的下坡、运伤兵的大车、教堂的钟声、斜射的阳光以及骑兵的歌声。

"骑兵前去参加战斗,遇见了伤兵,一点也不去想等待他们自己的是什么,从伤兵身旁经过时,还朝他们眨眨眼睛。而所有这些人当中，有两万人注定要战死，可是他们惊奇地看着我的帽子！真奇怪！"皮埃尔心里这样想着，继续朝塔塔里诺瓦前进。

在大路左边的一座地主宅院的附近停着几辆马车和带篷大车，站着一些勤务兵和哨兵。殿下的行营就在这里。但是在皮埃尔到达时，他不在这里，而且几乎所有司令部的人员也都不在。大家都去做礼拜了。皮埃尔便朝戈尔基前进。

皮埃尔上了山岗，接着到了一个不大的村子，第一次看见了身穿白衬衣和帽子上缀着十字架的农民民兵，他们大声说笑着，一个个精神饱满，满头是汗，正在大路右边的一个长满青草的大土岗上干活。

他们当中的一些人用铁锹挖土，另一些人用手推车沿着垫上的木板运土，还有一些人站着，什么也不干。

两个军官站在土岗上指挥他们干活。皮埃尔看见这些当了军人后显然很开心的农民，又想起了莫扎伊斯克的伤兵，他开始明白，那个说**要让全体老百姓一起扑上去**的士兵想要表达什么意思。这些在战场上干活的大胡子农民脚上穿着古怪笨重的靴子，脖子上都是汗，一些人解开了衬衣斜领的扣子，露出晒得黑黑的锁骨，他们的模样给皮埃尔留下的印象，要比在这之前他所看到和听到的所有激动人心的重要事情所留下的更为强烈。

二十一

皮埃尔出了马车，经过干活的民兵身旁，上了医官所说的能看见整个战场的土岗。

这时大约上午十一点。太阳高挂在稍靠皮埃尔左后方的天空,透过纯净稀薄的空气,把展现在他面前的呈半圆形逐步隆起的整个原野照得通亮。

斯摩棱斯克大道从这半圆形的左上方蜿蜒而过,它途经一个建有白色教堂的村子,村子位于土岗下面前方五百步的地方(这是波罗金诺)。大道在村子附近过了一座桥,经过几个下坡和上坡,不断向上伸展,直通大约六俄里外隐约可见的瓦卢耶沃村(现在拿破仑就在那里)。过了瓦卢耶沃,大道隐没在地平线上的一座已经发黄的树林里。在这座桦树和枞树的树林里,在大道的右边,远远可以望见科洛恰修道院顶上的十字架和钟楼在阳光下闪闪发亮。在远处一片蓝色的原野上,在树林和道路的右边和左边,在各个地方都可看见冒烟的篝火以及敌我两军的模糊不清的人群。在右边,在科洛恰河和莫斯科河流经的地方,是多峡谷的山地。在峡谷之间,可以看见远处的别祖博沃村和扎哈里诺村。左边地势比较平坦,都是庄稼地,可以看见被烧的、还在冒烟的谢苗诺夫斯科耶村。

皮埃尔在右边和左边看到的一切都很含混不清,因此无论是战场的左边还是右边都不完全符合他的想象。到处都不像是他想要看到的战场,而是田野、林间空地、军队、树林、篝火的烟、村庄、土岗、小河;不管皮埃尔如何仔细观看,他在这个热闹的地区找不到阵地,甚至分不清我军和敌军。

"应当问一问了解情况的人。"他想,便去问一个正在好奇地打量着他的非军人装束的硕大身躯的军官。

"请问,"他对那个军官说,"前面是什么村子?"

"布尔金诺,是吧?"那军官问自己的同伴。

"波罗金诺。"另一个军官纠正说。

那个军官得到说话的机会,看来很高兴,他朝皮埃尔走过来。

"那里是我们的人吗?"皮埃尔问。

"是的,瞧,再远些,就是法国人,"军官说,"瞧,这就是他们,看得见。"

"在哪里?在哪里?"皮埃尔问。

"肉眼就可看见。瞧,瞧!"军官用手指了指河对岸左边的烟雾,脸上露出了认真严肃的表情,皮埃尔曾在他碰到的许多人脸上见过这种表情。

"啊,这是法国人!那边呢?……"皮埃尔指了指左边的土岗,土岗附近可以看见有军队在活动。

"这是我们的人。"

"啊,是我们的人!那边呢?……"皮埃尔又指了指远处村子附近长着一棵大树的另一土岗,这村子在一个峡谷里,在它近旁也可以看到冒烟的篝火和黑乎乎的东西。

"这又是**他**。"军官说(这是舍瓦尔金诺多面堡),"昨天在我们手里,今天变成**他的**了。"

"那么我们的阵地呢?"

"阵地?"军官带着愉快的微笑反问道,"我能够清楚地告诉您,因为几乎我们的所有工事都是我建造的。您瞧,我们的中央在波罗金诺,就在这里。"他指了指前面有一个白色教堂的村子,"这里是科洛恰河的渡口。而在这里,您看见了吗,那里低处还堆放着一排排割下的干草，这里有一座桥。这是我们的中央。我们的右翼在这里（他指了指右方远处的峡谷），那里是莫斯科河，我们在那里建了三个非常坚固的多面堡。左翼嘛……"说到这里军官停住了，"您要知道，这很难给您说清楚……昨天我们的左翼在那里，在舍瓦尔金诺，看见了吗，有一棵橡树的地方；而现在我们把左翼往后撤，撤到了那里——看见一个村庄和烟雾吗？——这是谢苗诺夫斯科耶，就在这里。"他又指了指拉耶夫斯基的土岗，"不过仗未必会在这里打。他把军队调到这里来，这是个骗局；他大概会从右边迂回莫斯科。不管仗在哪里打，明天一定会有很多人回不来！"军官说。

在军官说话时，一个老士官走到他跟前，默默地等他把话说完；但是听到他说到这个地方，显然对他的话不满意，便打断了他。

"该去运土筐了。"士官严肃地说。

军官仿佛发窘了，他仿佛明白了，只可以在心里想明天会有很多人回不来，但是不能说出来。

"对了，你就再派三连去。"军官急忙说。

"您是什么人，是军医吧？"

"不，我随便看看。"皮埃尔回答道。他又经过民兵身旁朝下走去。

"唉，该死的东西！"跟着他过来的军官说，一面捂住鼻子，从干活的人身边跑过去。

"瞧他们！……抬来了……瞧他们……马上就要上来了……"突然传来了七嘴八舌的说话声，只见军官们、士兵们和民兵们沿着道路往前跑。

一个宗教队伍从山下的波罗金诺登上山来。在尘土飞扬的路上，在所有人面前整整齐齐地走着摘下高筒帽、倒背着枪的步兵。在步兵的后面响起了宗教歌曲声。

士兵们和民兵们赶到皮埃尔前面，朝上来的人迎面跑去。

"抬来了圣母像！抬来了保护神！……伊韦尔圣母！……"一个人说。

"是斯摩棱斯克圣母。"另一个人纠正道。

民兵们——那些在村子里的，还有那些在炮垒上干活的——扔下铁锹，朝那一队人跑过去。在尘土飞扬的道路上走在一个营后面的是穿着法衣的神父、一个戴着高筒僧帽的小老头以及教士和唱诗班的歌手们。在他们后面，士兵们和军官们抬着一尊覆盖着金属缀片的黑脸圣母像。这是从斯摩棱斯克撤出的圣母像，从那时起一直由军队带着。成群的摘下军帽的军人在圣像后面，在它周围，前面，在四面八方走着，跑着，跪在地上叩头。

圣像抬到山上后，便停住了；用毛巾托住圣像的人换了班；教会执事重新点燃了手提香炉，祈祷开始了。灼热的阳光从上直射下来；微弱的清风拂动着不戴帽子的头上的头发和装饰着圣像的飘带；歌声在露天下响起来。一大群不戴帽子的军官、士兵和民兵围住了圣像。在神父和教会执事的后面，在一个空出的地方站着官员们。一个脖子上挂着格奥尔吉勋章的秃顶将军笔挺地站在神父背后，没有画十字（显然是德国人），耐心地等待着祈祷结束，他认为需要听完祈祷，大概是为了在心中激发俄国人民的爱国主义感情。另一个将军用威武的姿势站着，一只手不时在胸前晃动，同时朝自己周围张望着。站在一群农民中间的皮埃尔在这些官员之中认出了几个熟人；但是他没有朝他们看，因为他的全部注意力都被这一群以同一姿势贪婪地望着圣母像的士兵和民兵脸上严肃的表情吸引住了。当疲惫的教会执事没精打采地和熟练地唱出"圣母，把你的奴隶从苦难中救出来吧"这句话（已是唱第二十遍了）时，神父和助祭马上接过去唱道："上帝，你是坚不可摧的屏障，我们祈求你庇护。"——于是所有人脸上又都露出了意识到庄严时刻正在到来的表情，这种表情皮埃尔在莫扎依斯克的山坡下，在他有时在这天上午遇到的许许多多人的脸上已经见过了；这时人们更加频繁地低下头，抖动着头发，发出叹息声和十字架撞击胸脯的声音。

圣像周围的人群突然闪开了，朝皮埃尔身上挤过来。从人们急忙让开的动作可以看出，大概有一位非常重要的人物正在朝圣像走过来。

这是正在视察阵地的库图佐夫。他在回塔塔里诺瓦途中到了做祈祷的人群那里。皮埃尔根据库图佐夫特殊的、与众不同的身形，立即认出了他。

库图佐夫又胖又大的身上穿着一件长长的常礼服，背有点驼，满头白发，没有戴帽子，浮肿的脸上一只白眼的内部在出水，一瘸一拐地和摇摇晃晃地走进人群，在神父背后站住。他用习惯的动作画了个十字，一只手触到地面鞠了一躬，沉重地叹了一口气，低下了白发苍苍的头。在库图佐夫后面的是本尼格森和随从们。虽然总司令的在场引起了所有高级官员的注意，但是民兵和士兵们没有看他，继续进行祈祷。

祈祷结束后，库图佐夫走到圣像前，费力地跪下来叩头，在这之后他挣扎着笨重和虚弱的身体，几次想要站起来，却又站不起来。由于使劲，他那白发苍苍的头抖动着。最后他终于站了起来，像孩子那样天真地噘起嘴唇吻了吻圣像，又一只手触到地面，深深地鞠了一躬。将军们照他的样子做了一遍；然后是军官们，在他们之后，士兵和民兵们互相挤着、踩着、推着，喘着粗气拥了上来。

二十二

皮埃尔被挤得摇摇晃晃，环视着自己的周围。

"彼得·基里雷奇伯爵！您怎么在这里？"一个人说。皮埃尔回头看了一眼。

他看见鲍里斯·德鲁别茨科依一面用手掸着被弄脏的膝盖上的泥土（看来也向圣像跪拜过），一面朝皮埃尔走过来。鲍里斯服装雅致，但又带有几分军人的英武。他像库图佐夫一样，身穿一件长长的常礼服，肩上斜挎着鞭子。

这时库图佐夫已到了村里，在最近一座房子的阴影里的一条长凳上坐下，这长凳是一个哥萨克跑着搬过来的，另一个哥萨克急忙在上面铺了一块毯子。一大批衣着讲究的随从围住了总司令。

圣像在一群人簇拥下，继续抬着朝前走了。皮埃尔在离库图佐夫大约三十步的地方停住，和鲍里斯说着话。

皮埃尔讲了他想参加战斗和观察一下阵地的意图。

"您就这么办吧，"鲍里斯说，"我要请您好好地看一看营地。

您从本尼格森伯爵要去的地方看，就能看得最清楚。而我正好在他手下供职。我去向他报告。如果您愿意到各处看一看，那就跟我们一起走：我们马上就要上左翼去。然后回来，请您在我这里过夜，咱们凑一个牌局。您不是认识德米特里·谢尔盖依奇吗？他就住在这里。"他指了指戈尔基的第三座房子。

"可是我想看看右翼；听说右翼兵力很强，"皮埃尔说，"我想从莫斯科河边出发，走遍整个阵地。"

"这以后能行，而现在主要的是左翼……"

"是的，是的。鲍尔康斯基公爵的团队在哪里，您能给我指一指吗？"皮埃尔问。

"安德烈·尼古拉耶维奇的团队？我们要路过那里，我带您去见他。"

"左翼怎么啦？"皮埃尔问。

"对您说实话吧，只在我们之间说，左翼天知道情况怎么样，"鲍里斯为了表示信任压低嗓门说，"本尼格森伯爵所设想的完全不是这样。他设想在那个土岗上修筑工事，完全不是这样……但是，"鲍里斯耸耸肩，"殿下不同意，要么是有人在他耳边说了些什么。要知道……"鲍里斯没有把话说完，因为这时库图佐夫的副官凯萨罗夫[①]走到了皮埃尔跟前。"啊！派西·谢尔盖依奇，"鲍里斯带着毫不勉强的微笑招呼凯萨罗夫，"我现在正在给伯爵说明我们的阵地。殿下能如此准确地猜透敌人的意图，真令人惊讶！"

"您说的是左翼？"凯萨罗夫问。

[①] 派西·谢尔盖耶维奇·凯萨罗夫（一七八三至一八四四年），一八一二年战争期间任第一军和第二军值班将军。

"是的,是的,正是左翼。现在我们的左翼非常非常强。"

虽然库图佐夫把所有多余的人轰出了司令部,但是鲍里斯在库图佐夫进行人事变动后,仍能在总部留下来。他被安置在本尼格森手下。本尼格森伯爵也像鲍里斯跟随过的所有人一样,认为这位年轻的德鲁别茨科依公爵是一个异常可贵的人。

在指挥军队方面,有非常明显的、界限清楚的两派:总司令库图佐夫派和参谋长本尼格森派。鲍里斯属于后一派,没有人能像他那样,善于在奴颜婢膝地奉承库图佐夫的同时,又使人觉得老人不行,一切都是本尼格森进行的。现在已到了战斗的决定性时刻,要么除掉库图佐夫,把权力交给本尼格森;要么即使库图佐夫取胜了,也要让人们觉得一切都是本尼格森的功劳。至少通过明天这一仗,一定会有一些人得到巨大的奖赏,一些新人得到提拔。因此,这一天鲍里斯整天处于激奋之中。

在凯萨罗夫之后,又有另外几个熟人走到皮埃尔面前,弄得他来不及回答他们向他提出的一连串打听莫斯科情况的问题,也来不及听他们对他说的话。所有人的脸上都带着激动和不安的表情。但是皮埃尔觉得,其中某些人脸上露出兴奋的表情的原因,主要在于考虑个人的得失问题,而他脑子里一直想着另一种兴奋的表情,这种表情他是在另一些人脸上看到的,它表明,这些人考虑的不是个人的问题,而是共同的问题,生死存亡的问题。这时库图佐夫发现了皮埃尔和聚集在他身旁的人群。

"叫他来见我。"库图佐夫说。副官转达了殿下的愿望,于是皮埃尔便朝长凳走去。但是在他之前一个普通的民兵走到了库图佐夫面前。这是多洛霍夫。

"这家伙怎么在这里？"皮埃尔问。

"这个骗子手，哪里都能钻进去！"人们回答皮埃尔说，"他本来降了职。现在他要往上蹿了。呈交了一些方案，夜里摸进了敌人的散兵线……不过是个好汉！……"

皮埃尔脱下帽子，恭恭敬敬地在库图佐夫面前鞠了一躬。

"我认为，如果我向殿下报告的话，您可能会把我轰走，或者您会说您已知道我要报告的事，不过这对于我也并无坏处……"多洛霍夫说。

"是这样，是这样。"

"如果我做得对，我就会给祖国带来好处，我准备为祖国而死。"

"是这样……是这样……"

"如果殿下需要一个不惜牺牲自己生命的人，那么请您想起我……也许我对殿下有点用处。"

"是这样……是这样……"库图佐夫重复说，眯起他的那只带着笑意的独眼看着皮埃尔。

这时鲍里斯以其善于奉迎的灵活姿态，趁机和皮埃尔一起去接近上司，仿佛在继续进行已开始的谈话似的，用最自然的语气声音不高地对皮埃尔说：

"民兵们全都穿上了干净的白衬衣，准备慷慨赴难。多么英勇啊，伯爵！"

鲍里斯对皮埃尔说这话，显然是为了让殿下听见。他知道库图佐夫一定会注意这些话，果然，殿下做出了反应。

"你在讲民兵的什么事？"他问鲍里斯。

"殿下，他们穿上了白衬衣，准备明天决一死战。"

"啊！英勇卓绝、无可比拟的人民！"库图佐夫说，他闭上眼睛，摇了摇头。"无可比拟的人民！"他叹着气又重复了一遍。

"您想闻闻火药味吗？"他问皮埃尔，"是的，这味儿很好闻。我荣幸地是您的夫人的崇拜者，她的身体好吗？我的住处可供您使用。"库图佐夫像一般老人常有的那样，开始心不在焉地四处张望，仿佛忘记了要说什么和做什么似的。

后来他显然想起要寻找的东西，便把自己副官的哥哥安德烈·谢尔盖耶维奇·凯萨罗夫①叫到身边。

"马林的诗怎么说来着，那诗是怎么说的？你说说他写格拉科夫的那几句：'而如果你到学校任教……'②"库图佐夫说，显然他就要笑出来了。凯萨罗夫背了这几句诗……库图佐夫微笑着，随着诗句的节拍点着头。

当皮埃尔离开库图佐夫到了一边时，多洛霍夫朝他走过来，握住他的手。

"很高兴在这里碰见您，伯爵。"他不管旁边有人大声对皮埃尔说，而且语气特别坚决和庄重，"天知道，明天我们当中谁能活下来。现在我很高兴有机会对您说，我对我们之间发生的误会感到十分遗憾，希望您对我不存嫌隙。请您原谅我。"

皮埃尔面带微笑看着多洛霍夫，不知道对他说什么。多洛霍

---

① 安德烈·谢尔盖耶维奇·凯萨罗夫（一七八二至一八一三年），俄国政论家和作家。

② 马林是宫廷诗人和亚历山大一世的侍从武官，他戏仿杰尔查文的颂歌，写了一首献给中学武备学校教员和作家格拉科夫的诗，诗中写道："如果你当作家，∥你将一辈子都写废话；∥而如果你到学校任教，∥到头来可当个少校。"

夫眼睛里含着泪水拥抱和亲吻了皮埃尔。

鲍里斯对他的上司说了几句话，于是本尼格森伯爵朝皮埃尔转过身来，请他和自己一起到防线上去走走。

"这会使您感到有兴趣的。"他说。

"是的，很有意思。"皮埃尔回答道。

半个小时后，库图佐夫到塔塔里诺瓦去了，而本尼格森带着随从，其中包括皮埃尔，前去巡视防线。

二十三

本尼格森从戈尔基沿着大路往下走，到了一座桥边，土岗上的军官曾把这座桥指给皮埃尔看，说这是阵地的中央，桥边堆放着一堆堆刚割下来的散发着香味的干草。他们过了桥到了波罗金诺，从那里向左拐，经过大批军队和大炮，到了一个高高的土岗前，土岗上民兵正在挖土。这是一个多面堡，当时还没有名称，后来被称为拉耶夫斯基多面堡，或者叫作土岗炮垒。

皮埃尔没有特别注意这个多面堡。他不知道，这个地方对他来说将会比波罗金诺战场的所有地方更值得纪念。接着他们经过一个峡谷前往谢苗诺夫斯科耶，在那里士兵们正在拆走农舍和干燥房的最后一批木料。然后他们下山和上山，经过一片好像被冰雹砸坏的黑麦地，沿着炮兵在坑洼不平的耕地上踩出的路前往也还在构筑的尖顶堡[①]。

[①] 一种工事。——作者注

本尼格森在尖顶堡停住，开始观看前面的舍瓦尔金诺多面堡（昨天还是我们的），可以看到那上面有几个骑马的人。军官们说，拿破仑或者缪拉在那里。于是大家聚精会神地看这一小群骑马的人。皮埃尔也朝那里看，竭力想猜出在这些隐约可见的人当中哪一个是拿破仑。最后这些骑马的人下了土岗，消失不见了。

本尼格森见一个将军走到他跟前，便开始向他说明我军的整个部署。皮埃尔听着本尼格森的话，使尽全力想要听明白面临的战役的实质，但是懊丧地感觉到，要做到这点他的智力不够用。他什么也没有听明白。本尼格森停住了，看见皮埃尔正在倾听的样子，突然对他说：

"我想，您不感兴趣吧？"

"不，正好相反，非常有意思。"皮埃尔再次不那么实在地说。

他们离开尖顶堡再向左，沿着稠密低矮的桦树林中的道路前进。在这个树林的中央，一只褐色白腿的兔子跳到他们面前的路上，被一大群马的马蹄声吓得惊慌失措，在他们前面的路上跳了很长时间，引起了大家的注意和一阵哄笑，一直等到几个人朝它吆喝后，才跑到一边，消失在密林里。他们在树林里大约走了两俄里，到了一个林间空地，那里驻扎着奉命守卫左翼的图奇科夫[①]指挥的军团的部队。

在这里，在左翼的边上，本尼格森热烈地说了很多话，发布了皮埃尔觉得在军事上很重要的命令。在图奇科夫的部队的前方有一个高地。这个高地没有部队驻扎。本尼格森大声地批评了这

[①] 图奇科夫（一七六一至一八一二年），俄国将军，第三步兵军军长。

个错误，说不去占领这个控制着这个地区的高地而让部队处在它下面，简直是发疯。几位将军也表示了同样的意见。尤其是有一个将军带着军人的暴躁说，这是让他们在这里坐以待毙。本尼格森以自己的名义下令把部队调到高地去。

在左翼的这种安排使皮埃尔更加怀疑自己理解军事的能力了。他在听本尼格森和将军们批评把部队部署在山下时，完全明白他们的意思和赞同他们的意见；但是正因为这样，他不能理解那个把部队部署在山下的人怎么会犯这样明显的严重错误。

皮埃尔不知道，这些部队这样部署并不像本尼格森认为的那样为了保卫阵地，而是为了隐蔽起来进行伏击，也就是说，是为了出其不意突然打击逼近的敌人。本尼格森不知道这一点，没有报告总司令就自作主张，把部队往前调动了。

二十四

安德烈公爵在八月二十五日的这个晴朗的傍晚用一只手臂支撑着脑袋，半躺在克尼亚兹科沃村的一个破棚子里，这地点在他的团队驻地的边上。他从破墙的裂口望着一排沿着围墙生长的有三十年树龄和下面的枝条被砍掉的桦树，望着田野上一垛垛散乱的燕麦和冒出烟火的灌木丛——士兵的行军灶在那里。

不管安德烈公爵现在觉得他的生活如何艰难，如何不为人所理解和如何痛苦，他仍然像七年前在奥斯特利茨战役前夕那样，处于激动和兴奋之中。

明天进行会战的命令已经下达，他已经接到了。但是最简单的和最清楚的，因而也是最可怕的念头使他不得安宁。他知道，明天的会战必将是他参加过的所有战斗中最可怕的战斗，他在自己的一生中第一次清楚地、几乎确信不疑地、简单而可怕地想到了死亡的可能性，他没有把它与平常的生活联系起来，没有考虑它对别人会有什么影响，只想到他自己怎么样，他内心有什么活动。站在这个想法的高度，觉得过去折磨他的和使他感兴趣的一切突然被一道冷冷的白光所照亮，没有阴影，没有远景，也没有分明的轮廓。他觉得整个生活如同幻灯，他曾长时间地在人工照明下透过玻璃往那里面看。现在他突然在白昼明亮的光线下，不透过玻璃看见了画得很粗糙的图片。"是的，是的，这就是那些使我激动、赞赏和苦恼的虚幻的形象。"他一面自言自语地说，一面在白昼冷冷的白光——想到自己可能死去的清楚想法的白光——的照耀下看着这些图片，在自己的脑子里逐一回想着自己人生的幻灯的主要画面，"这些画得很粗糙的图形，过去曾被看作是美丽的和神秘的。荣誉、公众的幸福、对女人的爱、祖国本身——我曾觉得这些图片是多么壮丽，充满多么深刻的思想啊！而这一切在我觉得快要来临的早晨的冷冷的白光下，显得多么简单、苍白和粗糙。"他生活中的三大不幸特别引起他的注意。这就是他对一个女人的爱、他的父亲的逝世和占领了半个俄国的法国人的入侵。"爱情！……我曾觉得这个小姑娘充满着一种神秘的力量。我曾是多么爱她啊！我有过关于爱情和与她共享幸福的充满诗意的计划。啊，我真是一个可爱的孩子！"他恼怒地大声说，"当然啰！我居然相信某种理想的爱情，认为它在我不在国内的整个一年里会使她保持对我的忠诚！而她像寓言中娇弱的鸽子一样，必然要在同我离别后变得憔悴。而这一切实际上很简单……这一切极其简单,令人厌恶!"

"父亲也曾在童山大兴土木,认为这是他的地方,他的土地,他的空气,他的农民;而拿破仑来了,根本不知道他这个人的存在,像踢碎木片一样,把他从路上踢开了,于是童山和他的整个生活便崩溃了。而玛丽亚公爵小姐说,这是上天给予的考验。既然他已经不在了,也不会变活了,为什么还要考验?他永远不会复活了!他死了!那么这是要考验谁呢?祖国,莫斯科要毁灭了!而明天我将被打死——甚至不是被法国人打死,而是被自己人打死,就像昨天一个士兵在我耳边放了一枪一样,法国人来了,将会抓住我的双腿和脑袋,把我扔进大坑里,免得我在他们鼻子底下腐烂发臭,然后会形成一种新的生活环境,别人将会习惯于它,而我就会不知道了,因为我不在了。"

他看了看那排树叶又黄又绿,一动不动,树皮呈白色,在阳光下闪闪发亮的桦树。"死亡,明天我会被打死,没有我这个人了……这一切都将继续存在,而我却不存在了。"他生动地想象着他不存在后的生活的情况。这些半明半暗的桦树,这一团团的白云,这些篝火的烟雾——他觉得周围的一切都变了样,变成某种可怕的和吓人的东西。他不禁打了个寒战。他立即起来,出了棚子,开始来回走动。

过了一会儿,从棚子外传来了说话的声音。

"谁在那里?"安德烈公爵喊道。

曾是多洛霍夫的连长、现因缺少军官担任了营长的红鼻子大尉季莫欣胆怯地进了棚子。一个副官和团里的军需官跟着他进来。

安德烈公爵急忙起来，听了军官们的报告，给他们做了一些指示，便想放他们走，这时从棚子外又传来了熟悉的低语声。

"见鬼！"那个被什么绊了一下的人说。

安德烈公爵从棚子里朝外看了一眼，看见了正在朝他走过来的皮埃尔，地上的一根木杆把皮埃尔绊了一下，差点把他绊倒了。安德烈公爵一般不大乐意见到自己圈子里的人，尤其是皮埃尔，因为他会使他想起上次到莫斯科时所经历的痛苦时刻。

"啊，原来是你！"他说，"怎么来到了这里？我可没有想到。"

他在说这话时，眼睛和整个脸上的表情不只是冷淡，甚至有敌意，皮埃尔立刻觉察到了这一点。他在朝棚子走来时情绪很高，可是看见安德烈公爵脸上的表情，便感到困窘和不自在起来。

"我来……就是……您知道……我来……我觉得有意思。"皮埃尔说，这一天他已毫无意义地重复过多次"有意思"这个词，"我想看看仗怎么打。"

"好的，好的，共济会的师兄弟们对战争有什么高见呀？怎么防止它呀？"安德烈公爵用讽刺的语气说，"请说说莫斯科怎么样，我家里的人怎么样。他们最后到莫斯科没有？"他严肃地问道。

"到了。朱丽·德鲁别茨卡娅告诉我的。我去找他们，没有碰上。他们到莫斯科郊区去了。"

二十五

军官们想要告辞，但是安德烈公爵仿佛不愿意和自己的朋友单独在一起，请他们再坐一会儿，喝点茶。拿来了凳子，端来了茶。军官们不无惊奇地望着皮埃尔肥胖硕大的身体，听着他讲莫斯科的情况和他刚才到过的我军阵地的位置。安德烈公爵没有说话，脸上的表情很不愉快，因此皮埃尔主要是对温厚的营长季莫欣讲，而不是对他讲。

"这么说你了解了部队的整个部署？"安德烈公爵打断他说。

"您这是什么意思？"皮埃尔说，"我不是军人，我不能说完全了解，但是毕竟知道了总的部署。"

"那么你知道得比任何人都多啰。"安德烈公爵说。

"您说什么！"皮埃尔困惑地说，透过眼镜看着安德烈公爵。"您对任命库图佐夫有什么看法？"他问。

"我对这个任命非常高兴，我知道的就这些。"安德烈公爵回答道。

"那么您说说，您对巴克莱·德·托利的意见如何？在莫斯科人们谈论他，天知道说了些什么。您对他有什么看法？"

"你去问他们。"安德烈公爵指着军官们说。

皮埃尔带着宽厚的询问的微笑朝季莫欣看了一眼，大家也不由自主地带着同样的微笑朝他转过身来。

"自从殿下就任以来，大人，人们看见了光明。"季莫欣不断胆怯地看看自己的团长，说。

"为什么这样？"皮埃尔问。

"禀告大人，就拿木柴和饲料来说吧。我们从斯维亚齐内撤退时，不敢动一根树枝，动一捆干草或别的什么。要知道我们走后，就会落到**他**手里，不是这样吗，大人？"他问安德烈公爵，"而你就不能动。我们团里有两个军官因这样的事被送交法庭审判。可是殿下一上任，这事就变得简单了。人们看见了光明……"

"那么他为什么要禁止呢？"

季莫欣不好意思地朝周围看看，不知道怎么回答这个问题。皮埃尔向安德烈公爵提了同样的问题。

"为了使我们留给敌人的地区不遭到破坏。"安德烈公爵恶狠狠地嘲笑说。"这一点理由很充分：不能抢劫这个地区，不能使部队养成趁火打劫的习惯。在斯摩棱斯克他也做了正确的判断，认为法国人可能包抄我们，他们兵力比我们强。但是他不能理解这样一点，"安德烈公爵突然尖声喊叫起来，"但是他不能理解，我们在那里是第一次为俄罗斯的土地而战斗，部队有着我从未见过的高昂的士气，我们连续两天击退敌人，这胜利使我们的力量增加了十倍。他下令撤退，这样一来所有的努力和损失都白费了。他没有想要背叛，他竭力想把一切做得尽可能地好，他对一切都进行了深思熟虑，但是正因为这样，他是不中用的。他现在之所以不中用，正是因为他像任何一个德国人一样，把一切考虑得很周到和很细致。怎么对你说好呢……譬如说，你父亲有一个德国仆人，他是一个出色的仆人，能比你更好地满足你父亲的所有需要，那就让他侍候吧；但是当你父亲重病在身、命在旦夕时，你就会撵走仆人，自己笨手笨脚地照顾父亲，你能比一个有经验的外人更好地安慰他。巴克莱就是这样。当俄国健康时，外人能为她服务，能成为出色的大臣；而当她病危时，就需要自己人，需要亲人。而你们俱乐部里有人异想天开，居然说他是叛徒！诬蔑他是叛徒，将来只会因自己的错误说法感到羞愧，突然又把他从叛徒捧为英雄或天才,这就更加错误了。他是一个正直的和非常认真的德国人……"

"然而有人说,他是一个有经验的统帅。"皮埃尔说。

"我不明白有经验的统帅是什么意思。"安德烈公爵讥讽地说。

"有经验的统帅是这样的人,"皮埃尔说,"他能预见到一切偶然的情况……猜得出敌人的意图。"

"这是不可能的。"安德烈公爵说,仿佛这是早已解决的问题。

皮埃尔惊奇地看了他一眼。

"不过,"他说,"有人说,打仗如同下棋。"

"是的,"安德烈公爵说,"只是有这样一个小小的区别,在下棋时,在走每一步棋之前你可以要想多久就想多久,那里没有时间条件的限制;还有这样的区别,下棋时马永远比卒子要强,两个卒子永远比一个强,而在打仗时,一个营有时比一个师要强,而有时则不如一个连。军队的相对力量是谁也无法了解的。请相信我的话,"他说,"如果事情取决于司令部的安排的话,我就留在那里去进行各种安排了,可是我没有那样做,来到团里,和这些先生共事,我认为明天的战斗确实将取决于我们,而不是取决于他们……胜负从来不取决于,并将永远不取决于阵地和武器装备,甚至不取决于人数;尤其是不取决于阵地。"

"那么取决于什么呢?"

"取决于一种感情,我的和他的,"他指了指季莫欣,"还有每个士兵的。"

安德烈公爵朝季莫欣看了一眼,这时季莫欣正惊恐地和困惑地望着自己的团长。安德烈公爵一反矜持和沉默寡言的常态,现在显得很激动。他显然忍不住要把自己突然出现的想法全说出来。

"赢得战役胜利的,是下定决心要赢得它的人。为什么我们在奥斯特利茨战役中打败了?我们的伤亡几乎与法国人相等,但是我们很早就对自己说我们打败了——于是真的打败了。而我们这样说是因为我们没有必要在那里打仗:希望快点离开战场。'打败了——就跑!'——我们也就那样跑了。如果那时在傍晚前我们没有说这话,天知道会怎么样。而明天我们不会这样说。你说我们的阵地左翼太弱,右翼拉得太长,"他接着说,"这都是废话,没有这么回事。那么明天我们面临的是什么呢?面临的是上千万各种不同的偶然的事情,这些偶然的事情将由是他们还是我们逃跑或将要逃跑、是这个人还是那个人将要被打死这一点在转瞬之间决定;而现在发生的事全是儿戏。问题在于,和你一起视察阵地的人不仅不能推动整个事变的进程,而是妨碍它。他们关心的只是自己微小的利益。"

"在这样的时刻还那样?"皮埃尔责备说。

"正是在**这样的时刻**,"安德烈公爵重复他的话说,"对他们来说,这只是可以暗算敌手和多得一枚十字勋章和绶带的机会。我认为明天将发生这样的事:十万俄国军队和十万法国军队相逢展开激战,毫无疑问,这二十万人交锋时谁拼得凶,谁不惜牺牲,谁就会取胜。你如果愿意听,那么我可以对你说,不管那里怎么样,不管上面把事情搅得怎么乱,我们明天能赢得战役的胜利。明天,不管怎么样,我们一定能取胜!"

"公爵大人,您说得对,说得很对,"季莫欣说,"现在谁还爱惜自己!我的营里的士兵,不知您信不信,开始不喝酒了,他们说,这不是喝酒的时候。"大家沉默了一会儿。

军官们站起身来。安德烈公爵和他们一起出了棚子,给副官做最后的指示。军官们走后,皮埃尔走到安德烈公爵跟前,刚要开始说话,在离棚子不远的路上响起了三匹马的马蹄声,安德烈公爵朝那个方向一看,认出了沃尔佐根和克劳塞维茨①,他们后面跟着一个哥萨克。他们在很近的地方路过,继续说着话,皮埃尔和安德烈不由自主地听见了以下的话:

"战争应当移到空旷的地方进行。这个观点我不能完全赞同。"②一个人说。

"是的,目的在于削弱敌人,不应该计较个人的损失。"③

"是的。"④第一个人赞同说。

"什么移到空旷的地方。"⑤在他们过去后安德烈公爵恶狠狠地重复了一句,"我的在童山的父亲、儿子和妹妹留在空旷的地方⑥。这对他来说无所谓。我对你说过,这些德国先生们明天不会赢得胜利,而只是尽其所能地把事情弄坏,因为在他们的德国脑瓜里只有不值分文的议论,在心里就是没有明天所需要的东西——没有季莫欣心里有的东西。他们把整个欧洲都奉送给了**他**,又来教训我们——真是一些好老师!"他又尖叫起来。

---

① 克劳塞维茨(一七八〇至一八三一年),德国军事理论家。一八一二年春加入俄国军队,成为一个出色的幕僚人员。著有《战争论》一书。

② 原文为德文。

③ 同上。

④ 同上。

⑤ 同上。

⑥ 同上。

"那么您认为明天能打赢这一仗?"皮埃尔问。

"是的,是的。"安德烈公爵漫不经心地说。"如果我有权的话,我将做一件事,"他又开口说,"我将不收俘虏。什么是收俘虏?这是骑士精神。法国人毁了我的家园,现在又要去毁坏莫斯科,每时每刻都在侮辱我。他们是我的敌人,根据我的看法,他们全是罪犯。季莫欣和全军将士也都这样认为。应当处死他们。如果他们是我的敌人,那么不管他们在蒂尔西特说得多么好听,不可能是朋友。"

"是的,是的,"皮埃尔目光炯炯地看着安德烈公爵说,"我完全,完全同意您的看法!"

皮埃尔觉得,那个自从下了莫扎依斯克山坡之时起整天都使他感到不安的问题,现在已经非常清楚,并且完全解决了。他现在明白了这场战争以及面临的会战的全部意义和重要性。他对今天看到的一切,对他在人们脸上匆匆地瞥见的深沉而严肃的表情都有了新的理解。他明白了他在所有人身上见到的这种物理学中所说的潜在的(latente)热——爱国主义的潜热,这种潜热向他说明为什么所有这些人平静地、仿佛根本不加考虑地准备牺牲自己。

"不收俘虏,"安德烈公爵接着说,"这一点将改变整个战争,使它变得不那么残酷。不然我们就把战争当儿戏——这就很糟,我们装得宽宏大量,如此等等。这种宽容和同情,如同看见宰杀牛犊就要头晕恶心的太太小姐的宽容和同情一样;她们仁慈得见不得血,但是却津津有味地吃着加调味汁的小牛肉。有人对我们讲战争的法规,讲骑士精神,讲派军使进行谈判的问题以及怜悯不幸者,等等。这全是废话。我在一八〇五年见过骑士精神,见过派军使谈判：他们欺骗我们，我们也欺骗他们。抢劫人家的住宅，使用伪币，更坏的是——杀死我的孩子和我的父亲，却又讲战争的法规和对敌人的宽容。应当不收俘虏，而去杀人，去拼个你死我活！谁都是像我一样经历了这样的痛苦后才这样想的……"

安德烈公爵本来认为，莫斯科会不会像斯摩棱斯克那样被占领对他来说无所谓，突然他的喉咙痉挛起来，便停住不说了。他默默地来回走了几次，但是他的眼睛像发热病似的闪闪发亮，他又开始说话时，嘴唇抖动着。

"如果战场上没有这种表示宽容的做法，那么我们只有在像现在这样值得决一死战时才去慷慨赴死。那时将不会因帕维尔·伊万内奇得罪了米哈依尔·伊万内奇而打仗了。如果战争像现在这样，那才是真正的战争。那时部队的紧张程度不会像现在这样。那时拿破仑率领的所有这些威斯特法利亚人和黑森人①就不会跟着他入侵俄国了，我们也不会莫名其妙地到奥地利和普鲁士去打仗了。战争不是请客吃饭，而是生活中最可恶的事，应当明白这一点，不要玩弄战争。应当严肃认真地对待这可怕的必然性。问题在于抛弃谎言，战争就是战争，不是儿戏。不然战争就会成为无所事事和轻浮冒失的人所喜爱的娱乐……军人阶层是最受人尊敬的阶层。而战争是什么，为了取得军事上的胜利需要什么，军人有什么样的风尚呢？战争的目的是杀人，战争的工具是侦察、叛变、策反、破坏居民的家园、抢劫或盗窃居民的财物以补充部队

---

① 威斯特法利亚是德国西北部历史地区，一八〇七年拿破仑建威斯特法利亚王国，其领地除威斯特法利亚的一部分外，还包括黑森选侯区的大部。在拿破仑的军队里有两万八千名威斯特法利亚士兵。

的给养；是进行被称为军事计谋的欺骗和散布谎言；军人阶层的风尚是：没有自由，也就是所谓的守纪律，游手好闲，愚昧无知，残忍，贪淫好色，酗酒。尽管如此，这是受到大家尊敬的最高阶层。所有皇帝，除了中国皇帝外，都身穿军服，谁只要人杀得多，谁就会得到很高的奖赏……像明天那样，两军相遇，相互残杀，杀死和杀伤几万人，然后就做感恩祈祷，感谢杀死了许多人（还常常夸大数字），宣布取得胜利，认为人杀得愈多，功劳就愈大。上帝在天上会怎么看着他们和听着他们说呀！"安德烈公爵尖声地喊叫道，"唉，亲爱的，最近我开始感到生活很痛苦。我发现，我开始明白的事太多了。一个人吃不得分别善恶树上的果子[①]……是的，时间不会久了！"他加了一句。"你很困了，我也该睡了，你回戈尔基去吧！"安德烈公爵突然说。

"不！"皮埃尔回答道，用惊恐和同情的目光看着安德烈公爵。

"你去吧，去吧，打仗前需要好好睡一觉。"安德烈公爵又说。他快步走到皮埃尔跟前，拥抱和亲吻了他。"再见了，你走吧。"他大声说，"我们不知还会不会再见面……"说着他急忙转过身，到棚子里去了。

天已经黑了，皮埃尔看不清安德烈公爵脸上的表情，不知是恼怒，还是充满温情。

皮埃尔默默地站了一会儿，考虑是跟着他进棚子还是回去。"不，他不需要我！"他自然而然地这样认定，"我知道，这是我

[①] 典出《圣经·旧约》中的《创世记》，其中写道：上帝吩咐亚当说，伊甸园里各种树上的果子可以随便吃，只是不能吃分别善恶树上的果子，因为你吃的日子必定死。

们最后一次见面。"他深深地叹了口气，回戈尔基去了。

安德烈公爵回到棚子后，在毯子上躺下，但是睡不着。

他闭上了眼睛。往事一件接一件地浮现在他眼前。他长时间地高兴地停留在一件事情上。他生动地想起了彼得堡的一个夜晚。娜塔莎面带兴奋激动的表情对他说，她去年夏天去采蘑菇，在一座大树林里迷路了。她前言不搭后语地对他讲述树林深处的景象、自己的感觉以及与她碰到的养蜂人的谈话，同时随时中断自己的叙述，说："不，我不会说，我说得不对；不，您听不明白。"——而安德烈公爵不仅安慰她说，他听明白了，而且他也确实听明白了她想要说的一切。娜塔莎对自己说的话很不满意——她觉得没有说出她在这一天体验到的充满热情和诗意的感觉，而她又想把它倾诉出来。"这个老人真是好极了，在树林里又是那么阴暗……他又那么慈善……不，我说不好。"她红着脸激动地说。安德烈公爵看着她的眼睛微笑着，现在他也像当时那样高兴地笑了笑。"我理解她。"安德烈公爵想道，"不仅理解，而且我也喜欢她的这种精神力量，这种真诚，这种坦率，她的这种仿佛受到肉体束缚的灵魂，我就爱她的这个灵魂……爱得那么强烈，那么充满幸福的感觉……"突然他回想起了他的爱情是怎样结束的。"**他**根本不需要这些。**他**根本没有看到也不理解这些。他只看见她是一个漂亮的且**色彩鲜艳**的姑娘，并不想把自己的命运与她结合在一起。而我呢？直到现在他还活着，生活得很快活。"

安德烈公爵好像被人烫了一下似的，急忙站起来，又开始在棚子前面走来走去。

二十六

八月二十五日，在波罗金诺会战的前夕，法国皇帝的宫廷事务大臣博塞①先生和法布维埃②上校到瓦卢耶沃来见拿破仑皇帝，前者从巴黎来，后者则从马德里来。

博塞先生换上近臣的服装，命令随从抬着他给皇帝带来的一箱东西走在他前面，进了拿破仑的营帐的第一个单间，他在那里一面同围住他的拿破仑的副官们交谈，一面打开箱子。

法布维埃没有进营帐就站住了，在门口与认识的将军交谈起来。

拿破仑皇帝还没有从自己的卧室出来，他快要结束梳洗打扮了。他鼻子发出呼哧呼哧的声音，清着嗓子，时而转过宽厚的背，时而转过长满毛的肥胖的胸脯，让近侍用刷子刷他的身体。另一个近侍用手指轻轻握住一个小玻璃瓶，正在给皇帝保养得很好的身体喷香水，他的表情仿佛在说，只有他一个人知道应当往哪里喷香水和喷多少。拿破仑的短发是湿的，散乱地落到前额上。他的脸虽然浮肿而带黄色，但是露出健康愉快的神情。"再来一下，多使点劲儿……"他耸耸肩膀，清清嗓子，对给他刷身体的近侍说。副官到卧室来向皇帝报告昨天战斗中抓俘虏的情况，报告完毕后站在门口，等待让他走的命令。拿破仑皱着眉头看了副官一眼。

---

① 博塞（一七七〇至一八三五年），法国作家和拿破仑的近臣。从一八〇五年起任宫廷事务大臣。

② 法布维埃（一七八三至一八五五年），法军总部副官。

"没有俘虏，"他重复了一下副官的话，"让我们打死他们。这对俄国军队来说更坏。"他说。"再来一下，多使点劲儿。"他又说了一次，拱起背，把肥胖的双肩凑上去。

"好！让博塞先生进来，法布维埃也进来。"他对副官点点头说。

"是，陛下。"副官说着便离开了卧室。

两个近侍很快给拿破仑穿好衣服，于是这位身穿近卫军蓝制服的皇帝便迈着坚定的快步到接待室去了。

这时博塞正忙于把他带来的皇后的礼物安放在正对着皇帝进门的地方的两把椅子上。不料皇帝很快穿好衣服就出来了，他没有来得及把这件意想不到的礼物完全准备好。

拿破仑立即发现他们在做什么，猜到他们还没有准备好。他不想使他们失去给他一个意外惊喜的机会而扫他们的兴。他装出没有看见博塞先生的样子，把法布维埃叫到自己身边。拿破仑严肃地皱起眉头，一言不发，听法布维埃对他讲他的那支在欧洲另一端的萨拉曼卡①战斗的部队如何勇敢和忠诚，讲他们只有一个想法，就是做无愧于皇上的军人，只有一个担心，就是不能使皇上满意。那次战役的结果是可悲的。拿破仑在法布维埃报告时说了几句讽刺的话，仿佛他没有想到他不在时事情会是另一种样子。

"我应当在莫斯科挽回这个损失。"拿破仑说。"再见。"他加了一句，便叫博塞过来。这时博塞已准备好了，他在椅子上安放了一件什么东西，并用一块盖布把它盖好。

博塞照法国宫廷的规矩，用波旁王朝的老臣才懂的礼节深深

---

① 萨拉曼卡是西班牙的城市，一八一二年七月二十二日法军在此吃了败仗。

一鞠躬，走上前去，呈上了一只信封。

拿破仑快活地朝他转过头来，拉了拉他的耳朵。

"您赶来了，我很高兴。您说说，巴黎有什么议论？"他说，突然改变了刚才严厉的表情，变得非常亲切。

"陛下，您不在，全巴黎都很想念您。"博塞按照规矩回答道。拿破仑虽然知道博塞应该这样说或说诸如此类的话，虽然他在头脑清醒时知道这不是真话，但是他还是很高兴听博塞说这样的话。他再次碰了碰博塞的耳朵。

"让您走这么远的路，我很抱歉。"他说。

"陛下！我曾想至少会在莫斯科城门口找到您。"博塞说。

拿破仑笑了笑，漫不经心地抬起头，朝右边看了一眼。副官立即迈着轻快的步子过来，递上了手中的鼻烟壶。拿破仑接住了它。

"是的，您碰到了一个好机会，"他说，一面把鼻烟壶举到鼻子旁边，"您喜欢旅行，三天后您就会看到莫斯科。您大概没有料到会看见这个亚洲首都吧。您将做一次愉快的旅行。"

博塞鞠了一躬，感谢对他的旅行的爱好（直到现在他不知道自己有这样的爱好）的关心。

"啊！这是什么？"拿破仑发现所有近臣都看着用布盖着的什么东西，便问道。博塞照宫廷的规矩不把背对着皇上，侧身灵活地后退两步，同时揭开盖布，说：

"是皇后给陛下的礼物。"

这是热拉尔①用鲜艳的色彩画的一个男孩的画像，这男孩是拿

---

① 热拉尔（一七七九至一八三七年），法国肖像画画家。

破仑和奥地利皇帝的女儿生的，不知为什么大家都叫他罗马王①。

这鬈发的孩子非常漂亮，目光像西斯廷的圣母②怀中的基督的目光，他正在玩比尔包开③。小球代表地球，而另一只手上的木棒则表示权杖。

虽然并不完全清楚画家把所谓的罗马王画成用木棒接地球的样子想要表示什么，但是无论是在巴黎看见这幅画的所有人还是拿破仑本人，显然都觉得这种寓意是清楚的，而且十分赞赏。

"罗马王，"他用优美的手势指着画像说，"妙极了！"他有意大利人所特有的随意改变面部表情的本领，走到画像前，装出沉思和温柔的样子。他觉得他现在说的话和做的事都将载入史册。他知道自己伟大，因而他的儿子可以像玩比尔包开那样玩弄地球，但是他感到现在最好还是不要显示自己的伟大，而是相反，最好显示最普通的父亲的慈爱。他的眼睛模糊起来，身体移动了一下，回头看了看椅子（椅子立即跳到了他的身体下面），在画像的对面坐了下来。他做了一个手势，——大家都蹑手蹑脚地出去了，让这个伟大人物独自一个人体验他的感情。

他坐了一会儿，自己也不知为什么用手摸了摸画像上粗糙发亮的地方，又叫博塞和值班副官进来。他吩咐把画像搬出去放在营帐前，让那些守卫在营帐旁的老近卫军都有一睹他们所崇拜的

---

① 拿破仑的儿子叫约瑟夫-弗朗索瓦·夏尔（一八一一至一八三二年），出生后即封为罗马王。

② 西斯廷的圣母是意大利画家拉斐尔（一四八三至一五二〇年）的名画。

③ 比尔包开（bilboquet）是一种接球玩具，由木棒和用长绳系在棒上的小球组成，玩时把小球抛起，用棒尖接住。

皇上的儿子和继承人罗马王的风采的荣幸。

果然不出他所料,当他和蒙恩允留下的博塞先生共进早餐时,在营帐前面响起了朝画像跑过来的老近卫军官兵的欢呼声。

"皇帝万岁!罗马王万岁!皇帝万岁!"人们欢呼道。

早餐后,拿破仑当着博塞的面,口授了对全军的命令。

"简短而有力!"拿破仑在读了不做修改写成的公告后说道。命令这样写道:

> 战士们!你们盼望已久的战役开始了。胜利取决于你们。胜利为我们所必需;它将给我们带来一切:舒适的住所和早日返回祖国。就像你们在奥斯特利茨、弗里德兰、维捷布斯克、斯摩棱斯克那样战斗吧。让我们的子孙后代自豪地回忆起你们今天建立的功勋吧。让他们在提到你们每一个人时都说:他参加了莫斯科大会战!

"莫斯科大会战!"拿破仑重复道,他邀请那位喜欢旅行的博塞先生和自己一起去散步,出了营帐,朝备好鞍的马走去。

"陛下恩宠备至,实不敢当。"博塞听见皇帝要他陪他,便推辞说,因为他想睡觉,而且他不会骑马也不敢骑马。

但是拿破仑朝这位旅行家点了点头,这说明博塞必须跟着去。拿破仑走出营帐时,他儿子的画像前近卫军人的喊声更高了。拿破仑皱起了眉头。

"把它拿走,"他用优美庄严的手势指着画像说,"让他看见战场还太早。"

博塞闭上眼睛，低下头，深深地叹了一口气，用这个姿势表明，他看重和善于理解皇帝的话。

二十七

八月二十五日这一整天，如同他的历史学家所说的那样，拿破仑是在马背上度过的，他观察地形，讨论他的元帅们呈交的计划，亲自给将军们下命令。

俄军最初沿科洛恰河布置的战线被冲断了，这条战线的一部分，即俄军的左翼，由于舍瓦尔金诺多面堡于二十四日失守，便往后撤了。战线的这一部分没有防御工事，再也不能凭河据守，在它前面是一片开阔的平地。法国人必定会攻打这个部分，这对任何一个军人和非军人来说是显而易见的事。这样做，似乎不必多加考虑，皇帝和他的元帅们也不必那样操心和忙碌，完全不需要那种被称为天才、人们常常喜欢加在拿破仑身上的特别高的才能；但是后来描述这个事件的历史学家们、当时拿破仑周围的人以及拿破仑本人却有另一种想法。

拿破仑巡视着战场，深沉地思考着和观察着地形，自己对自己表示赞同或怀疑地摇摇头，没有把指导他做出决定的深沉思考的思路对他周围的将军们讲，只以命令的形式告诉他们最后的结论。被称为埃克米尔公爵的达武建议迂回俄军左翼，拿破仑听后说，不需要这样做，没有解释为什么不需要。孔庞将军①（他奉命

---

① 孔庞（一七六九至一八四五年），法国将军，第五步兵师师长。

进攻尖顶堡）提出率领他的师穿过树林，拿破仑表示同意，虽然所谓的埃尔欣根公爵，即内伊①，大胆指出穿过树林前进是危险的，会搞乱部队的队形。

拿破仑在视察了舍瓦尔金诺多面堡对面的地形后，默默地思考了一会儿，说明应把两个明天用来轰击俄军工事的炮队放在何处，并且指出了在其旁边布置野战炮队的地点。

发布了这些命令和其他指示后，他回到了自己的大本营，口授了作战部署。

法国历史学家用赞叹的语气讨论这个作战部署，别的历史学家提到时也满怀敬意。它的内容如下：

  黎明时，夜间在埃克米尔公爵据守的平地上布置的两个新的炮队向对面敌人的两个炮队开火。

  与此同时，第一军团炮兵司令佩尔内蒂②将军连同孔庞师的三十门大炮以及德塞③和弗里昂④师的所有迫击炮向前推进，向敌炮队发射榴弹，参加炮击的应有：

    近卫军炮兵的二十四门大炮

    孔庞师的三十门大炮

    弗里昂和德塞师的八门大炮

      共计六十二门大炮

---

① 内伊（一七六九至一八一五年），法国元帅。
② 佩尔内蒂（一七六六至一八五六年），法国将军。
③ 德塞（一七六四至一八三四年），法国将军。
④ 弗里昂（一七五八至一八二九年），法国将军。

第三军团的炮兵司令富歇①将军需将第三军团和第八军团的所有迫击炮共十六门置于担任炮击左面的工事任务的炮队的两侧,共计有大炮四十门。

索尔比埃②将军应做好准备,一接到命令就立即带着近卫军炮队的所有迫击炮投入战斗,炮击任何一处防御工事。

在炮轰时,波尼亚托夫斯基公爵应率部直奔村庄和树林,包抄敌阵地。

孔庞将军穿过树林前进,夺取第一个工事。

在以此方式进入战斗后,将根据敌人的行动继续发布各种命令。

在听到右翼炮声后,左翼立即开始炮轰。莫朗③师和总督④师的步兵在看到左翼进攻开始后,立即猛烈开火。

总督占领村子⑤后,从三个地方过河,在同一高地上随莫朗师和热拉尔⑥师之后推进,这两个师在他指挥下奔向多面堡,与其他部队排成一线。

以上各项均须有条不紊地执行(le tout se fera avec ordre et méthode),尽可能留一些部队做预备队。

---

① 富歇(一七六二至一八三五年),法国将军。
② 索尔比埃(一七六二至一八二七年),法国将军。
③ 莫朗(一七七一至一八三五年),法国将军。
④ 总督指博加尔内(一七八一至一八二四年),法国皇子,拿破仑的养子,意大利总督,一八一二年任法军第四军军长。
⑤ 指波罗金诺。
⑥ 热拉尔(一七七三至一八五二年),法国元帅。

一八一二年九月六日[①]　　于莫扎依斯克附近行营

这个作战部署包含四项命令,如果我们在不盲目敬畏拿破仑的天才的情况下来看待他的这些命令,那么就会看到它写得又含糊又混乱。这些命令当中的任何一项都无法执行,而且也没有执行。

首先,作战部署要求**在拿破仑选定的地点上部署的炮队和与其靠拢的佩尔内蒂和富歇的大炮,共一百零二门,一齐开火,猛轰俄军尖顶堡和多面堡**。这不可能做到,因为从拿破仑指定的地点炮弹打不到俄军工事,如果最靠近的指挥官不违背拿破仑的命令把大炮往前移,那么这一百零二门大炮就会一直白费弹药地射击下去。

第二项命令是要**波尼亚托夫斯基率部直奔村庄和树林,包抄俄国人的左翼**。这一点之所以无法做到和实际上没有做到,是因为波尼亚托夫斯基在直奔村庄和树林时,会在那里遇上挡住他的道路的图奇科夫,这就无法包抄和实际上没有包抄俄国阵地。

第三项命令是:**孔庞将军向树林推进,以便占领第一个工事**。孔庞师没有占领第一个工事而被击退了,因为他们在出了树林后要冒着霰弹整理队伍,这是拿破仑没有料到的。

第四项命令是:**总督占领村子(波罗金诺)后,从三个地方过河,在一个高地上随莫朗师和热拉尔师之后推进**(命令没有说这两个师何时往何地推进),**这两个师在他指挥下奔向多面堡,与其他部队排成一线**。

[①] 此处用的是新历。

根据一般的理解——不是根据这句冗长的无条理的话，而是根据总督为执行接到的命令所做的尝试——他应当经过波罗金诺向左朝多面堡推进，而莫朗师和弗里昂师同时应当从正面推进。

所有这一切以及作战部署的其他各点都没有执行而且不可能执行。总督过了波罗金诺后，在科洛恰河边被击退，无法继续前进；莫朗师和弗里昂师未能拿下多面堡，而被击退了，多面堡是在战役已经结束时被骑兵攻占的（对拿破仑来说，大概这是一件未预见到的和闻所未闻的事）。总而言之，作战部署中的任何一项命令没有执行而且无法执行。但是作战部署中说，在以此方式进入战斗后，将根据敌人的行动继续发布各种命令，因此有人可能会觉得拿破仑在战役进行过程中发布了一切必要的命令；但是他没有而且不可能这样做，因为战斗时拿破仑离开战场很远，他不可能知道战斗的进程（后来发现果然如此），他的任何一个命令都不可能在战斗中得到执行。

二十八

许多历史学家说，法国人之所以没有赢得波罗金诺战役，是因为拿破仑感冒了，如果他不感冒，那么他在战前和战斗进行过程中发布的命令就会更加英明，俄国就会灭亡，世界的面貌就会发生变化。有些历史学家认为俄国是按照彼得大帝一个人的意志形成的，法国由共和国变为帝国，法国军队进攻俄国也是按照拿破仑一个人的意志所为，这样的历史学家必然会顺理成章地做出俄国保持强大是因为八月二十六日拿破仑得了重感冒的论断。

如果打不打波罗金诺这一仗和发不发这个或那个命令取决于拿破仑的意志的话，那么那影响了他的意志的表现的感冒显然可能成为俄国得救的原因，因此那个在二十四日忘记给拿破仑拿防水靴子穿的近侍就成为俄国的救星了。这样想问题毫无疑问会得出这个结论，正如伏尔泰嘲笑（他自己也不知嘲笑什么）说，巴多罗买之夜是由于查理九世肠胃失调引起的一样①。但是那些不承认俄国是按照彼得大帝一个人的意志形成的以及不承认法兰西帝国的形成和对俄战争的开始决定于拿破仑一个人的意志的人，会认为这种论断不仅是不正确的，不合理的，而且是与人的本性相违背的。关于各种历史事件发生的原因的问题，有另一种答案，认为世界上各种事件的进程是由上天预先决定的，取决于参与这些事件的人的所有个人意愿的巧合，而拿破仑对这些事件进程的影响是表面的，虚假的。

有一种设想，认为巴多罗买之夜大屠杀的命令虽是查理九世下的，但这惨案不是按照他的意志发生的，他只是觉得下了这样做的命令而已；波罗金诺八万人进行血战不是出于拿破仑的意志（虽然他下了开战和进行战斗的命令），他只是觉得做了这样的安排罢了——不管这样的设想初看起来多么奇怪，但是人的自尊告诉我，我们当中的任何人即使不比伟大的拿破仑强，那也不比他差多少，

---

① 法国国王查理九世在母后卡特琳·美第奇的怂恿下，于一五七二年八月二十三日夜（圣巴多罗买节前夜）对胡格诺派教徒（新教徒）进行大屠杀，史称"巴多罗买之夜"（曾译为"巴托洛缪之夜"）。伏尔泰在其哲理小说《切斯特菲尔德伯爵的耳朵和神父古德曼》中说了上面的话。

人的自尊准许这样解决问题，大量历史研究证明了这种设想。

在波罗金诺会战中，拿破仑没有向任何人开枪，也没有打死任何人。这些事都是士兵干的。由此可见，杀人的不是他。

法国军队的士兵在波罗金诺会战中冲过来杀俄国士兵，不是由于拿破仑下了命令，而是出于自愿。整个军队，包括法国人、意大利人、德国人、波兰人，食不果腹，衣衫褴褛，又困又乏，看见有军队挡住去莫斯科的路，就想，一不做，二不休。假如这时拿破仑禁止他们与俄国人打仗，他们就会杀死他，然后去打俄国人，因为他们必须这样做。

拿破仑在他的命令中用子孙后代将会记得他们参加过莫斯科大会战这样的话来安慰他们这些可能遭到伤亡的人，他们听了这些话就高呼"皇帝万岁！"，正如他们看见一个用比尔包开的木棒顶着地球的孩子的画像时高呼"皇帝万岁！"一样；他们不论听到什么毫无意义的话也同样会高呼"皇帝万岁！"，他们除了高呼"皇帝万岁！"以及为了在莫斯科得到食物和作为胜利者休息而去打仗外，再也没有别的事可做了。这么说来，他们不是由于拿破仑下令才去残杀同类的。

同时也不是拿破仑支配着会战的进程，因为他的作战部署完全没有实行，在战斗过程中他不知道他前面发生的事。因此这些人相互残杀，不是按照拿破仑的意志进行的，不以他的意志为转移的，而是按照几十万参加整个战斗的人的意志进行的。拿破仑**只是觉得**仿佛一切是按照他的意志发生的而已。因此关于拿破仑有没有感冒的问题，比起一个最普通的辎重兵有没有感冒的问题来，对历史来说并没有更大的意义。

拿破仑八月二十六日的感冒没有什么意义，因此有的作者关于他由于感冒做出的作战部署和战役进行过程中发布的命令不像以前那样好的说法是完全不正确的。

这里摘录的作战部署一点也不比以前的所有打胜仗的作战部署差，甚至要好些。战斗进行过程中设想他会发布的命令也不会比以前的差，而完全像平常一样。但是这个作战部署和这些命令之所以使人觉得比以前差，是因为波罗金诺会战是拿破仑未赢得胜利的第一个战役。在没有打胜仗时，所有最出色的和深思熟虑的作战部署和命令都会使人觉得是非常糟糕的，每一个研究军事的学者都会郑重其事地进行批评；而在打了胜仗时，最坏的作战部署和命令会觉得是非常好的，一些认真严肃的人会在连篇累牍的著作中证明这些不好的命令的优点。

魏罗特在奥斯特利茨战役中所做的作战部署是此类作品中的典范，但是它仍然遭到指责，指责的是它的完美和详尽。

拿破仑在波罗金诺会战中履行政权代表的职责与在其他战役中一样好，甚至更好。他没有做任何妨碍战役的进程的事；他能采纳比较合理的意见；他没有弄糊涂，没有自相矛盾，没有惊慌失措，没有逃离战场，而是很有分寸和很有作战经验，镇静地和恰如其分地扮演了貌似统帅的角色。

二十九

拿破仑不放心，再次巡视了战线，回来后说：

"棋子摆好了,明天就要开始下了。"

他吩咐给他拿来潘趣酒①,叫来了博塞,和博塞谈起了巴黎,说他想对皇后官中人员做一些变动,他对内臣之间的关系的微小细节记得那么清楚,使这位宫廷事务大臣感到非常惊讶。

他询问了一些琐事,揶揄了博塞对旅行的爱好,随便闲谈着,像一个自信而内行的著名外科大夫在卷起袖子和围好围裙、病人已绑在手术台上时那样说道:"事情全掌握在我手中和全在我脑子里,清楚而又明确。需要着手做时,我能比任何人都做得好,而现在可以说说笑话,我笑话说得愈多和态度愈镇静,您就应该愈有信心,愈镇静和愈对我的天才感到惊奇。"

拿破仑喝完第二杯潘趣酒后,便去休息一会儿,他觉得明天他将有一件大事要做。

他心里想着他面临的事情,一直睡不着,虽然傍晚湿度加大使得感冒加重了,他还是大声地擤着鼻涕,来到营帐的大间里。他问俄国人撤走了没有。人们回答说,敌人营地的火光仍在原地。他赞许地点点头。

值班副官进了营帐。

"喂,拉普②,您认为我们今天能打胜仗吗?"拿破仑问他。

"毫无疑问,陛下。"拉普回答道。

拿破仑朝他看了一眼。

"您记得您在斯摩棱斯克对我说的话吗,陛下?"拉普说,"您当时说,一不做,二不休。"

---

① 潘趣酒是酒加糖、红茶、柠檬调制而成的饮料。
② 拉普(一七七一至一八二一年),法国将军。曾多次随拿破仑征战,写有日记。

拿破仑皱起了眉头,把脑袋靠在一只手上,默默地坐了很久。

"可怜的军队,"他突然说,"它在占领斯摩棱斯克后人数大大减少了。命运真是一个淫荡的女人,拉普;我一直这样讲,并且开始感受到了。但是,拉普,近卫军未受损失吧?"他问道。

"未受损失,陛下。"拉普回答。

拿破仑拿起一个药片,放进嘴里,看了看表。他不想睡觉,但是离天亮还早;不能再发布命令来消磨时间,因为该发布的命令都发布了,现在已在执行了。

"给近卫军发了干粮和大米了吗?"拿破仑用严厉的口气问道。

"已发了,陛下。"

"大米也发了?"

拉普回答道,他已把皇上关于发大米的命令传达下去了,但是拿破仑不满意地摇摇头,仿佛不相信他的命令已执行了一样。近侍拿着潘趣酒进来。拿破仑吩咐给拉普倒一杯,自己默默地喝了几口。

"我既没有味觉,也没有嗅觉,"他闻着杯子说,"这感冒使我烦极了。人们谈论医学。可是他们连感冒也治不了,还谈什么医学?科尔维扎尔①给了我这些药片,没有什么用。他们能治什么呢?是治不了的。我们的身体是一台生命的机器。它是为此而组装成的,这是它的本性;别去打扰生命,让它自己保护自己,它自身会做得更好,好于用药物进行干预。我们的身体类似走一定时间的钟表;钟表匠不能随意打开它,只能闭着眼睛摸索着加以

---

① 科尔维扎尔(一七七五至一八二一年),拿破仑的御医。

控制。我们的身体是一台生命的机器。就是这样。"拿破仑仿佛又下起他所喜欢的定义（définitions）来，出乎意外地下了一个新的定义。"拉普，您知道军事艺术是什么吗？"他问，"是做到在一定时间内强于敌人的艺术。就是这样。"

拉普什么也没有回答。

"明天我们就要和库图佐夫打交道了！"拿破仑说，"等着瞧吧！您记得吗，在布劳瑙他指挥军队，三个星期一次也没有骑上马去视察防御工事。等着瞧吧！"

他看了看表。还只有四点钟。不想睡，潘趣酒喝完了，仍然无事可做。他站起来，来回走了一趟，穿上了暖和的常礼服，戴上了帽子，出了营帐。夜晚又黑又潮，勉强能感觉到的潮气从上往下落。近处法国近卫军的篝火烧得不很旺，透过烟雾可以看见远处俄军阵地上火光闪闪。到处一片寂静，可以清楚地听到开始出发去占领阵地的法国军队忽轻忽重的脚步声。

拿破仑在营帐前走了一趟，看了看火光，仔细听了听脚步声，从一个在他营帐旁站岗的戴着毛茸茸的帽子的高大的近卫军士兵身旁经过，那士兵见了皇帝，身子挺得像一根黑柱子一样，拿破仑在他对面站住。

"你是哪一年入伍的？"他带着惯常的粗鲁而又亲切的军人口气，装腔作势地问，他在同士兵说话时总是用这种口气。士兵回答了他的话。

"啊！是一个老军人了！你们团领到大米了吗？"

"领到了，陛下。"

拿破仑点了点头，就走开了。

五点半，拿破仑骑马到舍瓦尔金诺村去。

天开始亮了，天空已变得明朗起来，只有在东边还残留着一团乌云。被遗弃的篝火的余烬还在熹微的晨光中燃烧。

右边传来单独的一声低沉的炮响，很快在一片寂静中消失了。过了几分钟。响起了第二声、第三声炮击，空气都震动了；第四声、第五声炮响很近，在右边什么地方，听起来很威严。

最初几声炮声还没有消失，别的大炮又打响了，还有许多大炮争先恐后地射击起来，炮声汇成一片。

拿破仑带着侍从到了舍瓦尔金诺多面堡前，下了马。一场角逐开始了。

三 十

皮埃尔从安德烈公爵那里回到戈尔基后，吩咐驯马师准备好马匹和明天一早叫醒他，便立刻在鲍里斯让给他的隔壁的一个角落里睡着了。

第二天早晨，当皮埃尔已完全醒了时，屋里已经没有人了。小窗户上的玻璃震得当啷响。驯马师站在那里推他。

"大人，大人，大人……"驯马师一面说，一面眼睛不看着他，使劲摇着他的肩膀，看来已失去了叫醒他的希望。

"什么？开始了？到时候了？"皮埃尔醒来说。

"请您听那炮声，"这个当驯马师的退伍老兵说，"所有的老爷都出去了，殿下早就走了。"

皮埃尔急忙穿好衣服，跑到台阶上。户外天气晴朗，空气清新，露珠晶莹，一片欢乐景象。太阳刚从遮住它的乌云里挣脱出来，一半被乌云折断的阳光越过对面街上的屋顶射到路上被露水盖住的尘土上，射到房屋的墙上，射到围墙的空隙和拴在屋旁的皮埃尔的马身上。在户外，隆隆的炮声听得更加清楚了。一个副官带着一个哥萨克骑马从街上快步驰过。

"该走了，伯爵，该走了！"副官喊道。

皮埃尔吩咐驯马师牵着马跟着他，沿街道朝他昨天在上面观察过战场的土岗走去。在这土岗上有一群军人，可以听见司令部人员用法语说话的声音，可以看见戴着红籀白帽的库图佐夫，他的灰白色的后脑勺缩在肩膀里。库图佐夫用望远镜看着前面的大路。

皮埃尔沿着入口处的阶梯上了土岗后，朝自己前面看了一眼，看到眼前的美丽景象不禁高兴得愣住了。这是他昨天在这个土岗上欣赏过的那幅全景图；不过现在这整个地方布满了军队和冒着硝烟，从皮埃尔左后方升起的明亮的太阳的阳光透过早晨洁净的空气斜射到地面上，投下了略带金黄色和粉红色的光线以及长长的阴影。在这画面尽头的远处的树林，酷似用一块黄绿色的宝石雕出来的一样，错落有致地出现在地平线上，斯摩棱斯克大道在它们中间，在瓦卢耶沃村外通过，大道上挤满了军队。在较近的地方，金黄色的田野和小树林在阳光下闪闪发亮。各个地方——前面、右面和左面——都可以看到军队。这一切显得热闹、壮观而又出人意料；但是最使皮埃尔感到惊讶的是战场本身、波罗金诺和科洛恰河两岸的谷地的景象。

在科洛恰河上方，在波罗金诺及其两边，尤其是在左面，在沃依纳河通过两岸的沼泽地带汇入科洛恰河的地方，有一片雾，它不断融化，扩散，明亮的太阳出来后变成透光的了，透过它可以看见的一切被染上了神奇的色彩，显得轮廓十分清晰。硝烟与这片雾合到一起，于是在这烟雾里到处闪烁出一道道清晨的亮光——时而在水面上，时而在露珠上，时而在聚集在两岸和波罗金诺的部队的刺刀上。透过这一片雾，可以看见白色的教堂，有的地方可以看见波罗金诺的房顶，有的地方可以看见密密麻麻的士兵，有的地方则可以看见绿色的弹药箱和大炮。所有这一切都在移动着或者看起来像在移动，因为烟雾弥漫着这整个空间。无论是在波罗金诺附近被雾覆盖的低洼地上，还是在村外较高处，尤其是在整条战线的左边，在树林和田野里，在洼地里和高地的顶端，都不断自然而然地凭空出现大炮的硝烟，有时只有一团，有时一连好几团，有时稀疏，有时密集，这一团团硝烟膨胀起来，扩大开来，缭绕上升，融合在一起，在这整个空间都能看到。

这些枪炮射击的硝烟和声音，说起来也怪，产生了眼前景色的主要的美。

"**噗——噗！**"——突然出现一团泛出紫色、灰色、乳白色的浓烟；"**砰——砰！**"——一秒钟后这团烟发出了这样的声音。

"**噗——噗！**"——升起了两团烟，互相碰撞着，接着融合在一起；"**砰——砰！**"——这声音证实了眼睛看见的东西的存在。

皮埃尔回头再看刚才他看到的像一个密实的圆球似的第一团烟，现在它已变成几个球向一边飘去；"噗……（带有间隔）噗——噗"——又冒出三团、四团烟，每团烟过后，也带有间隔地响起"砰……砰——砰——砰"的悦耳的、清晰的、准确的声音。这些烟看起来仿佛在奔跑，仿佛停留在原地，树林、田野和闪闪发亮的刺刀仿佛从它旁边跑过。在左边，沿着田野和灌木丛，不断升起一大团一大团烟，接着发出庄重的响声；而在比较近一些的地方，在洼地和树林里，则冒出火枪的小片的、未来得及成团的硝烟，接着也发出了不大的声音。"特啦——嗒——嗒"——火枪的射击声虽然比较密集，但是与炮声相比，比较杂乱和微弱。

皮埃尔想要到有这些硝烟，有这些闪亮的刺刀和大炮，有人们走动和有这些声音的地方去。他回头朝库图佐夫和他的随从看了一眼，以便把自己的印象与别人的印象做一比较。他觉得大家也完全像他一样怀着同样的心情望着前方，望着战场。所有人的脸上现在闪现出他昨天发现的以及在和安德烈公爵谈话后已完全理解的感情的潜热（chaleur latente）。

"去吧，亲爱的，去吧，基督与你同在。"库图佐夫一面目不转睛地看着战场，一面对站在他身旁的一位将军说。

这位将军听到命令后，从皮埃尔身旁经过，朝土岗的斜坡走去。

"去渡口！"他听见一个参谋人员问他上哪里去，便冷冷地、严厉地回答道。

"我也去，我也去。"皮埃尔想，跟在将军后面走。

将军上了一个哥萨克给他牵过来的马。皮埃尔到了牵着几匹马的驯马师跟前。他问哪一匹比较温顺些，然后爬上一匹马，抓住马鬃，脚尖朝外，脚跟贴住马肚子，觉得眼镜要掉下来了，但又不能腾出抓住马鬃和缰绳的手来扶眼镜，就这样跟在将军后面跑，逗得在土岗上看着他的参谋人员都笑了起来。

三十一

皮埃尔跟随的那位将军下了山,猛然向左拐,从他的视线中消失了,于是他闯进了走在他前面的步兵的队伍中。他时而向右走,时而向左走,试图从他们中间出来;但是到处都是脸上带着一样的紧张不安表情的士兵,他们正忙于做一件看不见的,但显然很重要的事情。大家都以同样的不满和疑问的目光看着这个戴白帽的胖子,不知为什么他骑着马踩他们。

"干吗骑着马在队伍里乱闯!"一个士兵朝他喊道。另一个士兵用枪托捅他的马,皮埃尔伏在鞍鞒上,勉强控制住急速闪开的马,朝士兵前面比较宽敞的地方奔去。

在他前面有一座桥,桥边站着另一些士兵,他们在射击。皮埃尔骑马到了他们跟前。他不知不觉地来到科洛恰河的桥的桥头,这座桥位于戈尔基和波罗金诺之间,法国人在首次战斗(占领波罗金诺后)中向它发起了进攻。皮埃尔看见了他前面的桥,看见在桥的两边和在草地上,在他昨天见过的一排排割下的干草里,士兵们在硝烟里干着什么;但是虽然这里射击声不断,他怎么也没有想到这就是战场。他没有听到四面八方的子弹的呼啸声以及从他头上飞过的炮弹的爆炸声,没有看见河对岸的敌人,虽然许多人在离他不远处倒下,但是他很久没有看见死伤的人。他一直面带微笑看着自己的周围。

"你这人怎么骑着马在火线前面走?"又有人朝他喊道。

"向左走,向右走。"人们对他嚷嚷。

皮埃尔向右拐弯,碰上了一个担任拉耶夫斯基将军的副官的熟人。这个副官生气地看了皮埃尔一眼,显然也打算呵斥他,但是在认出他后朝他点了点头。

"您怎么在这里?"他说了一句,继续走他的路。

皮埃尔感觉到这不是他应该待的地方,在这里无事可做,担心又妨碍别人,便跟着副官跑去。

"这里怎么啦?我可以和您在一起吗?"他问。

"等一会儿,等一会儿。"副官回答说,他跑到站在草地上的上校跟前,对他传达了什么,然后才朝皮埃尔转过身来。

"您到这里来干什么,伯爵?"他微笑着对皮埃尔说,"仍然还是好奇吗?"

"是的,是的。"皮埃尔说。副官拨转马头,继续往前走了。

"这里总算还好,"副官说,"但是在巴格拉季翁的左翼打得激烈极了。"

"真的?"皮埃尔问,"这是在哪里?"

"您和我一起到土岗上去,从我们那里看得见。在我们炮队那里还可以。"副官说,"怎么,去不去?"

"好,我跟您去。"皮埃尔说,他看了看自己周围,用目光寻找着自己的驯马师。这时皮埃尔才第一次看见了那些自己蹒跚地走着的和用担架抬着的伤员。在他昨天路过的堆放着一排排发出清香的干草的草地上,一个士兵不自然地歪着头,一动不动地横躺在干草堆旁边,他的高筒军帽掉在一旁。"这个人为什么不抬走?"皮埃尔刚开口要问,但是看见也朝那边瞧的副官脸上严肃的神情,便不作声了。

皮埃尔没有找到自己的驯马师,他和副官一起沿低洼的谷地前往拉耶夫斯基土岗。皮埃尔的马驮着他一颠一颠地走着,落在副官的后面。

"您大概不习惯骑马吧,伯爵?"副官问。

"不,没有什么,不过它走路好像蹦跳得很厉害。"皮埃尔困惑地回答。

"唉!……它受伤了,"副官说,"右前腿,膝盖以上的地方。想必是中了子弹。祝贺您,伯爵,"他说,"接受炮火的洗礼。"

他们经过了炮队后面的硝烟弥漫的第六军的阵地,这时炮队已向前移,正在进行射击,炮声震耳欲聋,他们来到一个小树林边。树林里凉爽而寂静,已可感觉到秋意。皮埃尔和副官下了马,徒步上山。

"将军在这里吗?"副官在快到土岗时问。

"刚才还在,上那里去了。"有人指了指右边,回答道。

副官回头朝皮埃尔看了一眼,仿佛不知道他现在该拿他怎么办。

"您不必费心,"皮埃尔说,"我这就上土岗去,可以吗?"

"您去吧,那里什么都看得见,而且不那么危险。我等会儿再来找您。"

皮埃尔朝炮队走去,副官继续朝前走了。他俩再也没有见面,很久以后皮埃尔才知道,这个副官那一天被炸掉了一只胳膊。

皮埃尔登上的土岗是一个著名的地点(后来俄国人称为土岗炮垒或拉耶夫斯基炮垒,而法国人则把它叫作大多面堡、倒霉的多面堡、中央多面堡),在它周围死了几万人,法国人认为它是整个阵地上最重要的据点。

这个多面堡是一个三面挖有壕沟的土岗。在挖了壕沟的地方架设着十门正在射击的大炮,炮口从胸墙的孔里伸出来。

还有许多门大炮在土岗两边与它排成一线,这些大炮也在不停地射击。在大炮稍靠后的地方,则是步兵。皮埃尔在上这土岗时,怎么也没有想到,这个挖着几条不大的壕沟、上面有几门大炮在射击的土岗,是这次战役中最重要的地方。

恰恰相反,皮埃尔觉得这个地方(正是因为他在这里)是这次战役中最不重要的地点之一。

上了土岗后,皮埃尔在围绕着炮队的壕沟的末端坐下,面带不自觉的快乐的微笑望着在他周围发生的事情。有时皮埃尔仍带着同样的微笑站起来,竭力不妨碍装填炮弹、把发射时后坐的炮推回原处、拿着口袋和炮弹不断从他身旁跑过去的士兵,在炮垒上来回走动。这个炮垒上的大炮接连不断地射击着,发出震耳欲聋的声音,它的四周硝烟弥漫。

刚才在担任掩护的步兵中间时有一种很不舒服的感觉,这里,在炮垒上,只有为数不多的人在忙着干他们的事,他们用一道战壕与别的人隔开,——在这里与在步兵那里相反,可以感觉到一种普遍的、仿佛亲如一家的热闹气氛。

戴着白帽子的非军人皮埃尔的出现,开头使这些人感到不快和吃惊。士兵们在经过他身旁时,惊奇地甚至恐惧地斜眼看他。一个年长的高个子长腿和麻脸的炮兵军官,做出仿佛要查看靠边的那门炮的发射情况的样子,走到皮埃尔跟前,好奇地看了他一眼。

一个完全还是孩子的年轻圆脸的军官,显然是刚从武备学校毕业的，正在非常卖力地指挥着归他管的两门大炮，用严厉的口气叫住了皮埃尔。

"先生，请您让开路，"他对皮埃尔说，"这里不行。"

士兵们望着皮埃尔，不以为然地摇摇头。但是后来大家都深信这个戴白帽子的人并没有做任何坏事，他或者安静地坐在胸墙的斜坡上，或者带着羞怯的微笑很有礼貌地给士兵们让路，在射击声中不慌不忙地在炮垒上漫步，就像在林荫道上散步一样，这时，对他的不友好和不理解的情绪开始变了，变成一种亲切的和戏谑的同情，就像士兵们对待自己喂养的狗、公鸡、山羊以及一般在部队里喂养的其他动物一样。这些士兵现在思想上已接纳了皮埃尔，认为他是自家人了，还给他起了外号。他们称他"我们的老爷"，并在他们之间善意地取笑他。

一发炮弹在离皮埃尔两步远的地方爆炸。他掸着炮弹爆炸时溅到他衣服上的泥土，微笑着看了看自己的周围。

"您怎么不害怕，老爷，真是的！"一个红脸宽肩的士兵露出一口结实的白牙齿，对皮埃尔说。

"难道你害怕吗？"皮埃尔反问道。

"怎么不害怕？"士兵回答道，"要知道它是不会留情的。它啪的一声落下来，肠子就出来了。不能不害怕。"他笑着说。

几个士兵面带快乐和亲切的表情在皮埃尔身旁站住。他们仿佛未曾料到他会像大家一样地说话，这一发现使他们很高兴。

"我们干的是士兵的活。而老爷来干，那就奇怪了。这老爷真是好样的！"

"各就各位！"年轻的军官朝聚集在皮埃尔周围的士兵喊道。

这个年轻的军官大概是第一次或第二次履行自己的职责，因此对待士兵和对待长官都按照规矩，特别认真。

整个战场上隆隆的炮声和噼啪的枪声愈来愈密，尤其是在左边，在巴格拉季翁的尖顶堡那里，但是由于皮埃尔站的地方硝烟弥漫，从这里几乎什么也看不见。再说，皮埃尔的注意力全都集中在观察炮垒上的这些好像一家人（与所有其他的人隔开）的官兵上。最初，战场上的景象和声音使他不由自主地产生喜悦和激动的心情，到这时，尤其是在他看见草地上孤零零地躺着的那个士兵后，这种心情为另一种心情所替代。现在他坐在壕沟的斜坡上，观察着他周围的人。

快到十点钟时，已有二十来个人从炮垒上抬下去了；两门大炮被击坏，落到炮垒上的炮弹愈来愈密集，远处的子弹也呼啸着飞到这里来。但是炮垒上的人仿佛没有发现一样；四处都可听到快乐的说笑声。

"加了馅儿的①！"一个士兵朝一颗呼啸着飞过来的榴弹喊道。"不是朝这里来的！是冲着步兵去的！"另一个士兵发现榴弹飞过去落到担任掩护的步兵那里时也笑着说了一句。

"怎么，是老相识吧？"还有一个士兵嘲笑一个见炮弹飞过蹲了下来的农民说。

几个士兵聚集在土坡旁，观看着前面发生的事。

"散兵线撤了，瞧，往回走了。"他们指着胸墙外说。

"别多管闲事。"一个老士官对他们嚷嚷道，"往回走了，说明

---

① 指一种填满火药的榴弹或炮弹。

后面有事。"士官抓住一个士兵的肩膀，用膝盖顶了他一下。响起了一片哄笑声。

"推到五号炮那里去！"一边有人喊道。

"大家一齐来，像拉纤那样。"传来了推大炮的人欢快的叫喊声。

"哎，我们老爷的帽子差一点被打掉了。"红脸的爱说笑话的士兵露出牙齿嘲笑皮埃尔说。"唉，这丑东西。"他见一颗炮弹打中了轮子和一个人的腿，又用责备的语气加了一句。

"你们这些狐狸！"另一个士兵嘲笑弯腰弓背到炮垒上来抬伤员的民兵说。

"这锅粥不那么好喝吧？唉，这些乌鸦，都吓呆了！"人们朝那些站在炸断腿的士兵面前犹豫不决的民兵喊道。

"这个那个，娃子伢子，"有人学着民兵的腔调说，"不喜欢极了。"

皮埃尔注意到，随着每一发炮弹的落下和每一个人的伤亡，大家愈来愈活跃了。

就像雷雨即将来临时的乌云一样，所有这些人的脸（仿佛对抗所发生的事似的）都愈来愈频繁地和愈来愈明亮地发出内心熊熊燃烧的烈火的闪光。

皮埃尔没有朝前面的战场看，也没有想要知道那里发生的事：他全神贯注地观察着这烧得愈来愈旺的烈火，这烈火（他觉得）也在他心中燃烧。

十点钟，在炮垒前面的灌木丛和卡缅卡小河边的步兵后退了，从炮垒上可以看到，他们用火枪抬着伤员从炮垒旁边跑过，向后退去。一位将军带着随从上了土岗，和上校说了几句话，生气地朝皮埃尔看了一眼，又下去了，命令在炮垒后面担任掩护的步兵卧倒，以减少损失。在这之后，在炮垒右边的步兵队伍里响起了鼓声和口令声，从炮垒上可以看到，步兵的队伍向前推进了。

皮埃尔越过胸墙看着。有一个人的脸特别引起他的注意。这是一个年轻军官，他脸色苍白，拖着军刀倒退着走，不安地朝四周张望。

步兵的队伍消失在硝烟里了，传来了他们拖长声音的呼唤声和火枪密集的射击声。几分钟后，一群群伤员和一副副担架从那里过来。落到炮垒上的炮弹更加多起来了。几个人躺在那里没有被抬走。在大炮旁边走动的士兵变得更加忙碌和更加活跃。谁也不注意皮埃尔了。有两次人们生气地朝他吆喝，因为他挡了路。年长的军官脸色阴沉地迈着大步很快地从这一门炮走向那一门炮。年轻的小军官脸更红了，更加卖力地指挥着士兵。士兵们传递炮弹，转动身体，装炮弹，紧张而又神气地干着自己的事情。他们走路时像在弹簧上一样蹦跳着。

雷雨的乌云压过来了，在所有人的脸上都燃烧着皮埃尔所注视的烈火。皮埃尔站在年长的军官的身旁。年轻的小军官跑到年长的军官跟前，手举到帽檐上。

"报告上校先生，只剩下八个药包了，是否还要继续射击？"他问。

"发射霰弹！"年长的军官越过胸墙看着，没有回答，只喊了一声。

突然发生了什么事；小军官"哎呀"叫了一声，身体蜷缩起来，像一只被打中的飞鸟一样，一下子坐到地上。在皮埃尔眼里，一切变得奇怪、模糊和阴沉起来。

炮弹一个接一个地呼啸着，打中了胸墙、士兵和大炮。在这之前没有听见这些声音的皮埃尔，现在只听到这一种声音。在炮垒的一侧，在右边，士兵们喊着"乌拉"，皮埃尔觉得他们不是向前跑，而是向后跑。

一发炮弹打中了皮埃尔站的地方的胸墙的边沿，泥土散落下来，他眼前闪过了一个黑色小球，在这一瞬间砰的一声打在什么东西上。想要到炮垒上来的民兵们往回跑了。

"就用霰弹打！"军官喊道。

士官跑到年长的军官跟前，惊恐地低声说（好像宴会上管家向主人报告再也没有所需要的酒一样），药包再也没有了。

"强盗，都干什么来着！"年长的军官喊叫起来，朝皮埃尔转过身。他满脸通红，冒着汗，皱起眉头的眼睛闪闪发亮。"到预备队去，运来弹药箱！"他喊了一声，生气地打量着皮埃尔，朝部下的士兵转过身。

"我去。"皮埃尔说。军官没有回答他的话，大步朝另一边走去。

"别射击……等着！"他喊道。

奉命去运药包的士兵与皮埃尔碰了一下。

"喂，老爷，这不是你待的地方。"他说完就往下跑了。皮埃尔跟着那士兵跑去，绕过那个年轻的小军官坐的地方。

一颗、两颗、三颗炮弹从他头顶飞过，打到前面、两旁和左面的地方。皮埃尔往下跑去。"我这是上哪里去？"他快要跑到绿色弹药箱那里时突然想起来。他犹豫不决地停住脚步，不知是往回走还是往前走好。突然他仿佛被一个可怕的东西推了一下，朝后摔到了地上。在这一瞬间火光一闪,照亮了他,也在这同一瞬间发出了巨大的、震得耳朵里嗡嗡作响的轰鸣声、爆裂声和呼啸声。

皮埃尔清醒过来后,两手撑着地面坐在那里;刚才他身旁的弹药箱没有了;只有一些燃烧过的绿色木板和破布散落在被烧焦的草地上,一匹马拉扯着炸断的车辕从他身边跑过去,另一匹马像皮埃尔本人一样躺在地上,发出长长的刺耳的叫喊声。

三十二

皮埃尔吓得魂不守舍,他跳了起来,跑回炮垒,仿佛跑回可躲避他周围的一切恐怖现象的唯一避难所似的。

他在进战壕时注意到,炮垒上已听不见射击声,但是有人正在那里做什么。皮埃尔没有来得及弄明白这是什么人。他看见年长的上校背朝他倒在胸墙上,好像是在观察下面的什么似的,看见一个他曾见过的士兵想要挣脱抓住他的手臂的人朝前冲,嘴里喊道:"弟兄们!"——还看见一些奇怪的事情。

但是他还没有来得及想到上校已被打死,喊"弟兄们"的士兵被抓了俘虏,另一个士兵在他眼前背上被扎了一刺刀。他刚跑进战壕,就有一个又瘦又黄、满脸是汗、身穿蓝制服、手握军刀的人嘴里喊着什么,朝他冲过来。皮埃尔本能地保护自己,以免被撞倒,因为两人彼此没有看清楚就迎头对撞,他伸出双手,一只手抓住这个人(这是一个法国军官)的肩膀,另一只手抓住他的喉咙。那军官放开军刀,抓住皮埃尔的衣领。

他俩用惊恐的目光相互看对方陌生的脸看了几秒钟，他俩都没有弄清他们做了些什么和他们该怎么办。"我被俘了还是他被我俘虏了？"他们之中每个人都这样想。但是法国军官显然比较倾向于认为他被俘了，因为皮埃尔由于不由自主的恐惧，那只变得非常有力的手愈来愈紧地掐住他的喉咙。法国人想要说什么，突然一颗很低的炮弹可怕地呼啸着贴近他们的头顶飞过，皮埃尔觉得法国军官的脑袋被削掉了，因为他很快把它压了下去。

皮埃尔也低下了头，放开了手。法国人再也不想是谁俘虏谁了，跑回炮垒，而皮埃尔往山下跑，一路上在死伤者身上磕绊着，觉得他们在拉他的腿。但是他还没有来得及下山，就看到俄国士兵黑压压的一片迎面跑过来，他们跌跌撞撞，朝炮垒猛跑。（这次冲锋叶尔莫洛夫说成是他发起的，他说，只有靠他的勇气和运气才可能建立了这一功绩，在这次冲锋时，他仿佛把自己口袋里的格奥尔吉十字勋章扔到土岗上让士兵去争。）

占领了炮垒的法国人逃跑了。我们的军队高呼"乌拉"追法国人追到离炮垒很远的地方，很难阻止他们不追。

抓到的俘虏，其中包括一个受伤的法国将军，从炮垒上带下来，军官们围住了这个将军。一群群伤员，有的皮埃尔认识，有的不认识，有俄国人，也有法国人，一个个痛苦得脸变了样，走着、爬着和用担架抬着从炮垒上下来。皮埃尔上了他刚才待了一个多钟头的土岗，没有找到那些接纳了他的亲如一家的人当中的任何人。这里有许多他不认识的死者。但是他认出了几个人。那个年轻的小军官还那样蜷缩着身子坐在胸墙边缘的血泊中。红脸的士兵还在抽搐，但是没有人来抬走他。

"现在他们会住手了,现在他们会对所干的事感到恐惧了!"皮埃尔想道,无目的地跟在一群群抬着担架离开战场的人后面走。

被烟雾蒙住的太阳还很高,在前面,尤其是在谢苗诺夫斯科耶的左边,硝烟中正干得热火朝天,火枪的射击声和大炮的轰鸣声不仅没有减弱,反而加强到了极点,好像一个人在声嘶力竭地拼命叫喊一样。

三十三

波罗金诺会战的主要战斗是在波罗金诺和巴格拉季翁尖顶堡之间几千俄丈的地方进行的。(在这个地方之外,一方面俄国人于中午由乌瓦罗夫的骑兵发起佯攻,另一方面,在乌季察以西波尼亚托夫斯基与图奇科夫发生了冲突;但这与战场中央的情况相比,是两次单独的小战斗。)在波罗金诺与尖顶堡之间的田野上,在树林旁边,在两面都能看见的开阔地带上,以最简单和最普通的方式发生了这次战役的主要战斗。

战役是由双方几百门大炮的轰击揭开序幕的。

而当烟雾笼罩了整个战场时,部队(法国人的)冒着这片烟雾向波罗金诺推进了,右边是德塞和孔庞的两个师,左边则是总督的各个团。

尖顶堡离拿破仑所在的舍瓦尔金诺多面堡有一俄里,而波罗金诺的直线距离有两俄里多,因此拿破仑不可能看见那里发生的事,况且硝烟与雾连成一片,遮住了整个地区。前去攻打尖顶堡的德塞师的士兵，直到他们下到他们与尖顶堡之间的冲沟时才可以看得见。他们一下冲沟，尖顶堡里枪炮射击产生的硝烟变得很浓，遮住了冲沟那一面的上坡。那里的硝烟中闪动着黑乎乎的东西——这大概是人，有时出现刺刀的闪光。但是他们是在前进还是停住了，是法国人还是俄国人，从舍瓦尔金诺多面堡上无法看清。

金灿灿的太阳升起来了，阳光直接斜射到正在手搭凉棚观看尖顶堡的拿破仑的脸上。硝烟在尖顶堡前弥散开来，时而觉得好像是它在移动，时而又觉得是部队在移动。有时透过枪炮声可以听见人们的喊声，但是无法知道他们在那里做什么。

拿破仑站在土岗上，用望远镜看着，他在小小的圆筒里看到硝烟和人，有时看到的是自己人，有时则是俄国人；但是当他又用肉眼来看时，就不知道刚才看到的东西在什么地方了。

他下了土岗，开始在土岗前来回踱步。

他不时停住脚步，倾听着枪炮声和注视着战场。

不仅从下面他站的地方，不仅从现在站着他的几位将军的土岗上，而且从尖顶堡本身——现在那里俄国人和法国人一起出现和交替出现，待在那里的有受伤的和活着的，有吓坏了的或发了疯的士兵——都无法看清那里发生的事。在几个钟头的时间里，在这个地方，在一刻不停的枪炮声中，时而只出现俄国人，时而只出现法国人，时而是步兵，时而是骑兵；他们不断出现，倒下，射击，碰到一起，彼此不知道拿对方怎么办，叫喊着和往回跑。

拿破仑派去的副官和他的元帅们的传令官不断从战场上来，向他报告战斗进展的情况；但是所有这些报告是虚假的，这既是因为在激烈的战斗中不可能说出这时发生了什么，也是因为许多副官没有到达真正发生战斗的地方，只讲他们从别人那里听来的情况，还因为副官跑两三俄里回来向拿破仑报告的路上情况发生了变化，他带来的消息已经过时了。例如一个副官从总督那里跑回来说，波罗金诺已占领了，科洛恰河的桥已在法国人手里。副官问拿破仑，他是否命令部队过河。拿破仑下令在河的那一边整队待命；但是不仅在拿破仑下这个命令时，而且在副官刚离开波罗金诺时，桥已被俄国人夺回和烧掉了，这是在战役刚开始时皮埃尔参加的那一场搏斗中发生的事。

一个副官面色苍白、神情惊慌地从尖顶堡来向拿破仑报告说，法军的进攻被打退了，孔庞负伤，达武阵亡，而实际上在人们对副官说法军被打退时，尖顶堡为另一支部队所占领，达武活着，只受了点轻微的震伤。拿破仑就是依据这种必然是虚假的情报发布他的命令的，这些命令要么在他发出前已执行了，要么无法执行和没有执行。

元帅和将军们虽离战场较近，但也像拿破仑一样没有参加战役本身，只是有时冒着炮火到前线去，不请示拿破仑就做自己的部署和发布自己的命令，告诉下面从哪里和朝哪里射击，骑兵和步兵分别往哪里跑。但是即使是他们的命令也跟拿破仑的命令一样，同样很少和在很小程度上得到执行。发生的情况大多与他们的命令相反。奉命前进的士兵遇到霰弹就往回跑；奉命站在原地不动的士兵突然看见自己对面出现俄国人，有时往后跑，有时冲向前去，而骑兵则不等命令就去追逃跑的俄国人。譬如两个团的骑兵通过谢苗诺夫斯科耶的冲沟刚上了山，就拨转马头拼命地跑回来了。步兵也是这样，有时他们往往跑到完全不是奉命要去的地方。何时和往何处移动大炮，何时派步兵去射击，何时派骑兵去冲杀俄国步兵，等等——所有这些命令通常是由待在部队里的最接近士兵的指挥官发出的，他们不仅不请示拿破仑，甚至也不问一问内伊、达武和缪拉。他们不害怕因不执行命令或擅自下令而受到处分，因为在战斗中一个人最宝贵的东西是自己的生命，有时觉得往回跑能获救，有时又觉得朝前跑能获救，这些置身于激烈战斗中的人往往是根据一时的心情行事。实际上，所有这些前进和后退的行动并不能改善和改变部队的处境。他们相互之间的追赶和奔袭几乎并不对他们造成损害，而造成损害和死伤的是在这些人跑来跑去的地方到处乱飞的炮弹和枪弹。只要这些人一走出这个炮弹和枪弹乱飞的地方，他们就立即被站在后面的指挥官整编，让他们服从纪律，而在这纪律的驱使下他们又到了战斗的地方，在那里他们（在死的恐惧的影响下）再次丢掉纪律，根据大家一时的情绪乱跑起来。

三十四

拿破仑的将领们——达武、内伊、缪拉都离战斗的地方很近，有时甚至到那里去，他们几次把大批队伍整齐的部队送到战斗的地方。但是与以前的历次战役的情况相反，这次他们没有得到所期待的敌人溃逃的消息，本来队伍整齐的部队**从那里**回来时溃不成军，惊慌失措。于是他们就重新整顿部队，但是人数愈来愈少了。中午缪拉派自己的副官去见拿破仑，要求增援。

缪拉的副官到达时，拿破仑正坐在土岗下喝潘趣酒，副官向他保证说，如果陛下再给一个师，就可打败俄国人。

"要求增援？"拿破仑用严肃惊讶的口气说，眼睛看着这个留着一头拳曲的黑色长发（像缪拉的发式一样）的英俊的少年副官，仿佛没有听明白他的话。"要求增援！"拿破仑想，"他们手里有一半军队，攻打的是俄国人薄弱的、没有防御工事的一翼，还要什么增援！"

"告诉那不勒斯王，"拿破仑严肃地说，"现在还不到中午，我还没有看清棋局。去吧……"

这个留着长发的英俊的少年副官手一直举在帽檐上，沉重地叹了一口气，骑马回那正在杀人的地方去了。

拿破仑站起身，叫来了科兰古和贝蒂埃，和他们交谈起与战役无关的事情来。

在拿破仑开始感兴趣的谈话中途，贝蒂埃的目光转向一个骑着一匹汗淋淋的马带着随从朝土岗跑来的将军。这是贝利亚尔。他下了马，快步走到皇帝跟前，鼓足勇气大声说明增援的必要性。他以人格担保说，如果皇帝再给一个师，那么俄国人就完了。

拿破仑耸了耸肩，什么也没有回答，继续踱步。贝利亚尔开始和围住他的侍从将军们大声地和热烈地说起话来。

"您太爱激动，贝利亚尔。"拿破仑说，又朝刚刚到来的这位将军走过来，"在战斗激烈时容易犯错误。您再去看一看，然后再来见我。"

贝利亚尔走后还没有从视线中消失，从战场的另一边又骑马跑来了一个人。

"怎么，还有什么事？"拿破仑像一个不断被打扰的人那样生气地说。

"陛下，公爵……"副官开口想说。

"请求增援？"拿破仑愤怒地做着手势说。副官低下头表示肯定，开始进行说明；但是皇帝没有理他，走了两步，站住了，走了回来，叫来贝蒂埃。"应当给预备队。"他微微摊开双手说，"您认为应派谁到那里去？"他问贝蒂埃，后来他曾称贝蒂埃为"我把它变成鹰的小鹅"。

"皇上，是不是派克拉帕雷德①师去？"熟记所有师、团和营的贝蒂埃说。

拿破仑肯定地点点头。

副官骑马到克拉帕雷德师去了。几分钟后，驻扎在土岗后面的年轻的近卫军开拔了。拿破仑默默地朝那个方向看着。

"不，"他突然朝贝蒂埃转过身，"我不能派克拉帕雷德去。派弗里昂师去吧！"他说。

虽然派弗里昂师去并不比派克拉帕雷德师去更好，甚至现在改派弗里昂师而把克拉帕雷德师留下有不便之处，并会耽搁时间，但是此命令准确地执行了。拿破仑没有看到他在使用自己的军队方面就像那个用药物进行干预的医生——而他对这种做法有非常正确的理解，而且是加以谴责的。

弗里昂师如同别的师一样，消失在战场的硝烟里了。副官不

---

① 克拉帕雷德（一七七四至一八四一年），法国将军。

断从四面八方来，大家好像商量好似的，说的都是同一件事情。他们都请求增援，都说俄国人在自己的地方坚守着，炮火非常猛烈，法国军队碰到它就好像要融化了似的。

拿破仑沉思着坐在一把折叠椅上。

那个喜欢旅行的博塞先生，从早晨起一直饿着肚子，这时走到皇帝跟前，大胆地恭请陛下用早餐。

"我希望现在我已能够向陛下祝贺胜利了。"他说。

拿破仑默默地摇摇头表示否定。博塞先生以为这否定是针对胜利而不是针对早餐的，便大胆地用比较随便的口气恭敬地说，在可以吃早饭时，世上没有任何理由能妨碍这样做。

"走开……"拿破仑突然沉下脸说，转过身去。博塞先生仍乐呵呵的，脸上露出抱歉、后悔和喜悦的怡然自得的微笑，迈着轻快的步伐到别的将军那里去了。

拿破仑心情沉重，他类似一个一向走运的赌徒，常常不加思考地下注，但总是能赢，而当他考虑到了赌博的所有偶然性时突然感觉到，他考虑得愈周到，就愈必输无疑。

军队还是那些军队，将军还是那些将军，做的是同样的准备，制订的是同样的作战部署，公告同样简短有力，他自己还是那个人，他知道这一点，而且他知道他现在甚至比以前有经验得多和高明得多，就连敌人也还是那时在奥斯特利茨和弗里德兰的敌人；但是挥起手使劲一击，这只手落下来时却奇怪地变得软弱无力。

所有过去总是能取得成功的作战方法——炮队集中轰击一点，预备队发起冲锋突破防线，由铁汉组成的骑兵进行突击——都已经用上了，不仅没有取得胜利，而且从各处都传来同样的消息，说的都是将军的伤亡,增援的必要性,俄国人无法打退,军队正在溃散,等等。

以前只要下两三道命令,说两三句话,元帅们和副官们就高高兴兴地跑来祝贺,报告抓获成军成军的俘虏,缴获成捆成捆的敌人的军旗和鹰旗,还有大炮和辎重,缪拉只要求允许他派骑兵去夺取辎重车。当年在洛迪、马伦戈、阿尔科拉、耶拿、奥斯特利茨、瓦格拉姆①等地就是如此。现在他的军队好像出了什么奇怪的事情。

虽然得到了已夺取尖顶堡的消息,但是拿破仑看到情况与他以前的历次战役不同,完全不同。他看到,他周围所有在军事方面有经验的人,都与他有同样的感觉。所有人的脸色是沮丧的,所有人都彼此避开对方的目光。只有博塞一个人不能理解正在发生的事的意义。拿破仑有长期作战的经验,他清楚地知道,进攻者在八个钟头的时间内做了所有的努力还不能赢得战斗意味着什么。他知道,仗几乎是打输了,现在,在这局势摇摆不定的紧张时刻,只要有一个很小的偶然事件,就会毁了他和他的军队。

他回想着这整个奇怪的对俄战争,记得没有打过一次胜仗,两个月来没有缴获过军旗和大炮,没有俘虏过成军成军的军队;他看着周围的人力图加以掩饰的沮丧的神情,听着俄军还在坚守的报告——这时他心中充满了一种像做噩梦似的可怕感觉,他想

---

① 这里列举了拿破仑取胜的战例。他于一七九六年五月在意大利洛迪击败奥军;一八〇〇年六月又在意大利马伦戈再次击败奥军;争夺阿尔科拉桥之战,见第一卷第一部第四章注;一八〇六年十月拿破仑在耶拿大败普鲁士军队;一八〇九年七月在奥地利瓦格拉姆村附近取胜。

到了所有可能毁了他的不幸的偶然事件。俄国人可能对他左翼发动进攻，可能突破他的中央，他本人可能被流弹打死。这一切都是可能的。在以前的历次战役中他只考虑成功的偶然性，而现在他想到了无数可能造成不幸的偶然性，他等待着它们的出现。是的，这一切好像是做梦，好像一个人梦见暴徒袭击他，在梦中挥起手，使出可怕的力量打那暴徒，知道一定会把他打死，可是他觉得他的手软绵绵的像一块破布一样无力地落下来，于是这个人便感到束手无策，心里充满了一种必然灭亡的恐惧。

关于俄国人进攻法军左翼的消息，使拿破仑产生了这样的恐惧。他默默地坐在土岗下的折叠椅上，低下头，把胳膊肘支在膝盖上。贝蒂埃走到他跟前，建议他到火线上去走一走，以便确切了解战斗的情况。

"什么？您说什么？"拿破仑说，"对，您吩咐下去，给我鞴马。"

他骑上马前去谢苗诺夫斯科耶。

拿破仑经过的地方硝烟正在慢慢地消散，那里人和马单个地和成堆地倒在血泊里。无论是拿破仑还是他的将军们还从来没有见过这样恐怖的场面，没有见过在这一小块地方躺着这么多死人。一连十个小时没有间断的把耳朵都震聋了的隆隆炮声，给这一景象增添了音响的效果（就像给活动画片配上音乐一样）。拿破仑到了谢苗诺夫斯科耶的高地上，透过硝烟看见一排排穿着颜色觉得眼生的军装的人。这是俄国人。

俄国人以密集的队形站在谢苗诺夫斯科耶和土岗后面，在他们整条战线上大炮不停地轰鸣着和冒着烟。已经不是在进行战斗了。而再继续杀人,这对俄国人和法国人来说不会有任何结果。拿破仑勒住马,又陷入刚才被贝蒂埃打断的沉思之中;他无法让在他面前和他周围进行的事停下来,虽然这件事被认为是他领导的和由他决定的,由于失利,他第一次觉得这样的事是不必要的和可怕的。

一个走到他跟前的将军大胆地建议他把老近卫军投入战斗。站在拿破仑身旁的内伊和贝蒂埃相互使了个眼色,对这个将军的毫无意义的建议轻蔑地笑了笑。

拿破仑低下头,好久没有说话。

"我不能让我的近卫军在离法国八百里①的地方遭到毁灭。"他说,说完拨转马头,回舍瓦尔金诺去了。

三十五

库图佐夫挪动他那沉重的身子,在皮埃尔早晨看见过他的地方的一条铺着毯子的长凳上坐下,低下白发苍苍的头。他没有发布任何命令,只是对人们提出的建议做同意或不同意的表示。

"对,对,就这样做吧!"他回答各种不同的建议说。"好,好,你去一趟,亲爱的,去瞧一瞧。"他时而对身边的这个人,时而对那个人说。或者是:"不,不需要,最好等一等。"他说。他听取各种报告,当部下要求做指示时,他就做指示;但是他在听

---

① 这里的里指法国古里,每古里约合四公里。

取报告时，似乎对报告人所说的话的意思并不感兴趣，他感兴趣的是报告人的面部表情和语气中的另一种东西。他凭多年的作战经验知道和凭老人的睿智懂得，领导几十万人与死亡搏斗的事不能由一个人来做，他知道，决定战役的命运的不是总司令的命令，不是军队部署的地点，不是大炮和被杀死的人的数量，而是一种被称为士气的不可捉摸的力量，因此他注视着这种力量，并尽他所能加以引导。

库图佐夫的整个面部表情说明他注意力集中而镇静，全身处于紧张状态，这使他勉强克服了衰老的身体的疲劳。

上午十一时，他获悉被法国人占领的尖顶堡已经夺回，但是巴格拉季翁公爵负了伤。库图佐夫叹息了一声，摇摇头。

"你去巴格拉季翁公爵那里，详细了解一下情况。"他对一个副官说，接着他朝站在他后面的符腾堡亲王①转过身来。

"请问殿下是否愿意指挥第一军？"

亲王走后不久，可能还没有到达谢苗诺夫斯科耶，他的副官很快就回来了，向总司令报告说，亲王请求增派部队。

库图佐夫皱了皱眉头，改派多赫图罗夫去指挥第一军②，请亲王回到他这里来，说在这重要时刻，他必须有亲王在他身边。当接到俘虏缪拉的消息③时，司令部的人向库图佐夫表示祝贺，他笑了笑。

---

① 符腾堡亲王（一七七一至一八三三年）是皇太后玛丽亚·费多罗夫娜的兄弟。
② 这里说的是派人接替受重伤的巴格拉季翁的事，巴格拉季翁原来指挥第二军。
③ 缪拉被俘的消息不确，被俘的是波纳米将军。

"且慢,诸位,仗打赢了,俘虏缪拉并没有什么了不起。但是最好还是慢一点高兴。"然而他还是派副官到各部队去通报这个消息。

当谢尔比宁①从左翼送来关于法国人占领了尖顶堡和谢苗诺夫斯科耶的报告时,库图佐夫根据战场上传来的声音和谢尔比宁的面部表情猜测到,这消息很不好,便站起身来,似乎想要活动活动腿脚,挽住谢尔比宁的胳膊,把他带到一边。

"你去一趟,亲爱的,"他对叶尔莫洛夫说,"去看一看,能不能帮着做点什么。"

库图佐夫的司令部在戈尔基,在俄军阵地的中央。拿破仑对我军左翼发动的进攻几次被击退。在中央,法国人没有过波罗金诺一步,乌瓦罗夫的骑兵从左翼出击,打得法国人抱头鼠窜。

两点多钟,法国人的进攻停止了。库图佐夫看到,从战场上来的和站在他周围的人的脸上都有一种极度紧张的表情。他对于所取得的出乎意料的战绩十分满意。但是这位老人终于体力不支。有好几次他的头像支撑不住似的低垂下来,打起瞌睡来。这时给他摆上了饭菜。

在库图佐夫进餐时,侍从武官沃尔佐根前来见他,这就是那个在安德烈公爵身旁经过时说战争应移动到空旷的地方进行②的人,也就是那个为巴格拉季翁所憎恶的人。沃尔佐根从巴克莱那里来报告左翼的战况。精明的巴克莱·德·托利看到伤兵成批地

---

① 谢尔比宁(一七九一至一八七六年),军需部门军官,托尔的副官。
② 原文为德文。

逃散和军队后部乱了,在对形势做了估量后,便认为仗打输了,于是派自己的亲信来向总司令报告。

库图佐夫吃力地嚼着烤鸡,快活地眯起眼睛,朝沃尔佐根看了一眼。

沃尔佐根漫不经心地活动活动双腿,嘴上挂着半带轻蔑的微笑,走到库图佐夫跟前,一只手轻轻地碰了碰帽檐。

沃尔佐根在和总司令说话时,故意装出一副漫不经心的样子,目的是要表明,他作为一个受过高等教育的军人,可以让俄罗斯人把这个无用的老人当作偶像来崇拜,而他可知道在同谁打交道。"老先生(德国人在他们的圈子里这样称呼库图佐夫)倒过得很舒服①。"沃尔佐根想道,他用严厉的目光朝库图佐夫面前的盘子看了一眼,开始根据巴克莱的指示以及他自己的所见和理解向老先生报告左翼的情况。

"我军阵地的所有据点都落到了敌人手中,无力将其夺回,因为没有兵力;士兵们在逃跑,无法阻止他们。"他报告道。

库图佐夫停止咀嚼,好像没有听懂说的是什么,两眼惊奇地盯着沃尔佐根。而沃尔佐根发现老先生②很激动,便带着微笑说道:

"我不认为自己有权向总司令隐瞒我见到的事情……军队完全乱了……"

"您看见了吗?您看见了吗?"库图佐夫紧锁双眉,大声喊道,他很快站起来,朝沃尔佐根紧逼过去。"您怎么……您怎么敢这样说!……"他用颤抖的手做着威胁的手势,气喘吁吁地叫喊

---

① 原文为德文。

② 同上。

起来,"阁下,您怎么敢对**我**说这种话?您什么也不知道。您替我转告巴克莱将军,说他的情报不确实,我作为总司令,比他更了解战役的真正进程。"

沃尔佐根想要争辩,但是库图佐夫打断了他的话。

"左翼的敌人被击退了,右翼的敌人也被打败了。如果您没有看清的话,阁下,那么就不要说您不知道的事。请您回到巴克莱将军那里去,转告他,明天我打算向敌人发起进攻。"库图佐夫厉声地说。大家都不吭声,只听得这位老将军在呼哧呼哧地喘粗气。"各方面的敌人都被击退了,为此我要感谢上帝和我们英勇的军队。敌人已被战胜了,明天我们就要把他们从俄罗斯神圣国土上赶出去。"库图佐夫画着十字说;突然眼泪夺眶而出,声音哽咽了。沃尔佐根耸了耸肩,撇了撇嘴,默默地走到一边,对老先生固执己见①感到惊讶。

"瞧,我的英雄来了。"库图佐夫看着一位这时上了土岗的体态丰满、仪表出众的黑发军官说。这是拉耶夫斯基,他在波罗金诺战场的主要据点上待了一整天。

拉耶夫斯基报告说,部队坚守着阵地,法国人已不敢再发动进攻。

库图佐夫听了他的报告后用法语说:

"这么说来,您不像别人那样认为我们应当撤退?"

"正好相反,总司令阁下,在胜负未定的战斗中,取胜的总是比较顽强的人,"拉耶夫斯基回答说,"我的意见……"

---

① 原文为德文。

"凯萨罗夫！"库图佐夫叫自己的副官,"你坐下来写明天进攻的命令。而你,"他对另一个副官说,"你到前线去,宣布明天我们要发动进攻。"

在库图佐夫同拉耶夫斯基谈话和口授命令的时候,沃尔佐根从巴克莱那里回来了,他报告说,巴克莱·德·托利将军希望得到总司令的书面命令。

库图佐夫没有看沃尔佐根,就吩咐写出书面命令,那位前任总司令要这样的书面命令,想必是为了到时候好推卸自己的责任。

全军的那种被称为士气和构成战争主神经的同仇敌忾的情绪,靠一种无法明确说明的神秘纽带维系着,库图佐夫的话和他发出的明日出战的命令就通过这根纽带同时传到部队的各个地方。

在他的话和命令传到这根纽带的最后环节时,远不是原话和命令本身了。甚至全军上下相互讲述的内容已和库图佐夫的话毫无共同之处;但是他的话的意思传到了各处,这是因为库图佐夫所说的不是巧妙的作战意图,他的话出自那种深藏在总司令以及每一个俄罗斯人内心的感情。

疲惫不堪、发生动摇的人听说我军明天就要进攻敌人,并从部队指挥部证实了他们愿意相信的事后,思想上得到了安慰,精神振作起来。

三十六

安德烈公爵指挥的团留作预备队,这些预备队在一点多钟以前驻扎在谢苗诺夫斯科耶村后面，在敌炮兵的猛烈轰击下没有采取行动。到一点多钟，全团已损失二百多人，这时向前推进到了一片踩平的燕麦地上，到了谢苗诺夫斯科耶村和土岗炮垒之间的地方，那里这一天已被打死了几千人，而到下午一点多钟敌军的几百门大炮又集中火力朝这里猛轰。

这个团待在这个地方，没有放一枪，又损失了三分之一的人。在前方，尤其是在右面，大炮在没有消散的烟雾中轰鸣，炮弹和榴弹发出急促的嗖嗖声和缓慢的呼啸声，不断从弥漫着前面整个地带的神秘烟雾中飞出来。有时在一刻钟里所有炮弹和榴弹都从头上飞了过去，好像给人以喘息的机会似的，但是有时在一分钟内团里就被打死几个人，并且要不断地把死者拖开，抬走受伤的人。

随着一次又一次的炮轰，对那些还没有被打死的人来说，活命的机会就愈来愈少了。全团各营在相距三百步的地方排成纵队队形待命，尽管如此，所有的人都受同一种情绪的支配。大家都不说话，脸色阴沉。在队伍里很少能听到说话声，即使有人说话，只要一传来炮弹爆炸声和叫"担架！"的声音，马上就停止了。团里的人根据长官命令，大部分时间都坐在地上。有的人摘下帽子，努力把皱褶抹平，然后又重新折起来；有的人把干土放在手掌里碾碎，用来擦刺刀；有的人揉揉皮带，把带扣勒紧；有的人用心地把包脚布抻平，重新把脚包上，穿上靴子。一些人用地里的杂草搭棚子或者用麦秸编东西。大家似乎都在专心地干活儿。当有人被打死和打伤时，当有成队的担架经过时，当我们的人往回撤时，当透过烟雾可以看见大批敌人时，谁也不注意这些情况。而当炮兵和骑兵从一旁经过向前推进，我们的步兵也在移动时，四面八方响起了赞许声。但是最受注意的是那些与战斗完全无关的事情。这些精神上遭到折磨的人把注意力放到平常的生活琐事上，仿佛是在休息似的。一个炮兵连在团队正前方通过。一匹拉弹药车边套的马的腿踩到了套索外。"哎，瞧那拉边套的马！……让它把腿收回来！会摔倒的……唉，居然没有看见！……"全团的人从队列里一齐喊道。另一次引起大家注意的是一条不知从哪里跑出来的翘起尾巴的褐色小狗，它心事重重地快步跑到队伍前面，突然近旁落下了一颗炮弹，它尖叫了一声，夹起尾巴，跑到了一旁。全团发出了一片哈哈大笑声和尖叫声。但是这一类逗乐的事只延续了几分钟，而人们已在持续的死亡恐怖中不吃不喝、无所事事地等了八个多钟头，他们本来苍白而阴沉的脸色变得愈来愈苍白和阴沉了。

安德烈公爵和全团所有人一样，脸色阴沉和苍白，背着手和低着头，在燕麦地旁的草地上从一条地界到另一条地界来回走着。他无事可做，也没有命令可发。一切都是自然而然地进行的。打死的人被拖到战线后面，受伤的人被抬走，队形变得密集起来。跑开的士兵立刻急忙赶回来。开头安德烈公爵认为自己有责任激发士兵的勇敢精神和给他们做出榜样，便在队伍里来回走动；但是后来他认识到，他没有什么可以教他们的。他像每一个士兵一样，把自己心灵的全部力量都不自觉地用来克制自己，不去考虑处境的险恶。他拖着双腿在草地上来回走着，踩得青草嚓嚓响，察看着他靴子上的尘土；时而他迈开大步，竭力想要踩着割草人在草地上留下的脚印走，时而他又数着脚步，计算着他从一条地界到另一条地界要来回走几趟才走满一俄里；时而他采摘几朵长在地界上的苦艾花，在手里揉着，闻那苦涩的刺鼻的香味。昨天的想法全都没有了。他什么也不想。他用疲倦的耳朵谛听着那些声音，辨别着炮弹飞来的呼啸声和射击的轰鸣声，不时地看看一营的人的那些看熟了的脸，等待着。"瞧那东西……这又是朝我们来的！"他谛听着从那一片隐秘的烟雾中飞过来的东西的呼啸声。"一个，又一个！还有！打中了……"他停住脚步，看了看队伍。"不，飞过去了。而这个打中了。"他又走动起来，竭力想把步子迈得大一些，想用十六步走到那边的地界。

又是一阵呼啸声和炮弹落地声！一颗炮弹在离他五步远的地方翻起了干土，不见了。他不禁浑身打了个寒战。他又看了看队伍。大概打死了很多人；在二营那里聚集了一大群人。

"副官先生，"他喊道，"叫他们别聚集在一起。"副官执行他的命令后，朝他走过来。营长也从另一边骑着马到了他跟前。

"当心！"只听得一个士兵恐惧地喊了一声，一枚榴弹像一只带着啸声扑向地面的小鸟，落到离安德烈公爵两步远的地方，落到营长的马旁边。马可不管露出恐怖的样子好不好，首先打了个响鼻，一下子直立起来，差一点把少校摔到地上，跑到了一边。马的恐惧传给了在场的人。

"卧倒！"趴到地上的副官喊了一声。安德烈公爵犹豫不决地站着。那枚榴弹像陀螺一样，冒着烟，在他和卧倒的副官中间，在农田和草地边上，在一丛苦艾近旁旋转着。

"莫非这就是死亡？"安德烈公爵想道，他用全新的羡慕的目光望着青草、苦艾和从旋转着的黑球里冒出的一缕轻烟。"我不能死，我不想死，我爱生活，爱这青草，爱土地和空气……"他想着这些，同时没有忘记人们正在看着他。

"可耻，军官先生！"他对副官说，"多么……"他没有把话说完。就在这时，听到爆炸声和像打碎的窗玻璃似的弹片的呼啸声，闻到一股呛人的火药味，安德烈公爵朝旁边打了个趔趄，举起一只手，仆倒在地上。

几个军官跑到了他跟前。他肚子右侧流出的血染红了一大块草地。

被叫来的抬着担架的民兵在军官们后面站住了。安德烈公爵俯卧着，脸一直垂到草地上，沉重地喘着气。

"怎么站住了？过来！"

农民们走到跟前，抓住他的肩膀和腿往上抬，但是他痛苦地呻吟起来，于是农民们相互使了个眼色，又把他放下来。

"抱起来，放到担架上，反正得这样做！"有人喊了一声。农民们又抓住肩膀把他抬起来，放到担架上。

"啊，我的上帝！我的上帝！这是怎么啦？……肚子！这可就完了！啊，我的上帝！"军官当中有人这样说。"榴弹从耳朵旁嗖的一声飞过，只差一点点没打着。"副官说。两个农民把担架搭上肩，急忙沿着他们踩出的小路朝包扎站抬去。

"合着脚步走……嗨！……一帮乡下人！"一个军官喊了一声，他抓住那两个步子不稳、晃动着担架的农民的肩膀，叫他们停住。

"调整一下步子，好吗，赫维多尔，喂，赫维多尔。"走在前面的农民说。

"就这样，大摇大摆地走。"后面的农民合上脚步后高兴地说。

"是大人吗？是公爵？"季莫欣跑到跟前，朝担架看了一眼，用颤抖的声音说。

安德烈公爵的头深埋在担架里，他睁开眼睛，朝说话的人看了一眼，又合上了眼皮。

民兵们把安德烈公爵朝一个停着几辆马车的树林抬去，包扎站就设在那里。这个包扎站由搭在桦树林边上的三个卷起门帘的帐篷组成。马车和马停在桦树林里。马正在吃饲料袋里的燕麦，几只麻雀飞过来啄食掉在地上的麦粒。乌鸦闻到了血腥味，急不可耐地哑哑叫着，在桦树上飞来飞去。在帐篷周围两俄亩多的地方，躺着、坐着、站着穿各种衣服浑身血迹的人。在伤员的周围，聚集着一群群脸色沮丧、神情专注的担架兵，维持秩序的军官赶他们离开此地，但是没有用。这些担架兵不听军官的指挥，倚靠着担架站着，凝视着他们眼前发生的事，仿佛想要弄清这种景象所包含的难以理解的意义似的。从帐篷里时而传来恶狠狠的大声喊叫，时而传来痛苦的呻吟。有时一个助医从里面跑出来打水，并指定应当抬进去的人。等在帐篷旁的伤员们发出嘶哑的声音，呻吟着，哭着，叫喊着，骂着人，要伏特加喝。有几个人说着胡话。安德烈公爵因为是团长，抬担架的人便越过尚未包扎的伤员把他抬到一个帐篷的近旁，放下来等候指示。这时他睁开眼睛，好久弄不清周围发生的事。他想起了草地、苦艾、农田、旋转的黑球以及他对生活的热爱。在离他两步远的地方，一个头上裹着绷带、身材高大和容貌英俊的黑发军士拄着一根树枝，在大声说话，引起了大家的注意。他的头部和腿被子弹打伤。一群伤员和担架员聚集在他周围，贪婪地听他说话。

"我们从那里把他们狠狠揍了一顿,揍得他们扔下一切逃跑了,国王本人也抓住了!"这个士兵大声说道,他那双火热的眼睛闪闪发亮,环视着四周,"要是预备队能及时赶到,弟兄们,他们准保全部完蛋,因此我老实对你说……"

安德烈公爵也像围着讲话者的人一样,用闪闪发亮的眼睛望着他,心里感到安慰。"但是现在不是什么都一样了吗?"他想道,"来生将会如何,今世到底怎么样呢?我为什么这样舍不得与生命告别?在这生命中一定有一种我过去和现在都不理解的东西。"

三十七

一个围着一条血迹斑斑的围裙、不大的手上沾满鲜血的医生,在一只手的手指和拇指之间夹着一支雪茄(为了不弄脏它),出了帐篷。这个医生抬起头,开始朝两边看,但是没有看伤员。显然他想休息一会儿。他把头左右转动了一阵后,叹了一口气,垂下了眼睛。

"好,这就来。"他看见医士对他指着安德烈公爵说着什么,便回答说,吩咐把伤员抬进帐篷去。

其他正在等待的伤员不满地嘟囔起来。

"看来到阴间也只有老爷的日子好过。"一个人说。

安德烈公爵被抬进帐篷,放到一张刚腾出来的、医士冲洗过的桌子上。安德烈公爵不能一件一件地看清帐篷里的东西。

四面八方传来的痛苦的呻吟声，大腿、肚子和背部剧烈的疼痛分散了他的注意力。他有一个总的印象，觉得他在自己周围看到的一切像是一个赤裸裸的、血肉模糊的人体，这人体似乎塞满了整个低矮的帐篷，如同在几个星期前的那个炎热的八月天它塞满了斯摩棱斯克大道旁的池塘一样。是的，这就是那个人体，那些炮灰，那时它仿佛预示着现在发生的事似的，使他见了就感到可怕。

帐篷里有三张桌子。两张桌子已有人占着，安德烈公爵被放到第三张上。在一段时间里他一个人躺着，无意中看到了其余两张桌子上的情况。在近处的桌子上坐着一个鞑靼人，从扔在一旁的制服来看，大概是一个哥萨克。四个士兵揪住他。一个戴眼镜的医生正在他肌肉发达的褐色的背上切割什么。

"哎哟，哎哟，哎哟！……"鞑靼人像杀猪似的喊着，往上抬起高颧骨翘鼻子的黑脸，龇着雪白的牙齿，开始挣扎和抽动起来，发出长长的刺耳的尖叫声。另一张桌子旁边围着很多人，上面头朝后仰躺着一个又大又胖的人（拳曲的头发及其颜色，还有头的形状安德烈公爵觉得很熟悉）。几个医士压在这个人的胸脯上，不让他起来。他的一条雪白的大粗腿像发热病时一样，不停地急速颤动着。这个人抽抽搭搭地哭着，连气都喘不过来了。两个医生——其中一个脸色苍白，浑身发抖——默默地在这个人的另一条颜色发红的腿上做着什么。戴眼镜的医生处理完鞑靼人的伤口后，给他盖上大衣，然后走到安德烈公爵面前。

他朝安德烈公爵看了一眼，急忙扭过头去。

"给他脱衣服！干吗还站着？"他生气地朝医士们喊道。

当一个医士卷起袖子急急忙忙地给他解扣子和脱衣服时,安德烈公爵想起了自己最初的遥远的童年时代。医生低低地弯下身子查看伤口,摸了摸,沉重地叹了一口气。然后他对旁边的人做了个手势。于是肚子里剧烈的疼痛使得安德烈公爵失去了知觉。他醒来时,大腿的碎骨已取了出来,炸烂的肉已被切除,伤口已包扎好了。朝他的脸上喷了水。安德烈公爵一睁开眼睛,医生朝他俯下身来,吻了吻他的嘴唇,急忙走开了。

安德烈公爵在经受了痛苦后,感受到了一种很久没有感受过的幸福。他想起了他一生中最好的、最幸福的时光,尤其是最遥远的童年,当时他被脱了衣服放到小床上,保姆唱着歌哄他睡觉,他把脑袋埋到枕头里,因意识到自己活在世上而感到幸福——所有这些他甚至觉得不是过去,而是现实。

医生们在那个安德烈公爵觉得其脑袋形状比较熟悉的伤员身旁忙碌着;把他抬起来,安慰他。

"给我看一看……哎——哟——哟!哎——哟!"他那恐惧的、忍不住疼痛而发出的呻吟声常常为哭声所打断。安德烈公爵听着他的呻吟,就想要哭。他想哭,也许是由于他快要默默无闻地死去,也许是由于他舍不得离开人世,也许是由于他回想起了一去不复返的童年,也许是由于他和别人在受苦,由于这个人在他面前这样痛苦地呻吟——不管是由于什么,他想像孩子一样地哭,流下善良的和几乎是欢乐的眼泪。

人们把一条连着靴子锯下的带着凝结的血的断腿给那伤员看。

"哎哟!哎——哟——哟!"他像女人一样哭着。原先站在伤员面前挡住他的脸的医生走开了。

"我的上帝！这是怎么回事？他干吗在这里？"安德烈公爵自言自语地说。

他认出那个刚锯去腿的不幸的、失声痛哭的和软弱无力的人是阿纳托利·库拉金。阿纳托利被扶起来，给他一杯水喝，但是他那肿起的嘴唇颤抖着，老是挨不到杯子的边。他伤心地抽泣着。"是的，这是他；是的，这个人曾与我有密切的和痛苦的关系。"安德烈公爵想道，还没有完全弄清楚他面前发生的是什么事。"这个人与我的童年、我的一生有什么关系呢？"他问自己，可是没有找到答案。突然安德烈公爵又出乎意外地回想起了童年的、纯洁的和爱情的世界。他回想起的娜塔莎是在一八一〇年的舞会上第一次见到她时的样子，瘦小的脖子和细长的手臂，脸上时刻带着欣喜、惊恐和幸福的神色，想到这里，对她的爱和柔情在他心里苏醒了，变得比任何时候都要生动和强烈。他现在想起了那种存在于他与这个人之间的联系，此时这个人的那双肿起的眼睛正含着泪水模糊不清地望着他。安德烈公爵想起了一切，于是对这个人的热诚的怜悯和爱充满了他的幸福的心。

安德烈公爵再也忍不住了，便哭了起来，为人们，为自己，为人们和自己的迷误流下了充满柔情和爱的眼泪。

"对弟兄们和对爱着的人的爱和同情，对仇恨我们的人的爱，对敌人的爱——是的，这就是上帝在世上宣扬的爱，是玛丽亚公爵小姐教我的爱，我过去没有理解；这就是我爱惜生命的原因，如果我能活下去，这就是我还留下的东西。但是现在已经晚了。我知道这一点！"

三十八

战场上遍地都是尸体和伤员的可怕景象,加上头脑昏沉,不断接到熟悉的将军死伤的消息,感到原先强有力的手变得软弱无力——这一切对拿破仑产生了出乎意料的影响,而过去他总是喜欢察看死者和伤员,以此来考验自己的精神力量(他是这样想的)。这一天战场的可怕景象压倒了他认为是自己的优点和伟大之处的精神力量。他急忙离开战场,回舍瓦尔金诺土岗去了。他坐在折叠椅上,整个脸发黄和浮肿,神情阴郁,两眼模糊,鼻子发红,声音嘶哑,不由自主地谛听着射击声,没有抬起眼睛。他带着病态的厌烦等待着战斗结束,他认为这战斗是他挑起的,但是他又不能让它停下来。在短暂的瞬间,他个人的那种人的感情胜过了他长期孜孜以求的虚假的生活幻影。他设身处地体验着他在战场上见到的痛苦和死亡。头脑沉重和胸口憋闷的感觉,使他想起痛苦和死亡也可能落到自己头上。这时他自己既不想要莫斯科,也不想要胜利和荣誉了。(他还需要什么样的荣誉呢?)他现在只希望休息、安宁和自由。但是,在谢苗诺夫斯科耶高地上,炮兵指挥官向他提出调几个炮队到这些高地上去,以便加强炮击聚集在克尼亚兹科沃前面的俄军的火力。拿破仑同意了,并命令及时给他送这些炮队发挥了什么作用的报告来。

一个副官前来报告说,奉皇帝之命两百门大炮轰击俄军,但是俄国人还是那样一动不动。

"我们的排炮不断地轰击他们,而他们还在守着。"副官说。

"他们还想要!……"拿破仑声音嘶哑地说。

"什么,陛下?"没有听清的副官问。

"他们还想要,"拿破仑皱起眉头哑着嗓子说,"那就再给我轰。"

他想要做的事,人们常常不等他的命令就做了,他之所以下令,只是因为他认为人们等着他下令。于是他又回到原先的那种自命不凡的幻影的虚假的世界,又开始(像一匹在倾斜的滚动装置上走、自以为正在给自己做着什么事的马一样)顺从地扮演那种注定要由他扮演的残酷的、悲伤和痛苦的、不人道的角色。

这个人比这场战斗的其他所有参加者都更多地承担着眼前的重负,他的理智和良心不只是在这一个钟头和这一天变得模糊起来;直到生命的结束,他永远不会理解真善美,也不会理解自己的行为的意义,这些行为完全违反了真和善,与一切合乎人道的东西毫不相干,以至于他无法理解其意义。他不能放弃他的那些受到半个世界赞扬的行为,因此只好放弃真和善以及一切合乎人道的东西。

并不只是在这一天,他在巡视遍地是死者和伤员的战场(他认为这是由他的意志造成的)时,看着这些人,计算着多少俄国人抵一个法国人,自欺欺人地寻找着为五个俄国人抵一个法国人而高兴的理由。不只是在这一天他在送往巴黎的信中写道,战场非常壮观,因为那上面有五万具尸体;而且他在圣赫勒拿岛,在那偏僻幽静的地方曾说过,他要用空闲的时间来叙述他所做的伟大的事情,他写道:

对俄战争应是当代最得人心的战争，因为这是有理性的和确实有好处的战争，是保障所有人的安宁和安全的战争；它纯粹是爱好和平的和审慎的战争。

这是为了实现伟大目标，结束各种意外事件和开创安全的局面而进行的。将会出现新的前景，开展新的工作，人人丰衣足食，幸福安康。欧洲体系就会打下基础；今后的问题只在于具体组织了。

这些大问题得到满意解决和处处都可放心后，我也就会有自己的**会议**和**神圣同盟**。这些思想是他们从我这里盗用的。在各国伟大君主的会议上，我们会像一家人那样讨论我们的利益，像办事员对待主人那样，对待各国人民。

欧洲确实很快就会这样成为一个同一的民族，任何人不管到哪里旅行，随时都会觉得是在共同的祖国里。我将提出把所有的河流变为人人可以航行的河流，把海洋变为公有的海洋，把庞大的常备军削减成为各国皇上的近卫军，等等。

回到法国，回到伟大的、强盛的、壮丽的、安全的祖国后，我将宣布疆界不可改变；未来任何战争都是**防御性的**；任何新的扩张是**反民族的**；我将和自己的儿子一起管理帝国；我的**独裁**就此结束，将开始实行宪政……

巴黎将成为世界的首都，法国人将成为各个民族羡慕的对象……

然后我将利用我的余暇和晚年，在皇后的帮助下，在教育我的儿子的同时，像一对真正的农村夫妇一样，骑着自己的马,逐步地走遍全国各地,接受投诉,纠正错案,在各地建造房屋,广施恩惠。

他注定要身不由己地扮演屠杀各国人民的刽子手的可悲角色,可是他却要自己相信他的行为的目的是造福人民,他能支配千百万人的命运,利用权力广施恩惠!他就对俄战争继续写道:

> 在渡过维斯瓦河的四十万人当中,一半是奥地利人、普鲁士人、撒克逊人、波兰人、巴伐利亚人、符腾堡人、梅克伦堡人、西班牙人、意大利人和那不勒斯人。严格地说,帝国军队有三分之一是由荷兰人、比利时人、莱茵河两岸居民、皮埃蒙特人、瑞士人、日内瓦人、托斯卡纳人、罗马人以及三十二师、不来梅、汉堡等地的人组成;其中说法语的人几乎不到十四万人。对俄国的远征使法国损失不到五万人;俄国军队从维尔纳到莫斯科的撤退中以及各次战役中损失要比法国军队大三倍;莫斯科大火使十万俄国人丧生,他们在树林里死于严寒和饥饿;同时俄国军队在从莫斯科到奥得河的途中由于天气严寒损失不少人;到达维尔纳时它只剩下五万人,而到卡利什时不到一万八千人了。

他想,这场对俄战争是根据他的意志发起的,所以发生的事的可怕景象并不使他感到惊奇。他勇敢地承担起这个事件的全部责任,头脑昏乱的他居然认为在几十万死者中法国人要比黑森人和巴伐利亚人少这一点可作为自我辩解的理由。

三十九

几万具穿着不同军服的尸体以各种姿势躺在属于达维多夫家①和国有农民②的田地和草场上,几百年来,波罗金诺、戈尔基、舍瓦尔金诺和谢苗诺夫斯科耶的农民们同时在这里收割庄稼和放牧牲口。在包扎站周围一俄亩的地方,青草和土地浸透了鲜血。各种部队的一群群受伤和未受伤的人,脸色惊恐,从这一边往后退向莫扎依斯克,而从另一边则退向瓦卢耶沃。其余的一群群疲惫不堪和饿着肚子的人则在长官的率领下向前行进。还有一些人留在原地继续射击。

原先这田野美丽而又充满欢乐气氛,那里烟雾缭绕,刺刀在朝阳的照耀下闪闪发亮,如今这里笼罩着潮湿的雾气和烟尘,散发出酸涩的硝烟味和血腥味。乌云聚集拢来,下起了小雨,稀稀拉拉的雨点落在死者和伤者身上,落在惊慌失措的和疲惫不堪的人身上,也落在怀疑的人身上。这雨点仿佛在说:"够了,够了,人们。住手吧……清醒清醒吧。你们这是在干什么?"

两边的没有食物、得不到休息和疲惫不堪的人们开始同样地怀疑起来,不知是否还应继续相互残杀,在所有人的脸上可以看到犹豫的表情,在每个人心里同样地出现这样的问题:"为了什么

---

① 达维多夫家是著名的俄国贵族世家,在莫斯科省拥有很多庄园。
② 国有农民是俄国十八至十九世纪的属于国家的农民。

和为了谁,我必须去杀人和被杀?你们愿意杀就杀吧,爱怎么干就怎么干吧,我可不愿意再干了!"到傍晚时,这个想法在每个人的心中成熟了。所有这些人随时都可能为他们所做的事而感到恐惧,扔下一切,往随便什么地方跑。

但是,虽然到战役快要结束时人们已感觉到自己的行为的可怕,虽然他们很高兴停止厮杀,但是某种不可理解的神秘的力量仍支使着他们,于是那些汗流浃背、浑身沾满火药和鲜血、三人只剩一人的炮兵,累得磕磕绊绊和气喘吁吁,仍搬着药包,装着炮弹,进行瞄准,安上引火线;炮弹仍然从两边迅猛地飞过来飞过去,炸烂人的身体,这样,那件不是按照人们的意志,而是按照那个支配人们和世界的人的意志而发生的事就继续进行了。

一个人如果看一看俄国军队后部的混乱状况,他就会说,法国人只要再做一点小小的努力,俄国军队就会完全被消灭;如果他也看一看法国军队的后部,同样会说,俄国人只要再做一点小小的努力,法国人就要完蛋。但是法国人和俄国人都没有做这样的努力,因此战役的火焰逐渐慢慢地熄灭了。

俄国人之所以没有做这样的努力,是因为不是他们进攻法国人。在战役开始时他们只是据守在通往莫斯科的大道上,到战役快要结束时他们完全像战役开始时那样据守着。但是即使俄国人的目的是要打退法国人,他们也不可能做这最后的努力,因为所有俄国军队都溃乱了,没有一支部队不在战役中遭受损失,他们虽留在自己的阵地上,但损失了**一半**人马。

而法国人记得过去十五年来取得的胜利,相信拿破仑不可战胜，知道他们已控制了战场的一部分，只损失了四分之一人员，还有两万人的近卫军未曾动用，他们很容易做这样的努力。他们攻打俄国人的目的是要把俄国人赶出阵地，本应做这样的努力，因为只要俄国人还像在战役前那样据守在通往莫斯科的大道上，法国人的目的就没有达到，他们所做的一切努力和遭受的损失就白费了。但是法国人没有做这样的努力。某些历史学家说，拿破仑只要投入未曾动用的老近卫军，就可赢得战役。说如果拿破仑投入近卫军会怎么样，就等于说如果春天变成秋天会怎么样。这是不可能的。拿破仑不投入近卫军不是因为他不愿意这样做，而是因为做不到。法国军队的所有将军、军官和士兵都知道做不到，因为军队低落的士气不允许这样做。

不只是拿破仑一个人有那种近似噩梦的感觉，觉得使劲挥起的手落下去时软弱无力，而且法国军队的所有将军以及参战的和未参战的士兵在经历了以前的历次战役（那时只做十分之一的努力敌人就逃跑了）后，遇到丧失了**一半**军队、在战役行将结束时还像在战役开始时那样岿然不动的敌人，都有同样的恐惧的感觉。处于进攻地位的法国军队，士气已消耗殆尽。俄国人在波罗金诺取得的，不是由缴获的那些被称为军旗的绑在长杆上的布片的数量以及部队前后占据的地盘所决定的胜利，而是精神上的胜利，它使得敌人相信他们的对手在精神上胜过他们，相信他们自己的软弱无力。法国的入侵者像一头狂怒的野兽，它在猛跑中受了致命伤，觉得自己就要死亡；但是他们不能就此停步，就像比他们弱一半的俄国不能不闪避一样。在这次碰撞后法国军队还能到达莫斯科；但是到那里后，无需俄国军队做新的努力，也会因为在波罗金诺受了致命伤,流血过多而死亡。波罗金诺战役的直接后果,是拿破仑无缘无故地从莫斯科逃跑,沿着旧的斯摩棱斯克大道撤回,入侵的五十万军队归于覆灭和拿破仑法国最后崩溃,这个国家在波罗金诺第一次遭到了精神上十分强大的敌手的沉重打击。

第三部

一

运动的绝对连续性,是人的智力不能理解的。对一个人来说,任何运动的规律只有当他从这运动中任意抽取若干单位加以考察时,才变得可以理解。但是与此同时,人类的大部分错误是从把连续不断的运动任意地分为不连续的单位的做法中产生的。

众所周知,古代人有一个所谓的诡辩,说的是阿喀琉斯[①]虽然行走的速度为乌龟的十倍,但是永远追不上在他前面爬行的乌龟,因为当阿喀琉斯走完他与乌龟之间的距离时,乌龟就会在他前面爬这距离的十分之一;而当阿喀琉斯走完这十分之一的距离时,乌龟又向前爬了百分之一,照此类推,以至无穷。这个问题在古代人看来是无法解决的。答案(阿喀琉斯永远追不上乌龟)的荒谬是由于任意地把运动分为不连续的单位,而阿喀琉斯和乌龟的运动却都是完全连续的。

---

① 阿喀琉斯是希腊神话中的英雄,善行走,有"捷足的阿喀琉斯"之称。

我们采用运动的愈来愈小的单位，只能接近问题的答案，但是永远不会得到它。只有假设有无穷小的数值和由它开始的到十分之一的级数，并取得这个几何级数的和，我们才能得到问题的答案。数学的一个新的分支在获得处理无穷小的数值的技术后，如今在运动的其他比较复杂的方面也能解答以前觉得是无法解答的问题了。

数学的这一古代人所不知道的分支，在考察运动的问题时，假设有无穷小的数值的存在，即运动的主要条件（绝对的连续性）借以恢复的数值的存在，从而纠正了人的头脑由于考察运动的个别单位而不考察连续不断的运动而不能不犯的错误。

在探索历史运动的规律时，情况也完全一样。

人类的运动是由无数人的任意行为产生的，是连续不断的。

理解这一运动的规律，是历史学的目的。但是为了理解人的所有任意行为的总和所产生的连续不断的运动的规律，人在思想上假设有任意的和不连续的单位的存在。历史学的第一个方法是从连续不断的事件中任意抽取一个系列，将其与别的系列分开来进行考察，其实任何事件没有而且不可能有开端，永远都是一个事件产生于另一个事件。第二种方法是把一个人，把沙皇、统帅的行动作为人们的任意行为的总和来考察，而人的任意行为的总和从来不通过一个历史人物的活动表现出来。

历史科学在其自身的运动中常常采用愈来愈小的单位来进行考察，力图用这种方法接近真理。但是不管历史采用的单位如何之小，我们觉得，如果假设有与其他单位分开的单位的存在，假设某种现象有其**开端**，假设所有人的任意行为是通过一个历史人物的行动表现出来的，那么这假设本身就是错误的。

历史学的任何结论，无需批评者费一点气力就化为乌有，不留一点痕迹，这只是由于批评者把一个或大或小的不连续的单位选作考察的对象；批评者永远有这样做的权利，因为所取的历史单位总是任意选择的。

只有假设用来观察的是无穷小的单位——历史的微分，即人们的同类的爱好，并且掌握积分（求这些无穷小之和）的技术后，我们才有望认识历史的规律。

十九世纪的头十五年，欧洲出现了数百万人不同寻常的运动。人们放下自己平常做的事，从欧洲的一边奔向一边，抢劫，互相残杀，欢庆胜利和陷入绝望，生活的进程几年内发生了变化，出现一种强烈的运动，它始而不断高涨，随后逐步减退。这个运动的原因是什么，或者它是按照什么样的规律进行的？——人们常常这样问。

历史学家在回答这个问题时，给我们讲述巴黎的一座大楼里几十个人的言论和行动，把这些言行用"革命"一词来称呼；然后详细讲拿破仑以及某些对他抱同情和敌对的态度的人的传记，讲其中一些人对另一些人的影响，最后说：这就是这个运动的起因，这就是它的规律。

但是人的理智不仅不相信这种解释，而且直截了当地说，这种解释方法是不对的，因为做这样的解释时把最微弱的现象当作最强有力的现象的原因。是人们的任意行为的总和造成了革命，也造就了拿破仑，正是这些任意行为的总和使革命和拿破仑一时得以存在，后来又将其消灭。

"然而每一次,只要有征服的行动,就有征服者;只要国内发生大的转变,就有大人物。"历史这样说。而人的理智回答道,不错,任何时候只要出现征服者,就会有战争,但是这并不证明征服者是发生战争的原因,并不证明可以在一个人的个人活动中找到战争的规律。每一次,当我看见自己的钟的时针走到了十点的地方时,我就听到隔壁的教堂里开始鸣钟,但是我无权根据每次时钟走到十点时就响起钟声这一点就得出结论说,时针的位置是教堂的钟声响起来的原因。

每一次,当我看见机车开动时,我就听见汽笛的声音,看见阀门打开和车轮转动起来,但是我无权由此得出结论说,汽笛的声音和车轮的转动是机车开动的原因。

农民们说,暮春刮寒风是因为橡树长新叶了;确实,每年春天橡树长新叶时都刮寒风。但是,我虽然不知道橡树长新叶时刮寒风的原因,我不能同意农民们把刮寒风的原因说成是橡树长新叶,理由只有一点,即风力不受长新叶的影响。我看到的只是在任何生活现象中常见的某些条件的巧合,并且看到,不管我如何仔细地观察钟的时针、机车的阀门和轮子以及橡树的叶芽,我仍找不出教堂钟响、机车开动和春天刮风的原因。为达到此目的,我必须完全改变自己的观察点,研究蒸汽、教堂的钟和风运动的规律。历史学也应该这样做。这样的尝试已经做了。

要研究历史的规律,我们应该完全改变观察的对象,把沙皇、大臣和将军们放在一边,而去研究指导着群众的同类的、无穷小的因素。谁也不能说,用这种方法能使人在多大程度上认识历史规律;但是显而易见的是,只有用这种方法才可能琢磨出历史的规律，而人的理智在这方面所做的努力，只有历史学家们在描述帝王将相的活动和叙述他们对这些活动的看法上所花力气的百万分之一。

二

欧洲十二个民族的军队侵入了俄国。俄国军民避免交锋，撤退到斯摩棱斯克，又从斯摩棱斯克退到波罗金诺。法国军队前进的速度不断增大，直奔它的目标莫斯科。它在快要接近目标时前进尤为迅速，如同下落的物体快要接近地面时加大了速度一样。一个饥饿的、敌对的国家的几千俄里的国土留在了背后，而在前面距离目标还剩几十俄里。拿破仑军队的每一个士兵都感觉到这一点，这支侵略军似乎单凭一股冲力在自然而然地向前推进。

在俄国军队里，在不断后退的过程中仇恨敌人的情绪愈来愈高涨，部队在后退时集中起来，实力增强了。在波罗金诺附近进行了交锋。双方的军队都没有被打垮，但是俄国军队在交锋后必然会立刻后退，正如一个球与另一个以更大的速度朝它冲来的球碰撞后必然会弹回来一样；而那个快速冲过来的侵略者之球（虽然在碰撞中已失去了全部力量）也必然会再滚一段距离。

俄国人退了一百二十俄里——退离了莫斯科，法国人进了莫斯科，在那里停下来。在这之后的五个星期的时间里，没有发生一次战斗。法国人停在那里不动。他们像一头受了致命伤、流着鲜血和舔着伤口的野兽一样，在莫斯科停留了五个星期，什么事也没有做，突然无缘无故地往回跑：奔向卡卢加大道（在打胜仗后，小雅罗斯拉韦茨附近的战场又为他们所控制），没有再打一次大仗，更快地逃回斯摩棱斯克，又从斯摩棱斯克逃到维尔纳，过了别列津纳河，再继续往回跑。

八月二十六日晚，库图佐夫和全体俄军将士都相信波罗金诺会战打赢了。库图佐夫就是这样报告皇上的。他下令做进行新的战斗的准备，以便彻底击溃敌人，他这样做并不是要欺骗任何人，而是因为他知道敌人已被战胜了，这个战役的每一个参加者也都知道这一点。

但是在那天晚上和第二天，接二连三地传来伤亡空前惨重、损失了一半军队的消息，这样再要进行战斗实际上是不可能的了。

在情报还没有收集，伤员还没有送走，弹药未得到补充，阵亡的人数还没有统计，还没有派新的指挥官去代替战死的人，官兵还没有吃饱睡足时，是**不能**发起新的战斗的。

而与此同时，在会战后的第二天早晨，法国军队（以仿佛与距离的平方成反比的冲力）自然而然地朝俄军推进。库图佐夫曾想在第二天发起进攻，全军也希望这样做。但是要发起进攻，只有这样做的愿望是不够的；需要有这样做的可能，但是这样的可能性并不存在。不能不后退一程，接着同样不能不再退第二程、第三程，最后，到九月一日——这时军队已到了莫斯科——尽管部队士气十分高涨，但是实际情况要求这些部队退离莫斯科。于是部队又退了一程，退了最后一程，放弃了莫斯科，使它落到敌人手里。

有的人习惯于认为，战争和战役的计划是统帅们用这样的方法制订的，就像我们每一个人坐在自己的书房里看着地图考虑如何部署这次或那次战役一样；这些人会出现这样的问题，为什么库图佐夫在撤退时不这样做和那样做，为什么他没有立刻退向卡卢加大道，放弃莫斯科，等等。习惯于这样想的人忘记了或者不知道任何一个总司令的活动有其必不可少的条件。一个统帅的活动完全不像我们自由自在地坐在书房里分析某次战役时所想象的那样，我们分析时看着地图，双方的兵力是知道的，地形也是知道的，而且是从某个已知的时刻开始考虑的。一个总司令在某个事件**开始**时，从来都不处于我们考察这事件时已知的条件之中。总司令总是处在一系列变动着的事件的中间，因此他任何时候，任何时刻，都不能全面地考虑到所发生的事件的全部意义。事件不知不觉地、一刻不停地呈现出本身的意义，而在事件的这个接连不断的呈现过程的每一个时刻，总司令总是处于最复杂的玩弄权术、阴谋、操心、各种依赖关系、权力、方案、建议、威胁、欺骗的中心，经常必须回答向他提出的无数通常是相互矛盾的问题。

军事学家非常严肃地对我们说，库图佐夫在到达菲利之前早就应该把军队调往卡卢加大道，甚至有人提过这样的方案。但是摆在总司令面前的，尤其是在困难时刻，常常不是一种方案，而总是同时有几十种。而这些根据战略和策略制订的方案，都是相互矛盾的。看来总司令应做的事只在于从这些方案中选择一个方案。但是就连这一点他也做不到。事件和时间是不等待人的。假定说，有人向他建议二十八日转移到卡卢加大道，但是这时一个副官骑着马从米洛拉多维奇那里跑来问道，现在是向法国人开火还是撤退。他需要立刻就下命令。而命令撤退会使我们不再拐向卡卢加大道。在副官之后军需官紧接着前来请示粮草运往哪里；军医院院长来问伤员往哪里送；彼得堡来的信使送来了皇上的信，说不允许放弃莫斯科，于是总司令的竞争对手，即在暗中拆他的台的人（这样的人任何时候都是有的，而且不止一个，常常有好几个）便提出与转移到卡卢加大道的计划完全相反的方案；总司令体力消耗很大，需要睡眠和吃点东西；可是一位没有得到奖赏的可敬的将军前来向他发牢骚，居民则来寻求保护；派去观察地形的军官回来向他报告，说的与在他之前派去的军官所说的完全相反；而侦察员、俘虏和进行现地侦察的将军对敌军情况的描述也各不相同。那些习惯于不理解或忘记任何一个总司令的活动必然会遇到的这些条件的人，在向我们介绍，譬如说，军队在菲利的情况时，设想总司令在九月一日能够完全自由地解决关于放弃还是保卫莫斯科的问题，可是当俄国军队到了离莫斯科五俄里时，这个问题已不可能存在了。这个问题是什么时候决定的呢？是在德里萨附近，是在斯摩棱斯克城下，最明显的是二十四日在舍瓦尔金诺，二十六日在波罗金诺附近，是在从波罗金诺撤退到菲利的每一天、每一个小时、每一分钟决定的。

三

俄国军队从波罗金诺撤退后，驻扎在菲利附近。视察阵地回来的叶尔莫洛夫策马到了库图佐夫元帅面前。

"在这阵地上作战是不可能的。"他说。库图佐夫惊奇地朝他看了一眼，要他把话再说一遍。他说完后，库图佐夫向他伸出手去。

"把手伸给我，"库图佐夫说，把他的手翻过来摸他的脉，又说道，"你有病，亲爱的。好好想一想你说的是什么。"

库图佐夫在俯首山上，在离多罗戈米洛沃门六俄里的地方下了马车，在路边的一条长凳上坐下。他周围聚集了一大群将军。从莫斯科城里来的拉斯托普钦伯爵也参加到他们之中。所有这些杰出人物分成几堆，相互之间谈论着阵地的利弊、军队的状况、设想中的计划、莫斯科的局势以及一般的军事问题，大家都感觉到，虽然并没有说明叫他们来开军事会议，但是这实际上就是这样的会议。大家谈论的都是共同关心的问题。如果有谁谈论或打听私人的事情，那么只低声地说几句，立即又转回到共同关心的问题上：在所有这些人中间没有人说笑话，听不见笑声，甚至看不见微笑。显然，所有的人都努力使自己的举止与他们的地位相称。每一堆人在交谈时，竭力靠近总司令（他坐的凳子仍然处于这几堆人的中心），尽量把话说得使他能够听见。总司令听着，有时再问一遍他周围的人说的话，但是自己没有参加谈话，也没有表示任何意见。他在听了某一堆人的话后，大多带着失望的神情——仿佛他们说的完全不是他希望知道的——转过头去。一些人谈到选定的阵地时，批评的主要不是阵地本身，而是选择阵地的人的智力；另一些人证明说，错误在这之前已经犯了，应该前天就应战；还有一些人谈到萨拉曼卡战役，他们是听刚来的穿西班牙军服的法国人克罗萨①说的。（这个法国人和一个在俄军服役

---

① 克罗萨是法国侨民，经常变换服役地点。一八一二年到了俄国。

的德国亲王一起，分析了萨拉戈萨的被围①，认为也可以这样保卫莫斯科。）拉斯托普钦伯爵在第四堆人当中说，他准备同莫斯科民兵一起战死在莫斯科城下，但是他仍然不能不为自己不了解情况表示遗憾，要是他事先知道，那就是另一回事了……第五堆人为了显示自己的战略考虑的深度，谈论军队应朝哪个方向运动。第六堆人说的纯粹是废话。库图佐夫的脸色变得愈来愈忧虑和阴郁了。他从所有这些谈话中看到一点：保卫莫斯科确确实实没有**任何实际的可能**，也就是说，这完全不可能，如果有一个发疯的总司令下令进行战斗，那么会出现混乱，仗仍然打不起来；仗打不起来是因为所有高级指挥官不仅认为这个阵地不中用，而且他们在谈话中讨论的只是这个阵地无疑会放弃以后将发生什么事。指挥官怎么能把自己的部队带到他们认为不能打仗的战场上去呢？下级指挥官，甚至士兵（他们也在议论）也认为阵地不中用，因此不能在相信必败无疑的情况下去打仗。如果本尼格森坚持要守住这阵地，而其余的人尚无定见，那么这个问题本身就没有意义，只能作为挑起争论和搞阴谋的借口。库图佐夫明白这一点。

本尼格森选定了立场，使劲地显示自己的俄罗斯爱国热情（库图佐夫听他这样说时不能不皱眉头），坚持保卫莫斯科。库图佐夫对本尼格森的目的看得一清二楚：如果守不住，就把过错推给库图佐夫，说他不战而退，把部队带到了麻雀山；如果守住了，就把功劳归于自己；如果他的意见遭否决，就可为自己洗刷放弃莫斯科的罪责。但是现在老人对这个耍阴谋的问题并不感兴趣。

---

① 萨拉戈萨是西班牙城市。一八〇八至一八〇九年，曾两度被法国军队围困，一八〇九年二月，在经过两个月的英勇抵抗后陷落。

他关心的是一个可怕的问题。他没有从任何人那里听到这个问题的答案。现在他所考虑的这个问题是:"难道是我让拿破仑到了莫斯科,我是什么时候这样做的?这是在什么时候决定的?难道是在昨天我命令普拉托夫撤退的时候?或者是在前天晚上我打起瞌睡来,命令本尼格森处理各种事情的时候?或者还要早些?……然而是在什么时候,在什么时候决定这件可怕的事的呢?莫斯科应当放弃。部队应当撤退,应当发布这个命令。"他觉得发布这个可怕的命令就像放弃军队的指挥权一样。况且他喜欢权力,习惯于掌权(在土耳其时,他曾是普罗佐罗夫斯基公爵的部下,那位公爵受到的尊敬使他很羡慕),并且深信,他命中注定要拯救俄国,只因为这一点,他才在违背皇上的意愿的情况下顺应民心被选中当了总司令。他还深信,只有他一个人能在这困难的条件下继续指挥军队,世界上只有他一个人能毫不畏惧地把不可战胜的拿破仑看作自己的敌手;于是当他一想起他应当发布的命令时就感到可怕。但是应当做个决定,应当打断他周围的人的谈话,因为这些谈话开始变得太自由放任了。

他把几位职位较高的将军叫到自己跟前。

"不管我的头脑是好是坏,再也没有什么人可帮一把的了。"他说,从长凳上站起来,前去菲利,他的马车停在那里。

四

下午两点钟,在农民安德烈·萨沃斯季亚诺夫的一座最好的宽敞的木房子里召开会议。这个农民大家庭的男人、女人和孩子挤在门廊那边的杂房里。只有安德烈的六岁的小孙女玛拉莎留在大房子的火炕上，殿下很喜欢她，在喝茶时给了她一块糖。将军们一个接一个地进屋来，在放在上座①处圣像下面的宽长凳上坐下，玛拉莎从火炕上又胆怯又高兴地看着他们的脸、身上的制服和佩戴的十字勋章。而爷爷本人，玛拉莎心里这样称呼库图佐夫，离开他们单独坐在阴暗角落的炉子后面。他的身体深深陷进折叠的圈椅里，不断地发出呼哧声和抻着军服的领子，虽然领扣是解开的，但是他觉得仍然卡着他的脖子。一个接一个进来的人走到元帅面前；他和某些人握握手，朝某些人点点头。副官凯萨罗夫想要拉开库图佐夫对面窗户上的窗帘，但是库图佐夫生气地朝他挥挥手，凯萨罗夫明白了殿下的意思，他不希望人们看见他的脸。

在农家的一张云杉木桌子上放着地图、平面图、铅笔和纸张，聚集在它周围的人太多，于是勤务兵又搬来了一条长凳，把它放在桌旁。刚到的叶尔莫洛夫、凯萨罗夫和托尔就坐在这条长凳上。在圣像下面的首席上坐着巴克莱·德·托利，他脖子上挂着圣格奥尔吉勋章，脸色苍白，带有病态，高高的前额和秃顶连在一起。他寒热病发作已有两天了，这时他浑身发冷和酸痛。坐在他身旁的是乌瓦罗夫，他正在一面很快地做着手势，一面低声地（大家都这样说话）告诉巴克莱什么事。身材矮小和圆圆胖胖的多赫图罗夫扬起眉毛，两手放在肚子上，注意地听着。另一边坐着奥斯特曼-托尔斯泰伯爵，他用一只手支着他那宽大的脑袋，一双大胆

---

① 上座是俄国农舍中挂圣像的地方，一般作为贵客的座位。

的黑眼睛闪闪发亮，看起来似乎在想心事。拉耶夫斯基脸上带着急不可耐的表情，用习惯动作把两鬓上的黑发朝前卷，时而看看库图佐夫，时而看看进屋的门。科诺夫尼岑坚定、漂亮、和善的脸上挂着亲切而调皮的微笑。他遇到玛拉莎的目光，便向她挤挤眼睛，逗得那小姑娘忍不住笑了起来。

大家等着本尼格森，这时他借口要再一次视察阵地，还在吃他的那顿美味的午餐。等他从四点等到六点，在这段时间里没有开始讨论，人们低声地谈论着别的事。

本尼格森一进屋，库图佐夫就从角落里出来朝桌旁挪动了一下，但只挪到放在桌上的蜡烛照不着他的脸的地方。

本尼格森在会议一开始就提出这样的问题："是不战就放弃俄国神圣的古都还是保卫它？"接着是长时间的冷场。大家脸色阴沉，在一片寂静中只听见库图佐夫生气的呼哧声和咳嗽声。所有人的眼睛都望着他。玛拉莎也看着爷爷。她离他最近，看见他的脸变得皱巴巴的，好像要哭一样。但是这个场面延续的时间并不长。

"俄国神圣的古都！" 他突然生气地重复本尼格森的话说，以此指出这句话的装腔作势，"请允许我对您说，伯爵大人，这个问题对俄国人来说没有什么意义。（他把笨重的身体朝前倾。）不能提这样的问题，这样的问题没有意义。我请诸位先生来讨论的问题，是一个军事问题。这个问题是这样的：'拯救俄国要靠军队。是应战而冒丧失军队和莫斯科的危险有利呢，还是不战而放弃莫斯科有利？'我希望知道你们对这个问题的看法。"（他把身体向后一仰，靠到圈椅背上。）

讨论开始了。本尼格森还不认为他已经输了。他同意巴克莱等人提出的无法在菲利打防御战的意见,满怀着俄罗斯爱国主义热情和对莫斯科的热爱,建议在夜间把部队从右翼调到左翼,第二天向法军右翼实施打击。看法出现了分歧,发生了争论,有人赞成这个意见,有人反对。叶尔莫洛夫、多赫图罗夫、拉耶夫斯基对本尼格森的意见表示同意。这几位将军不知是因为觉得在放弃首都前需要做些牺牲,还是出于个人的考虑,似乎并不明白现在的会议并不能改变事态发展的必然进程,不明白现在莫斯科已经放弃了。其余的将军明白这一点,把关于莫斯科的问题撇在一边,谈论着军队应朝哪个方向撤退。玛拉莎目不转睛地看着她面前发生的事,对这次会议有另一种理解。她觉得这只是"爷爷"和"穿长襟衣服的人"(她这样称呼本尼格森)之间的个人的争吵。她看到他们相互说话时都怒气冲冲,她心里是赞成爷爷的。她看见爷爷在谈话中间调皮地朝本尼格森瞥了一眼,在这之后她高兴地发现,爷爷对"穿长襟衣服的人"说了些什么,把他制止住了:只见他突然涨红了脸,生气地在屋里走了走。本尼格森这样激动,是因为库图佐夫分析了他提出的夜里把部队从右翼调到左翼去攻打法军右翼的建议的利弊,平静地低声说出了自己的意见。

"诸位,"库图佐夫说,"我不能赞同伯爵的计划。在距离敌人很近的地方调动军队通常都是很危险的,战争史可以证明这个看法是对的。例如……(库图佐夫仿佛沉思起来,一面寻找着例子,一面用明亮而天真的目光看着本尼格森。)不妨以弗里德兰战役①为例,我想,这次战役伯爵记得很清楚,当时……并不太顺利,

---

① 见第二卷第二部第十七章注,第六一七页。

只是因为我们的军队在离敌人太近的地方重新编队……"接着全场沉默了一会儿,大家都觉得沉默的时间很长。

讨论重新开始了,但是常常中断,人们都觉得再也没有什么可说的了。

在有一次中断的时候,库图佐夫沉重地叹了一口气,好像打算说话似的。大家都回头朝他看了一眼。

"好吧,诸位!看来要由我来承担后果了。"他说,接着慢慢地站起身来,走到桌子旁,"诸位,你们的意见我都听见了。有些人可能会不同意我的意见。但是我(他停了一下)凭我的皇上和祖国赋予我的权力——命令撤退。"

在这之后,将军们开始散了,他们神情庄重,小心谨慎,默默无言,好像参加葬礼后散了一样。

有几位将军用一种与会上说话时完全不同的音调低声地告诉总司令一些什么事。

家里人早就在等玛拉莎去吃晚饭了,她光着两只小脚丫踩着火炕的台阶,背朝外小心翼翼地从高板床①上爬下来,夹杂在将军们的腿脚之间,溜出门去。

库图佐夫放走将军们后,用胳膊肘支着桌子坐了很久,一直想着那个可怕的问题:"放弃莫斯科这件事是在什么时候,究竟在什么时候最后定局的?决定这个问题的事情是在什么时候做的,是谁的过错?"

"这一点,这一点我没有料到,"他对深夜到他这里来的副官

---

① 高板床是农村木屋里搭在火炕和侧壁之间的木板床。

施奈德说,"这一点我没有料到!这一点我没有料到!"

"您应当休息一会儿,殿下。"施奈德说。

"不!他们将会像土耳其人那样吃马肉!"库图佐夫没有回答他的话,用他圆胖的拳头捶着桌子喊道,"他们也会那样,只要……"

五

与此同时,在比军队不战而退更重要的事件上,在放弃和焚毁莫斯科的事件上,拉斯托普钦采取的行动与库图佐夫完全相反,我们似乎觉得他是这个事件的领导者。

这个事件——放弃和焚毁莫斯科——也像军队在波罗金诺会战后不战而退离莫斯科一样,是不可避免的。

每一个俄国人,不是根据推论,而是凭我们和我们的父辈心中的感情,就能预料到发生的事情。

从斯摩棱斯克开始,在俄罗斯大地上的各个城市和村庄,在没有拉斯托普钦伯爵及其传单参与的情况下就不断发生过后来在莫斯科发生的同样的事。老百姓无忧无虑地等待敌人到来,既不闹事,也不着急,没有把什么人撕成碎片,而是平静地等待着自己的命运,感觉到自己有力量在最困难的时刻做应该做的事情。而当敌人快要到时,居民中最富的人扔下财产走了;最穷的人留下来烧掉和毁掉留下来的东西。

俄国人的心里过去和现在都有这样的认识,认为事情就是这样的,而且任何时候都是这样的。这个认识,还有莫斯科将要被占领的预感,存在于一八一二年莫斯科上流社会的俄国人心中。有些人早在七月和八月初就开始离开莫斯科,这表明他们预料到了这一点。有些人离开时带着所能带走的东西,留下房子和一半财产,他们这样做是出于所谓潜在的(latent)爱国热情,这种热情不是用漂亮的言词,不是用为了拯救祖国杀死孩子等不自然的行动表现出来,而是不引人注目地、简简单单地、发自内心地表现出来的,因此常常能产生最强烈的效果。

"逃避危险是可耻的;只有胆小鬼才会从莫斯科逃走。"有人对他们说。拉斯托普钦在他的传单里劝导他们,说离开莫斯科是一种耻辱。他们对被称为胆小鬼感到羞耻,不好意思离开,但是他们仍然还是走了,因为知道应该这样做。他们为什么要走呢?不能认为是拉斯托普钦渲染拿破仑在他征服的土地上制造暴行把他们吓跑的。他们当中第一批走的是有钱的、受过教育的人,他们知道维也纳和柏林完好无损,这两座城市在被拿破仑占领期间,居民们与很有魅力的法国人一起日子过得很快活,当时俄国的男人,尤其是女人也非常喜欢这些法国人。

他们之所以离开,是因为对俄国人来说,生活在法国人统治下的莫斯科是好还是坏的问题是不可能存在的。都知道不能处于法国人的统治下,因为这是最坏的事。他们在波罗金诺会战前已开始走了,而在会战后走得更快,不理会号召保卫首都的文告,不把莫斯科总督关于要抬着伊韦尔小教堂的圣母像去决一死战的声明放在心上,不注意那些应用来消灭法国人的气球,也不听拉斯托普钦在他的传单里写的所有废话。他们知道,仗应由军队来打,如果军队打不了,那么带着太太小姐和家奴到三山门去和拿破仑作战是不行的①,不管多么舍不得丢下自己的财产,但是需要离开。他们走了,并不考虑这个被居民放弃的,显然会被焚毁的巨大而富饶的首都(一个被遗弃的木质建筑物的大城市必然会被焚毁)的重大意义;他们每个人都是为了自己离开的,而与此同时只是由于他们走了,便发生了那个永远成为俄国人民最大光荣的雄伟壮丽的事件。那位模糊地意识到她不能当拿破仑的奴仆,害怕根据拉斯托普钦的命令不放她走的太太,早在六月就带着黑奴和小丑从莫斯科动身去萨拉托夫乡下,她倒是简简单单地和真正地在做着那件拯救了俄国的大事。而拉斯托普钦伯爵时而羞辱那些离开的人,时而疏散政府机关,时而把毫无用处的武器发给一群酒鬼,时而抬着圣像游行,时而禁止奥古斯丁②转移圣骨和圣像,时而征用莫斯科所有的私人车辆,时而用一百三十六辆大车运走列皮赫制造的气球,时而暗示他要焚毁莫斯科,时而又讲述他如何焚毁了自己的房子,写了一篇告法国人的传单,其中义正词严地谴责他们烧毁他的孤儿院,时而把焚毁莫斯科的光荣归于自己,时而又加以摒弃,时而命令百姓捉拿奸细并送到他那里去,时而又为此责备他们,时而把所有法国人遣送出莫斯科,时而又把作为莫斯科所有法国侨民的中心人物的奥贝尔-夏尔玛留在城里,没有任何理由下令逮捕受人尊敬的邮政局长克柳恰廖夫③并将

---

① 拉斯托普钦在他的传单里曾号召莫斯科居民手拿武器到城南三山门去迎击拿破仑。

② 奥古斯丁即维诺格拉茨基(一七六六至一八一九年),主教,著名的宗教作家和传道师,一八一二年实际上主持莫斯科教区。

③ 克柳恰廖夫(一七五四至一八二〇年),长期担任莫斯科邮政局长,是共济会员。

其流放，时而把人们集中到三山门去打法国人，时而为了摆脱这些人，听任他们杀死一个人，自己从后门溜走，时而说他经受不住莫斯科遭到的不幸，时而又在纪念册里用法文写了关于自己参与这件事的诗①——这个人并不理解正在发生的事的意义，而只是想亲手做一些事，使人感到惊讶，想完成一些爱国主义的英雄壮举，他像一个孩子一样，玩弄着放弃和焚毁莫斯科这一严肃的和不可避免的事件，竭力想用他那小手时而推进、时而阻挡把他一起卷走的人民的洪流。

六

埃莱娜随着宫廷从维尔纳回到彼得堡后，陷入了困境。

在彼得堡埃莱娜一直受到一位身居国家要职的大官的特殊庇护。而在维尔纳时，她同一位年轻的外国亲王关系密切。她回来后，那位亲王和大官都在彼得堡，两人都宣称自己有特殊的权利，于是对埃莱娜来说，出现了一个在其获取宠幸的生涯中的一个新课题：如何保持同两人的亲密关系而不得罪其中任何一个人。

那种对另一个女人来说看来似乎是很困难的，甚至是无法应付的事，一次也没有使这位别祖霍娃伯爵夫人伤过脑筋，无怪乎她享有最聪明的女人的名声。如果她开始隐瞒自己的行为，玩弄

---

① 他是这样写的：我天生是一个鞑靼人。我想做一个罗马人。法国人称我野蛮人。俄国人叫我乔治·当丹。——作者注。（乔治·当丹是莫里哀的喜剧《乔治·当丹》（又称《受气的丈夫》）的主人公。）

花招来摆脱窘境,她这样做就会弄坏自己的事情,承认自己有过错;而埃莱娜采取相反的做法,她像一个想怎么做就能怎么做的大人物一样,立刻摆出有理的样子,并且真心地相信这一点,而把所有别的人放到有过错的地位上。

当那个年轻的外国人第一次责备她的时候,她高傲地抬起漂亮的头,朝他侧过身子,用坚决的口气说:

"这就是男人的自私和冷酷!我并不希望会有别的表现。女人为你们牺牲自己,很痛苦,而这就是报答。殿下,您有什么权利要求我向您报告我与他的友好的交往和情感呢?这个人对我来说胜过父亲。"

那人想要说什么,埃莱娜打断了他的话。

"好吧,"她说,"也许他对我的感情不完全是父亲的感情;可是我不能因为这一点就不让他到我家来。我不是那种忘恩负义的男人。殿下,您要知道,我内心的情感我只向上帝和我的良心诉说。"她说完这句话时,把一只手轻轻放在高高耸起的美丽的胸脯上,两眼望着天空。

"看在上帝分上,请您听我说。"

"您就和我结婚吧,我将成为您的奴隶。"

"但这是不可能的。"

"瞧您不肯屈辱俯就和我结婚,您……"埃莱娜说着哭了起来。

那人开始安慰她;埃莱娜含着眼泪说(仿佛神志不清一样),无论什么也不能妨碍她结婚,有这样的例子(那时例子还很少,但是她举出了拿破仑和其他的要人),她还说,她从来不是自己的丈夫的妻子,她是一个牺牲品。

"但是法律，宗教……"那人的心已经软了，说。

"法律，宗教……如果它们做不了这件事，那么还要想出这些东西来干什么！"埃莱娜说。

这个重要人物对他居然想不到这样简单的道理感到很惊讶，便向与他关系很密切的耶稣会的师兄弟们求教。

在这之后过了几天，埃莱娜在石岛的别墅里举行的一次令人神往的喜庆活动，这时有人给她介绍了很有风度的若贝尔先生，他是一个穿短袍的耶稣会会员①，已不年轻，头发雪白，一双黑眼睛闪闪发亮，他在花园里、在彩灯照耀下和在音乐声中长时间地与埃莱娜谈论对上帝、对基督、对圣母的心的爱，谈论统一的真正的天主教今生和来世给人的慰藉。埃莱娜很受感动，她和若贝尔先生几次热泪盈眶，声音发抖。一个舞伴来请埃莱娜跳舞，打断了她和未来的神师的谈话，第二天晚上若贝尔先生一个人来找埃莱娜，从那时起，他经常到她家里来。

有一天他带着埃莱娜去天主教堂，埃莱娜被领到祭坛前，在那里跪下。这个已不年轻的很有风度的法国人把双手放在她头上，这时像她后来所说的那样，她觉得仿佛有一阵清风吹来，吹进她的心里。人们对她解释道，这是圣宠。

然后一位穿长袍的神父被领到她面前，他听了她的忏悔，宽恕了她的罪过。第二天给她送来了一个装圣餐的匣子，留给她在家里用。几天后，埃莱娜高兴地得知，现在她已加入了真正的天主教会，过几天教皇本人就会知道她，并将给她发一份证明文件。

---

① 穿短袍的耶稣会会员指还没有教职的会员；有了教职后改穿长袍。

在这段时间里围绕她和她本身发生的所有的事,那么多聪明的人以那么令人愉快的和那么文雅的形式表现出来的对她的关心,她现在所显示的像鸽子一样的洁白(她近来都穿白衣服和扎白缎带)——这一切都使她感到高兴;但是她虽然很高兴,却一刻也没有忘记自己的目的。就像常有的那样,在耍弄阴谋诡计的事情上,愚蠢的人往往能骗过比较聪明的人,埃莱娜明白所有这些花言巧语和操劳奔走的目的主要在于使她信奉天主教,从她那里为耶稣会的机构搞点钱(已对她做过这样的暗示),因此她在给钱之前坚持要他们替她办好能使她摆脱丈夫的各种手续。在她的思想里,任何宗教的意义只在于在满足人的愿望时能遵守一定的礼节。她就抱着这个目的在与神师的一次谈话中坚决要求他回答她的婚姻关系对她有多大约束力的问题。

他们坐在客厅的窗户旁。暮色已经降临。从窗外飘进阵阵花香。埃莱娜穿着一身肩膀和胸脯透亮的白衣服。神父保养得很好,丰满的下巴刮得光光的,一张嘴坚实而讨人喜欢,两只白净的手温顺地合在一起,放在膝盖上,他坐在埃莱娜近旁,嘴唇上挂着一丝微笑,不时用赞赏她的美貌的目光平静地看看她的脸,讲述着他对他们关心的问题的看法。埃莱娜不安地微笑着,望着他拳曲的头发和刮得很光的、有些发黑的丰满的面颊,时刻等待着转换新的话题。但是那神父显然对交谈者的美貌很欣赏,为自己与她如此亲近感到很快乐,专心致志地显示着自己本行的技巧。

这位神师的推论是这样的。您在不了解您所做的事的意义的情况下向一个人发誓要忠实履行婚约,而这个人在结婚后不相信结婚的宗教意义,犯了亵渎神明罪。这婚姻就没有它应有的对双方都有约束力的意义。尽管如此，您的誓言对您具有约束力。您背离了誓言。这样您犯的是什么罪呢？这罪过是可以宽恕的还是难以容忍的？是可以宽恕的，因为您这样做并无恶意。如果您现在为了生孩子重新结婚，那么您的罪过是可以宽恕的。但是问题又分两个方面，第一……"

"但是我认为，"听得厌烦了的埃莱娜带着迷人的微笑说，"我在信仰真正的宗教后，就不能受那虚假的宗教加在我身上的东西的约束了。"

神师见她如此简单地把哥伦布的鸡蛋竖在他面前①，不禁深感惊讶。他对女弟子出人意料地迅速解决问题表示赞赏，但是也不能放弃他花脑筋辛辛苦苦地建立起来的论证的体系。

"我们再商量商量吧，伯爵夫人。"他微笑着说，开始反驳他的女弟子的论断。

七

埃莱娜知道，从宗教的观点来看，问题很简单和很容易解决，但是她的神师把它弄得很复杂，这只是因为他们担心世俗的当局会怎样看待这件事。

因此埃莱娜决定在社交界为此事做些舆论准备。她挑起那个

---

① 根据传说，哥伦布在一次争论中请人把一个鸡蛋竖起来，那人试了很久竖不起来，哥伦布把鸡蛋的一头敲碎，就把它竖起来了。

当大官的老头的醋意,也对他说了她对第一个追求者说的那些话,即对他这样提出问题:要得到她,唯一的办法是和她结婚。这个年老的要人听到这个有夫之妇提出要嫁人,开头也像那个年轻人一样很吃惊;但是埃莱娜深信这像一个姑娘出嫁那样简单和自然,她的不可动摇的信心也对他起了作用。如果埃莱娜本人露出哪怕一点点犹豫、羞耻或保守秘密的痕迹,那么她的事情无疑就会失败;但是不仅没有露出保守秘密和羞耻的痕迹,而且正好相反,天真地和满不在乎地对自己的亲密朋友(而这些朋友遍于整个彼得堡)讲外国亲王和要人都向她求婚,她爱这两个人,担心伤这两个人的心。

于是流言蜚语立刻在彼得堡流传开来,说的不是埃莱娜想跟自己的丈夫离婚(如果流传的是这样的消息,那么许多人就会起来反对这个不合法的意图),而说的是不幸的、招人喜欢的埃莱娜正处于困惑之中,不知嫁两个人当中的哪一个好。问题也不在于这在多大程度上是可能的,而在于找什么样的配偶更有利,宫廷对这事会怎么看。确实还有几个死抱住陈规不放的人,他们没有能达到理解这个问题的高度,只认为这个意图是对婚姻的神圣的亵渎;但是这样的人很少,他们保持沉默,大多数人都对埃莱娜交了好运、选择谁比较好的问题感兴趣。没有提起一个有夫之妇嫁人是好还是坏的问题,因为这个问题对那些比你我都聪明的人来说已经解决了(人们是这样说的),对这个问题的解决办法的正确性提出疑问,就有暴露出自己生性愚蠢和不善于在上流社会生活的危险。

只有玛丽亚·德米特里耶夫娜·阿赫罗西莫娃一个人敢于直

截了当地说出与公众舆论不同的意见，她是今年夏天到彼得堡来见她的一个儿子的。玛丽亚·德米特里耶夫娜在舞会上碰到埃莱娜，在大厅中央拦住她，在全场一片沉默中粗声粗气地对她说：

"你们这里有人扔下活着的丈夫要嫁人了。你大概以为这个新花样是你想出来的吧？不，有人早就赶在你前面了，亲爱的。早就想出来了。在所有的……①里都这样做。"玛丽亚·德米特里耶夫娜一面说着这些话，一面做着习惯性的威严的动作，卷着宽大的袖子，用严厉的目光环顾四周，穿过大厅走了出去。

在彼得堡，人们虽然害怕她，但是都把她当小丑看待，因此在她所说的话里只注意到一个粗野的字眼，他们低声相互重复着这个字眼，认为其中包含着她所说的话的精髓。

瓦西里公爵近来特别经常地忘记他说过的话，上百次重复同一句话，在见到女儿时，每次都要叨叨几句。

"埃莱娜，我有一句话要对你说。"他把她带到一边，把她的一只手往下拉，对她说，"我听到了一些打算，是关于……这你知道。亲爱的孩子，你知道你的父亲心里很高兴，因为你……你忍受了这么多……但是，亲爱的孩子……你就照你的心愿做吧。这是我的全部忠告。"他掩饰着任何时候都是一样的激动心情，用自己的面颊贴了贴女儿的面颊，走开了。

一直保持着最聪明的人的名声的比利宾，是埃莱娜的无私的朋友，是出色的女人常有的那种永远不会成为情人的朋友，他有一次在好友的小圈子里对自己的朋友埃莱娜谈了他对这整个事情

---

① 这是下文所说的一个粗野的字眼，作者略去了。

的看法。

"听我说，比利宾（埃莱娜对像比利宾这样的朋友，通常都直呼其姓），"她用一只戴着戒指的白净的手碰了碰他的燕尾服的袖子，"您就像告诉妹妹那样告诉我，我该怎么办？两人当中选哪一个？"

比利宾把眉毛上方的皮肤皱在一起，嘴唇上挂着微笑沉思起来。

"您知道吗，您这样问不会使我感到意外。作为一个真正的朋友，我对您的问题已考虑了很久。您要知道，如果嫁给亲王（这是一个年轻人），"他弯曲一个指头说，"您就会永远失去成为另一个人的妻子的可能，再说，宫廷也会不满意。（您知道，这里还牵涉到亲族关系。）而如果嫁给老伯爵，那么您能给他晚年带来幸福，以后……亲王娶这位要人的遗孀也不会觉得有失身份。"说着比利宾舒展开了额头上的皱纹。

"这才是真正的朋友！"高兴得喜笑颜开的埃莱娜说，她再次用手碰了碰比利宾的袖子。"不过我爱这两个人，不愿意让任何人伤心。为了这两人的幸福我准备牺牲自己的生命。"她说。

比利宾耸了耸肩膀，表示对这样伤脑筋的事，就连他也帮不了忙。

"这个女人真行！这么直截了当地提出问题。她想同时成为三个人的妻子。"比利宾想道。

"请您告诉我，您的丈夫会怎样看待这件事？"他说，由于他有聪明人的不可动摇的名声，不怕提这样幼稚的问题而贬低自己，"他会同意吗？"

"唉！他很爱我！"埃莱娜说，她不知为什么觉得皮埃尔也爱她，"为了我，他什么事都愿意做。"

比利宾皱起眉头，表示正在准备警句。

"也愿意离婚。"他说。

埃莱娜笑了起来。

在敢于怀疑正在策划中的婚事的合法性的人当中，有埃莱娜的母亲库拉金娜公爵夫人。她常常因嫉妒自己的女儿而苦恼，而现在嫉妒的对象是公爵夫人的一位最要好的朋友，她就更无法容忍了。她请教一位俄国神父，问在丈夫还活着时能否离婚和再嫁，那神父对她说，这是不行的，使她高兴的是，神父给她指出了一段福音书里的话，其中（神父觉得）直接指出，在丈夫活着时不能结婚。

公爵夫人掌握了这些她觉得是无法反驳的论据后，大清早到女儿那里去，以便单独和她谈谈。

埃莱娜听了母亲的反对意见后，带着温顺而讥讽的表情微微一笑。

"要知道那里直截了当地说道：谁娶离婚的妻子……"老公爵夫人说。

"咳，妈妈，别说蠢话了。您什么也不懂。处在我的地位上有应尽的义务。"埃莱娜说了起来，从俄语改为法语，她总觉得她的事情用俄语总有些说不清。

"但是，孩子……"

"咳，妈妈，您怎么不明白，神父有权宽恕……"

这时住在埃莱娜家的女伴进来向她报告说，亲王殿下在客厅里，希望见她。

"不，告诉他，我不愿意见他，说我正在生他的气，因为他不履行对我的诺言。"

"伯爵夫人,任何罪过都应得到宽恕。"一个浅色头发、长脸高鼻子的年轻人走了进来,说。

老公爵夫人恭恭敬敬地站起来,行了屈膝礼。进来的年轻人没有理会她。于是公爵夫人朝女儿点点头,步履轻盈地朝门口走去。

"是的,她说得对。"老公爵夫人想道,她的所有看法都随着亲王殿下的出现而被推翻了。"她说得对;但是我们在那一去不复返的青春时代怎么不知道这些呢?而这又是那样的简单。"老公爵夫人在坐上马车时想道。

八月初,埃莱娜的事完全确定下来了,于是她给自己的丈夫(照她的想象,丈夫很爱她)写了一封信,信中告诉他,她打算嫁给NN,她已改信唯一的真正的宗教,请求他履行离婚所必需的所有手续,详情将由送信人告之。

"在此,我要祈求上帝,我的朋友,给您以神圣而有力的庇护。您的朋友埃莱娜。"

这封信是送到皮埃尔家里的,而这时他正在波罗金诺战场上。

八

在波罗金诺会战将要结束时,皮埃尔第二次从拉耶夫斯基炮垒跑下来,和一群士兵一起沿着冲沟朝克尼亚兹科沃前进,到了包扎站,看见那里遍地血迹,听见叫喊声和呻吟声,便混在一群群士兵中间,急忙继续往前走。

现在皮埃尔心里最希望的是，赶快摆脱这一天他得到的可怕印象，回到平常的生活环境中来，躺在房间里自己的床上安安静静地入睡。只有在平常的生活环境里他才感觉到，他能够理解自己本身以及他看见的和感受到的一切。但是任何地方都没有这种平常的生活环境。

虽然在这里，在他走的路上没有炮弹和枪弹呼啸而过，但是周围的情景仍像那里的战场上一样。眼前仍然是那些痛苦的、疲惫不堪的和有时是冷漠得令人奇怪的脸；仍然可看到那样的血污，那样的士兵军大衣，可听到那样的射击声，不过已远了一些，但仍使人感到恐怖；此外，就是闷热的天气和飞扬的尘土。

皮埃尔在莫扎依斯克大道走了大约三俄里，便在路边坐下了。

暮色已降临了大地，隆隆的炮声停止了。皮埃尔靠在一只胳膊上躺了很久，望着黑暗中在他身旁移动的人影。他一直觉得炮弹带着可怕的呼啸声向他飞来；他不时震颤着，欠起身来。他不知道他在这里待了多久。到半夜时，三个士兵拖来一些树枝，在他身旁找个地方停下生起火来。

士兵们瞟了皮埃尔一眼，生着了火，在火上坐上锅，把面包干掰碎放进去，并放了腌猪油。油腻的食物的香味和烟味混合在一起。皮埃尔欠起身，叹了口气。士兵们（他们有三个人）只顾吃着，没有理会皮埃尔，相互之间说着话。

"你是什么人？"一个士兵突然问皮埃尔，显然，正如皮埃尔所想的那样，他提这个问题的意思是：如果你想吃，我们会给你的，只不过你得告诉我们，你是不是一个老实人？

"我？我？……"皮埃尔反问，他觉得必须尽可能地降低自己的身份，以便与士兵更亲近些，更可为他们所理解。"我现在是一个民兵军官，不过我的民兵部队不在这里；我来参加战斗，找不到他们了。"

"瞧你！"一个士兵说。

另一个士兵摇了摇头。

"好吧，愿意吃就吃点糊糊吧！"一个士兵说，他把一把木勺子舔干净，递给皮埃尔。

皮埃尔坐到火堆旁，开始吃那锅里的糊糊，他觉得这是他吃过的所有食物中最好吃的食物。他朝锅俯下身，一大勺一大勺地舀着，一勺接一勺贪婪地吃着，火光照亮了他的脸，这时士兵们默默地看着他。

"你要上哪里去？你说！"一个士兵又问道。

"上莫扎依斯克。"

"这么说来，你是贵族老爷吧？"

"是的。"

"叫什么？"

"彼得·基里洛维奇。"

"好吧，彼得·基里洛维奇，咱们一起走吧，我们带你去。"

士兵们和皮埃尔一起，在一片漆黑中开始朝莫扎依斯克走去。

当他们到了莫扎依斯克、开始往城里陡峭的小山上爬的时候，鸡已经叫了。皮埃尔和士兵一起走着，完全忘记了他的客栈在山下，他已经走过头了。如果不是他的驯马师在半山腰里碰到他，他一定想不起来（他处于惘然若失的状态中），驯马师满城找他，正好要回客栈去。驯马师根据黑暗中发白的帽子，认出了皮埃尔。

"伯爵大人,"他说,"我们都不抱找到您的希望了。您怎么徒步走?您这是往哪里去,真是的!"

"啊,对了。"皮埃尔说。

士兵们停住了脚步。

"怎么,找到自己人了?"一个士兵问。

"好吧,再见!彼得·基里洛维奇!"另外两个士兵说。

"再见了。"皮埃尔说着就和驯马师一起回客栈了。

"应当给他们一点什么!"皮埃尔想,抓住自己的口袋。"不,不必要。"一个声音对他说。

客栈的正房里已没有位置了:全都占了。皮埃尔到了院子里,蒙住头躺进自己的马车里。

九

皮埃尔的头刚挨到枕头,他就觉得睡着了;但是突然他几乎像身临其境似的清楚地听见隆隆的炮声,听见呻吟声、叫喊声、炮弹落地声,闻到血腥味和火药味,于是心中充满了恐惧和害怕死亡的感觉。他惊恐地睁开眼睛,从军大衣下伸出头来。院子里一片寂静,只有一个勤务兵在大门口和客栈老板说话,吧嗒吧嗒地踩着污泥。在皮埃尔的头顶,在阴暗的木板房檐下,鸽子被他欠起身来的动作所惊动,抖着身子。整个院子散发着一股浓烈的客栈的气味,干草、马粪和焦油的气味,此刻皮埃尔觉得它给人以一种宁静和愉快的感觉。在两个黑色房檐之间露出了洁净的星空。

"谢天谢地,这样的事不会再有了。"皮埃尔想道,又蒙住了头。"啊,恐惧的感觉是多么可怕,我被吓得惊慌失措是多么丢人啊!而他们……**他们**自始至终一直都很坚定,镇静……"他想。皮埃尔所说的**他们**是士兵——既包括那些在炮垒上的和给他糊糊吃的,也包括那些向圣像祈祷的。**他们**——这些古怪的、在这之前他一直不了解的人,在他的脑子里是与所有其他的人清楚而明显地分开的。

"我要当一个士兵,只当一个士兵!"皮埃尔在快要睡着时想道,"全身心地投入这共同的生活,让那种使他们成为这样的人的东西充满自己的心。但是如何去掉自己身上所有这些多余的、可怕的东西,抛掉这个外在的人的所有赘物呢?有一个时候我能成为这种人。我愿意的话,曾经可以离开父亲。在和多洛霍夫决斗后我还可能被送去当兵。"在皮埃尔的脑子里闪现出了俱乐部里的宴会和他向多洛霍夫提出决斗的情景,还有在托尔若克与恩师的相遇。皮埃尔又想起共济会分会隆重的聚餐。这次聚餐是在英国俱乐部进行的。一个熟悉的、亲近的和敬爱的人坐在桌子的那一头。这就是他!这是恩师。"他不是死了吗?"皮埃尔想,"是的,他死了;但是我不知道他活着。他死了,我是多么惋惜啊,他又活了,我是多么高兴啊!"在桌子的一边坐着阿纳托利、多洛霍夫、涅斯维茨基、杰尼索夫以及其他与他们类似的人(皮埃尔在做梦时,他心里这一类人也同他称之为**他们**的那一类人一样,是很清楚的),这些人,阿纳托利、多洛霍夫,大声地喊叫着,唱着;但是从他们喊叫声后面可以听见恩师不停地说话的声音,他的话语的声音也同战场上的轰鸣声一样,是有重要作用的和连续不断的，但是它使人听起来觉得愉快和得到慰藉。皮埃尔并不明白恩师说的话，但是他知道（思想的类型在梦里也是清楚的），恩师说的是善，是成为**他们**那样的人的可能性。他们这些脸上表情纯朴、善良和坚定的人团团围住恩师。但是他们虽然善良，都不看皮埃尔，不认识他。皮埃尔想要引起他们的注意和说说话。他欠起身来，但是在这瞬间他的双腿发冷，露出来了。

他开始觉得害臊，用手臂遮住腿，军大衣确实从腿上滑下来了。皮埃尔在盖军大衣时睁开了眼睛，看见了原来的那些房檐、柱子、院子，但是现在所有这一切都有些发蓝和显得很亮，上面闪耀着露水和霜花的光点。

"天亮了，"皮埃尔想，"但是这不是我要的。我应当听完和理解恩师的话。"他又盖好了军大衣，但是已经见不着聚餐和恩师了。有的只是一些用言语清楚表达出来的想法，这些想法或者是别人说的，或者是皮埃尔自己反复思考过的。

虽然这些想法是由这一天得到的印象引起的，但是皮埃尔在回想它们时，仍相信这是一个外在于他的人对他说的。他觉得他在清醒的时候从来都不能这样想和这样表达自己的思想。

"战争表明人的自由最难服从于上帝的戒条。"一个声音说。"纯朴是顺从上帝的表现；人是离不开上帝的。**他们**是纯朴的。**他们**只做不说。已说出来的话是银，没有说出来的则是金。一个人如害怕死亡，就不能掌握任何东西。谁不怕死，一切就属于谁。如果不经受一番痛苦，人就不知道自己的限度，就不了解自己。最困难的事（皮埃尔梦中继续想或继续听见别人说）是在自己心中把所有事物的意义结合成一体。把一切都结合成一体？"皮埃尔问自己,"不,不是结合。想法是无法结合成一体的,而应当把所有这些想法**套在一起——这就是想要做的事!是的,应当套在一起,就该套在一起!**"皮埃尔带着内心的喜悦对自己重复说,觉得正是这些话,也只是这些话表达出了他想要表达的东西,解决了整个使人感到苦恼的问题。

"是的,应当套在一起,到套在一起的时候了。"

"应当套车了,到套车的时候了,伯爵大人!伯爵大人!"有一个声音重复说道,"应当套车了,到套车的时候了……"

这是驯马师的声音,他正在叫醒皮埃尔。阳光直射到皮埃尔的脸上。他朝肮脏的客栈看了一眼,看见院子中央的井边有几个士兵在饮他们的瘦马,几辆大车正在从大门出去。皮埃尔厌恶地扭过头,闭上眼睛,急忙又倒在马车的座位上。"不,我不愿意这样,不愿意看见和理解这些,我愿意理解梦里见到的东西。只要再有一秒钟,我就会全都明白。我该怎么办呢?套在一起,但是怎么把一切套在一起呢?"于是皮埃尔惊恐地感觉到,他在梦中见到的和所想的一切的全部意义都消失了。

驯马师、车夫和客栈老板对皮埃尔说,一个军官带来消息,说法国人在向莫扎伊斯克推进,我军正在撤离。

皮埃尔站了起来,吩咐套车和追赶他,自己先步行出城去了。

部队开走了,留下了大约一万名伤员。各家各户的院子里和许多房子的窗口都可见到这些伤员,他们还聚集在大街上。在街上运送伤员的大车的近旁可以听见喊声、骂声和打人的声音。皮埃尔让一位他认识的受伤的将军坐上他那追上来的马车上,和他一起到了莫斯科。路上皮埃尔得知他的内兄和安德烈公爵都牺牲了的消息。

十

三十日,皮埃尔回到了莫斯科。几乎在城门口他碰到了拉斯托普钦伯爵的副官。

"我们到处找您,"副官说,"伯爵一定要见您。他请您马上就到他那里去,有要事商谈。"

皮埃尔没有回家便雇了马车到这位总督那里去了。

拉斯托普钦伯爵这天早晨刚从城外索科尔尼基的别墅回到城里。伯爵家的外厅和接待室坐满了奉命前来的或自己来请示的官员。瓦西里奇科夫[①]和普拉托夫已见到伯爵,并对他做了解释,说莫斯科守不住,将要放弃。这个消息虽然瞒着居民,但是官员们和各个不同部门的头头们都像拉斯托普钦伯爵一样,知道莫斯科将要落到敌人手中;他们大家为了推卸责任,都来问总督他们掌管的部门该怎么办。

在皮埃尔进接待室时,军队来的信使正好从伯爵那里出来。

人们对他提出各种问题,信使绝望地摆摆手,穿过大厅走了。

皮埃尔在接待室里等候时,用疲惫的眼睛环视室内各种不同的官员,其中有年老的和年轻的,有军人和文职人员,有重要的和不重要的。所有的人看起来都心怀不满和焦虑不安。皮埃尔走到其中有一个熟人的一群官员面前。他们和皮埃尔打了个招呼,

---

[①] 瓦西里奇科夫(一七七七至一八四七年),俄国将军,波罗金诺会战时,是拉耶夫斯基部下的步兵师长。

继续谈他们的话。

"先送走,然后又让他们回来,这倒没有什么;在这种情况下谁也负不了责任。"

"可是您瞧,他这样写着。"另一个人指着他手里拿着的一份印刷品说。

"这就是另一回事了。对老百姓来说需要这样。"第一个人说。

"这是什么?"皮埃尔问。

"是新的传单。"

皮埃尔拿过来读了起来:

> 殿下为了更快地与向他靠拢的部队会合,已过了莫扎依斯克,驻扎在敌人一时不会对其发动进攻的坚固阵地上。从这里已经给他送去四十八门大炮和炮弹,殿下说,将誓死保卫莫斯科,直到流尽最后一滴血,甚至准备进行巷战。弟兄们,你们不要看到政府机关关门就担心,秩序需要整顿,我们要通过法庭审判为非作歹的人!到必要时,我需要城乡青年的协助。我将在一两天内发出号召,而现在不需要,因此我暂时不说话。用斧头当然很好,用长矛也不错,而最好用三齿大叉:一个法国人并不比一捆黑麦更重。明天午后,我将要抬着伊韦尔小教堂的圣母像去叶卡捷琳娜医院看望伤员。我们将在那里举行仪式,使水成为疗伤治病的圣水:他们将更快地康复;我现在很健康,我的一只眼睛有过病,现在两眼明亮,十分警惕地看着。

"可是有的军人告诉我,"皮埃尔说,"城里无法打仗,阵地……"

"是啊,我们也是这样说。"第一个官员说道。

"传单上说,我的一只眼睛有过病,现在两眼明亮,十分警惕地看着,这是什么意思?"皮埃尔问。

"伯爵得过睑腺炎,"副官微笑着说,"我告诉他,老百姓来问他怎么啦,他很不安。怎么,伯爵,"副官突然带着微笑问皮埃尔,"我们听说,您家里发生了麻烦的事。好像伯爵夫人,您的太太……"

"我什么也没有听说,"皮埃尔漠不关心地说,"您听到什么了?"

"没有什么,您知道,人们常常胡编瞎说。我只不过听人那样说罢了。"

"您听到什么了?"

"有人说,"副官又带着同样的微笑说,"您的妻子伯爵夫人准备出国去。大概这是无稽之谈……"

"有可能。"皮埃尔说,漫不经心地看看自己周围。"那个人是谁?"他指着一个身材不高的老人问。那人穿着一件干净的蓝色厚呢长外衣,一把大胡子像雪一样白,眉毛也是白的,但脸色红润。

"这个人?这是一个商人,也就是小饭馆的老板韦列夏金。您大概听说过关于传单的事了吧?"

"啊,原来这是韦列夏金!"皮埃尔说道,他端详着老商人的神情坚定和平静的脸,寻找着背叛的表现。

"这不是他本人。这是那个写传单的人的父亲,"副官说,"那个年轻人坐了牢,看来不会有什么好结果。"

一个戴星章的小老头和另一个脖子上挂着十字勋章的德国血

统的官员走到了说话的人的面前。

"您知道，"副官讲述道，"这是一件很难弄清的事。大约两个月前出现了这张传单。报告了伯爵。他下令侦查。加夫里洛·伊万内奇调查出这传单总共经过六十三人的手。问一个人：您是从谁那里得到的？——从某某人那里。他便去问这某某人：您是从谁那里得到的？就这样追查下去，一直追到韦列夏金……这是一个没有念过几年书的小商人，您知道，是一个讨人喜欢的小老板。"副官微笑着说，"问他：是谁给你的？主要的，我们知道他是从谁那里得到的。除了邮政局长外，他不可能从别的任何人那里得到。但是看起来他们之间秘密串通好了。他说：不是从谁那里得到的，是我自己写的。于是又是吓唬他，又是说服他，而他一口咬定：是自己写的。最后报告了伯爵。伯爵下令把他传来。'你的传单是从谁那里弄来的？'——'自己写的。'您是知道伯爵的脾气的！"副官带着自豪和快乐的微笑说，"他暴跳如雷，您想一想，居然这样放肆，一派胡言，顽固不化！……"

"啊！伯爵需要他供出克柳恰廖夫，这我知道！"皮埃尔说。

"完全不需要，"副官惊恐地说，"克柳恰廖夫即使没有这件事，也犯了罪，他是因此而被流放的。但是问题在于伯爵火气很大。'你怎么能写得出来？'伯爵说。他从桌子上拿起那张《汉堡报》①。'这就是那东西。你不是写的，而是翻译的，而且翻译得很糟糕，因为你这傻瓜根本不懂法语。'您想怎么着？那小商人说：'不，我什么报纸也不读，是我写的。'——'既然如此，你就

---

① 《汉堡报》指的是在汉堡出版的法文报纸《汉堡消息》。

是叛徒，我要把你送上法庭，把你吊死。你说，是从谁那里得到的？'——'我什么报纸也不读，是自己写的。'就这样顶着。伯爵也把他的父亲叫来，老人同样坚持这个说法。于是把他送交法庭，好像判处他服苦役。① 现在父亲是来为儿子求情的。这是一个坏小子！您知道，这种商人的子弟，都是花花公子，喜欢勾引女人，不知在什么地方听了讲演，就毫无顾忌。要知道这完全是一个浪荡子！他父亲在这里石桥附近开了一家小饭馆，您知道，在这小饭馆里挂着一幅一只手拿着权杖、另一只手握着金球的大圣像；他就把这幅圣像拿回家来挂了几天，瞧他干的是什么！找到了一个混蛋画师……"

十 一

皮埃尔听讲这新鲜事听了一半，就被叫去见总督了。

他进了拉斯托普钦伯爵的办公室。在皮埃尔进去时，拉斯托普钦皱起眉头，用一只手擦了擦前额和眼睛。一个身材不高的人正在说着什么，皮埃尔一进门，他就停住不说，出去了。

"啊！您好，伟大的战士，"拉斯托普钦等那人一出去便这样说道，"听说了您的英勇行为。但是要谈的不是这事。亲爱的，只在我们之间说说，您是共济会员吗？"拉斯托普钦伯爵用严厉的

---

① 韦列夏金被控从《汉堡消息》翻译和散发《拿破仑致普鲁士国王的信》和《拿破仑在德累斯顿对莱茵同盟王公的讲话》而被判处终身服苦役。

口气问,仿佛这不是好事,不过他有意原谅他。皮埃尔没有说话。
"亲爱的,我已经得悉一切,但是我知道有不同的共济会员,希望您不属于那种以拯救人类为名想要毁了俄国的人。"

"是的,我是共济会员。"皮埃尔回答说。

"是这么一回事,我的亲爱的。我想您不会不知道斯佩兰斯基和马格尼茨基已流放到应该去的地方①;对克柳恰廖夫先生也这样做了,对其余那些以建造所罗门的宫殿②为名却竭力要毁坏自己祖国的宫殿的人也将照此办理。您可以明白,这样做是有原因的,如果这里的邮政局长不是一个坏人,我是不会把他流放的。现在我已知道,您派自己的马车送他上路,并且为他保管文件。我喜欢您,对您没有恶意,您的年龄只有我的一半,我像父亲一样劝您不要再和这样的人进行任何交往,自己尽快离开此地。"

"然而,伯爵,克柳恰廖夫犯了什么罪?"皮埃尔问。

"这是我的事,您用不着问。"拉斯托普钦喊道。

"他被控散发拿破仑的传单,可是这并没有得到证明,"皮埃尔说(眼睛不看拉斯托普钦),"还有,韦列夏金……"

"就是这么回事!"拉斯托普钦突然皱起眉头,打断皮埃尔的话,喊道,"韦列夏金是叛徒和卖国贼,他将受到应得的惩罚。"拉斯托普钦用平常人们回想起自己受到侮辱时常用的气恼的语气说,"但是我并不是请您来讨论我的事情的,请您来是为了给您劝

---

① 见第二卷第三部第四章和第五章注,第六五二页和第六五九页。

② 所罗门是以色列王,据《圣经》记载,他曾大兴土木,建造自己的宫和耶和华的殿。

告,或者给您命令,如果您愿意我这样做的话。请您中断同克柳恰廖夫之类的人的交往,并且离开此地。而我就是要打掉各种愚蠢的想法,不管它存在于谁的头脑里。"说到这里他大概想起他似乎是在斥责还没有任何过错的别祖霍夫,便友好地抓起皮埃尔的一只手,又说,"我们正处于全民灾难的前夜。我没有工夫跟每个和我打交道的人讲客气。有时简直头昏脑涨!好吧,亲爱的,您个人打算怎么办?"

"没有什么打算。"皮埃尔回答道,一直没有抬起眼睛,也没有改变脸上沉思的表情。

伯爵紧皱起眉头。

"我有一个友好的劝告,亲爱的。赶快离开,这就是我对您要说的话。能听进去话的人有他的好处!再见了,亲爱的。对啦,"他从门里对皮埃尔喊道,"听说伯爵夫人落入了耶稣会神父们的魔掌,是真的吗?"

皮埃尔什么也没有回答,他双眉紧锁,满脸怒容地从拉斯托普钦那里出来,这种样子人们从来没有见过。

当他回到家里时,天已经开始黑了。这天晚上有七八个不同的人来见他。有委员会的秘书、他的营里的上校、总管、管家和各种来求他的人。大家都有事找皮埃尔,要求他解决。皮埃尔什么也没有听明白,对这些事不感兴趣,对所有问题都只敷衍说几句,目的是为了摆脱这些人。最后只剩下他自己一个人时,才打开妻子的信,读了读。

"**他们**——炮垒上的士兵们,安德烈公爵被打死了……老人……纯朴是顺从上帝的表现。应当受苦……万物的意义……应当套在一起……妻子要嫁人……应当忘掉和理解……"他走到床边，没有脱衣服就倒在床上，立刻入睡了。

第二天早晨他醒来时，管家来报告说，拉斯托普钦伯爵专门派一个警官来打听别祖霍夫伯爵是否已经走了，或者正准备要走。

十来个人有事来找皮埃尔，正在客厅里等候他。他匆匆忙忙穿好衣服，但是没有到等候他的人那里去，却到了后门的台阶，从那里出了大门。

从那时起直到莫斯科完全被毁，别祖霍夫家里的人尽管到处寻找，但是再也没有见过皮埃尔，也不知道他的下落。

十 二

罗斯托夫一家人在九月一日前，即在敌人进入莫斯科前夕之前，还留在城里。

在彼佳参加奥博连斯基哥萨克团和前往该团组建的地点白采尔科维后，伯爵夫人一直担惊受怕。她想，她的两个儿子都上了战场，他俩都脱离了她的庇护，说不定过不了多少日子他们之中的一个或两人一起会被打死，就像她的一个熟人的三个儿子都被打死了一样，这个想法是在今年夏天第一次极其清楚地出现在她的头脑里的。她曾试图把尼古拉叫回来，想亲自去找彼佳，把他安排到彼得堡的什么地方，但是这两件事都是无法办到的。彼佳只能和他的团队一起回来或者通过调到另一个服现役的团的办法调回来。尼古拉在某地的军队里，他在最后的一封信里详细地描述了他同玛丽亚公爵小姐的相遇，在这之后就没有音信了。伯爵夫人夜里睡不着觉，而她一入睡就梦见儿子被打死了。伯爵在经过多次的商量和合计后，最后找到了安慰伯爵夫人的办法。他把彼佳从奥博连斯基团调到了在莫斯科附近组建的别祖霍夫团。虽然彼佳仍在服军役，但是进行了这次调动后，伯爵夫人可以看到有一个儿子在她身边从而得到安慰，她希望把彼佳做这样的安排，不再放他远走高飞，让他在怎么也参加不了战斗的地方服役。这样暂时只有尼古拉一人处于危险之中，伯爵夫人觉得（她甚至对这一点表示忏悔），她爱大儿子胜过爱其余的子女；小儿子彼佳是个淘气鬼，学习很差，常常弄坏家里的东西，惹得人人讨厌，而当这个长着一个翘鼻子和一双快活的黑眼睛、脸色红润、面颊上刚刚长出胡子的孩子到了那里，到了那些身材高大、可怕而残忍的男人中间时，到了那些**不知因为什么**而战斗着并从中找到乐趣的人中间时，——做母亲的就觉得她爱他要大大超过爱别的孩子。彼佳预定回莫斯科的日子愈临近，伯爵夫人心里也就愈不安。她已想到她已等不到这幸福的时刻了。她不仅在看见索尼娅时，而且在看见心爱的娜塔莎，甚至丈夫在她身边时，都会发脾气。"他们跟我有什么相干，除彼佳外，我谁也不需要！"她想道。

在八月的最后几天，罗斯托夫一家人收到了尼古拉的第二封信。这封信是从沃罗涅日省写来的，他是被派到那里去采购军马的。这封信没有使伯爵夫人感到安心。她知道一个儿子现在没有危险后，更加为彼佳担忧。

尽管从八月二十日起罗斯托夫家的几乎所有熟人都已离开莫斯科，尽管全家人劝伯爵夫人快点走，但是伯爵夫人在她最喜欢的宝贝儿子彼佳回来前，关于离开的事连听都不愿意听。八月二十八日彼佳到了。母亲迎接他时表现出来的过分的慈爱，这个十六岁的军官并不喜欢。虽然母亲没有向他明说现在要把他留在自己身边不放他走的意图，彼佳马上就明白了，本能地担心与母亲过分地亲热，担心变得婆婆妈妈（他心里就是这样想的），便对她很冷淡，回避她，在逗留莫斯科的时间里只与娜塔莎待在一起，他对娜塔莎一直有一种特殊的、几乎像恋人般的手足之情。

平常无忧无虑的伯爵，到八月二十八日还没有做任何动身的准备，说好要从梁赞和莫斯科郊区的村子来运家里所有财物的大车，直到三十日才到。

从二十八日到三十一日，全莫斯科都处于忙乱和熙来攘往之中。每天有波罗金诺会战中负伤的几千名伤员从多罗戈米洛沃门进来，分散到莫斯科各处去，同时有几千辆载着居民和财产的大车从各个城门出去。尽管有拉斯托普钦的传单，或者由于这些传单不起作用，或者正是由于有这些传单，城里传播着各种完全相互矛盾的和奇怪的消息。有人说不准任何人出城；有人则相反，说教堂里的所有圣像都抬走了，要强迫所有的人离开；有人说，波罗金诺会战后又打了一仗，法国人被打败了；有人又正好相反，说俄国军队已全军覆没；有人说莫斯科民兵将以神职人员为先导开往三山门；有人悄悄地说，奥古斯丁被禁止出城，抓到了几个叛徒，农民们造反了，抢劫那些出城的人的财物，如此等等，不一而足。但是这只是说说而已，而实际上，那些离开的人和那些留下来的人（尽管这时还没有在菲利开会决定放弃莫斯科）虽然没有表现出来，但心里都已经感觉到，莫斯科一定会放弃，自己应当尽快离开和抢救自己的财产。大家都有一种觉得一切将要突然爆发和改变的感觉,但是在九月一日之前,还什么变化也没有。如同一个被押去执行死刑的罪犯知道他马上就要完了,但仍然打量着自己的周围、扶正戴歪了的帽子一样,莫斯科也不由自主地过着平常的生活,虽然知道毁灭的时间已经临近,整个习惯了的生活环境将遭到破坏。

在莫斯科陷落前的三天里,罗斯托夫全家都忙于各种日常生活的事。一家之长伊里亚·安德烈依奇伯爵不停地在城里跑,收集各处流传的消息,回家后匆匆忙忙地做一般的和不着边际的指示,要求做动身的准备。

伯爵夫人看着仆人收拾东西,对一切都不满意,跟在不断躲开她的彼佳后面,嫉妒娜塔莎,因为彼佳总是跟娜塔莎在一起。只有索尼娅一个人干着实际的事:收拾各种东西。但是索尼娅最近特别忧伤和沉默寡言。尼古拉在信里提到了玛丽亚公爵小姐,伯爵夫人当着她的面高兴地说,她认为玛丽亚公爵小姐和尼古拉的相遇是天意。

"鲍尔康斯基成了娜塔莎的未婚夫时,我从来没有高兴过,"伯爵夫人说,"我总是希望,而且我有一种预感,觉得尼科连卡会娶公爵小姐。这该是多么好啊!"

索尼娅感觉到,这话说得对,改善罗斯托夫家的经济状况的唯一办法,是娶一位有钱的小姐,而公爵小姐是一个很好的对象。但是这使她感到很痛苦。尽管她心里很难受,或者也许正是由于心里难受,她主动担负起了收拾东西的困难工作,这几天整天都忙于这件事。伯爵和伯爵夫人有事要吩咐时,就对她说。彼佳和娜塔莎则相反，不仅不给父母帮忙，反而碍手碍脚，惹得家里所有的人都讨厌。在家里整天几乎都可以听见他俩跑来跑去，大声叫喊和无缘无故地哈哈大笑。他们高兴和发笑完全不是由于有什么事可笑；但是他们心里很高兴和很快活，因此不管发生什么事，都可成为他们高兴和发笑的原因。彼佳之所以快活，是因为离家时还是一个孩子，回来时却成为一个男子汉（大家都对他这样说）；他快活还因为他回到了家里，因为他离开了近期没有参加战斗希望的白采尔科维来到了日内即将打起仗来的莫斯科；而主要的是，他快活是因为娜塔莎很快活，平常他的情绪总是受娜塔莎的情绪的影响。娜塔莎之所以很快活，是因为忧郁的时间太长了，现在没有任何事情使她想起忧郁的原因，而且她身体也完全恢复了。她之所以快活，还因为有一个人赞赏她（别人的赞赏是车轮的润滑油，要使机器自由运转，它是必不可少的），因为彼佳赞赏她。主要的是，他们快活是因为战火已烧到莫斯科城下，是因为将在城门口发生战斗，正在分发武器，所有的人都在奔跑，要到什么地方去，总而言之，是因为正在发生一件不平常的事，这样的事对一个人来说，尤其是对一个年轻人来说，总是很愉快的。

十 三

八月三十一日，星期六，在罗斯托夫家里，一切似乎都翻了个底朝天。所有的门敞开着，所有的家具搬了出来或者挪了地方，镜子和画都摘了下来。各个房间里放着木箱，到处乱扔乱放着干草、包装纸和绳子。农民和家奴们抬着东西迈着沉重的脚步在镶木地板上走着。院子里挤满了农民的大车,有几辆已经装满了,有几辆还是空的。

在院子里和屋里响起了大批家奴和赶大车来的农民们的说话声、脚步声以及彼此的呼应声。伯爵早晨就出去了。伯爵夫人经受不了忙乱和喧哗,头痛得很厉害,她头上裹着浸醋的布,躺在新的休息室里。彼佳不在家(他去找一个同伴去了,想和他一起从民兵部队转到作战部队去)。索尼娅在大厅里照看着玻璃器皿和瓷器的包装。娜塔莎留在她的乱糟糟的房间里,坐在地上乱扔着的衣服、缎带和围巾中间,她眼睛一动不动地看着地板,手里拿着那件她第一次穿着去参加彼得堡舞会的(已经过时的)旧舞衣。

娜塔莎对自己在家里什么也不干感到不好意思,而大家又是那么忙,于是她几次早上起来想试着干点什么;但是她的心思不在这些事情上;而她只能和只会一心一意地和全力以赴地干事,因而干不下去。她站了一会儿,看索尼娅如何收拾瓷器,想要帮忙,但是马上打消了这个念头,跑回房间去收拾自己的东西去了。开头,她一面收拾一面把自己的衣服和缎带送给女仆们,感到很有意思,但是后来,剩下的东西仍需要装箱,便觉得枯燥乏味了。

"杜尼亚莎,你来装,好吗?行不行?行不行?"

当杜尼亚莎痛快地答应她把这一切办好时,娜塔莎便在地板上坐下,拿起旧舞衣,陷入了沉思,但是想的完全不是她现在应当关心的事。隔壁女仆室里女仆们的说话声以及她们从女仆室到后门台阶的匆促的脚步声,引起了娜塔莎的注意,使她脱离了沉思状态。她站起身来,朝窗外看了一眼。外面停着一长列运送伤员的大车。

男女仆人们、女管家、保姆、厨师、车夫、前导马驭手、厨师的小徒弟站在大门口,看着伤员。

娜塔莎把一块白手绢披到头上,双手拉住手绢的两头,到了外面。

当过女管家的老太婆玛夫拉·库兹米什娜离开站在大门口的人群,走到一辆支着粗席篷的大车旁,和一个躺在这辆大车上的年轻军官说起话来。娜塔莎向前挪了几步,胆怯地站住了,两手仍拉着手绢,听女管家说话。

"这么说来,您在莫斯科什么熟人也没有?"玛夫拉·库兹米什娜说,"您找一户人家住下来会安稳些……哪怕住到我们这里来。主人们都要走了。"

"不知道是否允许这样做,"军官声音微弱地说道,"瞧,那就是长官……您去问他。"他指了指一个顺着一列大车走回来的胖胖的少校。

娜塔莎惊恐地朝受伤的军官的脸看了一眼,立刻迎着少校走过去。

"可不可以让伤员住在我们家里?"她问道。

少校带着微笑把一只手举到帽檐边。

"您愿意让谁住到您家去,小姐?"他眯起眼睛微笑着说。

娜塔莎镇静地把她的问题重复了一遍,虽然她继续拉住手绢的两头,但是她的脸和整个姿态非常严肃,这时少校不再微笑,先沉吟了一下,仿佛在问自己在多大程度上可以这样做,然后做了肯定的回答。

"噢,可以,为什么不行,可以。"他说。

娜塔莎微微点了点头,快步回到玛夫拉·库兹米尼什娜那里,这时老太婆正站在军官身旁,带着怜悯和同情与他说话。

"可以,他说可以!"娜塔莎低声说。

于是载着军官的篷车拐进了罗斯托夫家的院子,接着几十辆运送伤员的大车也都应城里居民的邀请拐向各个院子,到了波瓦尔街各家的大门口。娜塔莎看来很喜欢不受通常的生活环境限制与这些新来的人打交道。她和玛夫拉·库兹米尼什娜一起尽可能让更多的伤员进到自家的院子里来。

"不过总得向老爷子报告一下。"玛夫拉·库兹米尼什娜说。

"没有什么,没有什么,反正都一样!我们搬到客厅里住一天。可以把我们这一边的房子全给他们住。"

"咳,小姐,您可真想得出!就是让他们住厢房,住空房子和保姆的房子,也需要问一声。"

"好吧,我去问。"

娜塔莎跑回家去,踮着脚进了半开着门的休息室,从那里传出了醋味和霍夫曼滴剂①的气味。

"您在睡觉,妈妈?"

"唉,睡什么觉!"刚打了个盹的伯爵夫人醒来说。

"妈妈,亲爱的,"娜塔莎跪在母亲面前,把自己的脸紧贴住她的脸,说,"对不起,请原谅,我再也不这样做了,我把您吵醒

---

① 霍夫曼滴剂是德国医生霍夫曼(一六六〇至一七六二年)发明的,由两份乙醚和三份酒精混合而成。

了。是玛夫拉·库兹米尼什娜叫我来的,运来了不少伤员,有受伤的军官,您允许他们进来吗?他们无处可去;我知道,您是一定会允许的……"她说得很快,连气也不喘一下。

"什么样的军官?运来了什么样的人?我一点也不明白。"伯爵夫人说。

娜塔莎笑了起来,伯爵夫人也微笑着。

"我就知道您会允许的……我就这样告诉他们。"娜塔莎吻了吻母亲,站起身来,朝门口走去。

她在大厅里碰见了刚带着坏消息回家的父亲。

"我们耽搁得太久了!"伯爵不由得懊恼地说,"俱乐部关门了,警察也要走了。"

"爸爸,我把伤员请到家里来,没有关系吧?"娜塔莎对他说。

"当然没有关系,"伯爵心不在焉地说,"问题不在这里,现在请你们别去管这种小事,而去帮助收拾东西,赶快走,明天就走……"伯爵向管家和仆人下了同样的命令。吃午饭时彼佳回来了,讲了他听到的新闻。

他说,今天民众到克里姆林宫领武器,拉斯托普钦的传单里虽然说将在两三天内发出号召,但是已经下了确实的命令,要全体民众明天带着武器到三山门去,那里将发生一场大战。

在他说这些话时,伯爵夫人不时胆怯和惊恐地看看儿子快活而又激动的面孔。她知道,如果她请求彼佳不要去参加这次战斗(她知道他为即将发生这次战斗而高兴),那么他就会说一些关于男子汉大丈夫、关于荣誉和祖国等等一般男人常说的毫无意义的、固执的、无法反驳的话,这样会把事情弄糟,而她希望在仗打起来之前就离开，把彼佳作为自己的保卫者和庇护者随身带走，因此这时什么也没有对彼佳说，午饭后把伯爵叫来，含着眼泪恳求他赶快把她送走，如果可能的话，今天夜里就走。在这之前伯爵夫人一直显示出自己是无所畏惧的，这时却以女人常有的由于爱而不由自主地产生的狡狯说，她吓得要死了。其实现在她不用假装，的确什么都害怕。

十　四

绍斯太太看望女儿回来后讲了她在肉商街的一家酒店里看到的情况，使伯爵夫人更加惊恐起来。她在街上往回走时，遇见一帮喝得醉醺醺的人在酒店附近闹事，无法通过。于是她雇了一辆马车绕道经小胡同回家；马车夫对她说，那帮人砸了酒店的酒桶，他们是奉命这样做的。

午饭后，罗斯托夫家里的人都高高兴兴地忙着收拾东西，准备出发。老伯爵突然管起事来，午饭后不断地从院子到屋里来回走着，朝忙着干活的人胡乱地吆喝着，使得他们更加忙乱起来。彼佳在院子里指挥装车。索尼娅听了伯爵自相矛盾的命令不知该怎么办，完全张皇失措了。仆人们喊着、争论着和喧哗着，在各个房间里和院子里跑来跑去。生性干什么事都很热情的娜塔莎，突然也干起活来。开头人们对她参与收拾行装的事并不相信。大家总以为她是开玩笑，不愿听从她；但是她坚决地和热切地要求人们听从她，见人们不听她就生气，差一点哭了起来，最后终于得到了人们的信任。她的第一个功劳与包装地毯有关,她为此做出了巨大的努力,同时这使她树立了权威。伯爵家里有珍贵的戈贝兰挂毯①和波斯挂毯。娜塔莎开始干活时,大厅里放着两只打开的箱子:一只几乎装满了瓷器,另一只装着挂毯。桌子上还放着许多没有装箱的瓷器,而且还在不断从储藏室里搬来。应当再装第三只箱子,仆人们已去取空箱子了。

"索尼娅,等一等,我们全都能装得下。"娜塔莎说。

"不行,小姐,已经试过了。"餐厅管事说。

"不,请等一下。"说着娜塔莎开始把用纸包着的盘子和碟子从箱子里取出来。

"盘子应当和挂毯装在一起。"她说。

"所有挂毯三只箱子能装下就谢天谢地了。"餐厅管事说。

"你等一下。"娜塔莎开始很快地、手脚麻利地挑选起来。"这个不要了,"她说的是基辅产的碟子,"这个要,放到挂毯里去。"她拿起萨克森产的盘子说。

"你别管了,娜塔莎;行了,我们会装的。"索尼娅用责备的语气说。

"哎,小姐,您歇口气吧!"管家说。但是娜塔莎没有听从,她把所有东西都取了出来,然后迅速地重新装进去,决定完全不带质量差的家用挂毯和多余的器皿。当所有的东西都取出后,便开始重新装箱。确实去掉几乎所有不值钱的东西后,值得带走的

---

① 戈贝兰挂毯是法国巴黎戈贝兰厂生产的一种带有神话故事和文学故事图案的花毯。

和值钱的东西两只箱子就装下了。只是装挂毯的箱子盖不上。本来可以取出一些东西来，但是娜塔莎坚决不干。她装了又装，压了又压，要餐厅管事和被她拉来装箱的彼佳压箱子盖，自己也使出浑身的力气。

"得了，娜塔莎，"索尼娅对她说，"我知道你是对的，你就去掉上面的那一块吧。"

"不成，"娜塔莎喊道，她一只手拢住散落到汗津津的脸上的头发，另一只手压那挂毯，"压呀，彼季卡，使劲压！瓦西里依奇，压！"她喊道。挂毯压下去了，箱子盖上了。娜塔莎拍着巴掌，高兴得尖叫起来，泪水从她眼睛里涌了出来。但是这只延续了一秒钟。她立刻着手做另一件事，这时人们已完全相信她的能力。有人告诉伯爵，说娜塔莉娅·伊里尼什娜没有照他的命令做，伯爵没有生气，家奴们都来问娜塔莎：要不要把装在大车上的东西捆好，那上面的东西装得够不够？在娜塔莎的指挥下事情干得很顺利：不需要的东西留下了，最贵重的东西都装了箱，而且装得瓷瓷实实的。

但是不管所有人如何忙忙碌碌，到深夜时还是没有能把所有东西都装好。伯爵夫人睡着了，伯爵把出发时间推迟到第二天早晨，也去睡觉了。

索尼娅和娜塔莎没有脱衣服，睡在休息室里。

这一夜还有一个伤员经过波瓦尔大街，这时正站在大门口的玛夫拉·库兹米尼什娜把他让进了罗斯托夫家。玛夫拉·库兹米尼什娜觉得这个伤员是一个很重要的人物。运他的马车完全用挡布挡着，车篷放了下来。在驭座上，在车夫身旁坐着一个样子可敬的老仆人。一个医生和两名士兵坐在跟在后面的一辆马车上。

"请到我们这里来,请进。主人们就要走了,整座房子都是空的。"老太婆对那老仆人说。

"就这样吧,"老仆人叹着气说,"我们已不指望能把他送到家了!我们在莫斯科有自己的房子,可是很远,而且也没有人住。"

"欢迎到我们这里来,我们主人家里一应俱全,请进。"玛夫拉·库兹米尼什娜说。"怎么,伤势很重吗?"她又问了一句。

老仆人摆了摆手。

"我们已不指望能把他送到家了!应当问问大夫。"老仆人说着从驭座上下来,到了后面的马车旁边。

"好吧。"医生说。

老仆人又到了主人的马车旁,朝里面看了一眼,摇了摇头,吩咐车夫拐到院子里去,自己在玛夫拉·库兹米尼什娜身旁站住了。

"主耶稣基督!"她说。

玛夫拉·库兹米尼什娜请他们把伤员抬到屋里去。

"主人们不会说什么的……"她说。但是需要避免上楼梯,因此把伤员抬进了厢房,安置在以前绍斯太太住的大房间里。这个伤员是安德烈·鲍尔康斯基公爵。

十 五

莫斯科的末日来临了。这是一个令人愉快的秋高气爽的日子。这天是星期日。和平常的星期日一样,所有教堂里钟声齐鸣,召唤人们去做礼拜。看来任何人都还不知道莫斯科会发生什么事。

只有社会状况的两个指示器能表明莫斯科所处的状态：一是平民百姓，即穷人阶层，二是物价。这天早晨，大群工人、家奴和农民，其中夹杂着官吏、学生和贵族，前往三山门。他们在那里待了一会儿，没有等到拉斯托普钦，相信莫斯科就要被放弃，便都散了，奔向莫斯科各地，拥进各个酒店和饭馆。从这天的物价也可看出局势如何。武器、黄金、马车和马匹的价格一直上涨，而纸币和城市生活用品的价格则不断下跌，因此到了中午出现这样的情况，像呢绒这样的贵重商品，车夫搬运时可对半分，农民的一匹马要价五百卢布；而家具、镜子、青铜器具都白白送人。

在罗斯托夫家古色古香的老房子里，往常的生活秩序的崩溃表现得并不明显。就仆人来说，大批家奴当中夜里只走了三人；没有任何东西失窃；而就物品的价值而言，从乡下来的三十辆大车是一笔巨大的财富，许多人见了眼红，有人愿出高价向罗斯托夫家买这些车。不仅有人愿出高价买车，而且从头天傍晚直到九月一日清晨，受伤的军官们不断派勤务兵和仆人到罗斯托夫家的院子里来，住在罗斯托夫家和他们家附近的房子里的伤员也都一瘸一拐地亲自前来，恳求罗斯托夫家的仆人设法给他们弄几辆马车，好让他们离开莫斯科。管家听了这些请求，虽然心里可怜这些伤员，但是断然拒绝了，说这样的事他根本不敢对伯爵说。不管留下来的伤员如何可怜，但是很显然，如果给了一辆车，那就没有理由不给第二辆，所有的车都得给他们——就连自己坐的车也得交出去。三十辆大车救不了所有伤员，而在这场共同的灾难中不能不考虑自己和自己的家庭。管家就是这样替自己的主人着想的。

伊里亚·安德烈依奇伯爵九月一日早晨醒来后，悄悄地出了卧室，以免惊醒到早晨才入睡的伯爵夫人，他穿着浅紫色的绸长袍到了台阶上。四边捆扎好的大车停在院子里。马车则停在台阶旁。管家正站在大门口跟一个年老的勤务兵和一个脸色苍白、吊着一只手臂的年轻军官说话。管家见了伯爵，朝军官和勤务兵威严地做了一个意味深长的手势，要他们走开。

"怎么，都准备好了吧，瓦西里依奇①？"伯爵问，他摸摸自己的秃顶，和善地看着军官和勤务兵，朝他们点点头。（伯爵喜欢见到没有见过的人。）

"马上就可以套车，大人。"

"好极了，等伯爵夫人醒来，就出发！您有什么事，先生？"他问，"住在我家里？"那军官走近一些。他的苍白的脸上突然泛起了红晕。

"伯爵，劳您驾，帮帮忙，允许我……看在上帝分上……搭您的车。我随身没有带什么东西……我可以坐在大车上……什么地方都行……"军官还没有来得及说完，勤务兵也为自己的主人求起伯爵来。

"啊！行，行，行。"伯爵急忙说，"我非常，非常高兴。瓦西里依奇，你吩咐下去，腾出一辆或两辆车来，就这样……什么……需要什么……"伯爵含糊其词地下着指示说。但是在这一瞬间军官热烈的感激之情已使得他的承诺确定下来了。伯爵朝自

---

① 瓦西里依奇是管家的父称，与上文餐厅管事的父称相同。

己周围看了看,在院子里、大门口和厢房的窗口都可看到伤员和勤务兵。他们都望着伯爵,朝台阶走过来。

"大人,请您到画廊去,有人问那里的画怎么处理。"管家说。于是伯爵和他一起进了屋,一再嘱咐不要拒绝请求搭车的伤员。

"有什么办法呢,可以卸下一些东西。"他神秘兮兮地低声加了一句,仿佛担心有人听见他的话似的。

九点钟伯爵夫人醒了,她未出阁时当过她的侍女、现在担任她的类似宪兵司令职务的玛特廖娜·季莫菲耶夫娜前来向过去的小姐报告说,玛丽亚·卡尔波夫娜[①]非常生气,还有小姐们的夏季服装不能留在这里。伯爵夫人问绍斯太太为什么生气,原来是因为她的木箱从大车上卸了下来,所有的大车都解开了,正在卸东西,腾出来装伤员,是伯爵一时头脑发热下令要把他们带走的。伯爵夫人叫人把丈夫找来。

"这是怎么啦,我的朋友?我听说又在卸东西了。"

"你知道,亲爱的,我正想要跟你说……亲爱的伯爵夫人……一个军官来找我,请求给几辆大车运送伤员。要知道这是可以做到的事;不然,你想一想,他们会怎么样!……说实话,我们院子里住着军官,是我们自己把他们请进来的……你知道,我想,真的,亲爱的,你瞧,亲爱的……就把他们带走吧……我们忙什么呀?……"伯爵怯生生地说,就像每次谈到要花钱的事的时候那样。过去他在谈到那些弄得子女生活失去保障的事情之前,例

[①] 玛丽亚·卡尔波夫娜是绍斯太太的名字和父称。这和上文不一致。第二卷第四部第十章她的名字和父称为路易莎·伊万诺夫娜。

如在谈到修建画廊和暖房、成立家庭剧院或乐队等等之前，都用这种声调说话，伯爵夫人已经听惯了，她一直认为反对他用这种怯生生的声调说出的事是自己的责任。

她装出顺从和可怜的样子，对丈夫说：

"听我说，伯爵，你已弄到了房子白白给人家住的地步，现在又想把我们**孩子们的**财物全毁了。你自己不是说过，家里的东西值十万卢布。好吧，我的朋友，我不答应，就是不答应。随你的便！伤员有政府管。他们都知道。你瞧，对门的洛普欣家，前天就把所有东西都运走了。瞧人家是怎样做的。我们全是傻瓜。你不可怜我，也得可怜可怜孩子们。"

伯爵摆了摆手，什么也没有说，出了房间。

"爸爸！您怎么啦？"跟着他进了母亲房间的娜塔莎说。

"没有什么！跟你不相干！"伯爵生气地说。

"不，我听见了。"娜塔莎说，"妈妈为什么不愿意？"

"与你有什么相干？"伯爵大声嚷道。娜塔莎退到窗口，沉思起来。

"爸爸，贝格到我们这里来了。"她望着窗外说。

十六

罗斯托夫家的女婿贝格已是一位上校，获得了弗拉基米尔勋章和安娜勋章，仍担任第二军副参谋长、司令部第一处副处长这一安稳而舒服的职务。

他于九月一日从部队来到了莫斯科。

他在莫斯科没有什么事要办；但是他发现大家都请求从部队到莫斯科去，并且在那里办了一些事。于是他也认为需要请假到那里去处理家里的事。

贝格坐着他的那辆精工制作的轻便马车，由两匹像公爵家里喂养的马那样膘肥体壮的黑鬃黄褐色马拉着，来到岳父家的门前。他注意地朝院子里的大车看了一眼，在上台阶时掏出一块干净的手绢，打了个结。

他迈着轻快的步子，急不可耐地从前厅跑到客厅，拥抱了伯爵，吻了娜塔莎和索尼娅的手，急忙问岳母的健康情况。

"现在还谈得上什么健康？"伯爵说，"你说说，部队怎么样？是在撤退，还是再要打一仗？"

"只有永恒的上帝才能决定祖国的命运，爸爸，"贝格说，"军队充满着英勇精神，现在头头们，如果可以这样说的话，正聚在一起商量。以后会怎么样，还不知道。但是我可以告诉您，爸爸，俄国军队在二十六日的会战中所表现或显示的那种英勇精神，它们的——不，它的（他改正自己的话说）那种真正古代英雄式的勇敢，是任何语言都无法形容的……我告诉您，爸爸（他像一个在他面前讲这话的将军那样捶着自己的胸脯，不过捶得晚了一些，因为在讲到'俄国军队'这几个字时捶胸脯才合适），我坦率地告诉您，我们当官的不仅不需要督促士兵或者做诸如此类的事，而且我们要费很大的力气才能阻止这些……是的，这些古代英雄式的壮举。"他说得又急又快，"我告诉您，巴克莱·德·托利不怕牺牲自己的生命，一直处在部队的前面。我们军奉命据守在一个斜坡上。您可以想象得出!"这时贝格讲了他所记住的在这段时间里听来的各种故事。娜塔莎目不转睛地看着他,仿佛在他脸上寻找某个问题的答案似的,这使他觉得不好意思起来。

"总之,俄国军人显示的这种英勇精神是无法想象的,是值得称赞的!"贝格说,他回头看着娜塔莎,好像想得到她的赞同似的,用微笑来回答她逼视的目光……"'俄罗斯不是在莫斯科,而是在她的儿子们的心中!'说得对吗,爸爸?"贝格问。

这时,伯爵夫人带着疲惫和不满的神情从休息室里出来。贝格急忙一跃而起,吻了伯爵夫人的手,询问了她的健康情况,摇摇头表示自己的同情,在伯爵夫人身旁站住。

"是的,妈妈,我对您说句实话,对任何一个俄国人来说,现在是困难和悲伤的时候。但是干吗这样惶惶不安?你们还来得及离开……"

"我不明白他们都在干些什么,"伯爵夫人对丈夫说,"刚才我听说还什么都没有准备好。要知道需要有人来安排。这就使人想起了米坚卡。事情真是没有个完!"

伯爵想要说什么,但是看来忍住了。他从椅子上站起来,朝门口走去。

这时贝格仿佛想要擤鼻涕似的,掏出手绢,看着那个结子,寻思起来,悲伤地和意味深长地摇着头。

"爸爸,我对您有一个很大的请求。"他说。

"嗯?……"伯爵停住脚步说。

"我刚才坐车经过尤苏波夫家,"贝格笑着说,"我认识他们的管家,他跑出来问我要不要买点东西。您知道,我出于好奇进去了，看见那里有一个小柜橱和一个梳妆台。您知道，薇鲁什卡①很想要这些东西，我们为此争吵过。（贝格谈起小柜橱和梳妆台，便不知不觉地改用通常谈论自己家里完善的设备时所用的兴冲冲的语气。）真是漂亮极了！拉开一看，还装有英国式的暗锁，您知道吗？而薇罗奇卡早就想要了。因此我想给她一个意外的惊喜。我看见您院子里有那么多的农民。请给我一个，我会给他很高的报酬的，还有……"

伯爵皱起了眉头，清了清嗓子。

"您去求伯爵夫人吧，这事不归我管。"

"如果为难的话，那就不必了，"贝格说，"我只是为了薇鲁什卡才这样想的。"

"唉，你们大家都给我滚，滚，滚，滚！……"老伯爵叫喊起来，"脑袋都晕了。"说着他出了房间。

伯爵夫人哭了起来。

"是的，是的，妈妈，这是非常困难的时候！"贝格说。

娜塔莎和父亲一起出了房间，仿佛是在费劲地考虑什么事一样，先跟着父亲走，后来往楼下跑。

彼佳站在台阶上，正在给那些要离开莫斯科的仆人发武器。装着东西的大车还停在院子里。有两辆装好东西的车已解开了，一个军官在勤务兵的搀扶下正在往其中的一辆上爬。

"你知道因为什么吗？"彼佳问娜塔莎（娜塔莎知道彼佳问的是什么，他问父母因为什么吵架）。娜塔莎没有回答。

---

① 薇鲁什卡和下文的薇罗奇卡都是薇拉的爱称。

"是因为爸爸想把所有大车都腾出来运送伤员,"彼佳说,"是瓦西里依奇告诉我的。照我看来……"

"照我看来,"娜塔莎把怒气冲冲的脸转向彼佳,突然几乎喊叫起来,"照我看来,这太糟糕,太令人厌恶,太……我不知道怎么说才好!难道我们是德国人吗?……"她抽抽搭搭地哭着,嗓子直发颤,她担心变得软弱起来,白白地发泄自己的怒气,便转过身,沿着楼梯迅速往下跑。贝格坐在伯爵夫人身旁,亲切而又恭敬地安慰着她。伯爵手里拿着烟斗在房间里走来走去,这时娜塔莎脸气得变了样,像一阵暴风似的冲了进来,快步走到母亲跟前。

"这真糟糕!这真令人厌恶!"她喊叫起来,"这不可能是您下的命令。"

贝格和伯爵夫人困惑不解地和吃惊地看着她。伯爵在窗口站住,仔细听着。

"妈妈,不能这样;您瞧瞧院子里吧!"她喊道,"他们要被扔下了!……"

"你怎么啦?你说的他们是什么人?你要什么?"

"伤员,就是他们!不能这样,妈妈;这太不像话了……不,妈妈,亲爱的,这不成,请原谅,亲爱的……妈妈,我们何必运走这些东西,您就瞧一瞧院子里吧……妈妈!……这样可不行!……"

伯爵站在窗口,没有转过头来,听着娜塔莎的话。突然他鼻子里发出呼哧声,把脸凑近了窗户。

伯爵夫人朝女儿看了一眼,看见了她替母亲害臊的脸和激动的神情，明白了现在丈夫为什么不回头看她，便不知所措地朝周围看了一眼。

"唉，好吧，你们爱怎么办就怎么办吧！难道我阻止谁了吗！"她说，还没有一下子认输。

"妈妈，亲爱的，原谅我！"

但是伯爵夫人推开了女儿，走到了伯爵跟前。

"亲爱的，你该怎么办就怎么办吧……其实我不了解情况。"她说，面有愧色地垂下眼睛。

"小鸡……小鸡教训母鸡了……"伯爵含着幸福的眼泪说，并且拥抱了妻子，而伯爵夫人乐于把羞愧的脸埋进丈夫的怀里。

"爸爸，妈妈！可以由我来安排吗？可以吗？……"娜塔莎问。"我们还是要带走最需要的东西……"娜塔莎说。

伯爵朝她点了点头表示肯定，于是娜塔莎像过去玩逮人的游戏那样快步从大厅跑到前厅，顺着楼梯跑到院子里去。

仆人们聚集在娜塔莎身边，对她所传达的把所有大车腾出来运伤员而把木箱抬到仓库里去的奇怪命令觉得难以置信，等到伯爵本人以妻子的名义加以确认后，才相信了。他们明白了命令后，便高高兴兴地和忙忙碌碌地干了起来。仆人们现在不仅不觉得这样做很奇怪，相反，觉得非这样做不可；正如一刻钟前谁也不觉得留下伤员而运走东西是奇怪的，谁都觉得非那样做不可一样。

家里所有的人仿佛想要弥补他们以前没有做这件事的过错一样，都忙碌起来，着手把伤员安置到大车上去。伤员们从自己住的房间里缓慢无力地出来，苍白的脸上带着兴奋的表情，围住了大车，别的家里的伤员也开始到罗斯托夫家的院子里来。许多伤员请求不要卸东西，他们只要坐在东西上面就行了。但是卸车已经开始，就停不下来了。全部留下或者留下一半，反正都一样。院子里乱放着昨天夜里费了很大力气装了器皿、青铜器具、画、镜子的木箱，人们还一直寻找着卸下这些或那些东西的可能，好再腾出一辆又一辆大车来。

"还可以再上四个人，"管家说，"我把自己的车子让出来，要不叫他们坐在哪里呢？"

"把我的装衣橱的车也给他们吧，"伯爵夫人说，"杜尼亚莎可以和我一起坐在马车里。"

于是又把装衣橱的车腾了出来，赶到隔两座房子的地方去运伤员。全家人和仆人心情都很愉快。娜塔莎兴高采烈，喜气洋洋，她很久没有这样的心情了。

"把它捆在哪里呢？"仆人说，他们正在把一只木箱往马车狭窄的后脚镫上放，"哪怕留下一辆大车也好。"

"木箱里装的是什么？"娜塔莎问。

"伯爵的书。"

"留下吧。让瓦西里依奇把它拿走。这不必带。"

马车里已坐满了人；大家不知道该让彼得·伊里奇坐在哪里。

"他就坐在驭座上。你不是要坐在驭座上吗，彼佳？"娜塔莎喊道。

索尼娅也在不停地忙碌着，但是她忙碌的目的与娜塔莎的目的相反。她在收拾留下的东西；根据伯爵的要求进行登记，竭力想尽可能多带一些东西。

十 七

一点多钟,罗斯托夫家的四辆套上马和装好东西的马车停在大门旁。运送伤员的大车一辆接一辆地驶出了院子。

运送安德烈公爵的马车在经过台阶时引起了索尼娅的注意,这时她正在和一个女仆一起在停在大门口的一辆高大的四轮轿式马车里为伯爵夫人收拾座位。

"这是谁的马车?"索尼娅从车窗里探出头来问道。

"您怎么不知道,小姐?"女仆回答说,"是一位受伤的公爵,他在我们家宿了一夜,也要跟我们一起走。"

"这是谁呢,姓什么?"

"就是我们家原来的姑爷鲍尔康斯基公爵!"女仆叹着气回答道,"听说快要死了。"

索尼娅跳下马车,跑去找伯爵夫人。伯爵夫人已穿好旅行装,披着披巾和戴着帽子,神色疲惫,在客厅里来回走着,等着家里的人,以便和他们一起关起门来坐一会儿,进行出发前的祈祷。娜塔莎不在屋里。

"妈妈,"索尼娅说,"安德烈公爵在这里,受了伤,快要死了。他和我们一起走。"

伯爵夫人吃惊地睁开眼睛,抓住索尼娅的手,朝四周看了一眼。

"娜塔莎呢?"她问。

这个消息对索尼娅和伯爵夫人来说,最初只有一个意义。她们了解娜塔莎的个性,想到她得知这个消息后会出什么事心里就害怕,这种恐惧压倒了她们对她俩都很喜欢的这个人的任何同情。

"娜塔莎还不知道;但是公爵要跟我们一起走。"索尼娅说。

"你说他快要死了吗?"

索尼娅点了点头。

伯爵夫人搂住索尼娅,哭了起来。

"天意不可测!"她想道,感觉到现在发生的所有事情里已开始显露出以前人们看不到的那只万能的手。

"妈妈,全都准备好了。你们说什么?……"娜塔莎跑进屋里,兴奋地问道。

"没有说什么。"伯爵夫人说,"既然准备好了,那就出发吧。"说着伯爵夫人朝自己的手提包弯下身去,不让娜塔莎看见她神色不安的脸。索尼娅搂住娜塔莎,吻了吻她。

娜塔莎用疑问的目光看了她一眼。

"你怎么啦?发生什么事了?"

"没有什么……没有……"

"对我来说是很坏的事吧?……什么事?"敏感的娜塔莎问道。

索尼娅叹了一口气,什么也没有回答。伯爵、彼佳、绍斯太太、玛夫拉·库兹米尼什娜、瓦西里依奇进了客厅,关上门,大家坐了下来,谁也不看谁地默默坐了几秒钟。

伯爵第一个站起来,大声地叹了一口气,开始朝圣像画十字。大家都这样做了。然后伯爵开始拥抱留在莫斯科的玛夫拉·库兹米尼什娜和瓦西里依奇,在他们抓住他的手,吻他的肩膀时,他轻轻地拍拍他们的背,嘴里说着含糊不清的、亲切的安慰话。伯爵夫人到供圣像的礼拜室去了,索尼娅看见她跪在墙上留下的残缺不全的圣像面前。(家里世代相传的最珍贵的圣像已取下来将随身带走。)

那些将要跟着离开的仆人们身佩彼佳发给他们的匕首和马刀,把裤腿塞进靴筒里,腰间紧束着皮带和宽腰带,正在台阶上和院子里留下的仆人告别。

就像通常出门时那样,许多东西忘了带,没有放在应放的地方,两个跟班在马车敞开的车门和踏板两边站了很久,准备扶伯爵夫人上车,而这时女仆拿着靠垫和包袱从屋里跑到马车里,然后又跑回去。

"他们一辈子什么都记不住!"伯爵夫人说,"你知道,我不能这样坐。"于是杜尼亚莎咬着牙,没有答话,脸上带着责备的表情跑到马车里重新收拾座位。

"唉,这些人!"伯爵摇摇头说。

伯爵夫人只信得过老车夫叶菲姆一个人,现在他高高地坐在驭座上,甚至没有回头看背后发生的事情。他凭他三十年的经验知道,还不会很快对他说"上帝保佑,走吧!",即使说了,也会两次叫他停住,派人去取忘记的东西,在这之后还会再一次叫他停住,伯爵夫人会自己从车窗里朝他探出头来,请他看在基督分上在下坡时小心些。他知道这一点,因此比他的马(尤其是比左边的那匹名叫雄鹰、正在踢着腿和反复嚼着马嚼子的枣红马)还有耐心地等待着下一步。最后大家都坐好了;踏板收了起来,翻进车里,车门啪的一声关上了,小盒子已派人去取了,伯爵夫人探出身来说了应说的话。于是叶菲姆慢吞吞地摘下头上的帽子,开始画十字。前导马驭手和所有仆人都跟着这样做。

"上帝保佑！"叶菲姆戴上帽子说。"驾！"前导马驭手催动马匹。右边的辕马拉紧了套具，高高的弹簧咯吱作响，车身晃了一下。一个仆人在马车开动后跳上了驭座。在出了院子上了坑洼不平的马路时，马车颠了一下，其余的车辆也同样晃了晃，整个车队沿着街道向前驶去。坐在这些马车里的人都朝对面的教堂画了十字。留在莫斯科的仆人在马车的两边走着，为他们送行。

娜塔莎很少有她现在那样的快乐心情，她坐在马车里伯爵夫人的身旁，看着身旁慢慢移动的被放弃的、惊慌不安的莫斯科的城墙在她身旁缓缓移动，向后退去。她不时从车窗里探出身去，朝后和朝前看看，看见他们前面的一长列运送伤员的大车。几乎在所有大车的前面，可以看见安德烈公爵的那辆放下车篷的马车。她不知道谁在马车里，每次想起整个车队有多长时，总是用眼睛寻找这辆马车。她知道它在所有车辆的前面。

在库德林诺，几支来自尼基塔街、普列斯尼亚、波德诺文斯科耶的像罗斯托夫家那样的车队会合了，到花园街时马车和大车已排成了两行。

在绕过苏哈列夫大塔楼①时，正在好奇地忙着观看坐车和步行的娜塔莎突然高兴地和惊讶地喊道：

"我的天！妈妈，索尼娅，你们瞧，这是他！"

"是谁？是谁？"

"你们瞧，真的，是别祖霍夫！"娜塔莎说，她探出车窗，看着一个高大肥胖的人，那人身穿一件车夫的长衫，从步态和姿势

---

① 苏哈列夫塔楼建于一六九二年，高约三十俄丈。

来看显然是一个乔装打扮的贵族老爷,他和一个脸色枯黄、没有胡子、身穿粗呢大衣的小老头到了苏哈列夫塔楼的拱门下。

"真的,是别祖霍夫,穿着长衫,和一个老小孩在一起!真的,"娜塔莎说,"你们瞧,你们瞧!"

"不,这不是他。这可能吗,尽说蠢话。"

"妈妈,"娜塔莎喊道,"要是不是他,您砍我的脑袋!我向您保证。停车,停车!"她朝车夫喊道;但是车夫无法停车,因为从小市民街又出来了大车和马车,人们朝罗斯托夫一家大喊大叫,要他们快走,不要挡住别人。

虽然这时已离得比刚才远多了,但是罗斯托夫一家人确实看见了皮埃尔或者与皮埃尔异常相像的人,看见他穿着车夫的长衫,低着头神情严肃,在一个样子像仆人的没有胡子的小老头身旁走着。这个小老头看见了从车窗里朝他探出的头,便恭恭敬敬地碰了碰皮埃尔的胳膊肘,指着马车对他说了些什么。皮埃尔好长时间没能听明白他说的话;看来他正在沉思冥想。最后当他听明白后,便朝指的方向看了看,认出了娜塔莎,顿时怔住了,便不由自主地快步朝马车走过来。但是走了十来步,看来想起了什么,停住了。

探出车窗的娜塔莎脸上露出了讥讽而又亲切的表情。

"彼得·基里雷奇,过来呀!我们都认出来了!这太妙了!"她大声说道,向他伸出手去,"您怎么这样?您为什么这样?"

皮埃尔抓住伸过来的手,一面跟着车走(因为马车还在继续往前走),一面笨拙地吻了吻。

"您怎么啦,伯爵?"伯爵夫人用惊奇和同情的声调问。

"怎么啦,怎么啦,为什么,你们别问我。"皮埃尔说,朝娜塔莎看了一眼，觉得娜塔莎炯炯有神、喜气洋洋的目光（他不看她也感觉得到）非常可爱。

"您怎么，是不是要留在莫斯科？"娜塔莎问。皮埃尔沉默了一会儿。

"留在莫斯科？"他反问道，"是的，留在莫斯科。再见了。"

"唉，我很想成为一个男人，我就一定留下来和您在一起。啊，这有多么好啊！"娜塔莎说，"妈妈，您就让我留下来吧。"皮埃尔心不在焉地看了娜塔莎一眼，想要说点什么，但是伯爵夫人打断了他：

"我们听说您上过战场，是吗？"

"是的，上过。"皮埃尔回答说，"明天又要打仗了……"他刚要往下说，但是娜塔莎打断了他的话：

"您这是怎么啦，伯爵？您变得不像您自己了……"

"唉，别问我，别问我，我自己什么也不知道。明天……不，不说了！再见，再见了，"他说，"这年月真可怕！"他落在了马车后面，上了人行道。

娜塔莎还长时间地把头探出窗外，对他露出亲切而带点讥讽的快乐的微笑。

十 八

皮埃尔自从离家出走后，住在已故的巴兹杰耶夫的空房子里已是第二天了。事情的经过是这样的。

他在回到莫斯科和见了拉斯托普钦伯爵后,第二天醒来时很长时间弄不清他身在何处,人们要他做什么。当他得知在接待室里等待的人当中有一个法国人带着叶连娜·瓦西里耶夫娜伯爵夫人的信要见他时,突然产生了一种他时常容易产生的混乱和绝望的感觉。他突然想到现在一切都完了,一切都混杂在一起了,一切都毁了,没有什么对和错之分,前途一片渺茫,没有脱离这种状态的任何出路。他不自然地微笑着,嘴里念叨着什么,时而束手无策地在沙发上坐下,时而站起身来,走到门口,朝接待室的门缝里瞧,时而挥挥手,走回来,拿起了书本。管家再次来向皮埃尔禀报,说带着伯爵夫人的信来的法国人非常希望见到他,哪怕只见一分钟也行,说约·阿·巴兹杰耶夫的遗孀派人请他去接收她丈夫的书,因为这位太太本人已到乡下去了。

"噢,对了,马上就来,等一下……要不就算了……不,去告诉他,我马上就来。"皮埃尔对管家说。

但是管家一走,皮埃尔就拿起桌上的帽子,出了书房的后门。走廊里一个人也没有。皮埃尔穿过整条走廊到了楼梯口,皱着眉头,两手擦擦前额,下到了第一个楼梯台上。只见看门人站在正门口。从皮埃尔现在所在的楼梯台有另一道楼梯通往后门。皮埃尔顺着这道楼梯到了院子里。谁也没有看见他。但是他一出大门到了街上,站在马车旁的车夫和管院子的人看见了他,恭敬地摘下了帽子。皮埃尔觉得有人在注视着他,便学着把头藏在灌木丛里的鸵鸟的样子,以免被人看见;他低下头,加快了脚步,沿着大街走去。

在这天早晨皮埃尔要办的事情当中,他觉得整理约瑟夫·阿列克谢耶维奇·巴兹杰耶夫的书籍和文件是最重要的。

他随便雇了一辆马车,吩咐马车夫把他拉到巴兹杰耶夫的遗孀住的大牧首塘去。

皮埃尔不断地顾盼着从四面八方过来的离开莫斯科的车队,挪动着肥胖的身体,以免从咯吱作响的破旧马车上滑下来,他像一个逃学的孩子一样有一种喜悦的感觉,便和马车夫攀谈起来。

马车夫对他说,今天在克里姆林宫里发武器,明天要把老百姓轰到三山门去,那里将打一场大仗。

到了大牧首塘,皮埃尔找到了巴兹杰耶夫家,他很久没有来这里了。他走到便门旁。格拉西姆,也就是那个脸色枯黄、没有胡子的小老头,听见敲门声出来了,皮埃尔五年前曾在托尔若克见过他和约瑟夫·阿列克谢耶维奇在一起。

"在家吗?"皮埃尔问。

"目前局势紧张,大人,索菲娅·丹尼洛夫娜①带着孩子到托尔若克乡下去了。"

"我还是要进屋去,我需要把书籍整理一下。"皮埃尔说。

"请吧,已故主人——愿他早升天国——的兄弟马卡尔·阿列克谢耶维奇留下了,您知道,他有个毛病。"老仆人说。

皮埃尔知道,马卡尔·阿列克谢耶维奇是约瑟夫·阿列克谢耶维奇的一个半疯的、嗜酒如命的兄弟。

"是的,是的,我知道。咱们进去吧,进去吧……"皮埃尔说着进了屋。一个身材高大、秃顶和红鼻子的老人身穿睡袍,光

---

① 索菲娅·丹尼洛夫娜是巴兹杰耶夫的遗孀的名字和父称。

脚穿着套鞋站在前厅里;他一见皮埃尔,生气地嘟囔了一句什么,便到走廊里去了。

"本来是一个很聪明的人,现在,您瞧,变得迟钝了。"格拉西姆说,"到书房去好吗?"皮埃尔点点头。"书房一直封着门。索菲娅·丹尼洛夫娜吩咐过,如果您派人来,就把那些书给您。"

皮埃尔进了那个阴暗的书房,当初恩师在世时,他曾怀着惶恐的心情进来过。这个书房积满了尘土,自从约瑟夫·阿列克谢耶维奇去世后里面的东西没有人动过,现在显得更加阴暗了。

格拉西姆打开了一扇百叶窗,蹑手蹑脚地出去了。皮埃尔在书房里走了一圈,走到存放手稿的书柜前面,取出一份曾被认为是共济会最重要的珍品的文稿。这是苏格兰共济会文件的真本,上面有恩师的诠注和解释。皮埃尔在落满尘土的书桌旁坐下来,把手稿放在自己面前,打开后又合上,最后推到一边,两手托着头,陷入了沉思。

格拉西姆几次小心翼翼地朝书房里张望,看见皮埃尔以同一姿势坐着。两个多小时过去了。格拉西姆故意在门口大声说话,以便引起皮埃尔的注意。皮埃尔没有听见。

"要把马车夫打发走吗?"

"噢,是的,"皮埃尔仿佛醒过来说,急忙站起身来,"你听我说,"他抓住格拉西姆上衣的一粒纽扣,一双湿润发亮的、充满激情的眼睛看着这个小老头说,"你听我说,你知道明天要打仗吗?……"

"有人说过。"格拉西姆回答道。

"请你不要对任何人说我是谁。照我说的去做……"

"是,"格拉西姆说,"要吃点东西吗?"

"不,我需要别的东西。我需要一套农民的服装和一支手枪。"皮埃尔说,突然涨红了脸。

"遵命。"格拉西姆想了想说。

这一天剩下的时间皮埃尔是在恩师的书房里单独度过的,格拉西姆听见他不安地从一个角落走到另一个角落,自言自语地说着什么,后来在这里为他准备的床铺上过夜。

格拉西姆是一个老仆人,一辈子见过许多奇怪的事情,对皮埃尔前来寄宿并不感到惊讶,看来他对有人可以让他侍候感到很满意。他在当天晚上,甚至不问一问自己这样做有什么必要,就给皮埃尔弄到了一件长衫和一顶帽子,并答应第二天搞到他所需的手枪。这天晚上马卡尔·阿列克谢耶维奇穿着套鞋两次吧嗒吧嗒地走到门口站住,用巴结的目光看着皮埃尔。但是只要皮埃尔一朝他转过身来,他就羞惭地和生气地掩上睡衣的衣襟,急忙走开。第二天皮埃尔穿着格拉西姆为他弄来的和蒸洗过的车夫的长衫,两人一起到苏哈列夫塔楼附近去买手枪,他就是在这时碰到罗斯托夫一家人的。

十九

九月一日夜,库图佐夫发布了俄国军队穿过莫斯科向梁赞大道撤退的命令。

第一批部队是在夜里出发的。夜里出发的部队并不急于赶路,慢慢地和从容不迫地向前移动;但是黎明时分部队快到多罗戈米洛沃桥时,看见自己前面,在另一边,桥上拥挤着急于过桥的部队,在这一边,大街小巷都挤满了人;而在后面则有大批部队没完没了地拥上来。一种莫名其妙的忙乱和不安的情绪支配了整个队伍。大家都朝桥边、朝桥上、朝浅滩和船只上拥过去。于是库图佐夫下令绕道经过后面的街道到莫斯科的另一边去。

快到九月二日上午十点钟时,在多罗戈米洛沃门外只剩下后卫部队了。军队已到了莫斯科的另一边和莫斯科城外。

与此同时,在九月二日上午十点,拿破仑站在俯首山上自己的部队中间,望着展示在他面前的景象。从八月二十六日到九月二日,从波罗金诺会战打响到敌人进入莫斯科,在这个不安的和值得纪念的一周的所有日子里,天气秋高气爽,异乎寻常,令人惊讶,低垂的太阳比春天还热,空气稀薄和纯净,一切都闪闪发亮,使人觉得刺眼,胸中吸进秋天芬芳的空气,顿觉神清气爽,精神倍增,夜里甚至还很暖和,在这温暖的黑夜,天空不时洒落金色的流星,既令人害怕,又令人高兴。

九月二日上午十时也是这样的好天气。晨光奇妙迷人。从俯首山上眺望,广阔的莫斯科连同流经它的河流以及花园和教堂全都展现在眼前,这个城市仿佛过着自己的生活,在阳光照耀下,它的教堂的圆顶像星星一样,发出若隐若现的闪光。

拿破仑看见这奇妙的城市及其从未见过的奇特的建筑,心中出现了一种有点嫉妒和不安的好奇,通常一般人在看见没有他们参与的异国生活方式时常有这样的心情。显然,这个城市有其本身的旺盛的生命力。根据某些迹象远远地就能正确无误地分辨出死的和活的东西,拿破仑在俯首山上就是根据这些迹象看出城里生活脉搏在跳动,他仿佛感觉到这个巨大美丽的躯体在呼吸。

"这个有无数教堂的亚洲城市,就是他们神圣的莫斯科!终于看到这个名城了!是时候了!"拿破仑下了马,吩咐在他面前摊开这个莫斯科的地图,并把翻译勒洛涅·迪德维尔叫到跟前。"被敌人占领城市就像失去贞操的姑娘。"他想(他在斯摩棱斯克就对图奇科夫①这样说过)。他用这种观点来看这个躺在他面前的、他尚未见过的东方美女。他早就有的、曾觉得不可能实现的愿望终于实现了,对此他自己也觉得奇怪。在明亮的晨光中他时而看看城市,时而看看地图,核对着这个城市的各个细部,占领这个城市的信心既使他激动,又使他害怕。

"但是难道会不是这样吗?"他想,"瞧,这座京城躺在我脚下,等待着自己的命运。现在亚历山大在哪里,他在想什么?这是一座奇特的、美丽的、庄严的城市!这也是一个奇特的和庄严的时刻!我将以什么样的姿态在他们面前出现!"他想到了自己的军队,"这是对所有这些信心不足的人的奖赏。"他想,扫视着近臣们以及正在靠近和整队的部队,"只要我说一句话,做一个手势,沙皇的这个古老的京城就要毁灭。但是我对战败者总是仁慈的。我应该宽宏大量,做一个真正伟大的人。但是不,说我已在莫斯科,这不是真的。"他突然想道,"然而它就躺在我脚下,金色的圆顶和十字架在阳光下闪着光和颤动着。我要怜惜它。在野蛮和专制的古碑上我要写上正义和仁慈的伟大字句……亚历山大

---

① 图奇科夫(一七七五至一八五八年),俄国将军,是参加波罗金诺会战的第三军军长图奇科夫的弟弟,在斯摩棱斯克受重伤后被俘。

感到最难受的正是这一点，我了解他。（拿破仑仿佛觉得正在发生的事的主要意义在于他同亚历山大的个人争斗。）我要从克里姆林宫——是的，这是克里姆林宫，是的——赐予他们公正的法律，我要让他们知道真正文明的意义，我要让一代又一代大贵族怀着热爱想起征服者的名字。我要对代表团说，我过去和现在都不愿意战争；我只是与他们宫廷的错误政策进行战争，我喜欢和尊重亚历山大，打算在莫斯科接受对我和对我的人民来说公平合理的和平条件。我不想利用战争的机会来贬低他们的皇上。大贵族们——我要对他们说：我不愿意战争，我愿意和平，希望我的所有臣民幸福。不过我知道，他们的到来将会使我精神振奋，我将用我通常说话的方式和他们说话：清楚、庄重和博大。然而难道我真的到了莫斯科了吗？是的，它就在我面前！"

"请把大贵族带来见我。"他对侍从说。一个将军带着服饰华美的随从立刻去找大贵族了。

两个小时过去了。拿破仑吃了午饭，又站在俯首山的那个地方等代表团来。他要对大贵族讲的话已经完全想好了。这讲话充满着自尊和拿破仑所理解的伟大。

拿破仑打算在莫斯科的行动中表现出宽宏大量的姿态，这个想法吸引了他本人。他在脑子里想好了沙皇宫中开会的日子，会上俄国的达官贵人应与法国皇帝手下的达官贵人见面。他心里任命了一个能够把居民吸引过来的总督。他听说莫斯科有许多慈善机构后，心里便决定对这些机构广施恩泽。他想，如同在非洲应该穿着带风帽的斗篷坐在清真寺里一样，在莫斯科应当像沙皇那样乐善好施。为了完全打动俄罗斯人的心，他像每一个觉得不说我的亲爱的、我的温柔的、我的可怜的母亲就无法表示感情深的法国人一样,决定在所有这些机构的门口用大字刻上:献给我亲爱的母亲的机构。不,或者简单地刻上:我的母亲之家,他暗自这样决定。"然而我到了莫斯科了吗?是的,它就在我面前。但是城里的代表团为什么这么久还没有来?"他想。

与此同时,在皇上的侍从后面,他的将军们和元帅们在激动地低声商谈着。去找代表团的人带回消息说,莫斯科已空荡荡的了,所有的人都坐车和步行离开了。这些进行商谈的人脸色苍白,激动不安。不是居民离开了莫斯科这件事使他们觉得可怕(不管这件事多么重要),他们害怕的是如何向皇帝报告,如何向他说明他等大贵族这么久是白等了,城里除了一群群醉鬼外再也没有什么人,如何做到既做了禀报,又不至于使陛下处于法国人所说的滑稽可笑的可怕境地。一些人说,无论如何要设法搞一个代表团来,另一些人提出异议,主张小心地和巧妙地对皇帝做工作让他思想上有个准备,然后再对他说明真相。

"然而应当对他说……"侍从们说,"不过,诸位……"而这时皇帝一面考虑着他的宽宏大量的计划,一面在地图前面耐心地来回走着,不时手搭凉棚观看着通往莫斯科的道路,快活而自豪地微笑着,这就使事情变得更加难办起来。

"但是这是不可能的……"侍从们耸耸肩说,不敢说出"滑稽可笑的"这个可怕的字眼。

与此同时,皇帝白白地等待等得累了,同时以他演员般的敏感发现,这庄严的时刻延续得太长了,开始失去它的庄严性,于是做了一个手势。紧接着响起了一声号炮,团团围住莫斯科的军队便向莫斯科,向特维尔门、卡卢加门、多罗戈米洛沃门推进。部队你追我赶,人马快步奔跑,前进得愈来愈快,消失在他们扬起的一团团灰尘中,连成一片的呐喊声响彻云霄。

拿破仑为部队的行动所吸引,随着部队到了多罗戈米洛沃门,但是在那里又停住了,下了马,长时间地在度支部土堤旁来回走了很久,等待着代表团。

二　十

这时莫斯科已成了一座空城。城里还有一些人,以前的居民还留下五十分之一①,但是它已显得空荡荡的了。它空荡荡的,就像一个除去蜂王后将要遗弃的蜂箱一样。

在除去蜂王的蜂箱里已没有生命,但是从表面看来它还像别的蜂箱一样是有生命的。

蜜蜂在正午灼热的阳光照射下还像围着其他有生命的蜂箱一样围着除去蜂王的蜂箱快乐地飞舞;还远远地可以闻到这蜂箱散发的蜂蜜的香味,蜜蜂还是那样飞进飞出。但是只要仔细地一看就可看出,在这蜂箱里已没有生命。蜜蜂不像在有生命的蜂箱里那样飞,养蜂人闻到的气味和听到的声音也都不一样。养蜂人叩一叩这有问题的蜂箱的外壁,看到的不是以前的那种立刻协同一

---

① 在拿破仑入侵俄国前,莫斯科有居民十九万八千九百一十四人。拉斯托普钦在报告中说,在拿破仑刚进入莫斯科时,有居民将近一万人,而到他快要撤离时,只剩下三千余人。

致做出的反应，听到的不是几万只蜜蜂威严地收紧肚子、快速地扇动翅膀在空中发出的充满生命力的嗡嗡声——回答他的是在空荡荡的蜂箱的各个地方发出的分散的嗡嗡声。蜂箱的出入口不像过去那样散发出蜂蜜和蜂毒的醉人的芳香，不再从那里传出蜜蜂群集而产生的热气，那里蜂蜜的气味与空虚和腐烂的气味混合在一起。在出入口再也没有翘起肚子、发出警报准备誓死保卫蜂箱的卫士。再也没有那种均匀的和轻微的声音，那种像沸水翻滚那样的劳作声，听到的只是不协调的、分散的、杂乱的喧闹声。一些长长的身体上沾满蜂蜜的盗蜜的黑蜂从蜂箱里胆怯地和诡诈地飞进飞出；它们不蜇人，一有危险就悄悄溜掉。以前蜜蜂都带着蜜飞进来，空身飞出去，现在都带着蜜飞出去。养蜂人打开蜂箱的下层，朝里面仔细观察。看到的不是以前的一群群相互抓住腿，精力充沛地埋头干活，一面不断发出劳动的低语声，一面分泌着蜂蜡的蜜蜂，他只看到一些死气沉沉的、干瘦的蜜蜂在蜂箱的底部和侧壁上乱爬。原来底板上抹着一层胶，被蜜蜂的翅膀打扫得干干净净，现在那里落满了小块的蜂蜡、蜜蜂的粪便以及腿脚还能勉强动弹的和尚未清除的完全死了的蜜蜂。

养蜂人打开蜂箱的上层，观察它的顶部。那里已没有占满蜂巢的所有空隙、温暖着幼蜂的一排排密密麻麻的蜜蜂，他看到的精巧复杂的蜂巢已不是原来的那种样子了。一切都荒废了，弄脏了。盗蜜的黑蜂迅速地、贼头贼脑地在各个蜂巢里窜来窜去；自家的蜜蜂变得干瘦短小和无精打采了，像老了一样，慢慢地爬着，对谁也不妨碍，没有任何愿望，失去了生命的意识。雄蜂、胡蜂、熊蜂、蝴蝶一边飞着，一边糊里糊涂地撞击着蜂箱的外壁。在留有死幼蜂和蜂蜜的蜂蜡之间，不时可以听到各处传来的愤怒的嗡嗡声；两只蜜蜂根据老习惯和记性正在一个地方清理蜂巢，它们干得很卖劲，力不胜任地拖着死蜜蜂或死熊蜂，自己也不知道为什么要这样做。在另一个角落里，另外两只老蜜蜂好像在有气无力地打架，或许是在清理自己身上，或许是在相互喂食，它们自己也不知道它们的行动是敌对的还是友好的。还有一个地方的一群蜜蜂相互挤压着，朝一个受害者进攻，拍打它和掐它。于是这只筋疲力尽的或者已被打死的蜜蜂慢慢地、像羽毛一样轻轻地掉下来，落到死蜜蜂堆里去。养蜂人翻转两块中间的巢础，想看一看蜂巢。他没有像以前那样看到几千只蜜蜂背靠背停在那里，密密麻麻地围成一个黑圈又一个黑圈，保守着繁殖后代的最高秘密，他看到的是几百只沮丧的、不死不活的、已昏昏入睡的像残骸般的蜜蜂。它们几乎全都死了，而自己还不知道这一点，都待在它们保护过的、已不复存在的圣地上。它们散发出腐烂和死亡的气味。它们当中只有几只还能动弹，还能起飞，有气无力地飞着，落到仇敌的手上，连豁出性命螫一下的力气都没有，——而其余的都死了，像鱼鳞一样轻轻地往下散落。养蜂人关上蜂箱，用粉笔在板壁上做了个记号，将抽个时间把它拆毁、烧掉。

当疲惫、不安和神情忧郁的拿破仑在度支部土堤旁来回走动，等待对方哪怕表面上遵守他认为必要的礼节，派个代表团来时，莫斯科就是这样空荡荡的。

在莫斯科的各个角落，人们按照老习惯还在毫无目的地活动着，并不明白他们在做什么。

当有人小心翼翼地向拿破仑禀报说莫斯科是一座空城时，他生气地看了禀报的人一眼,转过身,继续默默地走着。

"把马车拉过来。"他说。他和值班副官一起坐上马车,前往郊区。

"莫斯科空了。多么难以置信的事!"他自言自语说。

他没有到城里去,而停在多罗戈米洛沃近郊的一家旅店里。

这场戏没有演成。

二十一

俄国军队从夜里两点到次日下午两点通过莫斯科,带走了最后离开的居民和伤员。

部队行进中最拥挤的现象发生在石桥、莫斯科河桥和亚乌扎桥上。

部队在克里姆林宫周围分成两路,聚集到莫斯科河桥和石桥上,大批士兵利用停顿和拥挤的机会,从桥上往回走,悄悄地和不声不响地经过圣瓦西里教堂和博罗维克门折回小丘,到了红场,他们根据某种嗅觉感觉到这里可以随便拿别人的东西。这样的人群,像在购买廉价商品时一样,挤满了外国商场①的所有通道和过道。但是这里听不见商人招揽顾客的亲切甜蜜的说话声,没有叫卖的小贩和穿着花花绿绿衣服的女顾客——只能看到穿着制服

---

① 外国商场于十三至十七世纪是专供外国商人贸易的商场,故名。十八世纪后成为当地商人进行贸易的中心商场。

和军大衣的不带枪的士兵，他们空手进去，默默地拿着东西出来。商人和店员（这些人很少）好像慌了神一样，在士兵当中走来走去，打开自己的店铺又把它们关上，亲自和伙计一起把货物搬到别的地方去。广场上，在外国商场旁边，鼓手们在敲集合鼓。但是抢东西的士兵听见鼓声不像以前那样跑去集合，而是相反，跑到离敲鼓更远的地方去。在店铺里和过道里，在士兵中间可以看见身穿灰色长衫和剃光脑袋的人①。两个军官，一个制服外围着围巾，骑着一匹深灰色的瘦马，另一个身穿军大衣，没有骑马，站在伊利英卡街的拐角上，正在说着什么。第三个军官骑马到了他们跟前。

"将军下令无论如何要立刻把所有的人赶出来。这真是太不像话了！人跑散了一半。"

"你上哪里去？……你们上哪里去？……"他朝三个步兵吆喝着，这三人没有带枪，撩起军大衣的下摆，正要从他身边溜进商场去，"站住，鬼东西！"

"怎么，您要把他们集合起来！"另一个军官说，"他们是集合不起来的；应当快点走，不要等最后一批人都走了，就这样！"

"怎么个走法？那里停住了，在桥上堵住了，走不动。要不要布置一道散兵线，不让最后的人都跑散了？"

"朝那边走！把他们赶出来！"级别高的军官喊道。

围围巾的军官下了马，叫来一个鼓手，和他一起进了拱门。一群士兵见了拔腿就跑。一个面颊上靠近鼻子的地方长着红色粉

---

① 这指的是从监狱里放出来的因犯。

刺的商人，肥胖的脸上带着沉着镇静、胸中有数的表情，摆动着双手，急忙神气地走到军官面前。

"大人，"他说，"请您保护我们吧。各种小东西对我们来说算不上什么，我们是乐意给的！现在马上把呢子拿来，给有教养的人，哪怕给两块也舍得，我们是很乐意的！可是我们觉得，这是怎么回事，完全是抢劫！请吧！是不是可以设个岗来管一管，要不哪怕能允许我们关上店门也好……"

几个商人聚集在军官身边。

"唉！全是白费口舌！"其中的一个神情严肃的瘦子说，"脑袋都要掉了，还可惜什么头发！谁爱拿什么就拿什么吧！"他有力地挥了一下手，侧过身去对着军官。

"伊万·西多雷奇，您说得倒好。"第一个商人生气地说，"您请吧，大人。"

"有什么好说的！"瘦子大声说道，"我这里的三个店铺里有十万卢布的货物。部队走了，难道能保得住吗？唉，平民百姓们，上帝的意志不是空手能够改变的！"

"请吧，大人。"第一个商人鞠躬说。军官困惑不解地站着，他脸上露出犹豫不决的表情。

"这与我有什么相干！"他突然喊道，快步沿着商场往前走。在一个开着门的店铺里传出了打骂声，当军官走到那里时，一个身穿灰上衣、剃光脑袋的人被从门里推了出来。

这个人弯下腰，从商人和军官身旁过去了。军官责骂起店铺里的士兵来。但是这时莫斯科河桥上的一大群人当中响起了可怕的叫喊声，于是军官便朝广场跑去。

"怎么回事？怎么回事？"他问，但是他的同伴已骑着马经过圣瓦西里教堂朝发出喊声的地方跑去了。军官上了马，也跟着他跑去。当他到达桥头时，看见两门从前车卸下的大炮、过桥的步兵、几辆翻倒的大车、几个吓坏了的人和笑哈哈的士兵。在两门大炮旁停着一辆套着两匹马的大车。在大车的车轮后面紧跟着四条戴着项圈的猎犬。大车上各种东西装得高高的，在顶上，在一把四脚朝天的童椅旁坐着一个女人，她正在拼命地尖叫。同伴们告诉军官说，人群喧哗和女人尖叫是这样引起的：叶尔莫洛夫将军来到人群中，得知士兵们都跑到店铺去了，大群居民把桥堵死了，于是下令卸下大炮，做出要向桥上开炮的样子。人群撞翻了大车，你踩我，我踩你，拼命地喊叫，拥挤着，在桥上让开一条道，于是部队向前推进了。

二十二

城里这时人已经走空了。街上几乎见不到人影。店铺的大门都锁上了；在小酒馆附近的一些地方可以听到一两声喊叫和醉汉的歌声。谁也不坐车在街上走，很少能听见行人步行的脚步声。在波瓦尔街上一片寂静，什么人也没有。罗斯托夫家的大院子里满地是马吃剩的干草和马粪，看不见一个人。在罗斯托夫家的那座全部财产都原封不动的宅院里，大客厅里只有两个人。这就是管院子的伊格纳特和瓦西里依奇的孙子——侍童米什卡，这孩子和爷爷一起留在了莫斯科。米什卡打开了古钢琴，用一个手指弹了起来。管院子的人两手叉腰,高兴地微笑着,站在一面大镜子前面。

"我弹得多好!是吗?伊格纳特叔叔!"孩子说,突然两手拍打起琴键来。

"瞧你的!"伊格纳特回答说,看见镜子里自己笑得愈来愈高兴,不禁感到惊奇。

"不要脸,你们真不要脸!"悄悄进屋来的玛夫拉·库兹米尼什娜在他们背后说,"瞧你这个大胖脸,龇牙咧嘴的。是为了这个把你们留下来的吗!那里什么都还没有收拾,瓦西里依奇忙得要趴下了。等着吧!"

伊格纳特整了整腰带,不再笑了,顺从地垂下眼睛,出去了。

"大娘,我只轻轻地弹了一下。"孩子说。

"我叫你轻轻地弹!小淘气鬼!"玛夫拉·库兹米尼什娜吆喝了一声,朝他挥挥手,"去给爷爷烧茶炊去!"

玛夫拉·库兹米尼什娜掸掉尘土,关上古钢琴,沉重地叹了一口气,出了客厅,锁上了门。

她来到院子里,考虑现在到哪里去:是到厢房里瓦西里依奇那里去喝茶,还是到储藏室里去收拾还没有收拾好的东西?

从寂静的街上传来了急速的脚步声。脚步声在便门旁停住了;门闩鼻儿在竭力想要打开门的人手里弄得啪啪响。

玛夫拉·库兹米尼什娜走到了便门旁。

"找谁?"

"找伯爵,找伊里亚·安德烈依奇·罗斯托夫伯爵。"

"您是谁?"

"我是一个军官,我需要见他。"一个俄国贵族的悦耳的声音说。

玛夫拉·库兹米尼什娜打开了便门。一个十八九岁的圆脸军官进了院子,他的脸型很像罗斯托夫一家人。

"他们走了,少爷。是昨天傍晚走的。"玛夫拉·库兹米尼什娜亲热地说。

年轻军官站在便门口,仿佛是在犹豫,决定不了进不进门,咂了一下嘴。

"唉,真遗憾!……"他说,"我昨天来就好了……唉,真可惜!……"

玛夫拉·库兹米尼什娜这时同情地仔细端详着这年轻人脸上她所熟悉的罗斯托夫家的特点,察看着他穿的破军大衣和旧靴子。

"您有什么事要见伯爵?"她问。

"那么……就只好这样了!"军官懊恼地说,抓住便门,打算要走。但又犹豫不决地站住了。

"您知道吗?"他突然说,"我是伯爵的亲戚,他一向对我很好。这么说,您知道吗(他带着和善和快活的微笑朝自己的斗篷和靴子看了一眼),都穿破了,可是一个钱也没有;因此我来求伯爵……"

玛夫拉·库兹米尼什娜没有让他说完。

"您稍等,少爷。稍等一下。"她说。军官刚把手从便门上放下来,玛夫拉·库兹米尼什娜就已转过身,迈开老年人的快步朝后面院子里自己住的厢房走去。

在玛夫拉·库兹米尼什娜往自己屋里跑时,军官低下头,望着自己脚上破烂的靴子,面带微笑,在院子里走着。"真遗憾,没有能碰到叔叔。这老人家真好！她跑到哪里去了呢？我怎么能打听到走哪条街比较近，能赶上团队呢？现在它想必快要到罗戈扎门了。"这时年轻的军官想道。不久，玛夫拉·库兹米尼什娜面带惊恐不安的，同时又是坚决的表情，手里拿着用一块方格手绢包着的东西，从拐角出来。在走到离军官还有几步时，她打开手绢，从中取出一张白色的二十五卢布的钞票，急忙交给了军官。

"伯爵他们要是在家，作为亲戚是一定会帮一把的，而这也许……可是眼前……"玛夫拉·库兹米尼什娜说着胆怯起来，发慌了。但是军官没有拒绝，不慌不忙地接过钞票，向玛夫拉·库兹米尼什娜道了谢。"要是伯爵在家。"玛夫拉·库兹米尼什娜仍然一直抱歉地说。"基督与您同在，少爷！上帝保佑您。"玛夫拉·库兹米尼什娜说，鞠着躬送他。军官仿佛嘲笑自己一样，微笑着，摇着头，几乎一溜烟地沿着空荡荡的街道朝亚乌扎桥跑，去追自己的团队。

而玛夫拉·库兹米尼什娜还眼泪汪汪地在关上的便门前站了很久，若有所思地摇着头，觉得自己对这个不认识的年轻军官突然产生了母爱和怜悯的感情。

二十三

在瓦尔瓦尔卡的一座未完工的房子里，底层是一家酒店，从那里传出了喝醉酒的人的叫喊声和歌声。在一个肮脏的小房间里，十来个工人坐在桌子旁的条凳上。他们都喝醉了酒，汗流满面，眼睛浑浊，张大嘴，使劲地唱着一首歌。他们各唱各的调，唱得很费劲和吃力，显然不是因为他们想唱，而是为了证明他们在饮酒作乐，而且喝醉了。他们当中的一个身材很高、长着一头浅色头发的小伙子，身穿一件蓝色的厚呢长外衣，站在他们中间，显得高出一头。他的鼻子很秀气而且很直，要不是他的两片收紧的薄嘴唇不停地翕动和一双浑浊阴沉的眼睛神情呆板的话，那么他的脸倒是很漂亮的。他在那些唱歌的人中间站着，看来正在思索着什么，威严地和笨拙地在他们头上挥动着一只袖子卷到肘弯的白手臂，不自然地用力张开肮脏的手指。他的外衣的袖子不断地往下滑，于是这个小伙子使劲地用左手把它重新卷起来，仿佛让这只挥动着的青筋突起的白手臂裸露在外是一件特别重要的事。歌唱到一半，从门廊里和台阶上传来了吵架的叫喊声和打人的声音。高个子小伙子挥了一下手。

"停！"他用命令的口气喊了一声，"打架了，伙计们！"他继续卷着袖子，到台阶上去了。

工人们跟在他后面。在高个子小伙子的带领下，在酒馆喝酒的工人们这一天早晨给酒店掌柜拿来了工厂里的几张皮子，为此掌柜给他们酒喝。邻近铁匠铺的铁匠听见酒馆里有人饮酒作乐，以为酒馆被人砸了，要强行闯进来。于是在台阶上打起架来了。

酒店掌柜在门口和一个铁匠扭打在一起，当工人们出来时，这个铁匠挣脱掌柜，脸朝下倒在马路上。

另一个铁匠想要冲进门，胸脯朝掌柜的压过来。

卷起袖子的小伙子一边走一边朝那个要冲进门来的铁匠脸上打了一拳，发狂似的叫喊起来：

"伙计们！我们的人挨打了！"

这时第一个铁匠从地上爬起来，使劲抓他被打破的脸，弄得满脸是血，哭喊道：

"救命啊！打死人了！……打死人了！弟兄们！……"

"哎哟，我的天，打死人了，打死人了！"一个从隔壁大门里出来的女人尖叫着。在血流满面的铁匠身旁聚集了一群人。

"你抢人、刮人家的钱财还嫌不够，"一个人对酒店掌柜说，"你怎么又打死人？强盗！"

高个子小伙子站在台阶上，用浑浊的眼睛时而看看酒店掌柜，时而看看铁匠，仿佛在考虑现在应该跟谁打架。

"凶手！"他突然朝酒店掌柜喊了一声，"伙计们，把他捆起来！"

"怎么，要捆我这样的人！"酒店掌柜推开朝他扑过来的人，摘下自己头上的帽子，往地上一扔。这个动作仿佛有神秘的威慑力似的，朝酒店掌柜围上来的工人犹豫不决地站住了。

"老弟，规章制度我知道得很清楚。我要告到区警察分局去。你以为我不会去告？现在谁也不许抢劫！"酒店掌柜捡起帽子喊道。

"咱们走，怕什么！咱们走……怕什么！"酒店掌柜和高个子小伙子你说一句，我说一句，两人一起沿着大街朝前走去。满面流血的铁匠在他们身旁走着。工人和看热闹的人说着喊着跟在他们后面。

在马罗谢依卡的拐角附近，在一座锁着栅栏门、挂着鞋匠招牌的大房子对面，站着二十来个脸色忧郁的鞋匠，这些人面容消瘦，疲惫不堪，穿着工作服和破烂的长衫。

"他应当如数付清工钱!"一个留着稀稀拉拉的胡子的瘦瘦的工人皱起眉头说,"怎么,他吸我们的血,就算完了。他哄呀,骗呀,整整哄骗了一个星期。而到了最后,自己走了。"

说话的工人看见一群人和一个血流满面的人过来,便不作声了,而所有鞋匠急忙好奇地参加到走过来的人群中来。

"这些人上哪里去?"

"明摆着的事,去找长官。"

"怎么,我们真的没有打赢吗?"

"你以为怎么样!听听大家怎么说吧。"

只听得有人提问题,有人回答。酒店掌柜趁人群不断扩大不注意他的时候,落在后面,回自己的酒店去了。

高个子小伙子没有发现自己的仇敌酒店掌柜不见了,仍挥动裸露的手臂不停地说着,以吸引大家的注意力。朝他挤过来的大多是那些想要从他那里听到他们所关心的所有问题的答案的人。

"他应当维持秩序,他应当维护法律,叫他当长官就是要他干这个的!我说得对吗,同胞们?"高个子小伙子说,露出勉强可以看得出来的微笑。

"他以为没有长官了?难道可以没有长官吗?要不随便什么样的人都抢。"

"说什么空话!"人群中有人接茬说,"怎么,就这样把莫斯科放弃了!人们对你说笑话,你都相信了。我们的军队有的是。可是就这样把敌人放进来了!长官就是干这个的。你听听老百姓在说什么。"人们指着高个子小伙子说。

在中国城①的墙边，有另一小群人围住一个身穿面绒粗毛呢军大衣、手里拿着文件的人。

"命令，在读命令！在读命令！"人群中发出这样的喊声，人们朝读的人拥过去。

那个穿面绒粗毛呢军大衣的人在读八月三十一日的传单。当人群围上他时，他似乎有些发窘，但是根据挤到他跟前的高个子小伙子的要求，用稍微发颤的声音开始从头读起传单来。

"明天一早我就到公爵殿下那里去，"他读道（高个子小伙子嘴上挂着微笑，皱起眉头庄重地重复了"殿下"一词），"以便和他进行商谈，采取行动，协助军队消灭恶棍；我们要把他们……"他接着读，读到这里停住了（"看见了？"小伙子得意地喊道，"他会对你把整个事情讲清楚……"）……"彻底根除，让这些不速之客见鬼去；我明天将回来吃午饭，然后就动手，把事情做完，做到底，痛打那些恶棍。"

在读最后几句话时，听众哑然无声。高个子小伙子忧郁地低下脑袋。显然谁也没有听明白这最后的几句话，尤其是"我明天将回来吃午饭"这一句，看来这句话甚至使读传单的人和听众感到不快。老百姓很希望知道一些高深的道理，而这几句话过于简单和太明白易懂了；这是他们当中的每个人都能说的话，因此当局下达的命令就不能这样说。

大家都垂头丧气地默默站着。高个子小伙子翕动着嘴唇，摇晃着身体。

---

① 中国城是旧莫斯科的一个区，包括红场和克里姆林宫以东的一些街区。

"最好问问他!……这是他本人吗?……当然问过了!……怎么样……他将指出……"在人群的后面突然传来了七嘴八舌的说话声,大家的注意力都转向来到广场的警察局长的马车上,他由两名骑马的龙骑兵陪同着。

警察局长这天早晨奉拉斯托普钦伯爵之命去烧毁驳船,趁这个机会捞了一大笔钱,这时钱还放在他的口袋里,他看见朝他过来的人群,命令车夫停车。

"你们是什么人?"他朝三三两两畏畏葸葸向他的马车靠近的人喝道。"你们是什么人?没有听见我在问你们吗?"警察局长没有听见有人回答,又问了一句。

"他们,大人,"一个身穿面绒粗毛呢军大衣的小官吏说,"他们,大人,遵照伯爵大人的告示,前来效命,并不像伯爵大人所说的那样,想要造反……"

"伯爵没有走,他在这里,将会命令你们干什么。"警察局长说。"走吧!"他对车夫说。人群停住了,聚集在那些听见长官说了什么的人身旁,望着离开的马车。

这时警察局长惊恐地回头看了一眼,对车夫说了句什么,于是他的马跑得更快了。

"骗人,伙计们!带我们去见伯爵本人!"高个子小伙子喊了一声。"不要放他走了,伙计们!叫他做出解释!抓住他!"人们喊叫起来,跑去追马车。

追警察局长的人群吵吵嚷嚷地说着话,朝卢比扬卡跑去。

"这么说,老爷们和商人们都走了,我们就该在这里等死?怎么,难道我们是狗不成!"人群里愈来愈多的人这样说。

二十四

九月一日晚上，拉斯托普钦伯爵在与库图佐夫见面后，怀着伤心、委屈和惊讶的心情回到了莫斯科，因为他没有被邀请参加军事会议，库图佐夫对他提出的参加保卫首都的要求毫不在意，而且他惊奇地发现军营里人们有一种新的看法，认为关于维持故都的安宁和鼓励居民的爱国热情的问题不仅是次要的，而且是完全不必要的和不值一提的。吃完晚饭后，他和衣在长沙发上躺下，十二点多被给他送库图佐夫的信来的信使叫醒。信中说，军队要离开莫斯科撤退到梁赞大道上去，队伍经过城里时伯爵能否派一些警官带路。这个消息对拉斯托普钦来说已不是新闻。不仅从昨天在俯首山上会见库图佐夫之时起，而且从波罗金诺会战之时起，拉斯托普钦伯爵就知道莫斯科将要被放弃，因为来到莫斯科的所有将军都异口同声地说仗无法再打了，同时经伯爵允许每天夜里都在运走公家的财物，一半居民已经离开了；但是尽管如此，他在半夜三更睡第一觉时，这张写有库图佐夫的命令的便条给他带来的消息仍使他感到惊奇和生气。

后来拉斯托普钦伯爵在自己的回忆录里解释自己这个时期的活动时几次写道，他当时有两个重要目的：保持莫斯科的安宁和撤出城里的居民。如果承认要达到这双重的目的是对的，那么拉斯托普钦的任何行动都是无可指摘的。为什么莫斯科的圣物、武器、弹药、火药、粮食没有运走？为什么成千上万的居民轻信莫斯科不会被放弃，使自己的财产遭到了损失？——照拉斯托普钦伯爵的解释，这都是为了维护故都的安宁。为什么要把政府机关成捆成捆的无用的文件、列皮赫的气球以及其他东西运走？——照拉斯托普钦伯爵的解释，这是为了使莫斯科成为一座空城。只要认为什么事情对老百姓的安宁造成威胁，那么所采取的任何行动都是对的了。

对恐怖活动的恐惧，只是由于关心老百姓的安宁而产生的。

那么拉斯托普钦伯爵对一八一二年莫斯科老百姓的安宁的担忧又是从何产生的呢？是什么原因使得城里有发生暴动的趋势？居民纷纷离开，撤退的军队挤满了莫斯科。为什么老百姓因此要起来暴动？

不仅在莫斯科，而且在整个俄国，在敌人入侵时，没有发生任何类似暴动的事。九月一日和二日，还有一万多人留在莫斯科，除了聚集在总督的院子里由他本人召集起来的人群外，没有发生任何聚众闹事的事。毫无疑问，如果在波罗金诺会战后莫斯科显然将要放弃或至少可能放弃时，拉斯托普钦倘若不发武器和散布传单去鼓动老百姓，而是采取措施把所有圣物、火药、药包和金钱运走，并且直截了当地向老百姓宣布城市将要放弃，那么老百姓就更不可能发生骚乱了。

拉斯托普钦是一个性子急躁、容易激动的人，一向周旋于官场的上层，虽有爱国心，但是根本不了解他想要管理的人民。自从敌人进入斯摩棱斯克之日起，拉斯托普钦就设想自己应扮演人民的感情的引导者——俄罗斯之心的指导者的角色。他不仅觉得（每个行政长官都会这样觉得），他不只是指挥着莫斯科居民的外部行动，而且也觉得他通过他发表的号召书和散布的传单引导着他们的情绪，而这些号召书和传单是用鄙俗的俚语写的，老百姓当中瞧不起这种语言，而当他们听到上面有人这样说时，就不明白这些话的意思了。拉斯托普钦非常喜欢扮演人民的感情的引导者的漂亮角色，完全深入到了这个角色里面，等到需要走出这个角色和在没有显示任何英勇行为的情况下就要放弃莫斯科时，便措手不及，突然觉得失去了立足的根基，完全不知道他该怎么办。他虽然知道莫斯科将要被放弃，但直到最后一刻还不相信这一点，没有为此做任何事。居民们是违背他的愿望离开的。政府机关虽然撤离了，那也只是由于官吏们的要求，伯爵也是不大同意的。他本人只忙于扮演他给自己选定的角色。如同想象力非常丰富的人常有的那样，他早就知道莫斯科将要放弃，但只是理智上知道，而整个心灵却不相信这一点，没有转而去考虑新的形势。

他精力充沛，工作努力（他的工作有多大益处，对老百姓有多大影响——那是另一个问题），他的全部活动都只是为了在居民中激发起他本人所体验的感情——爱国和仇恨法国人，相信自己。

但是当事件开始具有真正的历史规模时，当只用言语表达对法国人的仇恨已显得远远不够时，当甚至无法用战斗来表达这种仇恨时，当自信心对处理莫斯科的问题已显得毫无用处时，当所有居民一个个抛弃财产拥出莫斯科，用这种消极行为来表达强烈的民族感情时，拉斯托普钦所选定的角色一下子变得毫无意义了。他突然觉得自己孤独、软弱和可笑，失去立足点了。

拉斯托普钦被叫醒后收到了库图佐夫的冷淡而带有命令口气的短笺，愈觉得自己有过错，心里就愈恼火。委托他管理的所有东西,他应当运走的所有公家的东西,都留在了莫斯科。要全部运走已不可能。

"把事情弄成这样是谁的过错呢?"他想,"当然不是我的过错。我做好了一切准备,我把莫斯科牢牢地掌握在手里!而他们把事情弄成这种样子!混蛋,叛徒!"他想,但是并没有确定这些混蛋和叛徒是谁,不过觉得必须恨这些叛徒,是他们使他处于目前的这种尴尬和可笑的状态的。

拉斯托普钦伯爵这一整夜都在发布各种命令,人们从莫斯科各地到他这里来接受指示。他的亲信们从来没有见过伯爵这样忧郁和恼怒。

"伯爵大人,世袭领地管理局局长派人来请示……宗教事务所、参政院、大学、儿童收容所、助理教务主教都派人来问……消防队的事如何处理?来了监狱的狱吏……精神病医院的管理员……"值班人员整夜不断地向伯爵报告说。

伯爵对所有这些问题都生气地做简短的回答,表明现在不需要他下命令,因为他花费很多精力所做的准备被某人破坏了,这个某人将要为现在即将发生的一切承担全部责任。

"好吧,你告诉那个笨蛋,"他在回答世袭领地管理局的询问时说,"要他留下来看管自己的文件。关于消防队有什么好问的?他们有马,就撤到弗拉基米尔去。不要留给法国人。"

"伯爵大人,疯人院的监督来了,您有什么吩咐?"

"什么吩咐?让他们全都走,就这样……而把城里的疯子都放出来。现在我们的军队都是由疯子指挥了,这也是上帝的安排。"

当问到如何处理狱中戴足枷的囚犯时,伯爵怒气冲冲地朝狱吏喊道：

"怎么，要给你两营人去押送？把他们放走，就行了！"

"伯爵大人，有政治犯：梅什科夫①，韦列夏金。"

"韦列夏金！他还没有绞死吗？"伯爵大声嚷嚷道，"把他带到我这里来。"

二十五

快到早晨九点时，军队已通过了莫斯科，这时再没有人来向伯爵请示了。能走的人都自己走了；留下的人也自行决定他们该做些什么。

伯爵吩咐套车，要到索科尔尼基去，他脸色发黄，愁眉不展，一言不发，抱着双臂，坐在自己的办公室里。

每一个行政长官在太平无事而不是动荡不安的时候都觉得他治下的平民百姓只是由于他的努力才动起来的，每个行政长官意识到自己的不可缺少，觉得这是对他的努力和劳动的主要奖赏。在历史的海洋风平浪静时，进行统治的行政长官坐在自己的不结实的小船上，用篙撑住人民的大船而随着行进，必定会觉得他撑着的大船是由于他的努力而行驶的，这是可以理解的。但是只要海上起了风暴，波浪滚滚，大船自身行驶起来，那时就不可能有

---

① 梅什科夫原为律师，被牵涉进韦列夏金的案件，后被判处剥夺官衔和贵族称号，被送去当兵。

这样的错觉了。大船不依靠外力迅速行进，篙已够不着前进的大船，于是统治者突然一下子从主宰者和力量源泉的地位上跌下来，变成一个微不足道的、毫无用处的和软弱无能的人。

拉斯托普钦感觉到了这一点，而正是这一点使他非常恼火。

曾被人群拦住过的警察局长和来报告马车已套好了的副官一起进来见伯爵。两人脸色都很苍白，警察局长报告了执行任务的情况后说，伯爵的院子里有一大群希望见他的人。

拉斯托普钦一句话也没有回答，站起身来，快步朝他陈设豪华而明亮的客厅走去，走到阳台的门旁，抓住门把手又放下了，又走到窗口，从那里可以更清楚地看见整个人群。高个子小伙子站在前排，表情严肃，一面挥动着手臂，一面说着什么。满脸是血的铁匠脸色忧郁，站在他身旁。从关着的窗户外面传来了说话的喧闹声。

"马车套好了吗？"拉斯托普钦离开窗口，问道。

"套好了，伯爵大人。"副官说。

拉斯托普钦又走到了阳台门旁。

"他们想干什么？"他问警察局长。

"伯爵大人，他们说，他们打算根据您的命令去打法国人，还在叫嚷什么有人背叛。是一群暴徒，伯爵大人。我好容易走脱了。伯爵大人，卑职大胆地建议……"

"走吧，您不说我也知道该怎么办。"拉斯托普钦生气地大声说。他站在阳台的门口，望着人群。"瞧他们把俄国弄成什么样了！瞧他们把我弄成什么样子！"拉斯托普钦想道，觉得自己心中升起了一股针对那些可以认为是造成这一切灾祸的人的无法抑止的怒火。如同性情急躁的人常有的那样,他怒火中烧,寻找着发泄的对象。"瞧这些群氓,这些居民中的渣滓,"他望着人群想道,"这些被他们由于愚蠢而煽动起来的贱民。这些人需要有一个牺牲品。"他望着挥动着手臂的高个子小伙子产生了这样的想法。他出现这个想法也是由于他自己需要这个牺牲品,需要这个发泄愤怒的对象。

"马车套好了吗?"他又一次问道。

"套好了,伯爵大人。请问韦列夏金怎么处理?他在台阶旁等着。"副官回答说。

"啊!"拉斯托普钦喊了一声,仿佛突然想起了一件事而吃了一惊似的。

于是他很快打开门,果断地迈步到了阳台上。说话声顿时停止了,人们脱下了棉帽和便帽,抬起眼睛瞧着出来的伯爵。

"你们好,小伙子们!"伯爵很快地大声说,"谢谢你们到这里来。我马上就出来见你们,但是首先我们需要处理一个坏蛋。我们应当惩罚那些毁了莫斯科的恶棍。请等我一会儿!"伯爵砰的一声关上门,和刚才那样快步地回到屋里。

人群中发出一片高兴地表示赞同的低语声。"这是说他要惩治所有的坏蛋!而你却说法国人……他会对你把整个事情讲清楚!"人们七嘴八舌地说,仿佛在相互责备疑心太重。

几分钟后,一个军官匆匆忙忙地从正门出来,下了一个命令,于是龙骑兵排成一列。人群从阳台下面迅速朝台阶拥去。拉斯托普钦面带怒容快步上了台阶,急忙朝自己周围看了一眼,仿佛在寻找什么人。

"他在哪里？"伯爵问，而他在问的同时看见一个长着细长脖子、剃了一半的脑袋上又长出头发的年轻人由两个龙骑兵架着从房子的拐角过来。这个年轻人身上穿着一件曾经是很漂亮的蓝呢面旧狐皮袄和肮脏的粗麻布囚裤，裤脚塞进未擦过的瘦小的旧靴子的靴筒里。瘦弱的脚上戴着沉重的脚镣，使得这个行动迟缓的年轻人难于迈步。

"啊！"拉斯托普钦说，他急忙把目光从穿狐皮袄的年轻人身上移开，指着台阶最下面的一级，"让他站到这里来！"年轻人拖着叮当响的脚镣，迈着沉重的步子到了台阶上指定的地方，用手指摁住皮袄的领子，两次转动长脖子，叹了一口气，顺从地把两只没有干过活的瘦手放在肚子上。

在年轻人在台阶上站好位置的几秒钟内，仍没有人说话。只从后排的那些朝一个地方挤压的人当中发出呼哧声、呻吟声、推搡声和脚步移动声。

拉斯托普钦等他在指定位置站好，皱起眉头，用手擦了擦脸。

"小伙子们！"拉斯托普钦用清脆响亮的声音说，"这个人名叫韦列夏金，他就是那个把莫斯科毁了的坏蛋。"

穿狐皮袄的年轻人顺从地站着，把两手一起放在肚子上，稍稍地弯下腰。他的带着绝望表情的、因脑袋被剃了一半而显得很丑陋的年轻的瘦脸朝着下面。他听了伯爵的头几句话，慢慢抬起头来，从下往上朝伯爵看了一眼，仿佛想要对他说点什么，或者哪怕能遇见他的目光。但是拉斯托普钦没有朝他看。在年轻人的细脖子上，耳朵背后的一根像绳子一样的血管鼓了起来，变成了蓝色，突然他的脸红了。

所有人的眼睛都注视着他。他朝人群看了一眼,看见人们脸上的表情后仿佛觉得有了希望,悲伤而胆怯地笑了笑,又低下了头,在台阶上捯换了一下脚想站得更稳些。

"他背叛了自己的皇上和祖国,他卖身投靠了波拿巴,所有俄国人当中只有他一个人给俄国人丢了脸,他使得莫斯科正在遭到毁灭。"拉斯托普钦用平静而严厉的语气这样说,但是突然眼睛向下朝继续顺从地站着的韦列夏金很快地看了一眼。仿佛这一瞥使他气炸了,他举起一只手,几乎对人群叫喊起来:"你们自己来处理他吧!我把他交给你们!"

人们没有说话,只是相互之间挤得愈来愈紧。人们彼此紧挨着,在污浊的空气中无法呼吸,不能动弹一下,等待着某种不知道的和不明白的可怕事情发生,这一切正在变得无法忍受。站在前排的人看见了和听见了他们面前发生的一切,都惊恐地睁大眼睛和张开嘴,使出浑身力气用自己的脊背顶住从后面压过来的人。

"揍他!……打死这个叛徒,不要让他再丢俄国人的脸!"拉斯托普钦喊道,"把他砍了!我命令你们!"人群听见了拉斯托普钦说话的声音,没有听清他说的话,哼哼起来,拥了上来,但是又停住了。

"伯爵!……"在再次出现的片刻的寂静中又响起了韦列夏金的胆怯的,同时又是做作的说话声。"伯爵,上帝在我们头上……"韦列夏金抬起头说,他细脖子上的粗血管又充了血,脸上很快出现了血色,但是马上又消失了。他没有把他想要说的话说完。

"把他砍了!我命令你们!……"拉斯托普钦喊道,突然脸变得像韦列夏金一样煞白。

"拔出马刀!"军官朝龙骑兵吆喝道,自己也拔出刀来。

另一个更加汹涌的浪潮从人群中涌来,到了前排后,把前排的人朝前推,它一起一伏,把他们推向台阶的梯级前。高个子小伙子脸上带着呆板的表情,抬起的手在空中停住,与韦列夏金并排站着。

"砍!"军官几乎低声地对龙骑兵说,于是一个士兵突然气歪了脸,用刀背朝韦列夏金头部砍了一下。

"啊!"韦列夏金短促地和惊讶地喊了一声,恐惧地看着四周,仿佛不明白为什么要这样对待他似的。人群里也发出同样的恐惧的惊叫声。

"啊,我的天!"传来了不知是谁的悲伤的叹息声。

但是韦列夏金在发出一声惊呼后,接着痛得惨叫了一声,这一声喊叫毁了他。那道已绷得不能再紧的、还阻挡着人群感情爆发的屏障霎时间冲破了。犯罪行为已经开始,就得进行到底。带有责备意味的惨叫被人群可怕的和愤怒的吼声所淹没。好像冲毁大船的最大的七级浪一样,这股从后排掀起的无法阻挡的大浪潮涌到了前排,将其冲倒,吞没了一切。用刀背砍的龙骑兵想再砍一刀。韦列夏金惊恐地喊叫着,用手抱住头,朝人群冲去。他碰到高个子小伙子身上,小伙子用手掐住韦列夏金的细脖子,发出一声狂叫,和他一起倒在吼叫着压过来的人群的脚下。

一些人撕扯殴打着韦列夏金,另一些人撕扯殴打着高个子小伙子。被践踏的人以及竭力想要把高个子小伙子救出来的人的喊叫声,只能更加激怒人群。龙骑兵很久未能把这个浑身是血、被打得半死的人解救出来。虽然那些力图把开了头的事情做到底的人十分狂热和急切,他们对韦列夏金又打又掐又撕,但是很久未能把他打死;人群从四面八方朝他们压过来,把他们裹在中间,形成一团,来回摆动着,使他们既无法把他打死,又无法把他扔下。

"用斧头砍,怎么样?……压坏了……叛徒,出卖了基督!……活着……还老是死不了……做贼的罪有应得。用门闩打!……还活着吗?"

到受害者已不再挣扎,他的喊声为均匀细长的嘶哑的呼哧声所代替时,人群才开始在躺着的血肉模糊的尸体附近急忙移动起来。每个人都走过来看一看所做的事,然后带着恐惧、责备和惊讶的表情往后挤。

"啊,我的天,人都变成了野兽,哪里还有活人待的地方!"人群中有人说。"小伙子很年轻……想必是商人,这些人也真是的!……有人说,这不是那个人……怎么不是那个人……啊,我的天……听说打了另一个人,差点要把他打死了……唉,这些人哪……就不怕罪过……"刚才的那些人这时又七嘴八舌地说,他们带着痛苦和怜悯的表情看着发青的脸上沾满血污、细长的脖子被砍破的尸体。

一个恪尽职守的警察认为一具尸体躺在伯爵大人的院子里有伤大雅,便命令龙骑兵把它拖到外面。两个龙骑兵抓住伤痕累累的腿把尸体往外拖。死人长脖子上沾满血污的剃了半边的脑袋在地上拖着,滚动着。人们挤着,纷纷离开尸体。

在韦列夏金倒在地上,人群狂喊着在他身边挤过来挤过去时,拉斯托普钦突然脸变得煞白,他没有到马车等着他的后面台阶上去,自己也不知道要上哪里去和为什么,低下头,沿着通向楼下房间的走廊快步走去。伯爵脸色苍白,下巴颏像发热病时那样颤抖个不停。

"伯爵大人,往这里走……您要上哪里去?……请往这里走。"在他背后一个人用颤抖的和惊恐的声音说。拉斯托普钦伯爵没有力气回答,他顺从地转过身,朝指给他的方向走去。后门台阶旁停着一辆马车。这里也可听到远处人群吼叫的声音。拉斯托普钦伯爵急忙坐上马车,吩咐拉到郊区索科尔尼基的住宅去。到了肉商街,再也听不见人群的叫喊了,这时伯爵开始后悔起来。现在他很不满意地想起他在下属面前显露出来的那种激动不安和恐惧的样子。"群氓是可怕的,令人厌恶的。"他用法语想道,"他们像狼一样,除了给他们肉吃外,无法使他们平静下来。""伯爵!上帝在我们头上!"他突然想起了韦列夏金的话,于是一种不愉快的寒冷感觉传遍了全身。但是这种感觉转瞬即逝,拉斯托普钦伯爵轻蔑地笑了笑自己。"我负有另一些责任,"他想道,"应当满足民众的要求。许多别的牺牲品为了公共利益死了和正在死去。"他想起了他对自己的家庭通常应负的责任,想起了(委托给他管理的)故都,想起了自己——不是想起那个费多尔·瓦西里耶维奇·拉斯托普钦(他认为费多尔·瓦西里耶维奇·拉斯托普钦正在为公共利益牺牲自己),他想的是作为总督、政权的代表和受沙皇委托的人的自己。"如果我只是费多尔·瓦西里耶维奇,我走的道路会完全不同,但是我应当保护作为总督的生命和尊严。"

拉斯托普钦在柔软的弹簧马车上轻轻地摇晃着身体,再也听不见人群的可怕的喊叫声,他肉体上平静下来了,如同常有的那样,在肉体上平静下来的同时,头脑里也为他想出了精神上平静的理由。使拉斯托普钦平静下来的想法并不是新的。自从开天辟地和人们相互残杀以来,从来没有一个人在对别人犯罪时不用这个想法安慰自己。这个想法就是为了公共利益,为了别人的福利。

一个不受利欲支配的人,从来不知道这种福利;但是一个犯罪的人任何时候都一定知道这种福利是什么。拉斯托普钦现在也知道这一点。

他不仅在自己的思考中不责备自己的行为,而且找到了沾沾自喜的理由,认为自己非常成功地利用了这个适当的时机,既惩罚了罪犯,同时又安抚了民众。

"韦列夏金受审后被判处死刑。"拉斯托普钦想道(虽然参政院只判处韦列夏金服苦役),"他是卖国贼和叛徒;我不能让他不受惩罚,再说我一箭双雕;我为了安抚民众把坏蛋交给他们,处死了他。"

伯爵到了郊外的住宅后开始安排家里的事,完全平静下来了。

半个钟头后,伯爵乘一辆快马拉的马车经过索科尔尼基田野,这时已不去回忆发生的事了,想的和考虑的只是将会发生什么。他现在去亚乌扎桥,人们告诉他库图佐夫在那里。拉斯托普钦伯爵脑子里准备着要对库图佐夫说的愤怒的和挖苦的话,责备他骗人。他要让这个接近宫廷的老狐狸感觉到,由于放弃故都和毁灭俄国(拉斯托普钦这样想)而造成的一切灾难的责任,将落在这老糊涂一个人头上。拉斯托普钦考虑着他要对他说的话,在马车里愤怒地转动着身子,不时生气地看看两旁。

索科尔尼基田野空荡荡的。只在它的尽头,在养老院和精神病医院附近，可以看到一小群穿白衣服的人以及几个单独在田野上行走的同样的人，他们嘴里喊着什么，挥动着手臂。

他们当中的一个人朝拉斯托普钦伯爵的马车跑过来，想要拦住它。拉斯托普钦伯爵本人、他的车夫和龙骑兵都带着惊恐和好奇的模糊感觉看着这些放出来的疯子，尤其是看着那个朝他们跑过来的人。

这个疯子迈开两条瘦长的腿，身体一摇一晃，身上的长袍飘动着，他跑得很快，两眼盯住拉斯托普钦，哑着嗓子朝他叫喊着什么，做着手势，要他停车。疯子的脸又黄又瘦，长着长短不齐的胡子，带着忧郁的和庄重的神情。他的又黑又亮的瞳仁靠近下眼皮，在红里透黄的眼白里不安地转动着。

"站住！停住！听见了吗？"他尖声喊了一声，然后又喘着气，做着手势，用威严的语气喊叫着。

他追上了马车，和它并排跑着。

"我被杀死了三次，又三次复活了。他们用石块砸我，把我钉上十字架……我会复活的……会复活的……一定会复活的。他们砸烂了我的身体。天堂就要毁了……我要破坏它三次，又三次把它重建起来。"他喊着，不断提高嗓门。拉斯托普钦伯爵突然脸变得煞白，就像人群扑向韦列夏金时变得煞白一样。他扭过头去。

"快……快走！"他用颤抖的声音朝车夫喊道。

马拉着车奋蹄飞速地奔跑起来；但是拉斯托普钦伯爵还长时间地听见自己背后逐渐远去的疯狂的拼命喊叫声，而在眼前看到的只是穿着皮袄的叛徒的又惊又怕、血迹斑斑的脸。

不管这事如何记忆犹新，拉斯托普钦现在觉得它已与他血肉相连，深深地铭刻在他的心里了。他这时清楚地感到，这件往事留下的血淋淋的伤口永远也愈合不了，相反，这件可怕的事将一直留在他的心中，直到他生命结束，而且时间愈久，将折磨得他愈厉害，愈痛苦。他现在觉得，他似乎听见自己的话："把他砍了，您要拿脑袋向我担保！"——"我为什么要说这些话！似乎是无意中说的……我可以不说它（他想），那就**什么事也不会**发生了。"他看见用刀背砍的龙骑兵的惊恐的、后来突然变得凶狠的脸，看见那个穿狐皮袄的孩子朝他投来的默默的、胆怯的责备的目光……"但是我不是为了自己这样做的。我应当采取这样的行动。贱民，叛徒……公共利益。"他想。

亚乌扎桥边仍然挤满了军队。天气很热。库图佐夫皱着眉头，神情沮丧地坐在桥旁的一条长凳上，用鞭子在沙地上画着，这时一辆马车隆隆地朝他驶过来。一个身穿将军制服、头戴带羽饰的帽子、一双不知是愤怒还是惊恐的眼睛不停地乱转的人走到库图佐夫面前，开始用法语对他说什么。这是拉斯托普钦伯爵。他对库图佐夫说，他之所以来到这里，是因为莫斯科和故都再也不存在了，只剩下军队了。

"如果殿下不告诉我您不会不战而放弃莫斯科，就不会发生所有这些事！"他说。

库图佐夫望着拉斯托普钦，仿佛不明白对他说的话，竭力想要从那个和他说话的人脸上的表情中猜出某种特殊的意思。拉斯托普钦不好意思起来，住口了。库图佐夫微微摇摇头，仍用审视的目光紧盯着拉斯托普钦的脸，低声说道：

"是的，我不会不战而放弃莫斯科。"

库图佐夫在说这句话时不知是想着别的事情，还是因为知道这话毫无意义而有意这样说，但是拉斯托普钦什么也没有回答，急忙从库图佐夫身旁走开。说起来真怪！堂堂的莫斯科总督，高傲的拉斯托普钦伯爵居然拿起马鞭，走到桥边，开始大声吆喝着赶走那些挤在一起的大车。

二十六

夜里三点多，缪拉的部队进入莫斯科。走在前面的是一队符腾堡的骠骑兵，而这位那不勒斯王本人则骑着马带着一大批侍从走在后面。

缪拉到了阿尔巴特街中心附近，在靠近显灵的尼哥拉礼拜堂的地方停住了，等待着先头部队来报告城堡"克里姆林"的情况。

在缪拉周围聚集了一小群留在莫斯科的人。大家胆怯而又困惑地看着这个用羽毛和金饰打扮起来的、留着长发的古怪的长官。

"怎么，这是他们的皇上本人？还行！"只听得有人低声说。

翻译骑马到了这一小群人跟前。

"脱下帽子……帽子。"人群里有人相互说。翻译问一个年老的管院子的人，离克里姆林是否还很远。管院子的人困惑地听着他不熟悉的带有波兰口音的话，认为翻译说的不是俄国话，不明白他说的是什么，躲到了别人背后。

缪拉到了翻译那里，叫他问俄国军队在哪里。一个俄国人听明白了问的是什么，几个人突然回答起翻译的话来。一个法国先头部队的军官骑马到了缪拉跟前报告说,城堡的大门被堵住了,大概里面有伏兵。

"好,"缪拉说,他朝一个侍从转过身来,命令调四门轻型大炮到前面来,炮轰大门。

于是炮兵从缪拉后面的骑兵队伍里出来,朝阿尔巴特前进。下到弗兹德维任卡街的一头停住了,在广场上排好队。几个法国军官指挥着把大炮架好,用望远镜观察克里姆林宫。

克里姆林宫里正在响着晚祷的钟声,这钟声使法国人惊慌不安起来。他们以为这是在号召人们拿起武器。几个步兵朝库塔菲亚门跑去。大门里堆放着圆木和挡板。当一个军官带着一队士兵朝大门跑过来时,有人从门里放了两枪。一个站在大炮旁的将军朝军官大声下着命令,于是军官带着士兵跑了回来。

从大门里还传出了三声枪响。

一发子弹打中了一个法国士兵的腿,从挡板后面发出了少数几个人的奇怪的喊叫声。在法国将军、军官和士兵的脸上,原来的那种快活和平静的表情在同一时间内一齐迅速地为准备战斗和痛苦的表情所代替。对他们大家——从元帅到最后一个士兵——来说,这个地方不是弗兹德维任卡、莫霍瓦亚、库塔菲亚和三位一体门,而是一个新战场的一个新地点,说不定这里要进行一场血战。于是大家都做好了战斗准备。大门里的喊声停止了。大炮被推到了前面。炮兵们吹掉火绳杆上的灰。军官发出"开火!"的口令,于是接连发出像洋铁片那样的碰撞声,两发炮弹呼啸而出。霰弹打在大门的石板上、圆木上和挡板上;两团硝烟在广场上空飘动起来。

在炮击克里姆林宫石墙的轰隆声停止后的很短时间内，法国人头上响起了一种奇怪的声音。宫墙上空出现一大群寒鸦，它们嘎嘎叫着，拍打着几千只翅膀，在空中盘旋。与这些声音同时，大门里发出一个人的单独的喊声，接着从硝烟中出现一个身穿长衫和不戴帽子的人。他手里端着火枪，朝法国人瞄准。"开火！"炮兵军官又喊了一声，同时传出了一声枪响和两声炮响。硝烟又遮住了大门。

在挡板后面再也没有什么动静了，于是法国步兵和军官一起朝大门走过去。大门里躺着三个受伤的和四个被打死的人。两个穿长衫的人正沿着宫墙往下朝兹纳缅卡跑去。

"把这些搬走"，军官指着圆木和尸体说；于是法国人打死了受伤的人，把尸体往下扔到围墙外。谁也不知道这是些什么人。"把这些搬走"，针对他们只说了这么一句，他们被扔了出去，后来怕他们发臭，把他们收拾走了。只有梯也尔一个人为纪念他们专门写了几句生动有力的话："这些不幸的人占满了神圣的堡垒，拿了军火库的武器，向法国人射击。其中几个人被马刀砍死，把他们从克里姆林宫里清除了。"①

缪拉接到了道路已扫清的报告。法国人进入了大门，开始在参政院广场上扎营。士兵们把椅子从参政院大楼的窗户里扔到广场上，生起火来。

其他的部队过了克里姆林宫，安置在马罗谢依卡、卢比扬卡、波克罗夫卡等地。还有一些部队则驻扎在弗兹德维任卡、兹纳缅

---

① 这几句话引自梯也尔的《执政府和帝国时代的历史》。

卡、尼哥拉街和特维尔街。法国人没有见到房子的主人,他们住在城里各处不像住在民宅里那样,而像住在城里的军营里一样。

法国士兵虽然衣衫褴褛,又饿又累,人数减少到了原来的三分之一,但还是队伍整齐地进入莫斯科的。这支军队人困马乏、筋疲力尽,但还是一支有战斗力的和令人生畏的军队。不过只是在这支军队的士兵分散到各家各户之前它还算是一支军队。等到各个团的人一进入没有人住的富丽的住宅,军队便永远瓦解了,变得既不是居民也不是士兵,成为一种被称为抢劫者的非兵非民的东西。五个星期后这些人出莫斯科时,已不成其为军队了。这是一群抢劫者,其中每个人用车拉着或身上扛着一大堆他们认为有价值和需要的东西。在离开莫斯科时,这些人当中的每一个人的目的已不像以前那样是为了获取,而只是为了保住得到的东西。如同一只猴子把手伸进口很小的瓦罐,抓住一把核桃,为了不丢掉抓到的东西不肯松手,从而害了自己一样,法国人在离开莫斯科时,由于他们带着大量抢来的东西,也像猴子不肯松开手中的一把核桃一样,不肯扔掉抢来的东西,显然也必将灭亡。每一个法国团队在进入莫斯科的某个街区后过了十分钟,已没有一个像士兵和军官的人了。在各家各户的窗口可以看见穿着军大衣和半高勒皮靴的人,他们笑着在各个房间走来走去;在地窖里和地下室里,也有同样的人在任意取用食物;在院子里这样的人打开或砸开木棚和马厩的门;在厨房里生起火来,卷起袖子揉面和烘烤食物,吓唬、逗弄和爱抚妇女和儿童。在各个地方,在店铺里和各个住宅里,到处都有很多这样的人;但是军队已经不存在了。

就在这一天,法国指挥官们一个接一个地发布命令,禁止军队在城里散开,严格禁止对居民施加暴力和抢劫,要求当天晚上全体官兵集合点名;但是不管采取什么样的措施,那些以前组成军队的人分散到了这座富庶的、设备完善和食品储备丰富的空城的各个地方。正如一群饥饿的牲口在光秃秃的田野上走,一碰到水草丰盛的牧场立刻无法阻拦地跑散一样,现在军队也无法阻挡地分散到这座富庶的城市里了。

莫斯科的居民都走了,于是士兵像水流入沙地一样,被吸进地里,从他们首先进入的克里姆林宫像四射的星光一样不可遏止地向四面八方扩散。骑兵们在进入一座全部财物都留了下来的商人住宅时,发现那里不仅有可供自己的马使用的单马栏,而且还有多余的,可是他们仍然前去占领附近的另一座他们觉得更好的房子。许多人占了几座房子,用粉笔号上是谁占的,为了房子与别的队伍发生争吵,甚至动武。许多士兵还没有安顿好,就跑到外面去观看城市,他们听说居民把所有财物都扔下了,便急忙赶到可以白拿贵重物品的地方去。长官们前来阻止士兵,可是自己也不知不觉地参加到同样的行动中去。在车市,几家店铺里还有马车,于是将军们聚集在那里给自己挑选一般的四轮马车和轿式马车。留下的居民邀请长官到自己的家里去,想以此寻求庇护而免遭抢劫。财物多得很,简直数不清;在法国人所占的地方的周围,到处还有许多还不知道的和未被占的地方,法国人觉得那里有着更多的财物。于是他们被吸引到了莫斯科的愈来愈多的地方。正如水流进干燥的土地里水和干燥的土地都消失了一样,饥饿的军队进入富庶的空城后,军队和富庶的城市也都消失了;变成了污泥,发生了大火和抢劫。

法国人把莫斯科的大火归咎于拉斯托普钦的凶恶的爱国主义；俄国人则认为是法国人的暴行造成的。实际上，如果把莫斯科发生大火的责任加到一个人或几个人身上，那么从这个意义上说，就不存在这样的原因，而且也不可能存在。莫斯科之所以被烧毁，是由于它处于一个木质建筑构成的城市必定会烧毁的条件下，而不管城里有没有一百三十条简陋的消防水管。莫斯科必定会被烧毁是由于居民都离开了；同时这也是必然的，就像一堆一连几天往上面落火星的木屑必然会烧光一样。在这个木质建筑构成的城市里，当房屋的主人和警察都在的时候，夏天几乎每天都发生火灾，而现在居民走了，驻扎着军队，他们抽烟斗和在参政院广场上一天两次用椅子生火煮饭吃，那么这个城市就不能不烧毁了。在和平时期，只要军队驻扎在某个地区的农户里，这个地区发生火灾的次数就立刻增加了。那么在一个驻扎着外国军队的木质建筑构成的空城里发生火灾的可能性又会增加多少呢？在这里完全不能归咎于拉斯托普钦的凶恶的爱国主义和法国人的暴行。莫斯科是因为不是房子主人的敌军士兵抽烟斗、做饭、生篝火和粗心大意而焚烧起来的。即使有人放火（这很值得怀疑，因为谁也没有任何理由要放火，至少这样做是一件麻烦和危险的事），也不能把放火当作原因，因为不放火也会发生同样的事。

不管法国人如何得意地指责拉斯托普钦凶恶，不管俄国人如何理直气壮地指责波拿巴残暴，或者后来如何高兴地把英雄的火把塞到本国人民手里，但是不能不看到大火的这种直接原因是不可能存在的，因为莫斯科必定会烧毁，正如每个村庄、每个工厂、每座房子在主人走了，外人进来为所欲为、生火做饭时必定会烧毁一样。莫斯科是居民们烧毁的，这是真的；但是不是那些留下来的居民，而是那些离开的居民。被敌人占领的莫斯科没有像柏林、维也纳和其他城市那样完好无损，只是由于它的居民没有向法国人献面包和盐欢迎他们，没有献上城门的钥匙，而是都撤离了。

二十七

像星光一样朝莫斯科四面八方扩散的法国人，到九月二日这一天的晚上才到达了皮埃尔现在住的街区。

皮埃尔在单独度过很不寻常的两天后，处于接近于发疯的状态。他整个身心都被一个纠缠不休的想法所困扰。他自己也不知道这种情况是什么时候和如何发生的，但是现在他心里只有这一个想法，不记得过去的任何事情，也不明白现在的任何事情；他看到和听到的一切，仿佛是在梦中在他面前发生的。

皮埃尔离家出走只是为了摆脱生活提出的凌乱繁杂的要求，在当时的情况下他无力解开这团乱麻。他借口整理已故的约瑟夫·阿列克谢耶维奇的书籍和文件前去他家，只是因为他想要避开生活的烦恼，寻求安宁，——他感觉到自己已陷入了烦恼和混乱之中，而在他心里，那种与这种状态完全相反的永恒的、平静的和庄严的境界，是同对约瑟夫·阿列克谢耶维奇的回忆联系在一起的。他寻找着平静的避难所，而且确实在约瑟夫·阿列克谢耶维奇的书房里找到了。他在书房里死一般的寂静中坐下来，两臂支在死者的落满尘土的书桌上,这时在他的头脑里开始平静地、一件接一件地重现最近几天,尤其是波罗金诺会战时发生的许多事情,回想起对他来说还比较模糊的感觉,当时他似乎觉得自己与那些铭记在他心中的,被称为**他们**的实在、纯朴和刚强有力的人相比,显得微不足道和虚伪。当格拉西姆打断他的沉思时,皮埃尔想到他应当参加拟议中的民众保卫莫斯科的战斗(他知道此事)。为了这个目的,他立即叫格拉西姆给弄来长衫和手枪,并对他说明了自己隐姓埋名留在约瑟夫·阿列克谢耶维奇家里的意图。后来,在无所事事地单独度过的第一天里(皮埃尔几次想要把注意力集中在共济会的手稿上,然而未能做到),他的脑子里几次模糊地出现了以前也有过的想法,想起了他自己的名字与波拿巴的名字之间有着神秘的联系;但是这个关于他 L'Russe Besuhof 注定要规定**兽**掌权的极限的想法,只是作为一个无缘无故地和不留痕迹地在他头脑里闪过的一个幻想而出现的。

买来了长衫(其目的是为了参加民众保卫莫斯科的战斗)后,皮埃尔碰见了罗斯托夫一家人,娜塔莎对他说:"您留下来吗?啊,这有多么好啊!"这时他脑子里闪过一个念头,觉得即使莫斯科被占领了,那确实也很好,他可以留下来做他注定要由他来做的事。

第二天,他抱着不惜牺牲自己和在任何方面都不落在**他们**后面的想法,与民众一起前去三山门。但是他回到家里后,深信莫斯科已不会保卫了,突然觉得,他以前认为只是可能做的事,现在变成必须做和非做不可的事了。他应当隐姓埋名留在莫斯科,去找拿破仑,杀死他,这样做也许自己会遭到灭亡,也许能结束整个欧洲的灾难,照皮埃尔看来,这灾难是由拿破仑一个人造成的。

皮埃尔了解一个德国大学生于一八〇九年在维也纳谋刺波拿巴的详细经过，知道这个大学生后来被枪毙了。他想到在实现自己的意图时要冒生命危险，便更加兴奋起来。

两种同样强烈的感情不可抗拒地吸引他去实现自己的意图。第一种感情是他意识到全民正在遭难，觉得自己需要做出牺牲和受苦，就在这样的感情的支配下，他于二十五日前去莫扎依斯克，到了战斗最激烈的地方，现在他离家出走，抛弃已习惯的奢侈生活和舒适的生活条件，不脱衣服地睡在一张硬沙发上，和格拉西姆吃一样的饭食；另一种是一种模糊的、只有俄国人才有的感情，即藐视一切虚饰的、不自然的、人为的东西，藐视被大多数人视为世上最大幸福的东西。皮埃尔第一次体验到这种奇怪的和诱人的感情是在斯洛博达宫，当时他突然觉得，无论是财富、权力还是生命，所有这些通常人们努力争取和保护的东西，如果有什么价值的话，那么也只在于抛弃它时可给人带来乐趣。

这是一个志愿兵喝光最后一个戈比时的感情，是一个喝醉的人明知要赔掉他身上所有的钱却没有任何明显的原因打碎镜子和玻璃时的感情；这是一个人仿佛要试一试自己个人的权力和力量，声称对生活应有某种最高的、不受人的条件限制的看法而去做（在庸俗的意义上）失去理智的事时的感情。

从皮埃尔在斯洛博达宫第一次体验到这种感情的那一天起，他一直处于这种感情的影响之下，但是到现在才使它充分表达出来。此外，皮埃尔在这方面已经做的事此时此刻支持他去实现他的意图，并使他不可能半途而废。他逃出了家，穿上了长衫，买了手枪，告诉罗斯托夫一家人，说他留在莫斯科，——如果他在做了所有这些事后还像别人一样离开莫斯科,那么这不仅将会失去任何意义,而且会变得卑鄙可笑(皮埃尔对此是十分敏感的)。

皮埃尔的身体状况,像通常一样,是与精神状况相一致的。这几天吃的是不习惯的粗食,喝的是伏特加酒,没有葡萄酒和雪茄,身上穿着没有换洗的肮脏内衣,在没有被褥的短沙发上度过两个半睡半醒的夜晚——这一切使得皮埃尔一直处于近乎发疯的极度兴奋状态。

已是午后一点多钟了。法国人已进入了莫斯科。皮埃尔知道这一点,但是他没有马上行动,只是想着自己要做的事,考虑着每一个最小的细节。皮埃尔在思考时既没有生动想象行刺的过程,也没有想到拿破仑之死,但是异常清楚地和又伤感又高兴地想到他自己将会牺牲,想到他的英雄气概。

"是的,一人为大家,我应当完成这件事或者牺牲自己!"他想,"是的,我要走到跟前……然后一下子……用手枪还是用匕首?"皮埃尔想。"不过反正都一样。处死你的不是我,而是上帝之手,我要这样说(皮埃尔考虑着他在杀死拿破仑时要说的话)。好吧,把我抓去吧,处决我吧。"皮埃尔继续自言自语地说,脸上带着感伤的但很坚决的表情,低着头。

正当皮埃尔站在房间中央心里这样想着的时候,书房的门打开了,门口出现了过去一向畏畏葸葸、如今完全变了样的马卡尔·阿列克谢耶维奇。他的睡衣是敞开着的。他的脸很红很难看。显然他喝醉了酒。他一看见皮埃尔,开头有些惊慌不安,但是注意到皮埃尔脸上也有惊慌不安的表情,立刻精神振奋起来,迈开两条细腿一摇一摆地走到房间中央。

"他们害怕了。"他哑着嗓子用信任的语气说,"我说:我决不投降,我说……难道不是这样吗,先生?"他沉思起来,看见桌子上的手枪,突然一下子抓住它,跑到走廊里。

跟在马卡尔·阿列克谢依奇后面的格拉西姆和管院子的人在门廊里拦住他,开始夺手枪。皮埃尔到了走廊里,带着怜悯和厌恶的表情看着这个半疯的老头。

"拿起武器!发起进攻!胡说,你夺不走!"他喊道。

"行了,老爷,行了。求求您,请您放下吧。好了,老爷……"格拉西姆说,小心地抓住马卡尔·阿列克谢依奇的胳膊肘,竭力把他朝门口拉。

"你是什么人?波拿巴!……"马卡尔·阿列克谢依奇喊道。

"这不好,老爷。请您到房间里去,请您歇一会儿。请把手枪给我。"

"去,下贱的奴才!别碰我!看见了吗?"马卡尔·阿列克谢依奇挥动着手枪喊道,"发起进攻!"

"抓住他。"格拉西姆低声对管院子的人说。

于是马卡尔·阿列克谢依奇被抓住双臂,拉到门口。

门廊里充满了嘈杂刺耳的叫嚷声和醉汉哑着嗓子上气不接下气地说话的声音。

突然从台阶上传来了一个女人刺耳的叫喊声,接着厨娘跑进了门廊。

"他们来了!老天爷!真的,是他们。四个人,骑着马!……"她喊道。

格拉西姆和管院子的人放开了马卡尔·阿列克谢依奇,在安静下来的走廊里,可以清楚地听见几个人敲大门的声音。

二十八

皮埃尔暗自决定在实现自己的意图之前不暴露自己的身份,也不让人知道他会说法语,他站在走廊的半开半闭的门口,打算等法国人一进来,就立刻藏起来。但是法国人进来了,皮埃尔仍没有离开门口,因为难以抑制的好奇心促使他留了下来。

他们来了两个人。一个是军官,身材高大,威武英俊;另一个显然是士兵或勤务兵,矮小敦实,又黑又瘦,双颊下陷,眼神呆滞。军官拄着拐杖,一瘸一拐地走在前面。他走了几步,仿佛心中认定这房子很好,停住了脚步,朝站在门口的士兵回过头来,抬高嗓门用长官的口气朝他们喊了一声,要他们把马牵进来。军官吩咐完毕后,用潇洒的姿势高高抬起胳膊肘,抹了抹小胡子,一只手碰了碰帽檐。

"诸位好!"他快活地说,微笑着,环顾着四周。

谁也没有回答他。

"您是主人吗?"军官问格拉西姆。

格拉西姆用疑问的目光惊恐地看着军官。

"房子,房子,借住一下。"军官说,他面带宽厚和善的微笑从上到下打量着这个小老头。"法国人是好小伙子。真见鬼,我们不会难以相处的,老头子。"他加了一句,拍拍惊恐的和默不作声的格拉西姆的肩膀。

"有这样的事!难道这里没有人会说法语吗?"他又说,看看四周,目光与皮埃尔相遇。皮埃尔离开了门。

军官又朝格拉西姆转过身来。他要求格拉西姆带他去看看房间。

"主人的不在——我的不明白……我的您的……"格拉西姆怪腔怪调地说,竭力想使他的话让对方听起来明白些。

法国军官微笑着,在格拉西姆鼻子前面摊开双手,表示他没有听明白他的话,接着一瘸一拐地朝皮埃尔站的门口走去。皮埃尔想要走,以便躲开那军官,但是就在这时他看见马卡尔·阿列克谢依奇手里拿着手枪从打开的厨房门里探出身来。马卡尔·阿列克谢依奇带着疯子的狡猾神情,打量了一下法国人,举起手枪瞄准。

"发起进攻!!!"醉汉喊叫起来,想要扣扳机。法国军官听见喊声转过身来,在这刹那间皮埃尔扑向醉汉。就在皮埃尔抓住手枪往上抬的同时,马卡尔·阿列克谢依奇的手指终于扣了一下扳机,发出了一声震耳欲聋的枪响,一股硝烟味向所有的人袭来。法国人脸变得煞白,回头朝门口跑去。

皮埃尔忘记了不让人知道他会说法语的意图,夺过手枪,把它扔了,然后跑到军官面前,用法语和他说起话来。

"您没有受伤吧?"他问。

"好像没有。"军官摸着自己身上回答说。"不过这次差点打中了。"他指着墙上被打掉的灰泥加了一句。"这是什么人?"军官用严厉的目光看了皮埃尔一眼,问道。

"啊,刚才发生的事实在感到非常遗憾。"皮埃尔完全忘记了自己要扮的角色，很快地说，"这是一个可怜的疯子，他不知道他做了什么事。"

军官走到马卡尔·阿列克谢依奇面前，抓住了他的领口。

马卡尔·阿列克谢依奇张开嘴，仿佛快要睡着那样，靠着墙摇晃着身体。

"强盗，我会跟你算这笔账的。"法国人说，放开了手。

"我们胜利者是宽大的，但是我们不会饶恕不讲信义的人。"他面带阴沉庄严的神情，做着优美有力的手势补充说。

皮埃尔继续用法语劝说军官不要跟这个喝醉酒的疯子计较。法国人默默地听着，没有改变阴沉的表情，突然他带着微笑朝皮埃尔转过头来。他默默地看了皮埃尔几秒钟。他英俊的脸上露出悲伤而又亲切的表情，接着伸出手来。

"您救了我的命！您是一个法国人。"他说。在法国人看来，这个结论是毫无疑义的。只有法国人才能做伟大的事，而救第十三轻骑兵团上尉朗巴尔先生的命，毫无疑问是一件最伟大的事。

但是不管这个结论和法国军官的那种建立在这个结论上的坚定看法如何毫无疑义，皮埃尔还是认为需要让他感到失望。

"我是俄国人。"皮埃尔很快地说。

"算了，算了，算了，这话您跟别人说去吧。"法国人面带微笑，在自己鼻子前面摆动着一根手指说。"您待一会儿把一切说给我听。"他说。"遇见同胞真使人高兴。好吧！我们怎么处置这个人？"他又说了一句，这时对待皮埃尔已像对待自己的兄弟一样了。这个法国军官脸上的表情和说话的语气似乎说明，他认为皮埃尔即使不是法国人，可是在获得世界上最崇高的称号后，是不会拒绝接受的。皮埃尔针对他提的最后一个问题,又一次解释马卡尔·阿列克谢依奇是什么样的人,说在他们到来之前,这个喝醉酒的疯子拿走了上了子弹的手枪,当时没有来得及从他手中夺过来,最后皮埃尔请求不要惩罚他。

法国人挺起胸,做了个像帝王似的威严的手势。

"您救了我的命。您是法国人。您想要我宽恕他吗?好,我宽恕他。把这个人带走。"法国军官迅速而有力地说,挽起由于救了他的命而被他提升为法国人的皮埃尔的胳膊,和他一起朝屋里走去。

院子里的士兵听见枪声,进了门廊,来问发生了什么事,表示要惩罚肇事者;但是军官严厉地阻止了他们。

"需要时会叫你们的。"他说。士兵们出去了。已去过厨房的勤务兵走到了军官跟前。

"上尉,他们厨房里有菜汤和烤羊肉。"他说,"要给您拿来吗?"

"好的,葡萄酒也拿来。"上尉说。

二十九

法国军官和皮埃尔一起进了屋。皮埃尔认为自己有责任再次向上尉说明他不是法国人,并且想要走开,但是法国军官连听都不愿意听。他非常谦恭、亲热、和善,真心诚意地感谢皮埃尔救了他的命,弄得皮埃尔不好意思拒绝,只好和他一起在大厅里,在他们进去的第一个房间里坐下来。上尉听见皮埃尔再次说他不是法国人,显然不明白怎么能不接受如此光荣的称号,耸了耸肩说，既然他一定认为自己是俄国人，那么就这样吧，但是尽管如此，他将一辈子感谢他的救命之恩，他的心将永远和他在一起。

如果这个人哪怕有一点理解别人的感情的能力和猜到皮埃尔此时的感觉，皮埃尔大概会离开他；但是这个人是那样兴致勃勃，对除了他自己之外的一切是那样地不敏感，这就使得皮埃尔放下心来。

"不管是法国人还是隐姓埋名的俄国公爵，"法国人察看着皮埃尔身上虽很肮脏但很考究的内衣和他手上的戒指说，"您救了我的命，我愿和您交个朋友。法国人从来既不会忘记侮辱，也不会忘记帮助。我愿和您交个朋友。别的我就什么也不说了。"

这个军官说话的声音、他的面部表情和姿态显得非常和善和高尚（按法国人的理解），皮埃尔情不自禁地笑了笑作为对法国人的微笑的回答，握住了他伸出来的手。

"我是第十三轻骑兵团上尉朗巴尔，因九月七日作战① 有功获得勋章。"他自我介绍说，脸上露出抑制不住的得意的微笑，这一笑使得小胡子底下的嘴唇皱了起来，"现在您是否能费心告诉我，我是在同哪位先生如此愉快地谈话，而不是身上留着那个疯子的枪弹躺在包扎站里？"

皮埃尔说，他不能说出自己的名字，说着涨红了脸，想捏造一个名字，刚要开始解释不能说出名字的原因，可是法国人急忙打断了他的话头。

"不必了。"他说，"我理解您，您是一个军官……也许是高级

---

① 指参加波罗金诺会战。

军官。您曾和我们作战。这不关我的事。您救了我的命。对我来说，这就满足了，我愿为您效劳。您是贵族吗？"他用询问的语气又加了一句。皮埃尔低下了头。"请问您的教名？别的我就什么也不问了。您说是皮埃尔先生？……好极了，我要知道的就这些。"

这时端上了烤羊肉、煎鸡蛋，摆上了茶炊，拿来了伏特加和法国人带来的俄国窖存葡萄酒，朗巴尔请皮埃尔一起吃饭，说完自己像一个健康和饥饿的人一样，立即很快地和贪婪地吃起来，用他结实的牙齿迅速地咀嚼着，不停地吧嗒着嘴，说着"好极了！""味道美极了！"。他的脸变得通红，汗流满面。皮埃尔也饿了，很高兴地和他一起吃。勤务兵莫雷尔端来了一锅温水，把一瓶葡萄酒放进水里。此外，他还拿来了一瓶克瓦斯，这是他从厨房里拿来尝尝的。这饮料法国人都知道了，并有了新的名称。他们把它叫作猪柠檬水，莫雷尔很夸奖他在厨房里找到的这瓶猪柠檬水。但是由于上尉已有了在莫斯科弄到的葡萄酒，他就把克瓦斯给莫雷尔喝，自己喝那瓶波尔多酒。他用餐巾裹住酒瓶留出瓶门，给自己和皮埃尔倒了酒。上尉吃了点东西和喝了酒后，更加活跃起来，在吃饭的时候不停地说着话。

"是的，亲爱的皮埃尔先生，为了感谢您从疯子手里救了我，我应当点上一支大蜡烛为您祝福……您知道，我身上的子弹已经够多的了。一颗（他指了指腰旁）是在瓦格拉姆得的，另一颗是在斯摩棱斯克得的。"他一面说，一面指了指腮帮子上的伤疤，"而这条腿，您瞧，不听使唤。这是九月七日在莫斯科附近的一场大战中负的伤。噢！真是好看极了。应当看一看，到处是一片火海。你们让我们干了一件困难的工作，你们可以像小孩子那样自我夸耀。说真的，虽然得了这勋章，我真想一切从头做起。我为那些没有看到这场面的人感到惋惜。"

"当时我就在那里。"

"啊，这是真的！那就更好了。"法国人说。"应当承认，你们是勇敢的敌人。守大多面堡的人打得很顽强，真他妈的。你们叫我们付出了沉重的代价。您瞧，我到过那里三次。我们三次到了炮位上，三次都一个挨着一个地倒了下来。啊，真不错，皮埃尔先生。你们的掷弹兵真是好样的。我看见他们六次集合队伍，像去参加检阅那样出发。是一些优秀的人！我们的那不勒斯王在这方面是个行家，他对他们喊道：好极了！啊，啊！您原来也是当兵的！"他在停了一会儿后微笑着说，"那就更好了，更好了，皮埃尔先生。我们在战场上是可怕的……对漂亮的女人……"他带着微笑眨了眨眼睛，"又是非常殷勤的，法国人就是这样，皮埃尔先生，不是这样吗？"

这个上尉是那样天真和善和快活，性格是那样的单纯，又是那样的洋洋自得，这使得皮埃尔快活地望着他，自己也差点儿眨了一下眼睛。大概"殷勤"这个词使上尉想起了莫斯科的情况。

"对啦，请您告诉我，所有女人都离开莫斯科了，这是真的吗？真怪！她们有什么好害怕的？"

"如果俄国人进了巴黎，难道法国的太太们不会离开吗？"皮埃尔说。

"哈，哈，哈！……"法国人拍拍皮埃尔的肩膀，愉快而又激动地哈哈大笑起来。"哈！说得太过分了。"他说，"您说巴黎？……但是巴黎……巴黎……"

"巴黎是全世界的首都……"皮埃尔替他把话说完。

上尉朝皮埃尔看了一眼。他有一种在谈话的中途停下来、用含笑的和亲切的目光凝视对方的习惯。

"要是您没有对我说您是一个俄国人,那么我就敢打赌,说您是巴黎人。您有一种,这样一种……"说了这句恭维话后,他又默默地看了对方一眼。

"我去过巴黎,在那里待了好几年……"皮埃尔说。

"啊,这可以看得出来。巴黎!……不知道巴黎的人是野蛮人。巴黎人两英里以外就能认出来。巴黎——这是塔尔玛[①]、迪舍努瓦[②]、波蒂埃[③]、索邦[④]、林荫道。"他发现这个结论比前面说的话要软弱无力,便急忙补充说,"全世界只有一个巴黎。您在巴黎待过,但仍然是一个俄国人。好吧,为此我同样尊敬您。"

皮埃尔喝了葡萄酒,加上刚过了几天孤独沉闷的生活,现在和这个快活和善的人交谈,心里情不自禁地感到很高兴。

"现在回过头来说一说你们的太太们:听说她们非常漂亮。法国军队到了莫斯科,她们却躲到草原上去,这真愚蠢可笑!她们错过了很好的机会。你们的农民,我是知道的,但是你们是有教养的人,应当比那些人更了解我们。我们占领了维也纳、柏林、马德里、那不勒斯、罗马、华沙,占领了世界各国的首都……人们害怕我们,但是又喜欢我们。更好地了解我们没有害处。还有

---

① 塔尔玛(一七六三至一八二六年),法国悲剧演员。
② 迪舍努瓦(一七七七至一八三五年),法国女悲剧演员。
③ 波蒂埃(一七七五至一八三八年),法国喜剧演员。
④ 索邦即巴黎大学。

皇帝!"朗巴尔开口说道,但是皮埃尔打断了他的话。

"皇帝。"皮埃尔重复说,他脸上突然露出忧郁和局促不安的表情,"皇帝怎么啦?……"

"皇帝?宽厚、仁慈、公正、办事有条理,是个天才——这就是皇帝!这是我朗巴尔在对您这样说。尽管您看我现在是这个样子,在八年前我还是他的敌人。我的父亲是一个伯爵和流亡者。但是这个人征服了我。他感动了我。我看见他把法国变成一个伟大和光荣的国家,我折服了。当我明白他想要做什么时,当我看到他正在为我们准备桂冠时,我对自己说:这就是明主。于是我就为他献身了。就这样!是的,亲爱的,这是从过去到未来的各个时代的最伟大的人物。"

"怎么,他在莫斯科?"皮埃尔犹豫了一下,面带负罪的表情问道。

法国人朝皮埃尔负罪的脸看了一眼,冷笑了一声。

"不,他将在明天进城。"他说,继续讲他的故事。

他们的谈话被门口几个人的叫喊声和莫雷尔的到来所打断,莫雷尔前来向上尉报告说,来了几个符腾堡的骠骑兵,他们想要把马拴在拴着上尉的马的院子里。麻烦主要在于这些骠骑兵听不懂对他们说的话。

上尉吩咐把那个上士叫来,厉声问他属于哪个团,团长是谁,根据什么竟敢强占已有人住的房子。这个德国人不大会说法语,回答了头两个问题,说出了自己的团的番号和团长的名字;但是最后一个问题没有听懂,于是德语里夹杂着法国词回答说,他是团部的设营员,奉团长之命占用所有的房子。皮埃尔懂德语,他给上尉翻译了德国人说的话，并用德语把上尉的回答告诉这个符腾堡骠骑兵。德国人听明白对他说的话软了下来，把自己的人带走了。上尉到了台阶上，大声地做了一些指示。

当他回到房间里时，皮埃尔坐在原来的地方，两手抱住头。他的脸露出痛苦的表情。这时他确实很痛苦。在上尉出去后只剩下皮埃尔一个人时，他突然清醒过来，意识到了他现在的处境。现在使皮埃尔感到痛苦的不是莫斯科被占领，不是这些幸运的胜利者在城里发号施令和庇护他——尽管皮埃尔也觉得很难受。使他感到痛苦的是他意识到自己软弱无能。喝了几杯葡萄酒以及与这个和善的人交谈，消除了皮埃尔最近这几天的那种全神贯注而又阴郁的心情，而要实施他的意图，这种心情是必要的。手枪、匕首和农民的服装已准备好了，拿破仑将在明天进城。皮埃尔也完全认为杀死这个恶棍是有益的和应该的；但是他觉得现在他已干不了这件事了。为什么？——他不知道，但是仿佛预感到他实现不了自己的意图。他与自己的软弱进行斗争，但是模糊地觉得，他克服不了，觉得以前的那些关于报仇、杀人和自我牺牲的阴郁的想法在接触到第一个人时就已灰飞烟灭了。

上尉微微瘸着腿，吹着口哨，进了房间。

法国人的絮叨皮埃尔原先觉得很有意思，现在却觉得讨厌了。他吹的曲子，他的步态，他捻胡子的姿势——现在皮埃尔都感到是对自己的侮辱。

"我马上就走，我再也不跟他说一句话。"皮埃尔想。他心里这样想着，可是却仍然坐在座位上。有一种奇怪的感觉使得他坐在那里不动：他想要走，可是站不起来。

上尉则相反,看来很快活。他在房间里走了两趟。他的眼睛闪闪发亮,胡子微微地抖动着,仿佛因产生了一个有趣的想法而暗自觉得好笑似的。

"好极了,"他突然说道,"那个指挥这些符腾堡人的团长!他是一个德国人;尽管如此,是个好样的。然而是德国人。"

他在皮埃尔的对面坐下。

"这么说,您懂德语?"

皮埃尔默默地看着他。

"避难所德语怎么说?"

"避难所?"皮埃尔反问道,"避难所德语是 Unterkunft。"

"您怎么说来的?"上尉不相信地急忙问。

"Unterkunft。"皮埃尔重复了一遍。

"啊,是 Onterkoff,"上尉说,用含笑的眼睛朝皮埃尔看了几秒钟,"这些德国人是十足的蠢货。不是这样吗,皮埃尔先生?"他下结论说。

"好吧,再来一瓶莫斯科波尔多酒,行吗?莫雷尔又给我们温了一瓶。莫雷尔!"上尉快活地喊道。

莫雷尔拿来了蜡烛和一瓶葡萄酒。上尉借着烛光又看了皮埃尔一眼,看见对方脸色沮丧,想必吃了一惊。朗巴尔脸上带着真诚的伤心和同情走到皮埃尔面前,朝他俯下身来。

"怎么,有什么事发愁了。"他碰了碰皮埃尔的手说,"是不是我使您伤心了?说实话,您是不是对我有意见了?"他反复地问,"也许这与局势有关?"

皮埃尔什么也没有回答,但是亲切地看着法国人的眼睛。这种同情的表示使他感到很愉快。

"说实话,且不说我非常感激您,我觉得我对您有一种友情。我能不能为您做点事情?您吩咐吧。我们是生死之交。我是真心诚意地对您说这些话的。"他手拍着胸脯说。

"谢谢。"皮埃尔说。上尉聚精会神地朝皮埃尔看了一眼,那目光就像在得知避难所德语怎么说时看他的目光一样,突然上尉容光焕发起来。

"啊!那么我们就为友谊干一杯!"他倒了两杯酒,快活地喊道。皮埃尔拿起杯子,一饮而尽。朗巴尔也喝了,又握了握皮埃尔的手,然后用胳膊肘支撑着桌子摆出一副沉思和忧郁的样子。

"是的,我的朋友,这都是命运的安排。"他开口说道。"谁能对我说,我将成为一个龙骑兵的士兵和上尉,为波拿巴——我们常常这样称呼他——效劳。然而您瞧,我和他一起到了莫斯科。不瞒您说,亲爱的,"他像一个想要讲一个很长的故事的人那样,用伤感和平稳的语调接着说,"我们家的姓氏是法国最古老的姓氏之一。"

于是上尉带着法国人的那种轻浮和天真的坦率,对皮埃尔讲了自己祖先的历史,讲了自己的童年、少年和成年,讲了所有的亲戚关系、财产关系和家庭关系。"我可怜的母亲"自然在这故事里扮演了重要的角色。

"然而这一切只不过是走上人生舞台的开始,其顶点是爱情!爱情!说得对吗,皮埃尔先生?"他说,激动起来,"再来一杯。"

皮埃尔又喝了一杯,给自己倒上了第三杯。

"唉!女人哪,女人!"上尉的眼睛由于兴奋变得闪亮起来,他望着皮埃尔,开始讲起他的爱情和恋爱故事来。这样的故事很多，只要看一看他那得意洋洋的英俊的脸以及他在讲到女人时的兴奋和激动的样子，就能很容易相信这一点。虽然朗巴尔的恋爱故事都有那种法国人认为特别有魅力和富有诗意的淫秽性质，但是他在讲这些故事时真诚地相信，只有他一个人尝到了和体验到了爱情的魅力，并且引人入胜地描绘着女人，使得皮埃尔好奇地听他讲。

显而易见，这个法国人非常迷恋的爱情，不是皮埃尔过去对自己的妻子的那种低级的和平常的爱情，也不是被他自己夸大了的对娜塔莎的浪漫的爱情（朗巴尔对这两种爱情同样都是蔑视的，他把前一种称为车夫的爱情，把后一种称为傻瓜的爱情）；这个法国人所崇尚的爱情主要表现为对女人的一种不正常关系，一种能给感情增添主要魅力的畸形现象的组合。

上尉就这样讲了他和一个三十五岁的迷人的侯爵夫人以及同时和这位迷人的侯爵夫人的十七岁的天真可爱的女儿的动人的爱情故事。母女相互谦让的结果，母亲牺牲自己，让女儿和自己的情人结婚，这件事虽然早已成为过去，但是现在还使上尉激动不已。接着他讲了一个插曲，其中丈夫扮演了情人的角色，而他（情人）则扮演丈夫的角色，同时讲了几个关于德国的趣闻，那里避难所被称为Unterkunft，那里丈夫喝白菜汤，那里年轻姑娘的金黄色的头发颜色太深。

最后讲了在波兰发生的一件事，上尉对这件事还记忆犹新，他在讲的时候迅速地做着手势，满脸通红，他讲的是他救了一个波兰人的命（一般说来，在上尉的讲述中，可以不断地听到救命的故事），而这个波兰人把迷人的妻子（她有一颗巴黎女人的心）

托付给他，同时自己参加了法国军队。上尉很幸运，那个迷人的波兰女人想跟他跑；但是由于为人宽厚，上尉把妻子还给了丈夫，同时对他说："我救了您的命，也保全了您的名誉！"上尉在重复了这些话后，擦了擦眼睛，浑身抖动了一下，仿佛想要抖掉在想起这件动人的往事时出现的过分的多愁善感似的。

皮埃尔在听上尉讲述时，如同平常在夜晚喝了几杯酒后常有的那样，注意听他讲的每句话，理解他讲的意思，同时也注意自己心中不知为什么出现的各种回忆。当他听这些爱情故事时，他突然想起了自己对娜塔莎的爱情，心里逐个地回忆着爱慕她的各种情景，与朗巴尔所讲的故事进行着比较。皮埃尔在注意听关于责任与爱情的斗争时，在他眼前浮现出了他与自己所爱的人在苏哈列夫塔楼附近最后一次相遇的全部细节。当时这次相遇并没有对他产生影响；他后来甚至一次也没有想起过它。但是他现在觉得，这次相遇意义十分重大，带有某种诗意。

"彼得·基里雷奇，过来呀，我都认出来了。"他现在仿佛还听见她说的话，看见她的眼睛、微笑、旅行包发帽和露出来的一绺头发……他觉得在这一切之中有某种动人的、感人肺腑的东西。

上尉讲完了迷人的波兰女人的故事后问皮埃尔，他有没有体验过这种为了爱情而做自我牺牲和嫉妒合法丈夫的感情。

皮埃尔经他这样一问，抬起头来，感到必须把他心里的想法讲出来；他开始解释，他所理解的对女人的爱略有不同。他说，他过去和现在一辈子只爱一个女人，而这个女人永远不会属于他。

"瞧您说的！"上尉说。

于是皮埃尔解释道，他从小时候起就爱这个女人；但是不敢想到她，因为她太年轻，而他又是一个私生子。后来当他获得了名分和财产后，他还不敢想到她，因为太爱她，因为把她看得高于世界上所有的人，因此更把她看得高于自己。皮埃尔在讲到这里时问上尉：他是否理解这一点？

上尉打了个手势，意思是说，即使他不理解，也要请皮埃尔讲下去。

"柏拉图式的爱情，虚无缥缈……"他嘟囔了一句。不知是因为喝了酒，还是因为需要倾吐积愫，或者是因为想到这个人不认识和不会去打听他的故事里的任何人，也许是所有这些因素加在一起使得皮埃尔打开了话匣子。于是他的那双闪亮的眼睛望着远处某个地方，口齿不清地讲起自己经历的事：讲了他自己的结婚，讲了娜塔莎爱上他的最好的朋友的经过和她的变心，讲了自己同她的并不复杂的关系。在朗巴尔的追问下，他还讲了开头隐瞒的事——自己在社交界的地位，甚至对他说出了自己的姓名。

在皮埃尔讲述的事情中最使朗巴尔感到惊奇的是他很富有，在莫斯科有两座府第，他扔下了一切，没有离开莫斯科，而是隐姓埋名留在城里。

夜已深了，他俩一起到了外面。这是一个温暖而明亮的夜晚。在房子的左边，升起了发生在彼得罗夫卡的莫斯科第一场大火的火光。在右边的天空高悬着一弯新月，而在月亮的对面则是那颗在皮埃尔心中与他的爱情联系在一起的明亮的彗星。格拉西姆、厨娘和两个法国人站在大门口。可以听见他们的笑声和用彼此都不懂的语言说话的声音。他们望着城里出现的火光。

在这座大城市里远处发生的不大的火灾中并没有什么可怕的

东西。

皮埃尔望着高高的星空，望着月亮、彗星和火光，心里又高兴又感动。"瞧，多么好啊。还需要什么呢？"他想道。突然他想起了自己的意图，顿时觉得头脑发昏，神志迷糊，于是他靠在围墙上以防跌倒。

皮埃尔没有和他的新朋友告别，便跟跟跄跄地离开大门，回到自己的房间，在沙发上躺下，立刻就睡着了。

三　十

步行和坐车离城的居民以及撤退的部队，从各条道路上怀着不同心情望着九月二日第一场大火升起的火光。

罗斯托夫家的车队这天夜里停在离莫斯科二十俄里的梅季希村。九月一日他们动身得很晚，道路被各种车辆和部队堵塞，许多东西忘在家里需要派人去取，因此这天夜里决定在离莫斯科五俄里的地方过夜。第二天早晨出发得也很晚，又老是走走停停，因此只到了大梅季希村。十点钟罗斯托夫一家人以及和他们一起走的伤员都安置在这个大村庄各家各户的院子里和房子里。罗斯托夫家的仆人和车夫以及伤员的勤务兵在服侍过主人后，吃了晚饭，给马添了饲料，都来到台阶上。

在隔壁的房子里，躺着拉耶夫斯基的受伤的副官，他的一个手腕子被打断，觉得痛极了，不断悲戚地呻吟着，这呻吟声在黑暗的秋夜里听起来格外凄惨。第一夜这个副官被安置在罗斯托夫一家落脚的院子里。伯爵夫人说,她听见这呻吟声一夜未能合眼,因此到梅季希村后便住到另一座较差的农舍去,只是为了离这个伤员远一些。

一个仆人发现在黑色的夜空里,在停在门口的马车的高高的车厢背后有另一处不大的火光。原来的一处火光早就看见了,大家知道这是小梅季希村在着火,这火是马莫诺夫的哥萨克放的。

"弟兄们,这可是另一个地方在着火。"一个勤务兵说。

大家都把注意力集中到火光上。

"听说小梅季希村是马莫诺夫的哥萨克烧的。"

"是他们!可是这不是梅季希村,这还要远些。"

"你看,好像在莫斯科。"

两个仆人下了台阶,到了马车后面,在踏板上蹲了下来。

"这要靠左边一些!你瞧,梅季希村在那里,而这完全在另一边。"

几个仆人加入到他们这里来。

"瞧,烧得很旺,"一个人说,"诸位,这大火在莫斯科,或是在苏谢夫街,或者在罗戈扎街。"

谁也没有答话。所有这些仆人都默默地看着远处另一场大火的火光,看了相当长时间。

丹尼洛·捷连季依奇老头(大家都这样叫伯爵的跟班)走到人群那里,大声呼唤米什卡。

"你有什么好看的,傻瓜……要是伯爵问起来,谁也不在可不好;去收拾衣服去。"

"我刚要去打水。"米什卡说。

"您怎么认为,丹尼洛·捷连季依奇,这火光不会是在莫斯科吧?"一个仆人说。

丹尼洛·捷连季依奇什么也没有回答,大家又沉默了很久。火光蔓延开来,向愈来愈远的地方徐徐移动。

"上帝保佑!……又有风,又干燥……"又有一个人说。

"瞧,火势更猛了。啊,上帝!连寒鸦也看得清了。上帝,宽恕我们这些罪人吧!"

"大概会扑灭的。"

"谁去扑灭?"一直没有说话的丹尼洛·捷连季依奇开口了。他说话的声音平静而又缓慢。"烧的就是莫斯科,弟兄们,"他说,"它是洁白的母亲……"他的声音中断了,突然这位老人抽泣了一声。仿佛大家就等待着这个,以便弄明白所见到的火光对他们来说意味着什么。响起了一片叹息声、祈祷声和伯爵的老跟班的抽泣声。

三十一

跟班回去后向伯爵报告说,莫斯科在燃烧。伯爵穿上睡袍,到门外去观看。跟着他一起出去的有尚未脱衣服的索尼娅以及绍斯太太。娜塔莎和伯爵夫人留在屋里。(彼佳再也没有跟家里的人在一起,他跟着开往特罗依察①的团队先走了。)

伯爵夫人听了莫斯科发生大火的消息后哭了起来。娜塔莎脸

---

① 特罗依察指特罗依采-谢尔基修道院,位于莫斯科东北六十六俄里。

色苍白，两眼发直，坐在圣像下面的长凳上（她到了屋里后就一直坐在那里），一点也不注意父亲说的话。她倾听着副官发出的不停的呻吟声，这声音隔着三座房子还能听到。

"啊，真可怕！"冻僵了和吓坏了的索尼娅从外面回来说。"我想，整个莫斯科都要烧光，火光可怕极了！娜塔莎，你来看一看，从这里的窗户里能看得见。"她对表妹说，看来想要分散她的注意力。但是娜塔莎看了她一眼，仿佛不明白对她说什么似的，两眼又盯住炉子的一角。今天早晨索尼娅不知为了什么，认为需要告诉娜塔莎，对她说安德烈公爵受了伤，现在正在他们的车队里，这使得伯爵夫人又惊讶，又气恼，从那时起，娜塔莎一直处于这种呆滞状态。伯爵夫人对索尼娅大发脾气，她还很少这样生过气。索尼娅哭了，请求原谅，此刻仿佛是想弥补过错，跑前跑后地照看着表妹。

"你瞧，娜塔莎，烧得真厉害。"索尼娅说。

"什么在烧？"娜塔莎问，"啊，是的，是莫斯科。"

好像是为了不使索尼娅生气，并且也是为了摆脱她，娜塔莎把头凑近窗口，随便看了一眼，显然什么也看不见，然后又照原来的姿势坐下了。

"你没有看见吗？"

"不，说实话，我看见了。"她用恳求让她安静一会儿的语气说。

伯爵夫人和索尼娅都知道，莫斯科、莫斯科的大火以及不管什么事，现在对娜塔莎来说当然都不重要。

伯爵又到了隔板的那一边，躺下了。伯爵夫人走到娜塔莎跟前，像平常女儿生病时那样，用手背碰了碰她的脑袋，然后又用嘴唇贴了贴她的前额,似乎想要知道她有没有发烧,并且吻了吻她。

"你受凉了。浑身在发抖。你最好躺下。"伯爵夫人说。

"躺下?好的,我躺下。我马上就躺下。"娜塔莎说。

自从娜塔莎今天早晨听说安德烈公爵受了重伤,现在与他们同行后,她只在最初一刻曾多次问他要去哪里,伤势怎么样,有没有危险,她是否可以见他,等等。人们对她说,她不能见他,他的伤势很重,不过没有生命危险,她显然不相信对她说的这些话,并且深信不管她再问多少遍,得到的将是同样的回答,于是不再问也不再说话了。一路上娜塔莎瞪着一双大眼睛(伯爵夫人非常熟悉和害怕这种眼神),一动不动地坐在马车的角落里,现在她也就这样坐在长凳上。她正在考虑着什么,决定着什么,也许现在心里已经决定了——伯爵夫人知道这个,但是并不知道她考虑和决定的究竟是什么,而她感到害怕和苦恼的正是这一点。

"娜塔莎,把衣服脱了,亲爱的,躺到我床上来。"(只给公爵夫人一个人铺了床;绍斯太太和两位小姐被安排在铺在地板上的干草上。)

"不,妈妈,我就躺在这里的地板上。"娜塔莎生气地说,走到窗口,打开了窗户。打开窗户后,副官的呻吟声听得更加清楚了。她把脑袋伸到夜里潮湿的空气中,伯爵夫人看见她那瘦小的肩膀哭得抽动起来,碰击着窗户框。娜塔莎知道,呻吟的不是安德烈公爵。她知道,安德烈公爵躺在与他们住的房子共一个房顶和隔一个门廊的房子里;但是她听见这不停的可怕的呻吟声放声大哭起来。伯爵夫人和索尼娅相互看了一眼。

"躺下吧,亲爱的,躺下吧,我的好孩子。"伯爵夫人说,用手轻轻地拍了拍娜塔莎的肩膀,"快点躺下吧。"

"好的……我马上,马上躺下。"娜塔莎说,急忙脱衣服和解裙带。她脱下连衣裙,换上短衫,盘起腿在地板上铺好的床铺上坐下,把她那不太长的细辫子甩到胸前,开始重新编辫子。细长而灵巧的手指用习惯动作迅速解开辫子,重新编好,扎上。娜塔莎的头习惯性地时而转向这边,时而转向那边,但是那双狂热的眼睛睁得大大的,一动不动地望着前面。换好睡觉的衣服后,娜塔莎轻轻地在靠近门口铺着床单的干草上躺下了。

"娜塔莎,你躺到中间来。"索尼娅说。

"不,我就在这里。"娜塔莎回答道。"你们都躺下吧。"她不高兴地加了一句。说完她把脸埋进枕头里。

伯爵夫人、绍斯太太和索尼娅急忙脱了衣服,也躺下了。房间里只有圣像前的长明灯还亮着。但是外面被两俄里外的小梅季希的大火映得通红,对面街上在马莫诺夫的哥萨克砸开的小酒馆里人们醉醺醺地叫喊着,同时仍然可以听到副官的一刻不停的呻吟声。

娜塔莎长时间地倾听着屋里的和从外面传到她耳朵里的声音,一动不动地躺着。她先是听见母亲的祈祷和叹息声,她的床发出的咯吱声,早已听熟了的绍斯太太带啸声的打鼾声,索尼娅的轻轻的呼吸声。接着听见伯爵夫人喊了她一声。她没有回答。

"好像睡着了,妈妈。"索尼娅低声说。伯爵夫人沉默了一会儿,又喊了一声,但是已经没有人答应她了。

在这之后不久,娜塔莎听见了母亲均匀的呼吸声。虽然她的一只光脚丫伸到被子外面,在光地板上觉得很凉,她仍然没有动一下。

一只蛐蛐发现所有的人不作声了,仿佛庆祝自己的胜利一样,在墙缝里叫唤起来。远处的公鸡啼叫了一声,别的公鸡都起来响应。小酒馆里叫喊声停止了,只听得见副官的呻吟。娜塔莎坐了起来。

"索尼娅,你睡着了?妈妈!"她低声喊道。谁也没有回答。娜塔莎慢慢地和小心地站起来,画了一个十字,窄小的、富有弹性的光脚板小心地踩上了又脏又凉的地板。一块木板咯吱响了一声。她迅速挪动光脚,像猫一样跑了几步,抓住了冰凉的门把手。

她仿佛觉得有什么沉重的东西在有节奏地敲打着房子的四壁;这是她那吓得紧缩起来、由于恐惧和爱情快要破裂的心在跳动。

她打开了门,跨过门槛,踏上了门廊里又潮又凉的土地。一股寒气使她精神为之一振。她的光脚碰到了一个睡觉的人,便跨过了他,打开了安德烈公爵躺着的房子的门。这房子很暗。在后面的角落里放着一张床,床上躺着一个人,床边的长凳上点着一支结着一个大烛花的脂油蜡烛。

娜塔莎在早晨得知安德烈公爵受了伤并和他们在一起后,就决定要见他。她不知道为什么应当这样做,但是她知道见面将是痛苦的,而这更使她相信必须一见。

这一整天她什么也不想,只抱着一个希望,企盼夜里见到他。但是现在,当这个时刻终于到来时,她想起她会看到什么样的情景,又害怕起来。他伤成什么样了?还有点像过去那样吗?他是否和那个不停地呻吟的副官一样?是的,他就是这样的。他在她的想象中是这种可怕的呻吟的具体体现。她看见了角落里的一堆模糊不清的东西,把他在被子底下向上蜷起的膝盖当成了肩膀,这时她想象这个身体非常可怕,吓得停住了脚步。但是一种不可抗拒的力量吸引她向前走。她小心地迈了一步,两步,到了这座堆满杂物的小房子中间。屋里在圣像下的长凳上躺着另一个人(这是季莫欣),地板上还躺着两个人(这是医生和仆人)。

仆人欠起身,低声说了句什么。季莫欣因腿受伤痛得睡不着觉,睁大眼睛望着面前出现的这个身穿白衬衫和短上衣、戴着睡帽的奇怪的姑娘。半睡不醒的仆人惊恐地问了一句:"您有什么事,干什么来了?"——这促使娜塔莎加快步子朝角落里躺着的人走去。不管是多么可怕,也不管这身体多么不像人的身体,她应当看见他。她从仆人身旁经过,这时蜡烛上的烛花掉了下来,她清楚地看见了两只胳膊放在被子上躺着的安德烈公爵,看见他还是她过去经常看见的那种样子。

他还像平常一样;但是他那发烧的脸色,兴奋地注视着她的闪闪发亮的眼睛,尤其是从衬衫翻领里露出来的像孩子似的皮肤细嫩的脖子,使得他有一种天真无邪的孩子气,这是她从来没有在安德烈公爵身上见到过的。她走到他跟前,迅速用年轻人灵活的动作跪了下来。

他笑了笑,向她伸出了一只手。

三十二

自从安德烈公爵在波罗金诺战场的包扎站上醒过来之时起,已过了七天。在整个这段时间里,他几乎经常处于昏迷状态。发高烧和被打穿的肠子发炎，根据随行的医生的看法，定会夺去他的生命。但是到了第七天，他高兴地吃了一块面包，喝了茶，这时医生发现，他的烧退了一些。安德烈公爵早晨恢复了知觉。在离开莫斯科后的第一夜，天气相当暖和，于是安德烈公爵被留在马车里过夜；但是到了梅季希村，他主动要求把他从马车里抬出来，并且给他茶喝。在抬进屋时，他痛得大声呻吟起来，又失去了知觉。他被安置到行军床上后，闭上眼睛一动不动地躺了很久。然后他睁开眼睛，低声地问："茶呢？"这种记得住生活细节的能力，使医生大为惊讶。他摸了摸脉，惊奇而又不满地发现，脉搏变得比较正常了。医生发现这一点时之所以感到不满，是因为他根据经验断定安德烈公爵不可能活下去，即使他现在不死，那么他将过一段时间更加痛苦地死去。与安德烈公爵一起走的，有他的团里的少校红鼻子季莫欣，这个军官也在波罗金诺会战中腿部负伤，是在莫斯科与他会合的。与他们同行的有一个医生、安德烈公爵的仆人和他的车夫以及两个勤务兵。

给安德烈公爵端来了茶。他贪婪地喝着，一双发烧的眼睛看着自己前面的门，仿佛想要弄明白和想起什么似的。

"不要了。季莫欣在这里吗？"他问。季莫欣沿着长凳爬到他跟前。

"我在这里，公爵大人。"

"伤口怎么样？"

"我的？没有什么。您怎么样？"安德烈公爵又沉思起来，仿佛在回想什么似的。

"能不能找到一本书？"他说。

"什么书?"

"《福音书》!我没有。"

医生答应找一本来,接着开始询问公爵感觉如何。安德烈公爵不大乐意地,但清楚地回答了医生的所有问题,然后说他需要垫一个靠垫,不然很不舒服和很痛。医生和仆人掀起盖在他身上的军大衣,一闻到他伤口散发的腐肉的臭味便皱起了眉头,两人开始察看那个可怕的地方。医生对伤口的情况仍不满意,重新做了另一种方式的处理,把伤员翻过身来,使得他又呻吟起来,在翻身时痛得又失去了知觉,并且说起胡话来。他一直说着,要求快点把那本书找来,把它垫在身体底下。

"这费你们什么事呢!"他说,"我没有这本书——请给我找一本吧,在我身体底下垫一会儿。"他可怜巴巴地说。

医生到门廊里去洗手。

"唉,你们这些人真没有良心,"医生对给他倒水淋手的仆人说,"我仅仅只有一分钟没有照看好,你们就让他直接压住伤口躺着。要知道这是很痛的,我对他能忍得住,简直感到惊讶。"

"耶稣基督在上,我们好像垫了什么东西。"仆人说。

安德烈公爵第一次明白了他在什么地方和他发生了什么事,想起了他受了伤,想起了马车在梅季希村停下时曾请求把他抬进屋里来。后来他又痛得头脑不清了,在喝茶时才又一次清醒过来,这时再次想起了他经历过的所有的事,记得最清楚的是在包扎站的那个时刻,当时他看到那个他不喜欢的人在受苦,产生了这些预示他将得到幸福的新想法。虽然这些想法还比较模糊和不明确,但是现在又充满了他的心。他想到现在他有了新的幸福,这幸福与《福音书》有着某种共同的东西。他要《福音书》正是由于这个原因。接着压住伤口的不合适的姿势和再次给他翻身的动作又使他的思想紊乱起来,他第三次醒过来时已是寂静的深夜了。他周围的人都睡了。蛐蛐的叫声通过门廊传过来,外面有人在叫喊和唱歌,蟑螂在桌子上和圣像上乱爬,簌簌作响,一只秋天的大苍蝇在他的床头和他身旁已结了烛花的脂油蜡烛附近飞来撞去。

他的心灵处于不正常状态。健康的人通常同一时间思考、感觉和回忆无数的事物,但是有能力选择一个系列的思想和现象,并把全部注意力放在这个系列的现象上面。健康的人在进行深入的思考时可以暂时打断,以便给进门来的人说句客气话,然后再回到原先的思想上来。就这一点来说,安德烈公爵的心灵不处于正常状态。他的心灵的全部力量比任何时候都要活跃和清楚,但是它们不受他的意志的支配。各种各样的思想和观念同一时间充满着他的心。有时他的一个想法突然活跃起来,而且非常有力、清楚和深刻,而在健康状态下从来不可能这样;但是到了中途突然中断了,为另一个突如其来的念头所取代,而无力回到原先的想法上去。

"是的,我面前展现出了一种与人不可分割的新的幸福。"他躺在半明半暗的静悄悄的农舍里想道,他的那双激动地睁得大大的眼睛一动不动地看着前方。"这是一种不受物质力量控制、没有外部物质力量对人的影响的幸福,是一种只是心灵的幸福,爱情的幸福!任何一个人都能了解它,但是只有上帝才能认清和规定它。然而上帝是如何规定这法则的呢?为什么儿子?……"突然这个思路断了,于是安德烈公爵听见(不知道这是一种幻觉，还是真的听见了）一个轻轻的低语声在不停地有节奏地反复说"咕叽——咕叽——咕叽"，接着是"叽——叽"，然后又是"咕叽——咕叽——咕叽"，在这之后又是"叽——叽"。与此同时，在这悦耳的低语声中，安德烈公爵觉得在他的脸的上方，在正中间，正在用细针或薄木片建造一座奇怪的空中楼阁。他感觉到他需要努力保持平衡（虽然他这样做很困难），使得正在建造的楼阁不坍下来；但是它还是坍了下来，然后又在均匀而悦耳的低语声中重新建造起来。"上升着！上升着！伸展开来，不断在升高。"安德烈公爵自言自语地说。在倾听低语声和感觉到这细针建造的楼阁不断升高的同时，安德烈公爵间或看见蜡烛的一圈红光，听见蟑螂的簌簌声以及一只撞击着枕头和他的脸的苍蝇的嗡嗡声。每当苍蝇接触他的脸时，他都有一种灼热的感觉；但是与此同时，苍蝇正好撞击在他脸的上方建造的楼阁上而没有破坏它，又使他感到惊奇。除此之外，还有一个重要的东西。这是门旁的一件白色的东西，很像斯芬克斯狮身人面像，它也使他觉得压抑。

"也许这是我的一件放在桌子上的衬衣，"安德烈公爵想道，"而这是我的两条腿，那是门；但是为什么总是向上升，发出咕叽——咕叽——咕叽和叽——叽——叽的声音……"——"够了，请停止吧，别烦人了。"安德烈公爵心里吃力地央求着什么人。突然那个想法和感觉又非常清楚和有力地浮现出来。

"是的，这是爱情（他又十分清楚地想道），但是这不是那种为了某种东西、为了某种目的或由于某种原因而爱的爱情，而是那种我在快要死时看见自己的敌人，可是仍然爱上了他的情况下第一次体验到的爱情。我体验到的这种爱情,是心灵的本质,它不需要对象。我现在仍体验到这种幸福的感觉。爱他人,爱自己的敌人。爱一切——爱上帝的所有体现。爱一个亲爱的人可以用人间的爱情;但是爱敌人却只可用上帝之爱。当我觉得我爱那个人时,我因此而体验到了极大的喜悦。他怎么样了?他是否还活着……用人间的爱情去爱,可以由爱情变为仇恨;但是上帝之爱是不会改变的。无论什么东西,不管是死亡也好,都不能破坏它。它是心灵的本质。而我这一生中仇恨过那么多的人。而在所有的人当中,我爱她和恨她甚于任何人。"于是他生动地回想起了娜塔莎,但是不像以前那样只想到使他欢愉的可爱之处;第一次想到了她的心灵。于是他理解了她的感情,她的痛苦、羞惭和悔悟。他现在第一次明白了他不理睬她是多么不近人情,看到了他与她决裂是多么的残忍。"我要是能再见她一次就好了。只要一次,看着她的眼睛说……"

咕叽——咕叽——咕叽,叽叽,咕叽——咕叽——砰的一声,苍蝇撞了一下……他的注意力突然转移到了发生了某种特殊的事的另一个现实的和幻觉的世界。在这个世界里楼阁还在那里建造着而没有毁掉,有一种什么东西还那样伸展着,点着的蜡烛还那样带着一圈红光,那件像斯芬克斯的衬衣还放在门旁;但是除了这一切之外,还有什么东西咯吱响了一声,吹进来一阵冷爽的风,一个立着的新的斯芬克斯出现在门前。这斯芬克斯像他刚才想到的娜塔莎那样,脸是苍白的,一双眼睛闪闪发亮。

"啊,这连续不断的幻觉真是难受!"安德烈公爵想,力图把这张脸从自己的脑子里驱除掉。但是这张脸却非常真实地摆在他面前,而且不断地靠近。安德烈公爵想要回到刚才的纯粹进行思考的世界去,但是做不到,幻觉把他吸引了过去。低语声还在有节奏地继续着,有什么东西挤压过来,伸展着,只见这张奇怪的脸到了他的面前。安德烈公爵集中全部力量要想清醒过来;他动了动,突然他耳朵里嗡嗡响了起来,两眼发黑,于是他像沉入水中的人一样失去了知觉。等到他苏醒过来时,娜塔莎,那个实际存在的娜塔莎,那个在世界上所有的人当中他最希望用他刚领悟到的新的、纯洁的上帝之爱来爱的娜塔莎跪在他面前。他明白这是那个实际存在的、真正的娜塔莎,并不感到惊讶,他很高兴而又显得平静。娜塔莎跪在地上,惊恐地盯住他(她不能挪动一下),竭力忍住不哭出来。她的脸很苍白,神情麻木。只有脸的下部在颤动。

安德烈公爵仿佛轻松地喘了口气,笑了笑,伸出了一只手。

"是您?"他说,"多么幸福啊!"

娜塔莎双膝着地用小心的动作很快挪到了他跟前,小心地抓住他的手,朝它低下头,嘴唇轻轻地碰着它,吻了起来。

"请原谅!"她抬起头,注视着他,低声说,"原谅我!"

"我爱您。"安德烈公爵说。

"请原谅……"

"原谅什么?"安德烈公爵问。

"原谅我做的事。"娜塔莎用勉强能听得见的声音断断续续地说,继续轻轻地吻他的手,吻的次数更多了。

"我比以前更加爱你,更知道怎么爱你了。"安德烈公爵说,用手托起她的头,以便能看着她的眼睛。

这双饱含着幸福的泪水的眼睛怯生生地、同情地、高兴而又深情地望着他。娜塔莎嘴唇浮肿，她的瘦削而又苍白的脸十分难看，显得很可怕。但是安德烈公爵没有看见这张脸，他只看见喜气洋洋的眼睛，这双眼睛显得非常美。这时从他们背后传来了说话声。

完全睡醒了的仆人彼得叫醒了医生。因腿部疼痛一直没有睡着的季莫欣早就看见了发生的一切，竭力用被单盖住没有穿衣服的身体，在长凳上缩成一团。

"这是怎么回事？"医生从他睡的地方欠起身来说，"请您走吧，小姐。"

这时忽然想起女儿的伯爵夫人派一个女仆来敲门。

娜塔莎像一个在睡梦中被人吵醒的梦游症患者一样出了房间，回到了自己屋里，失声痛哭着倒在自己的铺上。

从这一天起，在罗斯托夫家此后的整个旅途中，在每一次停下来休息和宿夜时，娜塔莎都没有离开受伤的鲍尔康斯基，医生只好承认，他未曾料到这姑娘如此坚强，如此善于照看伤员。

不管伯爵夫人一想起安德烈公爵可能在路上死在她的女儿的怀里（根据医生所言，这是很可能的）觉得如何可怕，她还是无法反对娜塔莎这样做。由于现在受伤的安德烈公爵和娜塔莎已变得非常亲近，自然会有人想到如果安德烈公爵康复，这对未婚夫妻的关系会得到恢复，虽然如此，谁也没有提起这一点，娜塔莎和安德烈公爵更是如此，因为不仅对鲍尔康斯基个人来说，而且对整个俄国来说，生死存亡问题都还没有解决，这个问题压倒了所有其他的推测。

三十三

九月三日皮埃尔醒得很晚。他头痛，因为睡觉时穿着衣服，身上感到很不舒服，而心里模糊地意识到他头天做的事有些丢人；这丢人的事就是昨天同朗巴尔上尉的谈话。

时针指着十一点，但是外面仿佛特别阴暗。皮埃尔起了床，擦了擦眼睛，看见了格拉西姆重新放回桌上的枪柄雕花的手枪，想起了他在什么地方，今天应当干什么。

"我是不是要迟到了？"皮埃尔想，"不，大概他进莫斯科不早于十二点。"皮埃尔没有让自己多考虑要做的事，而是急于赶快行动起来。

皮埃尔整了整身上的衣服，拿起手枪，就准备要走。但是这时他第一次想起，他在街上走时总不能把这武器拿在手里，该想个带的办法。甚至在宽大的长衫里也很难藏住这支大手枪。插在腰里和夹在腋下都不能使人看不出来。此外，装上的子弹已经发射了，而皮埃尔还没有来得及重新装上。"用匕首也一样。"皮埃尔对自己说，虽然他在考虑如何实现自己的意图时，曾不止一次地暗自认为，一八〇九年那个大学生的主要错误正在于他想用匕首刺死拿破仑。但是似乎皮埃尔的主要目的不在于真正实现自己决定要做的事，而在于向自己表明没有放弃自己的意图，而要尽一切努力实现它，于是他匆匆忙忙地拿起那把在苏哈列夫塔楼附近同手枪一起购买的套着绿色刀鞘的有缺口的钝匕首，藏到背心里面。

皮埃尔在长衫外束上腰带,把帽子拉得低低的,竭力不弄出响声和避免碰到上尉,经过走廊到了外面。

昨晚的那场他曾表示漠不关心的大火,经过一夜火势大大地增强了。莫斯科已经四面八方都在燃烧。同时起火的有车市、莫斯科河南岸区、外国商场、波瓦尔街、莫斯科河上的驳船以及多罗戈米洛沃桥附近的木柴商场。

皮埃尔经过几条小巷到了波瓦尔街,从那里去阿尔巴特街,朝显灵的尼哥拉礼拜堂走去,他脑子里早就确定要在靠近这里的一个地方做他要做的事。他看到大部分房子的大门紧锁着,百叶窗关着。大街小巷都空荡荡的。空气中散发着焦味和烟味。不时可以碰见神情不安和胆怯的俄国人,也可碰见在街中心走的法国人,他们的模样不像城市居民而像过野营生活的人。俄国人和法国人都以惊奇的目光看着皮埃尔。俄国人之所以注视着皮埃尔,除了因为他身材高大和肥胖以及脸上和全身有一种阴沉的神情专注和痛苦的表情外,还因为不明白这个人属于哪个阶层。而法国人之所以惊奇地目送着他,特别是因为皮埃尔与所有惊恐或好奇地看着法国人的其他俄国人相反,对他们丝毫也不注意。在一座房子的大门口,三个法国人正在对不懂他们的话的俄国人讲解着什么,他们拦住皮埃尔,问他懂不懂法语。

皮埃尔摇摇头表示否定,继续朝前走。在一个小巷里,站在一个绿色弹药箱旁边的哨兵朝他喊了一声,皮埃尔在听见哨兵又一声威严的叫喊和端起枪的声音时,才明白他应当从街道的另一边绕过去。他对周围的一切既听不见,也看不见。他心里像怀着一种可怕的和生疏的东西一样怀着自己的意图，匆匆忙忙和慌慌张张地走着，担心——由于有了昨天的经验——随随便便地放弃它。但是皮埃尔注定不能把这种情绪整个地保持下来，直到他要去的地方。此外，即使他在路上没有被任何事情耽搁，他的意图也无法实现，因为拿破仑在四个多小时前已从多罗戈米洛沃门外经过阿尔巴特街到了克里姆林宫，现在他心情很坏，正坐在克里姆林宫沙皇的办公室里，发布着各种详尽的命令，要求立即采取措施扑灭大火、防止抢劫和安抚居民。但是皮埃尔并不知道这些；他一心想着眼前要做的事，像固执地要做无法做到的事的人那样感到非常苦恼——这事无法做到，不是因为有困难，而是因为做这样的事不合他的天性；他非常担心在决定性的时刻变得软弱起来，从而失去自尊。

他虽然看不见和听不见周围的一切，但是凭本能猜着了该走的路，没有走错通往波瓦尔街的小巷。

皮埃尔在逐步走近波瓦尔街时，看见烟雾愈来愈浓，甚至觉得大火使得空气都变热了。有时从有些房子的房顶上冒出了火舌。街上碰到的人变得多了起来，这些人都惶惶不安。皮埃尔感觉到他周围正在发生不寻常的事，但并不明白他正在朝大火走去。他在经过一边挨着波瓦尔街，另一边挨着格鲁津斯基公爵府第的花园的一大片没有盖房子的地方的一条小道时，突然听见自己身旁一个女人绝望的哭声。他停住了脚步，仿佛从梦中醒来一样，抬起了头。

在小路的一边，在落满尘土的枯草上乱放着一堆家用什物：羽毛褥子、茶炊、圣像和箱子。在箱子旁边的地上坐着一个瘦瘦的已不年轻的女人,她长长的上牙向外暴出,身穿一件黑色宽大斗篷式女外衣,头戴黑色包发帽。这个女人摇晃着身体,嘴里念叨着什么,拼命地哭着。两个十岁到十二岁的女孩身穿肮脏的短连衣裙和短外衣,脸色苍白,带着惊恐和困惑的表情看着母亲。一个穿着厚呢长外衣和戴着别人的大帽子的七八岁的小男孩在老保姆的怀里哭着。一个光脚的脏乎乎的女仆坐在箱子上散开淡白色的辫子,一面扯着烧焦的头发,一面闻着。女人的丈夫身材不高,背有点驼,身穿文官制服,留着轮形的络腮胡子,从戴得端端正正的便帽下露出平整的鬓角,他正脸上毫无表情地搬动一只摞一只的箱子,从里面拿出一些衣服来。

那女人一看见皮埃尔,几乎扑倒在他脚下。

"我的老天爷,正教徒们,救救我们吧,帮帮忙吧,亲爱的!……来帮帮我们吧!"她一面哭喊着,一面说道,"一个女孩子!……女儿!……我的小女儿留在里面了!……烧死了!噢——噢——噢!我养你疼你,到头来……噢——噢——噢!"

"别这样,玛丽亚·尼古拉耶夫娜。"丈夫低声地劝妻子,显然只是为了在旁人面前替自己辩护。"想必是妹妹把她带走了,要不还会到哪里去呢?"他又说了一句。

"木头人,恶棍!"女人突然停止哭泣,愤怒地喊叫起来。"你没有心肝,不爱惜自己的孩子。要是换一个人,会从火里把她救出来的。而这是一个木头人,不是人,不配当父亲。啊,您是一个好人。"女人抽泣着又急又快地对皮埃尔说,"隔壁的房子着了火——火焰立即扑向我们。女仆喊叫起来:着火了!我们就跑去收拾东西。就穿着这身衣服逃了出来……这就是抢出来的东西……抢出了十字架和圣像,还有陪嫁的床,别的全都完了。救孩子时,发现卡捷奇卡不见了。啊,上帝啊!噢——噢——噢!"她又哭了起来,"我的可爱的孩子,烧死了!烧死了!"

"她究竟,究竟留在哪里了?"皮埃尔问。女人从他脸上激动的表情看出,这个人能帮她的忙。

"好人!再生父母!"她抱住他的腿喊叫起来,"恩人,我这就放心了……阿尼斯卡,讨厌的东西,领这位恩人去。"她朝女仆吆喝了一声,生气地张大嘴,这使得她的长牙更加暴露出来了。

"领我去,领我去,我……我……我一定办到。"皮埃尔急忙喘着气说。

脏乎乎的女仆从箱子后面出来,理了理辫子,叹了口气,迈开两只宽大的光脚沿着小路朝前走去。皮埃尔仿佛在完全昏过去后突然醒过来一样。他把头抬得更高,他的眼睛开始闪耀着生命之光,他快步跟着女仆走,赶到她前面,到了波瓦尔街。整条街弥漫着一片黑烟。在某些地方,从黑烟中不断冒出火舌来。一大群人聚集在火场的前面。街中心站着一个法国将军,他正在对他周围的人说着什么。皮埃尔和女仆一起本来要走到将军站的地方去,但是法国士兵拦住了他。

"这里不准通行。"一个士兵对他喊道。

"走这里,大叔!"女仆说,"我们走小巷,从尼库林街走。"

皮埃尔转身往回走,不时地蹦跳几步,以便跟上女仆。女仆跑过一条街,向左拐进一条小巷,过了三座房子,向右拐进了一扇大门。

"这就到了。"女仆说,她跑过院子,打开木板围墙上的便门,停住脚步,把一座正在熊熊燃烧的不大的木头厢房指给皮埃尔看。厢房的一边坍了,另一边还在燃烧,炽烈的火焰不断从窗洞里和房顶下蹿出来。

皮埃尔进了便门,一股热气朝他扑来,他不由得停住了。

"你们的房子是哪一座?哪一座?"他问。

"啊——呦!"女仆指着厢房哭喊起来,"就是这一座,这就是我们的住处。烧死了,我的小宝贝卡捷奇卡,我的心爱的小姐,啊——呦!"阿尼斯卡看见熊熊大火,觉得也需要表示一下自己的感情,放声大哭起来。

皮埃尔朝厢房过去,但是火势很猛,因此他不由自主地只绕着厢房转了半圈,来到了一座大房子旁边,这座房子还只有一边的房顶着火,在它附近挤满了法国人。皮埃尔开头不明白这些拖着东西的法国人去干什么;但是当他看见面前的一个法国人用一把很钝的短剑砍一个农民,夺他的狐皮大衣后,才模糊地感到这里在进行抢劫,不过他没有时间想这些。

坍塌的墙壁和天花板发出噼啪声和轰隆声,火焰呼呼地吼叫着,人们激动地叫喊着,滚动不定的烟时而变得又浓又黑,时而发亮,夹着火星像白云一样升起,而火焰有的地方连成一片,像一束红色的干草,有的地方像金黄色的鱼鳞在墙上移动,热气和烟雾扑面,人们急速地走动着——这一切对皮埃尔起了通常火灾所起的刺激作用。这种作用在皮埃尔身上之所以表现得非常强烈,是因为皮埃尔突然见到这火灾后,觉得自己一下子摆脱了那些使他苦恼的想法。他感到自己年轻、快活、动作灵活和坚决。他从大房子的一边绕着厢房跑,想跑到它的那个还没有倒塌的部分去,这时在他的头顶响起了几个人的喊声,接着听见咔嚓声和落到他的身旁的重物的叮当声。

皮埃尔回头一看,看见几个法国人从房子的窗户里往外扔一个装着一些金属物品的五斗橱抽屉。站在下面的另一些法国士兵走到了抽屉旁边。

"怎么,你这家伙要干什么?"一个法国人朝皮埃尔喊道。

"一个小孩在这房子里。你们看见一个小孩了吗?"皮埃尔说。

"这家伙还在啰唆什么?滚你的吧。"只听得几个人这样说,一个士兵看来担心皮埃尔会拿走他们放在抽屉里的银器和铜器,便摆出一副吓唬人的样子朝他走过来。

"一个小孩?"一个法国人从楼上喊道,"我听见花园里有尖着嗓子啼哭的声音。这也许是他的孩子。总得讲点人道。我们都是人嘛……"

"孩子在哪儿?孩子在哪儿?"皮埃尔问。

"在这儿,在这儿!"窗户里的法国人指着房子后面的花园,朝他喊道,"等一等,我这就下来。"

确实,过了一分钟,那个法国人从底层的窗台上跳了下来,这是一个黑眼睛、腮帮子上长着一个斑点的小伙子,只穿着一件衬衣,他拍了拍皮埃尔的肩膀,和他一起朝花园跑去。

"喂,你们快点,"他对自己的同伴喊道,"火就要烤着人了。"

法国人跑到房后铺着沙子的小路,拉了一下皮埃尔的手,给他指了指一个圆形场地。在长凳下面躺着一个穿粉红色衣服的三岁女孩。

"这就是您找的孩子。是一个女孩,那就更好了。"法国人说,

"再见,胖子。总得讲点人道。大家都是人嘛。"说完,这个腮帮子上有斑点的法国人就跑回自己的同伴那里去了。

皮埃尔高兴得喘不过气来,他跑到女孩身边,想把她抱起来。但是这个患有瘰疬病、很像她母亲、样子不讨人喜欢的女孩一看见陌生人就喊叫起来,拔腿就跑。然而皮埃尔抓住了她,把她抱了起来;她凶狠地拼命尖叫,想用她的小手扳开皮埃尔的手臂,并用流着鼻涕口水的小嘴乱咬。皮埃尔顿时觉得可怕和厌恶,这感觉就像接触到一个小动物时的感觉一样。但是他努力控制自己,不让自己扔下这孩子,抱着她跑回大房子来。但是已无法从原路回去;女仆阿尼斯卡已不在了,于是皮埃尔怀着怜悯和厌恶的感情,尽可能亲热地搂住这个痛苦地抽泣着的、满脸眼泪鼻涕的女孩,经过花园跑去寻找另一个出口。

三十四

当皮埃尔抱着女孩绕过几个院子和几条小巷回到波瓦尔街拐角上的格鲁津斯基家的花园时,他没有一下子认出刚才离开的地方:这里挤满了人,堆满了从各家各户搬出来的家用什物。除了从大火里逃出来的好几户俄国人和他们的财产外,这里还有穿着各种服装的法国士兵。皮埃尔没有注意他们。他忙于找那个文官的一家人,好把女儿交给母亲,再去救人。皮埃尔觉得,他还可以做很多事,而且需要赶快去做。他被热气熏得和跑得满脸通红,这时更强烈地感觉到了刚才跑去救孩子时充满他全身的那种青春活力和决心。女孩现在不闹了,她用小手抓住皮埃尔的长衫,坐在他的手臂上,像一只小野兽似的朝自己的周围张望。皮埃尔有时看一看她,微微地一笑。他觉得他在这张惊恐的和病态的小脸上看见了某种天使般动人的和天真无邪的东西。

那个文官和他的妻子已不在原来的地方了。皮埃尔快步在人群中走着,注视着他面前出现的不同的面孔。他不由自主地注意到了一个格鲁吉亚的或是亚美尼亚的家庭,这一家有一个具有东方人脸型、穿着一件吊面的新皮袄和一双新靴子的相貌堂堂的老头,一个同样脸型的老妇,还有一个年轻的女人。皮埃尔觉得这个非常年轻的女人是一个绝色的东方美人,她的弯弯的黑眉毛线条分明,她的那张异常柔嫩红润、没有任何表情的长脸很漂亮。她穿着华丽的缎子外衣、裹着鲜艳的紫色头巾置身于到处乱放的家用什物和广场上的人群中间,就如一棵被抛到雪地上的娇嫩的温室植物。她坐在老妇后面的包袱上,一双又黑又大、睫毛很长的椭圆形的眼睛一动不动地望着地面。看样子她知道自己很美,并为此而担心。她的这张脸使皮埃尔感到非常惊讶,他虽忙着去干事,但在经过围墙时几次回头看她。到了围墙边后,他仍没有找到他要找的人,便停住了脚步,环视着四周。

抱着孩子的皮埃尔的样子比刚才更引人注目,在他身旁聚集了几个俄国男人和女人。

"是不是丢了什么人,亲爱的?您是贵族吧?这是谁的孩子?"人们问他。

皮埃尔回答说,这女孩是一个刚才带着孩子坐在这里的穿黑色宽大斗篷式外衣的女人的,他问是否有人认识她,她上哪里去了。

"这想必是安费罗夫家的。"一个老助祭对一个麻脸的女人说。"上帝保佑,上帝保佑。"他用习惯的低音加了一句。

"怎么会是安费罗夫家的!"那女人说,"安费罗夫家早上就走了。这要么是玛丽亚·尼古拉耶夫娜家的,要么是伊万诺夫家的。"

"他说的是一个普通女人,而玛丽亚·尼古拉耶夫娜是一位太太。"一个家奴说。

"你们想必认识她,牙齿很长,人很瘦。"皮埃尔说。

"就是玛丽亚·尼古拉耶夫娜。这些豺狼跑过来时,他们到花园里去了。"那女人指着法国士兵说。

"啊,上帝保佑。"助祭又说了一句。

"您就朝那边走,他们在那里。就是她。一直很伤心,哭个不停。"那女人又说,"就是她。朝这边走。"

但是皮埃尔没有听那女人说话。他已有几秒钟目不转睛地看着离他几步远的地方发生的事。他看着那一家亚美尼亚人和走到他们跟前的两个法国士兵。其中的一个士兵是个喜欢调皮捣蛋的小个子,穿着一件蓝色军大衣,腰间系着一根绳子。他头上戴着一顶高筒帽,光着脚。另一个使皮埃尔特别惊讶,他身体瘦长,背有点驼,长着一头浅色头发,动作迟缓,从他脸上的表情来看像个白痴。这个人身上穿着面绒粗毛呢外衣和蓝裤子,脚上穿着一双又大又破的高筒皮靴。那个穿着蓝色军大衣、光着脚的士兵走到亚美尼亚人跟前,说了句什么话,立即抓住老头的腿,于是老头马上开始脱靴子。而那个穿面绒粗毛呢外衣的士兵在漂亮的亚美尼亚女人对面站住,两手插在衣兜里,默默地、一动不动地望着她。

"把孩子接过去,接过去。"皮埃尔一面把女孩递给麻脸的女人,一面用命令的口气急忙对她说,"请你交给他们,交给他们!"他几乎对这女人喊叫起来,把哭喊起来的女孩放到地上,又朝两个法国人和亚美尼亚人看了一眼。老头已光着脚坐在那里。矮小的法国人从他脚上脱下另一只靴子后,正在拿两只靴子相互拍打着。老头抽泣着说了句什么,但皮埃尔只是匆匆看了一眼;他的全部注意力集中在那个穿面绒粗毛呢外衣的法国人身上,看见这个法国人这时慢慢地摇晃着身体朝年轻的女人走过去,从衣兜里掏出手,抓住她的脖子。

那个漂亮的亚美尼亚女人垂下长长的睫毛,继续像刚才那样一动不动地坐着,仿佛没有看见和没有感觉到法国兵怎样对待她似的。

当皮埃尔朝几步外的法国人跑去时,那个瘦长的穿面绒粗毛呢外衣的抢劫者正在扯亚美尼亚女人脖子上的项链,而那个女人两手护着脖子,尖声叫起来。

"放开这个女人!"狂怒的皮埃尔声音嘶哑地喊道,抓住那个瘦长的、背有点驼的上兵的肩膀,把他摔了出去。那士兵倒下了,很快爬起来,跑开了。但是他的同伴扔下皮靴,拔出一把短剑,摆出威吓的样子朝皮埃尔逼过来。

"喂!别胡闹!"他喊道。

皮埃尔处于狂怒之中,他忘记了一切,力气增大了十倍。他在光脚的法国人拔出短剑前就朝他扑过去,把他摔倒,用拳头捶他。周围人群中响起了一片赞许声,与此同时,从拐角出来了一支枪骑兵的巡逻队。枪骑兵快步跑到皮埃尔和法国人面前,把他们围了起来。以后发生的事皮埃尔什么也不记得了。他只记得他揍一个人,也挨了揍,最后他觉得他的手被捆住了,一群法国士兵站在他周围,正在搜他的身。

"中尉,他有一把匕首。"这是皮埃尔听明白的第一句话。

"啊,带着武器!"军官说,朝那个与皮埃尔一起被抓的光脚士兵转过身来。

"好,好,你到军事法庭上去说清楚。"军官说。在这之后他又转身问皮埃尔:"您会说法语吗?"

皮埃尔用充血的眼睛朝自己四周看看,没有回答。大概他的脸色很可怕,因为军官低声说了些什么,于是又有四个枪骑兵离开队伍,站到皮埃尔两旁。

"您会说法语吗?"军官远远离开他,又把问题对他重复了一遍。"把翻译叫来。"从队伍里出来了一个穿俄国便服的矮小的人。皮埃尔根据他的衣服和他说的话,马上就认出这是莫斯科一家商店的法国人。

"他不像普通老百姓。"翻译打量了一下皮埃尔说。

"噢,噢!他很像一个纵火犯。"军官说,"您问他是什么人。"他加了一句。

"你是干什么的?"翻译问,"你应当回答长官的问题。"他又说。

"我不告诉你们我是什么人。我被俘了。把我带走吧。"皮埃尔突然用法语说。

"啊,啊!"军官皱起眉头说,"开步走!"

在枪骑兵附近聚集了一群人。抱着女孩的麻脸女人离皮埃尔最近;当巡逻队要走时,她朝前挪了几步。

"他们要把你带到哪里去,我的亲爱的?"她说,"这女孩如果不是他们的,我把她往哪里送呀!"她又说。

"这个女人要干什么?"军官问。

皮埃尔好像喝醉了酒一样。当他看见他救的那个女孩时,更加兴奋了。

"她说什么吗?"他说,"她抱着我从火里救出来的我的女儿。"他又说,"再见了!"他自己也不知道怎么会冒出这句假话来,说完后迈着坚定而庄重的步伐在法国人中间朝前走。

这些法国枪骑兵是奉迪罗内尔[①]之命派到莫斯科各条街道的巡逻队之一,他们的任务是制止抢劫,尤其是捉拿纵火犯,因为根据这一天法国高级将领发表的共同看法,火就是这些人放的。这个巡逻队巡逻了几条街,又抓了五六个俄国嫌疑犯、一个小店主、两个神学校学生、一个农民、一个家奴和几个抢劫犯。但是在所有嫌疑犯当中皮埃尔被认为嫌疑最大。当所有这些人被带到祖博夫土城旁的一座设了拘留所的大房子过夜时,皮埃尔被安置在单人牢房里并有人严密看守。

---

① 迪罗内尔(一七七一至一八四九年),法军占领莫斯科期间的城防司令。